Christ/Rhetorik und Roman

DEUTSCHE STUDIEN
Begründet von Willi Flemming und Kurt Wagner†.
Herausgegeben von Willi Flemming und Walter Johannes Schröder
Band 31

Rhetorik und Roman

Untersuchungen zu Gottfrieds von Straßburg ‚Tristan und Isold'

Winfried Christ

1977

Verlag Anton Hain · Meisenheim am Glan

CIP-Kurztitelaufnahme der Deutschen Bibliothek

Christ, Winfried

Rhetorik und Roman: Unters. zu Gottfrieds von Strassburg Tristan u. Isold. – Meisenheim am Glan: Hain, 1977.

(Deutsche Studien; Bd. 31)

ISBN 3-445-01481-7

Herstellung: Hain-Druck KG, Meisenheim/Glan

Printed in Germany

ISBN 3-445-01481-7

Inhalt

1. Einführung in die Untersuchung

1.0. Vorbemerkung

Die Antworten, die eine Wissenschaft findet, hängen von ihren Fragen ab. Die Fragen leiten sich aus den stillen oder ausdrücklichen Grundannahmen her, von denen aus der Gegenstand in den Blick gerät. Wechseln die Grundannahmen, so bewegen sich Fragen und Antworten in neuen Dimensionen. In solcher Bewegung stellt sich Wissenschaft als Geschichte dar und erfahren Gegenstand und Interesse ihren wechselnden Begriff.

Die Literaturwissenschaft versucht gegenwärtig durch intensivierte poetologische, formgeschichtliche und allgemein methodologische Diskussion[1] ihren Gegenstandsbegriff zu überdenken und ihr Interesse neu zu bestimmen, nicht zuletzt auf Grund interdisziplinärer Anstöße aus der Methodendiskussion und Wissenschaftstheorie der Geistes- und Sozialwissenschaften[2]. Ihren augenblicklichen Standort kann sie im methodologischen Rückblick auf die Geschichte ihres wechselnden Interesses am literarischen Text gewinnen und so in der hermeneutischen Reflexion über vergangene philologische Rezeptionsweisen ihren eigenen geschichtlichen Fragehorizont entfalten[3].

Wenn wir in solcher Absicht die Konturen des Textbegriffs der Gottfried-Philologie zu zeichnen versuchen[4], so wollen wir

---

1 Stellvertretend für ein breites Spektrum der Diskussion verweise ich beispielsweise auf die Reihe 'Poetik und Hermeneutik', München 1964 ff.

2 Ich nenne exemplarisch die in dem Band: Hermeneutik und Ideologiekritik. Mit Beiträgen von Karl-Otto Apel u.a. Frankfurt 1971 (= Theorie-Diskussion) repräsentierte Diskussion im Anschluß an Hans-Georg Gadamer: Wahrheit und Methode. Grundzüge einer philosophischen Hermeneutik. Tübingen (2. Aufl.) 1965.

3 Methodische Formulierungen und Überlegungen hier und andernorts orientieren sich teilweise an der rezeptions- und wirkungspoetisch orientierten Methodenbesinnung bei Hans Robert Jauß und Wolfgang Iser. Vgl. dazu das Literaturverzeichnis.

4 Ein detaillierter Forschungsbericht ist nicht beabsichtigt. Vergröbernde Verallgemeinerungen beim Ziehen der grundsätzlichen wissenschaftsgeschichtlichen Linien können angesichts der Quantität und der Divergenzen der Literatur nicht ausgeschlossen werden. Das Vorgehen ist auch nicht streng chronologisch, sondern faßt methodische Tendenzen zusammen.

unsere eigenen Ansätze allmählich gegen frühere abheben und dabei deutlich werden lassen, daß wir nicht auf traditionelle Fragen neue Antworten versuchen wollen - so als sei der 'Tristan' ein "für sich bestehendes Objekt, das jedem Betrachter zu jeder Zeit den gleichen Anblick darbietet"[5] -, sondern daß wir von einem im Wandel der geschichtlichen Rezeption veränderten Begriff von Gottfrieds Verserzählung her neue Zugänge zu eröffnen versuchen.

1.1. Der Textbegriff der Gottfried-Philologie

Die Tendenz jüngerer Gottfried-Forschung, durch Bescheidung auf begrenzte Schritte[6] nach und nach die poetische Vielschichtigkeit der Erzählung von "Tristan und Isold"[7] besser in den Griff zu bekommen[8], kann als kritischer Reflex auf die Interpretationswege vorangegangener Gottfried-Philologie und ihre Ergebnisse verstanden werden. Die verschiedenen geistesgeschichtlichen Versuche, Gottfrieds Werk seinen historisch-ideologischen Ort zuzuweisen und auf diesem Wege über die 'ware meine' des Textes zu entscheiden[9], sind im Ganzen letztlich unbefriedigend geblieben: Teils antagonistisch in ihren Grundauffassungen geben sie selbst geradezu Zeugnis von der Widerständig-

---

5 Hans Robert Jauß: Literaturgeschichte als Provokation der Literaturwissenschaft. In: H.R. Jauß: Literaturgeschichte als Provokation. Frankfurt 1970,S. 171.

6 Peter Wapnewski artikuliert die Tendenz der Gottfried-Philologie in den sechziger Jahren: "Es mag sich empfehlen, angesichts des Ungenügens, das ausgeht von den großen Konzeptionen das Detail wieder in den Vordergrund zu rücken." (Tristans Abschied. In: Festschrift Jost Trier. Köln-Graz 1964, S. 337). - Bei Titeln, die auch im Literaturverzeichnis erscheinen, sind - wie hier - die bibliographischen Angaben gekürzt wiedergegeben.

7 Gottfried von Straßburg: Tristan und Isold. Hrsg. von Friedric Ranke. Zürich-Berlin (9. Aufl.) 1965.

8 Auf Studien wie die von Ingrid Hahn, Hans Fromm, Gerhard Schindele, Lore Peiffer oder Wiebke Freytag sei exemplarisch verwiesen.

9 Vgl. insgesondere die Darstellungen von Friedrich Ranke, Juliu Schwietering, Helmut de Boor, Bodo Mergell und Gottfried Weber

keit eines poetischen Textes, wenn er primär von wechselnden, ihm äußerlichen Bezugsfeldern her definiert wird[10], ohne daß dem eine Bestimmung der Funktionen seiner Momente aus dem pragmatischen Kontext und aus der Seinsweise fiktionalen Sprechens vorangeht. Die einseitige und totale Historisierung von Einzelmomenten führte zu ideengeschichtlichen Substraten[11], die den Text zu einem Führer in die intellektuelle Landschaft der Epoche verdinglichten. Die historisch spezifische Weise der poetischen Kommunikation in einer mittelalterlichen Verserzählung ist aber kaum kompatibel mit den abstrakten Elementen einer systematischen Ideengeschichte.

Der Umgang mit den thematischen Substanzen wie Minne, Gott oder Gesellschaft führte zu geistesgeschichtlichen Lokalisierungen des teils 'verbaliter', teils 'mystice' oder gar als verschleiert[12] gelesenen Textes und - im Zirkelverfahren - zur Deutung problematischer Stellen auf Grund solcher Ortsbestimmung. Diese unmittelbaren Zugriffe auf die 'Minneidee' und andere Gehalte haben an den vielfältigen Vermittlungsbezügen vorbeigesehen, die erst den Spielraum des Bedeutens in einem fiktionalen Text konditionieren. Als Klartext eines ideologischen Horizonts konnte dem Werk nur das "unlebendige Allgemeine" abgewonnen werden, das - ungeachtet seiner hermeneutischen Funktion[13] - doch nur als jenes "nackte Resultat" erscheint, von dem Hegel weiter sagt, es sei "der Leichnam, der die Tendenz hinter sich

---

10 Vgl. etwa die unterschiedlichen Bestimmungen der Minnegrotte: Als Tempel der Minneheiligen bei de Boor, als häretischer Dämonendom bei Weber, als Abbild des Salomopalastes mit dem 'lectulus Salomonis' bei Schwietering oder als Analogon zur Stiftshütte des Alten Testaments bei Friedrich Ohly.

11 Beispielsweise zu den religionsgeschichtlichen Charakterisierungen als Werk mit häretischem Weltbild, als Beispiel säkularisierter Mystik oder als minnebestimmtes Analogon zur christlichen Heiligenlegende.

12 Petrus W. Tax will beispielsweise durch Symbolinterpretationen, die mit dem Text höchst fragwürdig umgehen, die "tieferen Absichten Gottfrieds" (S. 18) aufdecken (Wort, Sinnbild, Zahl im Tristanroman. Berlin 1971 (2. Aufl.)).

13 Die religionsgeschichtliche Verständigung über das Werk in der Spanne zwischen Ulrich Stökle (1915) und Gottfried Weber (1953) ist Teil des Wirkungsgeschehens der Erzählung und bleibt als solcher notwendig ein Pol in der hermeneutischen Erfahrung des Textes.

gelassen (hat)"[14]. Als solche Tendenz aber wären die sich aus dem Produktions- und Rezeptionsraum des Werkes herleitenden und in es selbst eingegangenen Vermittlungsbewegungen in den Blick zu nehmen, etwa jenes Gefüge von literarischem Zweck, literarischen Mitteln und literarischer Wirkung, worin das Allgemeine als in seinem Vollzug aufgehoben sichtbar würde. Solange jedoch Gottfrieds Verserzählung der geistesgeschichtlichen Altgermanistik als "Zeugnis eigenständiger Metaphysik"[15] angelegen blieb, mußten ihre ambigen Strukturen einen nicht abschließbaren Forschungsstreit provozieren.

Die diese Lage begreifende und überwindende Kritik muß auf die methodologischen Voraussetzungen blicken[16], nach denen sich solches Textverständnis vollzogen hat. Stets wirksam war der organizistische Ganzheitsbegriff klassischer Ästhetik[17], dessen Axiom der Einheit von Gehalt und Kunstgestalt zumindest formal das Resultat des Interpretierens vorwegnahm. Der Gedanke, daß das literarische Kunstwerk, wenn es diesen Namen verdient, eine einheitliche gedankliche Konzeption habe, die die Darstellung in all ihren Momenten prägt, verband sich sodann leicht mit der Vorstellung von der weltbildlichen Natur literarischer Inhalte, die als poetische Kristallisationen des geistesgeschichtlichen Augenblicks einem genialen Subjekt entstammten. Von dieser supponierten Einheitlichkeit des Werkganzen her[18] suchte man auch den Text des 'Tristan' als das Gefüge Gottfriedscher Ontologie

---

14 G.W.F. Hegel im dritten Absatz seiner Vorrede zur 'Phänomenologie des Geistes'.

15 Hans Fromm: Zum gegenwärtigen Stand der Gottfriedforschung. In: DVjs 28 (1954) S. 137.

16 Diese sind selten in den Darstellungen selbst artikuliert, sondern lassen sich abstraktiv aus den Fragestellungen und Lösungswegen ermitteln.

17 Vgl. ähnliche Ausführungen bei Klaus Peter zur "Vorstellung des in sich geschlossenen Kunstwerks" in der Tristan-Philologie (Die Utopie des Glücks. Ein neuer Versuch über Gottfried von Straßburg. In: Euphorion 62 (1968) S. 327).

18 Tax trifft beispielsweise regelrecht die Vorentscheidung zu "ganzheitlicher ... Textinterpretation" (Wort, Sinnbild, Zahl. L. c. S. 180).

auf: Ob der Weg über die Denkform der Analogie zu symbolischer 'analogia entis' des Christlichen (Schwietering) oder zu analogieantithetischem existentiellem Bekenntnis (Weber) führte, stets war die Erwartung eines ganzheitlichen Kerns leitend, den es nur richtig zu bestimmen galt. Im Extrem konnte das zu Mergells harmonistischer Synthetik führen, die auch das offenkundig Fragmentarische noch dem Zwang solcher Ästhetik unterwarf[19].

Philologische Genauigkeit hat es aber stets auch schon mit den Aporien des 'Tristan' zu tun gehabt, die sich einer einsinnigen Bedeutungserschließung in den Weg stellten[20]. Dies erkennend forderte Fromm eine modifizierte Methode: "Auch eine exakte Analyse der Textstellen würde zu keinem einheitlichen Ergebnis gelangen, wenn man nicht Übereinstimmung darüber erzielen könnte, wie die zu interpretierenden Partien wertstufenmäßig anzuordnen seien"[21]. Die Möglichkeit über solch eine Hierarchie des Bedeutens die ideologische Substanz zu fassen, wurde genutzt, jedoch ohne daß man zum erforderlichen Konsensus gelangte.

Exemplarisch für solches Vorgehen ist z.B. die Diskussion um das Verhältnis von Prolog und Erzählung, von Exkursen und Handlung. War einmal festgestellt, daß diese Darstellungsschichten nicht in synchroner Kohärenz gefügt waren, wurden alternative Voten entwickelt: Während de Boor die Manifestation des Gehalts primär aus Prolog und Exkurs hervorgehen sah[22], warnte Ohly vor

---

19 Bodo Mergell: Tristan und Isolde. Ursprung und Entwicklung der Tristansage des Mittelalters. Mainz 1949.

20 Ganz entsprechend mußte auch die Werkinterpretation des Nibelungenliedes auf der Grundlage des organizistischen Ganzheitsbegriffs in Schwierigkeiten geraten. Ein durch sagengeschichtliche Kombinationen und zeittypische äußere und innere Umgestaltungen gestückeltes Werk kann nur schwer den Eindruck gewachsener, bedeutungsvoller Geschlossenheit erzielen. Neuerdings hat Walter Falk diese Problematik erörtert, ohne schließlich auf einen - allerdings differenzierten - Werkganzheitsbegriff verzichten zu müssen. (Das Nibelungenlied in seiner Epoche. Heidelberg 1974, besonders Kap. I und II). Vielleicht sollte man, gerade auch bei einem Fragment wie dem 'Tristan', am besten von der "Totalität" des Werkes sprechen, die sich aus seinen durchgängigen Prinzipien - die nicht nur auf der Ebene der Ideologie und Handlung liegen müssen - konstituieren; das ist etwas ganz anderes als organische Ganzheit.

21 Fromm: Gottfriedforschung. L.c. S. 123.

22 Helmut de Boor: Die höfische Literatur (= Geschichte der deutschen Literatur. Bd 2). München (7. Aufl.) 1966. S. 130.

solcher "Entwertung des dichterischen Handlungsablaufs"[23]. Auch bei solcher Schichtendifferenzierung blieb die gültige dichterische Idee Telos der Analyse, fraglich nur die Stelle, an der sie legitim aufgesucht werden konnte.

Strukturanalytische und formhistorische Studien der fünfziger und sechziger Jahre[24], die den geistesgeschichtlichen Ballast hintanstellten und den genuin literarischen Aspekten des Textes näherzurücken versuchten[25], präsentierten immer deutlicher den Mosaikcharakter des 'Tristan', seine Traditionsschichten, seine Kontrafakturen, seine binnenstrukturelle Komplexität.

Ein Teil dieser Arbeiten hat allerdings durchaus das geistesgeschichtliche Interesse bewahrt und die Frage nach dem Weltbild durch die Hintertür wieder eingeführt: Nachdem phänomenologische Sorgfalt die disparaten Strukturen herauspräpariert hatte, ist diese Formgestalt selbst schließlich als Mimesis des Zeitgeistes, als die Weise Gottfriedscher Welterfahrung hypostasiert worden, die - das geschlossene Weltbild höfischer Klassik schon verlassend - in eine spätmittelalterlich-nominalistische, renaissancehafte Zukunft weise. So wurde die Formanalyse zu einem zweiten Weg, den 'Tristan' als Dokument weltanschaulicher Natur festzumachen, indem man poetische Form und Weltbild unzulässig einander korrelierte. Gottfrieds künstlerische Gestaltung als Abbild seiner "Offenheit für die untergründig ambivalente Struktur alles Seienden" wird so zum historischen Zeugnis für ein vergleichsweise frühes Bewußtsein von der "Mehrdeutigkeit des Seins"[26].

---

23 Friedrich Ohly (Rez.): Maria Bindschedler: Gottfried von Straßburg und die höfische Ethik. In: AfdA 68 (1955/67) S. 1

24 Vgl. die innerhalb der Sachgebiete chronologische Dokumentati von Hans-Hugo Steinhoff (Bibliographie zu Gottfried von Stra burg. Berlin 1971).

25 Eckhard Wilke spricht vom "poetologisch relevanten Detail, vo dem aus die Erhellung der Werkstruktur versucht wird" (Der Mi netrank im Stilgefüge von Gottfrieds Tristan. In: Acta Germa ca 4 (1969) S. 17).

26 Ingrid Hahn: Raum und Landschaft in Gottfrieds Tristan. Münc 1963. S. 146 f. - Vgl. die bereits von Gerhard Schindele in b zug auf Ingrid Hahns Dissertation geäußerten Bedenken gegenüb einer "ideologischen Hypostasierung, die durch historische Sp zifizierung rasch zum Verschwinden gebracht würde." (Tristan. Metamorphose und Tradition. Stuttgart u.a. 1971 (= Studien zu Poetik und Geschichte der Literatur Band 12). S. 12).

Diese Stil- und Strukturanalysen haben jedoch insgesamt wichtige Beobachtungen erbracht. Beispielsweise wurde zunehmend sichtbar, daß bestimmte Begriffe in verschiedenen Kontexten Verschiedenes meinen[27]. Immer schon war das Schillernde und Spielerische der Sprache empfunden worden[28], aber als zunehmend deutlich wurde, daß die semantische Leistung der Sprache bei Gottfried absichtsvoll auf deren wechselnden Gebrauch abgestellt war, mußten die Versuche, Interpretationsnetze über den ganzen Text zu werfen, um Vers gegen Vers, Wort gegen Wort linear auszuspielen, grundsätzlich inadäquat erscheinen. Die buchstäbliche Textvernunft, die ein homogenes Sprach- und Sinngefüge voraussetzt, konnte offenbar nicht mehr zur Bedeutung des Ganzen führen.

Mit einer gewissen sachlichen Konsequenz entstand in dieser Lage, als der vieldeutige Text den ratioiden Blick, der sich gerne an einsinnigen Begriffen festmacht, oft ins Leere laufen ließ, ein starkes Interesse an Gottfrieds literarischem Selbstverständnis, wie es sich etwa im Prolog und insbesondere im Literaturexkurs zu dokumentieren scheint[29]. Statt Formprinzipien analytisch zu bestimmen, bot sich Gottfrieds Erzählform der "kommentierenden Deutung"[30] mit erheblicher auktorialer Präsenz geradezu an, das Räsonnement auf seine poetologische Aussagekraft hin zu prüfen[31].

---

27 Vgl. z.B. die bibliographischen Hinweise zur Ambivalenz des 'ere'-Begriffs im 'Tristan' bei Gisela Hollandt (Die Hauptgestalten in Gottfrieds Tristan. Berlin 1966. S. 158, Anm. 17).

28 Vgl. die einfühlsamen Stilskizzen, die ältere ideengeschichtliche Darstellungen in Reverenz vor dem Artisten Gottfried obligatorisch beifügen.

29 Allein 1967 erschienen fünf Studien, die sich alle mit dem Literaturexkurs beschäftigten (vgl. im Literaturverzeichnis bei Fromm, Hahn, Kolb, Schulze, Schwab) sowie 1968 und 1970 je eine (Wilke, Klein). Daneben stehen allerdings auch neue, aber wenig überzeugende Gesamtdeutungsversuche wie die von Petrus W. Tax (s. S. 6, Anm. 12) und von Klaus Peter (s. S. 7, Anm. 17). Während sich Tax obskurantistisch Gottfrieds eigentlicher Meinung in einer geheimen, nicht expliziten Symbolschicht versichern will, schwebt Peter mit epochenüberspannenden, soziologisch und gefühlsgeschichtlich orientierten Typologien weit über dem Text. Daran ändert auch seine Polemik gegen allzu pedantische Philologenakribie nichts.

30 Hahn: Raum und Landschaft. L.c. S. 147.

31 Das Interesse am auktorialen Medium, an Gottfried bzw. seiner Erzählerrolle als bedeutungskonstitutiver Faktoren der Erzählung führte alsbald auch zu dem am neuzeitlichen Roman ausgiebig explizierten Begriff der Erzählhaltung. Die Dissertationen

Ins Zentrum der Bedeutungsproblematik führten hier insbesondere Gottfrieds 'wort - sin' - Distinktionen, die Fromm mit der arbiträren 'vox - sermo' - Relation der Frühscholastik sowie der biblischen 'sensus' - Tradition ins Vernehmen zu setzen versuchte[32]. Ähnlich sieht Ingrid Hahn den 'wort - sin' - Zusammenhang als arbiträres Verhältnis, als Interpretationsbewegung 'ad placitum', die zugleich auf Gottfrieds poetische Verfahren verweist, der 'aventiure' über verschiedene "bedeutungsrelevante Gestaltungsmöglichkeiten"[33] ihren Sinn zuzuweisen[34].

Solche Gestaltungsschichten konnten exemplarisch in der den Literaturexkurs einrahmenden Schwertleitszene selbst beobachtet werden. Das sich dort komprimiert abzeichnende Verhältnis von Tradition und Innovation erfuhr verschieden akzentuierte Bewertung: Für den Musenanruf etwa steht Kolbs formgeschichtliche Bestimmung als christliche Überwindung des ersten, antikischen Tei durch den zweiten Teil nach dem Schema biblischer Typologie[35] einem ironischen Verständnis dieses Gebets gegenüber, das in ein verhüllt-arrogante Selbstdarstellung des autonomen Künstlers eingelagert sei[36].

In solchen und anderen Analysen ist ein Gottfried sichtbar geworden, der historische Vorgaben wie Allegorese, Typologie, rhetorische Topik und historische Metaphorik, antike Mythen, Sprachlogik und Literaturkritik souverän für seine spezifischen erzählerischen Absichten funktionalisiert hat. Die sich in dem skizzierten Rahmen abzeichnenden formgeschichtlichen und formtheretischen Ansätze[37] haben zugleich gegenüber einseitig ideenge-

---

von Mecke, Kramer und Pörksen versuchen eine erste Darstellu der Erzählertechnik im mittelhochdeutschen Roman (vgl. im Literaturverzeichnis). Auf die entsprechende Arbeit zum 'Trist von Ilse Clausen (Der Erzähler in Gottfrieds "Tristan". Phil Diss. Kiel 1970) und von Eberhard Nellmann zu Wolfram (Wolframs Erzähltechnik. Untersuchungen zur Funktion des Erzähler Wiesbaden 1973) werden wir noch zurückkommen.

32 Hans Fromm: Tristans Schwertleite. In: DVjs 41 (1967), S. 33

33 Ingrid Hahn: Zu Gottfrieds von Straßburg Literaturschau. In: ZfdA 96 (1967) S. 221.

34 Vgl. dazu meine Ausführungen zu Gottfrieds Sprachdenken S. 1

35 Herbert Kolb: Der ware Elicon. Zu Gottfrieds Tristan vv. 486 4907. In: DVjs 41 (1967) S. 1 - 26.

36 Hahn: Literaturschau. L.c. passim.

37 Vgl. außer schon genannten Arbeiten im Literaturverzeichnis Studien von Ganz, Grosse, Gruenter, Jaeger, Rathofer und Wo

schichtlichen Lesarten hinreichend klargemacht, daß ein erzählerischer Text des Mittelalters nicht eine unmittelbar verfügbare Indiziensammlung zur Judizierung des Zeitgeistes darstellt. Erst die Berücksichtigung des spezifischen Umgangs mit den literarischen Traditionsfeldern der Epoche und die bislang versäumte Beachtung der rezeptionsästhetischen Gerichtetheit des Textes kann Aufschluß über die semantische Gewichtung einzelner Artikulationen geben[38] und ihnen ihre funktionale Stelle im gefächerten Bedeutungshorizont eröffnen.

1.2. Der traditionelle Stilbegriff

Die Literaturgeschichte behandelte den formalen Bereich des Werkes traditionell unter der Kategorie des Stils. Ein Blick auf den Umgang mit dem Stil des 'Tristan' in der Geschichte der Gottfried-Forschung kann von dieser Seite nochmals kritisch ihren Textbegriff zeigen. Nach den schematischen Sammlungen von Stilistika des frühen germanistischen Positivismus[39] und nach den Formen einer psychologisierenden Stilphysiognomik[40] beeinträchtigte die geistesgeschichtliche Forschung seit Ranke eine weitergehende, poetologisch fundierte Beschäftigung mit Formfragen. Wo der Stilist Gottfried dennoch in den Blick kommt, zollt man ihm in einfühlsam-ästhetisierender Diktion Tribut. Stil wurde, wo er nicht gar bloß mit Reim und Metrik gleichgesetzt wurde, undialektisch als attributive Verbrämung des Gehalts aufgefaßt. Das Sprachartistische der

---

38 Kritik an der konzeptionslosen, freischwebenden Stelleninterpretation hat schon Alois Wolf geübt: "Ohne eine grundlegende Untersuchung der Sprachform Gottfrieds und der Gestaltungstendenzen läßt sich der isolierte Beleg nicht werkgemäß erfassen." (Die Klagen der Blanscheflur. In: ZfdPh 85 (1966) S. 78, Anm. 16).

39 Vgl. bei Steinhoff: Bibliographie. L.c. S. 60 ff.

40 Paradigmatisch dafür sind die Begrifflichkeiten in Gustav Ehrismanns Literaturgeschichte (Zweiter Teil. II. Blütezeit. Erste Hälfte. München 1927): "Gottfrieds Stil spiegelt die Persönlichkeit durchsichtig wider (seine eigene, Verf.) (...) Vom Künstler hat der Stil seine ästhetische Schönheit, vom Gelehrten die logische Klarheit" (S. 323). Ehrismann fällt ein auf "Stilistik gegründetes psychologisches Urteil" (S. 325) über Gottfried und betrachtet ihn als "ästhetisch gerichtet" (S. 322); dagegen ist Wolfram "ethisch formiert, der Wahrheitssucher" (S. 322).

Diktion wurde geschmäcklerisch zum ornativen Mäntelchen der Metaphysik ästhetisiert, das entweder einer moralisierenden Philologie als trügerischer Sirenengesang erschien oder das anderen die sprachmystische Verklärung der Minneidee leistete. Der weitgehend dichotomische Umgang mit Form und Inhalt beließ den Stil in einem Sonderbereich des Ästhetischen, der den innersten Sinn der Erzählung nicht affizierte[41].

Solche Stilbetrachtung konnte sich allerdings bestätigt sehen durch die mit der Adaption der Elemente der antiken Rhetorik in den Poetiken des 12. und 13. Jahrhunderts einhergehende Reduktion der 'ars oratoria' auf den Bereich der 'elocutio' und auf ihre bloß ornativen Funktionen[42]. Auch die literaturkritischen Kommentare in der volkssprachlichen Dichtung, oft deutlicher Reflex der 'artes poeticae', sprechen fast ausnahmslos von der Schmuckform der Dichtung, scheinen literarische Qualität ganz an der kunstmäßigen Diktion zu messen. Diese Sonderung der 'elocutio' vom 'inventio/dispositio'-Bereich in der mittelalterlichen Poetik trifft sich mit dem Schisma älterer Forschung von Stoff-, Motiv- und Ideengeschichte einerseits und Stilanalyse andererseits. Praktisch hat das zu Verselbständigungen des Formbereichs in Arbeiten wie etwa Scharschuchs "Stilästhetik"[43] oder wie in Halbachs fragwürdiger Transposition der epochengeschichtlichen Formbegriffe von Klassik und Barock auf Stilformen des 13. Jahrhunderts geführt[44]. Beiden exemplarisch genannten Arbeiten[45] ist gemeinsam, daß ihre teils

---

41 Julius Schwietering wies dem Stil geradezu eine Alibifunktion zu: In seiner Glätte und Harmonie verdecke er den dissonanten Gehalt. (Der 'Tristan' Gottfrieds von Straßburg und die Bernhardische Mystik. Berlin 1943. S. 13).

42 Ob mit Recht, sei zunächst dahingestellt. Mit dem Problem der Rhetorik im Mittelalter werden wir uns in Kap. 2. ausführlich beschäftigen. Vgl. zur "restriction of rhetoric to style" im Mittelalter Charles Sears Baldwin: Mediaeval Rhetoric and Poetic (to 1400). Gloucester (Mass.) 1959. S. 151.

43 Heinz Scharschuch: Gottfried von Straßburg. Stilmittel - Stilästhetik. Berlin 1938.- Er versucht, über eine "polarästhetische Analyse" des Stilbildes eine nationalideologische Etikettierung Gottfrieds vorzunehmen, dessen dichterische Persönlichkeit als Elsässer er aus der Konvergenz deutscher und französischer Wesenszüge bestimmte.

44 Kurt Herbert Halbach: Gottfried von Straßburg und Konrad von Würzburg. "Klassik" und "Barock" im 13. Jahrhundert. Stuttgart 19

45 Die Arbeiten von Dijksterhuis und Stolte wären noch in ihre Reihe zu stellen. Vgl. dazu das Literaturverzeichnis.

scharfsichtigen Phänomenbeschreibungen schließlich in den Dienst deduzierter Kategorien gestellt statt unmittelbar dem Gesamtverständnis des Textes zugeführt wurden. Die unterschiedlichen, historisch nicht legitimierten Ansätze, von denen her Stilbeschreibung vorgenommen wurde - neuzeitliche Normstilistik (Scharschuch), anachronistische Epochenbegriffe (Halbach), Destillierung "konstruktiver Sprachformen" (Dijksterhuis), Motivreim als aufbaustilistisches Moment (Stolte) - führten zu selbstgenügsamen, formalen Kategorien und faßten zu kurz[46]. Es fehlen hier die präzise formhistorische Einordnung und eine Leistungsbestimmung des Stils in Hinsicht auf die semantischen Abläufe der Erzählung. Die literarischen Zwecke des Arsenals von Stilfiguren und Darstellungsformen kommen unzureichend in den Blick.

Hierzu bedarf es allerdings, wie schon angedeutet, einer Erweiterung der Perspektiven der Textbetrachtung, die das Werk als einen aus vielen Faktoren gespeisten Wirkungszuammenhang sehen lehrt, die also die sich objektivistisch gebende Darstellungsästhetik zugunsten einer Wirkungsästhetik überwindet. So gesehen definieren wir Stil nicht so sehr als die besondere Darstellungsform des Gegenstandes als vielmehr als das Verfahren, wie das Darzustellende zur Wirkung gebracht wird.

Auch Sawicki kam bei seinem Versuch[47], Gottfrieds Formkunst in den Rahmen der mittellateinischen Poetiken einzuordnen, über eine positivistische Position nicht hinaus, sah er doch seine Aufgabe darin, "die der mittelalterlichen Poetik entnommenen Elemente herauszuschälen"[48]. Seine Übersicht macht zwar die formgeschichtliche Einbettung des 'Tristan' in den Traditionen der 'ars rhetorica' und den mittelalterlichen 'artes poeticae' unzweifelhaft deutlich, aber die Frage, wie Stil und Bedeutung im Werk ver-

---

46 Die Vielzahl durchaus divergierender Stilcharakterisierungen, die Gottfrieds Text erfahren hat, scheint mir auch ein Reflex der tatsächlichen Diskontinuität seines Stils zu sein. Die Tendenz der Einzelstudien, das Stilbild jeweils auf eine Gestalt hin festzulegen, deutet auf die auch hier wirksame ganzheitsästhetische Perspektive, die die phänomenologische Analyse überlagert.

47 Stanislaw Sawicki: Gottfried von Straßburg und die Poetik des Mittelalters. Berlin 1932.

48 Sawicki. L.c. S. 11.

mittelt sind, bleibt noch offen. Sawickis nützliche Projektion Gottfriedschen Sprachstils auf seine lateinischen Vorbilder blieb allemal Randerscheinung germanistischer Forschung: Dem poetologischen Raum des lateinischen Mittelalters, dem sich neben Brinkmann[49] in erster Linie Romanisten und Anglisten zuwandten (Auerbach, Curtius, Faral, Glunz)[50], war die ideengeschichtliche Germanistik der vierziger und fünfziger Jahre, weitgehend auf Theologie eingeschworen, ferngeblieben[51]. Ein national gefärbtes Originalitätsdenken hielt überdies die mittelhochdeutschen Epiker als Figuren der ritterlich-höfischen Welt gerne getrennt von Schulstube, Trivium und Latinität[52], wiewohl Gottfried als 'meister' eine etwas unbestimmte, intellektuelle Sonderstellung eingeräumt wurde[53].

Eine Wende brachte ein gewisser forminteressierter Methodenpluralismus in den Untersuchungen der letzten zwanzig Jahre, der die differenzierte Formkunst Gottfrieds punktuell ins Licht rückte. Bauformen des Erzählens konnten aus der Organisation

---

49 Hennig Brinkmann: Zu Wesen und Form mittelalterlicher Dichtung. Halle 1928.

50 Vgl. das Literaturverzeichnis.

51 Neuerdings gibt es einige - notwendig eklektische - verdiens[t]volle Versuche, das große Thema von germanistischer Seite anzupacken: Werner Fechter: Lateinische Dichtkunst und deutsch[es] Mittelalter. Forschungen über Ausdrucksmittel, poetische Tec[h]nik und Stil mittelhochdeutscher Dichtungen. Berlin 1964. - Hans Fischer: Deutsche Literatur und lateinisches Mittelalte[r]. In: Werk-Typ-Situation. Stuttgart 1968. S. 1 - 19.

52 In einer Zeit, als die erste Beschäftigung mit mittelalterlicher Literatur in deutscher Sprache sich auf der Grundlage d[er] klassischen Philologie entwickelte, war das Weiterleben der Antike im Mittelalter von selbstverständlichem Interesse. "Germanische" Phasen der Germanistik haben später dieses Int[er]esse an den antik-lateinischen Grundlagen auch der volkssprachlichen Sprachkultur des Mittelalters verdrängt.

53 Rainer Gruenter hat verschiedentlich den Rückgriff auf die l[a]teinischen Traditionen wieder versucht und dazu bemerkt: "Ma[n] hat den Einfluß der rhetorischen Dichtungsvorschriften auf Gottfried als unerheblich bezeichnet und Untersuchungen, die sich damit befassen, als unfruchtbaren Gesichtspunkt der Forschung bezeichnet. Diese Ansicht bedarf (...) der Korrektur. (Das 'wunnecliche tal'. In: Euphorion 52 (1961) S. 395). Abe[r] auch wo wie hier die rhetorische Tradition rehabilitiert wur[de,] geschah es zunächst im Blick auf ein dienliches Magazin von Figuren und Topoi, mit denen man den Stil historisch genauer zu beschreiben können glaubte, ohne daß die Frage nach Wirku[ng]

rekurrenter Metaphorik und Motivik gewonnen[54] und Linien der Kohärenz im literarischen Traditionsraum volkssprachiger wie lateinischer Literatur gezogen werden[55]. Hand in Hand damit ging das subtile Ausloten des in den analysierten Formvollzügen signalisierten Sinns.

Dieser strukturanalytischen Sinnfindung liegt jedoch gegenüber früheren Methoden ein prinzipiell unveränderter Textbegriff zugrunde - dies führt uns zum Ausgangspunkt dieses Abrisses zurück -, der die Erzählung als ein quasi statisch-objektives Gebilde betrachtet, dessen historische und strukturelle Momente man "feststellen" kann und damit die Interpretation erledigt. Dieser Standpunkt speist sich aus einem latenten historischen Objektivismus, der die Beziehungen zwischen Geistesgeschichte, Formgeschichte oder Strukturanalyse einerseits und dem literarischen Werk andererseits begleitet. Die darin steckende Reduktion des literarwissenschaftlichen Interesses sieht an einem gerade für die mittelalterliche Erzähldichtung entscheidenden Komplex des Phänomens Literatur vorbei, der, wenn nicht gar Grundlage des methodischen Zugangs, zumindest entscheidend an der Sinnintention des Werkes beteiligt ist: Literatur hat einen Raum, in dem sie entsteht und wirkt, den man vielleicht mit "kommunikative Situation" umschreiben könnte und der in die Zuständigkeit einer Wirkungs- und Rezeptionsästhetik fällt[56]. Es geht dabei um Faktoren aus dem Umkreis des Autor-Publikum-Verhältnisses, die Form und Inhalt der literarischen Kommunikation prägen und zugleich dem Interpreten

---

und Leistung der Formen in ihrem neuen, vernakularepischen Zusammenhang als 'ultima ratio' des Werkverständnisses hinreichend verfolgt wurde.

54 U.a. in den Studien von Gruenter, Hahn, Rathofer, Schindele.

55 U.a. in den Studien von Kolb und Wolf.

56 Sie ergänzt eine den bisherigen Textbegriff weitgehend bestimmende Produktions- und Darstellungsästhetik, die literarische Werke gemeinhin als ein 'an sich' beschreibbares Bündel literarischer Fakten behandelte. Wenn aber Dichtung sich "in Richtung auf ein Vernehmen (bewegt)" (Werner Krauss: Studien zur deutschen und französischen Aufklärung. Berlin 1963. S. 6. Zitiert nach Jauß: Literaturgeschichte. L.c. S. 162), so gehört die Dimension ihrer Rezeption und Wirkung als aktualisierter oder virtueller Erfahrungs- und Erwartungshorizont von Autor und Publikum als integraler Faktor zur Existenz des Werkes.- Der ganze Abschnitt in Anlehnung an Jauß: Literaturgeschichte. L.c. Kap. V. VI.

die literarischen Fakten aus ihrem Wirkungszusammenhang erklären helfen. Kann man solche Faktoren entweder als fiktiv konstituierte aus dem Text selbst oder als real gegebene aus der historischen Situation bestimmen, wird man die Zwecke der literarischen Mittel, d.h. die Intentionalität des Textes besser darstellen können.

1.3. Rhetorik als Instrument einer Wirkungspoetik zu Gottfrieds 'Tristan'

Die zuletzt genannten Aufgaben sind nicht in einem Gang zu bewältigen. Die Faktoren einer Wirkungspoetik sind unterschiedlich schwer zugänglich. Bei literarischen Werken des Mittelalters sind der literarische wie der lebenspraktische "Erwartungshorizont"[57] ihres Publikums kaum unmittelbar greifbar: Außerhalb der Werke selbst fehlen die Quellen für eine Rezeptionsgeschichte. Information bietet dagegen die in die poetischen Texte eingestreute literarische Kritik zu zeitgenössischen oder klassischen Autoren. Darüberhinaus erlaubt die relative Homogenität der mittelalterlichen Bildungs- und Lebenswelt für den Zeitraum, in dem die Werke produziert und rezipiert wurden, in gewissem Umfang Vermutungen über die Hörerdisposition und die dem Werk vorausliegenden literarischen Bedingungen. Die Analyse des Werkes selbst jedoch, in wirkungspoetischer Absicht, verspricht direkte wie indirekte Aufschlüsse über den "transsubjektiven Horizont des Verstehens"[58] der zeitgenössischen Adressaten. Textlinguistische Beschreibung kann beispielsweise die vom Autor disponierte Rolle des "impliziten Lesers"[59] (oder Hörers) darstellen. In eine

---

57 Jauß: Literaturgeschichte. L.c. S. 200.

58 Jauß: L.c. S. 176.

59 Vgl. Wolfgang Iser: Der implizite Leser. Kommunikationsformen des Romans von Bunyan bis Beckett. München 1972. - Seine Aufsätze wollen "Vorstudien zu einer Theorie der literarischen Wirkung" (S. 7) sein. - Ähnlich spricht Wolfgang Babilas vom "intendierten Publikum": "Das vom Autor intendierte Publikum geht also in den Umsetzungsprozeß der 'materia' mit ein: Es wird ebenso ein Bestandteil des fertigen 'opus' sein wie der Autor selbst." (Tradition und Interpretation. Gedanken zur philologischen Methode. München 1961. S. 17).

so gewonnenen "innerästhetischen Rezeption" zeichnet sich die Dialektik von "gelenkter Wahrnehmung"[60] und realem Erwartungshorizont ab. An der auktorialen Strategie der Rezeptionslenkung wird so der Prozeß von "Horizontstiftung und Horizontveränderung"[61] sichtbar.

Dieser Umriß möglicher wirkungspoetischer Theorie gewinnt im Blick auf mittelalterliche Erzähldichtung und nicht zuletzt auf Gottfrieds 'Tristan' schlagartig eine sehr praktische Inhaltlichkeit: Will man vom Wirkungsgeschehen im 'Tristan' sprechen, ist man historisch zwangsläufig auf die Disziplin der Rhetorik verwiesen, auf die 'ars rhetorica' der Antike, die in ihrer ins christliche Mittelalter tradierten Gestalt nicht wegzudenkende Grundlage sprachlicher Äußerung in Brief, Predigt, Disputation und Dichtung war. Sie nämlich hat 'per definitionem' ihren Zweck in der persuasiven Kommunikation. Als Lehrgebäude wirkungsgerichteten sprachlichen Ausdrucks ist sie Rahmen der gesamtliterarischen Praxis im Mittelalter und zugleich heuristische Kategorie der Interpretation rhetorischen Sprechens für uns, und sie vermag den wirkungspoetischen Zusammenhang von Autor, Werk und Publikum zu entfalten[62]. Die Kunstlehre des Redens als Manual der Theorie und Praxis rhetorisierter Texte erscheint daher als ein historisch legitimiertes Instrument des Verstehens, wenn es um Art und Leistung der literarischen Darstellung in Gottfrieds Verserzählung geht[63].

---

60 Jauß: L.c. S. 175.

61 Jauß: L.c. S. 175.

62 Verallgemeinert gesprochen hat ja "jeder Werkbestandteil, d.h. jedes Textphänomen (...) letzten Endes argumentatorischen Charakter" (Babilas: Tradition. L.c. S. 18). Diese aufs "Ankommen" zielenden Strukturen des Sprechens stellen im Mittelalter die 'artes sermocinales' bereit.

63 Der wirkungspoetische Aspekt, wie ihn unter anderen Jauß und Iser vorgetragen haben (s.o.), führt keine prinzipiell neue Methodenerkenntnis herauf, sondern nimmt im Grunde nur das mehr als zweitausendjährige Thema der Rhetorik wieder auf, typischerweise auf dem Weg über eine Phänomenologie der literarischen Wirkung in einer Zeit, die noch weitgehend unter dem antirhetorischen Affekt der Aufklä-

Der postulierte Zusammenhang von Rhetorik und Dichtung im Mittelalter, von Redekunst und Rittererzählung, bedarf zunächst einiger historischer und systematischer Begründung[64], die zu den methodischen Grundlagen einer rhetorisch-poetischen Analyse der literarischen Kommunikation im 'Tristan' führen soll.

---

rung steht und der das Wissen um die Rhetorik und ihre literaturgeschichtliche Wirkung abhandengekommen war. In ihrem gemeinsamen Interesse, der Wirkung sprachlicher Kommunikation, konvergieren antike Rhetorik und moderne Wirkungspoetik, aber sie unterscheiden sich in ihrer Praxis als präskriptive Herstellungstheorie einerseits und als analytische Darstellungstheorie andererseits.

64 Vgl. zum allgemeinen systematischen und historischen Zusammenhang von Rhetorik und Poetik: Heinrich Lausberg: Handbuch der literarischen Rhetorik. Eine Grundlegung der Literaturwissenschaft. München 1960. § 35.

2. Gottfried und die Rhetorik, Poetik und Dichtung des Mittelalters

2.1. Gottfried und die Rhetorik

Es steht außer Frage, daß Gottfried ein hochgebildeter Mann war[64a], der gleichermaßen in lateinischer Textgelehrsamkeit wie in der französischen und deutschen Vernakulardichtung des Adels bewandert war. Ideen-, Motiv-, Stoff- und Sachgeschichte haben den geistesgeschichtlichen Hintergrund, die literarischen Bezugnahmen und das sozialethische Umfeld des 'Tristan' erkennen lassen[65]. Gottfrieds Kenntnis zeitgenössischer, aus der Antike vermittelter rhetorischer Figurenlehre ist dokumentiert[66]. Solche Bildung setzt Studium voraus, zumindest das Trivium mit seiner Schulung in den sprachbezogenen 'artes' der Grammatik, Rhetorik und Dialektik[67]. Mit Gottfried steht daher der in die lateinische Bildungswelt des hohen Mittelalters integrierte volkssprachliche Buchepiker in Frage, der aus der 'praecepta-exempla-imitatio'-Lehre der sprachlichen Künste herkommt und eine "matière de Bretagne" für ein deutsches höfisches Publikum adaptiert[68]. Zwar bleibt uns eine positive

---

64a Vgl. u.a. Gottfried Weber (in Verbindung mit Werner Hoffmann): Gottfried von Straßburg. Stuttgart (2. Aufl.) 1965. S. 4 ff.- Gottfried von Strassburg. Tristan. Translated (...). With an Introduction by A.T. Hatto. Harmondsworth 1960. S. 10 f.

65 Neben den Darstellungen des religionsgeschichtlichen Hintergrundes vergleiche insbesondere die verschiedenen Studien über antike Elemente im 'Tristan' (Hoffa, Schwander, Wolf, Ganz, Fechter), die Gottfrieds gute Kenntnis der im 12. Jahrhundert präsenten Antike erweisen.

66 Durch Sawicki: Poetik. L.c.

67 Vgl. Gustav Ehrismann: Studien über Rudolf von Ems. Beiträge zur Geschichte der Rhetorik und Ethik im Mittelalter. Heidelberg 1919. S. 76: "Viele mittelhochdeutschen Dichter besaßen die Bildung einer Gelehrtenschule und hatten jedenfalls das Trivium, also auch die Rhetorik studiert, Veldeke, Hartmann, Gottfried, sicher auch Rudolf."

68 Sawicki hat die kulturhistorischen Fakten zusammengetragen, die Gottfrieds Bildungsraum konstituiert haben mögen (Poetik. L.c. S. 14 ff. Insbesondere zeigt er dabei, daß es an den

Gottfried-Biographie unzugänglich, aber die Fülle von Indizien läßt zumindest für unsere Zwecke folgern: Nichts berechtigt uns daran, zu zweifeln, daß Gottfried das Trivium durchlaufen hat[69] - angesichts seiner Musikbeflissenheit auch wohl das Quadrivium -, und daß er im lateinisch-französisch-deutschen Bildungsraum ein 'homo litteratus' der europäischen Literatur im lateinischen Mittelalter war[70].

---

rheinischen Schulen durchaus Raum gab für die Bildung eines Laien, der sich später als höfischer Dichter betätigen mochte, wobei die nicht hinreichend zu klärende Frage nach Gottfrieds Stand sekundär ist. Die Klerikalität des mittelalterlichen Schulwesens ist oft überstrapaziert worden: Nicht alle Absolventen der Schulen haben auch kirchliche Funktionen übernommen. Vgl. dazu auch Anm. 70 und Anm. 201.

Ernst Robert Curtius' Bemerkung, Deutschland habe gegenüber Frankreich im Windschatten der großen geistigen Bewegungen gestanden (Europäische Literatur und lateinisches Mittelalter. Bern (4. Aufl.) 1963. S. 67), kann leicht die für das literarische Leben in Deutschland viel entscheidendere Tatsache verdecken, daß die deutschen Kloster- und Domschulen in bezug auf den allgemeinen Lehrbetrieb und die Bibliotheksausstattungen sich wohl mit französischen Verhältnissen in etwa vergleichen konnten, wenngleich sich die philosophisch bedeutendsten Köpfe - nicht immer Franzosen - in Frankreich zusammenfanden. Der "blühende Zustand des elsässischen Schulwesens", von dem Sawicki spricht (Poetik. L.c. S. 25) konnte Gottfried Zugang zu Vergil, Quintilian, Cicero, Ovid und anderen Klassikern bieten wie auch zu zeitgenössischem logischem und theologischem Schrifttum. Vgl. dazu auch Ursula Schulze: Literarkritische Äußerungen im 'Tristan' Gottfrieds von Straßburg. In: Gottfried von Straßburg. Hrsg. von Alois Wolf (= Wege der Forschung Bd. 120). Darmstadt 1973. S. 505 f. (Zuerst erschienen in: PBB (Tübingen) 88 (1967) S. 285 - 310).

69 Wenn Autoren des 13. und 14. Jahrhunderts ihre Kunst ausführlicher explizieren und ihre Gelehrsamkeit näher bezeichnen, ja wenn der Meistersang die sieben freien Künste, vornehmlich aber die Rhetorik zu seiner Voraussetzung macht, so kann das nicht heißen, daß die Poeten um 1200, die sich kaum oder unzuverlässig über ihre Bildung und Kunst äußern, solcher lateinisch-literarischen Unterrichtung nicht ebenso teilhaftig geworden wären. So stellt schon Ehrismann fest: "Die Stilkunst der führenden höfischen Dichter beruht in charakteristischen Ausdrucksformen auf der lateinischen Rhetorik." (Gustav Ehrismann: Studien über Rudolf von Ems. Beiträge zur Geschichte der Rhetorik und Ethik im Mittelalter. Heidelberg 1919. S. 76). Was Ehrismann Rudolf von Ems an Rhetorikschulung zurechnet (Studien. L.c. S. 3 ff.), sollte nicht minder für Gottfried gelten, dessen Stilvorbild Rudolfs Sprache weitgehend geprägt hat.- Schließlich wird das gelten müssen - mittelbar auch für den vernakularen Bereich -, was Curtius lapidar über das Verhältnis von Schule und Dichtung gesagt

Mit der formalen Schulung in den sprachlichen 'artes' hat Gottfried Kommunikationsformen erworben[71], die - wie wir darstellen wollen - konstitutiv für die Formen seines höfischen Versromans wurden[72]. Die 'ars rhetorica', unter deren Einfluß

---

hat: "Warum dichtet man? Man lernt es auf der Schule." (Ernst Robert Curtius: Mittelalterliche Literaturtheorien. In: ZfrPh 62 (1942) S. 440).

70 Ähnlich schon Friedrich Neumann (Warum brach Gottfried den Tristan ab? In: Festgabe Pretzel. Berlin 1963. S. 205).
Gottfrieds Position in der Spanne zwischen Volks- und Wissenschaftssprache, zwischen Mittelhochdeutsch und Latein, zwischen Hof und Schule scheint sich dem in Frankreich zu dieser Zeit bereits historisch faßbaren "clergie-chevalier"-Typus vergleichen zu lassen, dem jungen Adligen, der neben seiner ritterlichen auch eine wissenschaftliche Ausbildung erhält. Abälards Vita gibt ein Beispiel: Der Rittersohn sollte vor seinem Waffenhandwerk ein wenig studieren, aber er blieb für immer an der Schule. Charakteristischer für den Typus dürfte dagegen der adlige Scholar sein, der in seinen ursprünglichen Lebenskreis zurückkehrt, so wie wir es auch von den meisten "Fürstensöhnen, (...) mächtigen Laien und zahllosen Adligen" annehmen müssen, von denen Lanfranc bereits im 11. Jahrhundert aus der Klosterschule in Bec als ihren Schülern berichtet (Zitiert nach Eugenio Garin: Geschichte und Dokumente der abendländischen Pädagogik. I Mittelalter. Reinbek 1964. S. 47). Gottfried selbst scheint in der Gestalt seines Tristan die höfisch stilisierte Kontur solcher Existenz zwischen Schule und Hof, den 'miles doctus', projektiert zu haben. - In seiner jüngsten Gottfried-Studie hat Hans Fromm auch im Sinne dieser Bemerkungen Abälard und Tristan als in ihrer Wesensart sehr ähnlich verglichen und stellt für die 'historia' von dem einen und die 'fabula' von dem anderen Liebespaar einen sehr ähnlichen Erlebnishintergrund fest (Gottfried von Straßburg und Abaelard. In: Festschrift für Ingeborg Schröbler zum 65. Geburtstag. Tübingen 1973. S. 196 - 216).

71 Vinaver spricht von "certain habits of mind acquired through learning", die zur Technik klug-rhetorischer Werkadaption höfischer Erzähler geführt haben (Eugene Vinaver: The Rise of Romance. Oxford 1971. S. 17).

72 Eine rhetorisch geprägte Sprachbildung schreibt Erich Auerbach schon den Autoren der frühen französischen Hofdichtung zu: "Diejenigen, die den paarweise gereimten Achtsilber zuerst für die höfische Erzählung verwandten (...), kannten nicht nur die antiken Stoffe, sie hatten auch Rhetorik nach antikem Muster gelernt und verwendeten deren Kunstgriffe." (Literatursprache und Publikum in der lateinischen Spätantike und im Mittelalter. Bern 1958. S. 153).

mittelalterliche Latinität noch schlechthin steht, ist auch in seinem mittelhochdeutschen 'Tristan' wirksam geworden: Die mimetische Weise des Epischen scheint sich mit der persuasiven des Rednerischen in wirkungspoetischer Absicht zu verbinden; dies nicht bloß in der offenkundigen Form der auktorialen Publikumsadresse[73], sondern in einem prinzipielleren Sinn, wonach verschiedene rhetorisch begründete Sprechweisen Funktionen der poetischen Wirkung erfüllen. Die offenkundigeren Beispiele des Rhetorischen im 'Tristan' haben schon stets Beachtung gefunden, etwa der Prolog, dessen Elaboration in rhetorischen Kategorien wurzelt[74], oder die Minnekasuistik - ein Hauptmerkmal höfischen

---

73 In derart eingeschränktem Sinn verwendet Günter Mecke den Begriff des Rhetorischen, den er auf Ausrufe, rhetorische Fragen, Apostrophen und dergleichen begrenzt (Zwischenrede, Erzählfigur und Erzählhaltung in Hartmanns von Aue 'Erec'. München 1965). Seine Darstellung der Dichter-Publikums-Beziehung verfährt deskriptiv, aber er kommt auch auf die Traditionsmacht der Rhetorik zu sprechen, beurteilt jedoch ihre Leistung in höfischer Dichtung, wie mir scheint, grundverkehrt: "Rhetorik schafft Distanz zum Gegenstand, eine 'Haltung des gegenüberstehenden Beobachtens' (...)." (S. 38) Genau das Gegenteil ist von jeher das erklärte Ziel aller Rhetorik: Mit rationalen und affektischen Mitteln für eine besondere Meinung einnehmen, nicht Distanz schaffen, sondern für eine Überzeugung gewinnen. Was Mecke wohl sagen wollte: Die (rhetorische) auktoriale Einrede durchbricht die Hermetik des Epischen und schafft Distanz zur Fiktion. Dieser Kunstgriff ist aber zugleich meinungsgeladen, absichtsvoll und persuasiv.

Uwe Pörksen, der ebenso wie Mecke ohne historische Rücksichten die Figur des Erzählers in mittelhochdeutscher Dichtung phänomenologisch angeht, begegnet der Rhetorik verwundert: "Bemerkenswerterweise ließen sich zu den meisten der gefundenen Typen von Erzählereingriffen die entsprechenden Begriffe in der antiken Rhetorik und ihren mittelalterlichen Ablegern, den 'artes' finden." (Der Erzähler im mittelhochdeutschen Epos. Berlin 1971. S. 12). Aber er läßt sich nicht auf diese vorgegebene historische Dimension ein, an der er etwa die rezeptionsästhetische Funktion des Erzählers hätte ablesen können. Er bleibt mit allerdings bemerkenswert klugen Beschreibungen im werkimmanenten Kreis. Vgl. die Kritik an Nellmann in Teil 2.5.2.

74 C. Stephen Jaeger hat versucht, die Prologstrophen als das dem 'genus admirabile' gemäße insinuative Exordium der antiken Redekunst zu erweisen (The Strophic Prologue to Gottfried's Tristan. In: The Germanic Review XLVII (1972) S. 5 - 19). Zuletzt kam Günter Eifler auf anderen Wegen zu dem gleichen Ergebnis (Publikumsbeeinflussung im strophischen Prolog zum Tristan Gottfrieds von Straßburg. In: Festschrift für Karl Bischoff. Köln-Wien 1975. S. 357 - 389), das auch schon bei Franz Finster im wesentlichen vorgezeichnet ist

Erzählens überhaupt[75] -, die ihre Verwandtschaft mit der rhetorisch fundierten Disputationskunst der Scholastik nicht verleugnen kann[76]. Solche und andere im einzelnen zu untersuchende rhetorisch geprägte Artikulationen der Verserzählung spiegeln die allgemein "rhetorisierende Tendenz" mittelalterlicher Sprachlichkeit, die "sich auch auf die vulgärsprachlichen Dichter des 12. Jahrhunderts (übertrug)"[77], wobei gattungsgeschichtlich die rhetorisierte höfische Epik gegenüber dem erhabenen Stil des Vergilschen pathetischen Epos sich nach Auerbach allerdings nur "zwischen Erzählen, Beschreiben und Moralisieren auf einer gemächlichen mittleren Höhe des Gefühls"[78] bewegt[79].

2.2. Die historischen Bedingungen einer literarischen Rhetorik

Wenn die Verfügbarkeit des rhetorischen Apparates für Gottfried nicht bezweifelt werden kann[80], so scheinen doch zugleich auch die gesellschaftlichen Bedingungen der literari-

---

(Zur Theorie und Technik mittelalterlicher Prologe. Eine Untersuchung zu den Alexander- und Willehalmprologen Rudolfs von Ems. Bochum 1971).

75 Einschlägig dazu Ilse Nolting-Hauff: Die Stellung der Liebeskasuistik im höfischen Roman. Heidelberg 1959.

76 Hier wie andernorts ist nicht in erster Linie an genetische Zusammenhänge gedacht. An dieser Stelle könnte man ebensogut auf die Verschwisterung von Liebeskasuistik und epischem Stoff bei Ovid als mögliches Vorbild hinweisen (wie dies Auerbach (Literatursprache. L.c. S. 161) und Curtius tun (Ernst Robert Curtius: Über die altfranzösische Epik. In: ZfrPh 64 (Halle 1944) S. 319).
Die Filiationsverhältnisse zwischen Gottfrieds Text und der gesamtliterarischen Tradition können nicht Gegenstand dieser Arbeit sein. Angesichts der Ubiquität der Rhetorik kann hier nur im Umriß eine generelle Begründung der Rhetorizität von Gottfrieds Dichtung versucht werden.

77 Auerbach: Literatursprache. L.c. S. 142.

78 Auerbach: L.c. S. 141.

79 Ob diese an der antik-mittelalterlichen Stilebenenlehre der Poetik orientierte Einschätzung im Fall von Gottfried

schen Produktion und Rezeption im Zusammenhang mit der Gattungsform in besonderem Maße einer Inanspruchnahme spezifisch rhetorischer Darbietungsweisen entgegengekommen zu sein: Die Verserzählung dieser Epoche ist nach ihrem Gebrauchswert nahezu ausschließlich Vortragsliteratur. Sie bedarf der mündlichen Darbietung durch den Autor selbst oder einen ihn vertretenden Rezitator vor einem zuhörenden Publikum. Die Gestalt des Erzählers, der seinem Publikum leibhaftig gegenübertritt, erlaubt es, diesen im Text als Redner zu stilisieren, der sein Erzählen zugleich persönlich annotieren kann[81]. In der Tat verfügen die höfischen Romane in hohem Maß über publikumsbezogene Darstellungsformen, in denen die Kommunikationsform des mündlichen Erzählens zu einem integralen Faktor der literarischen Form verwertet ist, so daß gewissermaßen "(...) in den Roman eine fiktive Vortragssituation hineingedichtet (...)"[82] erscheint. Das erlaubt, Kontrapunkte von Handlungserzählung und auktorialer Wertung zu inszenieren, das Publikum gegenüber der Erzählzeit mit Vorwissen zu versorgen und insgesamt persuasive Strategien zur Akzentuierung von Interpretationen wirkungsvoll zu personalisieren. Die Mittel zur Gestaltung der auktorialen Stimme im Hinblick auf oratorische Darbietung fand der mittelalterliche Epiker zwangsläufig in seinem schulrhetorischen Grundwissen, mit dem er das auf 'Überredung' zielende 'Bereden' der Erzählung formen konnte[83].

---

der tatsächlichen Wirkung seiner Darstellung gerecht wird, ob nicht das pathoshaltige Erzählen in seiner dilemmatischen Minnegeschichte einen gewichtigen Platz einnimmt, wird zu untersuchen sein.

80 "Mediaeval men were not as free to accept or reject the trivium as they were to accept or reject other aspects of the classical tradition." (Marcia L. Colish: The Mirror of Language. A Study in the Mediaeval Theory of Knowledge. New Haven-London 1968. S. XII.)

81 Tony Hunt verweist auf die formale Identität von Rede und geredeter Erzählung: "The comparability of the position of the orator before his audience with the oral recitation of a romance by a poet to his public need hardly be underlined." (The Rhetorical Background to the Arthurian Prologue. In: Forum of Modern Language Studies VI (1970) S. 21, Anm. 58).

Von der gesellschaftlichen Rolle der Autoren und der Funktion der Werke her fällt ein zusätzliches Licht auf die soeben formal skizzierte Erzählerfigur[84]. Die volkssprachlichen Literaten standen in einem immer wieder bezeugten Abhängigkeitsverhältnis von ihren feudalhöfischen Rezipienten, insbesondere verkörpert in der Gestalt ihres adligen Auftraggebers[85]. Die poetische Produktion stand daher unter dem Leistungszwang, bei recht genau umschriebenen Adressaten Akklamation zu finden. Das Dichten war also ungleich regider auf seine Rezeption angewiesen und zugeschnitten als dies bei Werken der Moderne der Fall ist, wo sich auktoriale Innerlichkeit in Formen des Avantgardistischen darstellen und sich dem Erwartungshorizont eines weitgehend anonymen Publikums geradezu entgegensetzen kann. Mittelalterliche Dichtung aber ist allererst Zweckform, die durch Auftrag, Lohn und Kritik gelenkt, bestimmte gesellschaftliche Funktionen in festgelegtem Rahmen erfüllen soll, sei es Delektierung oder Erbauung, optimistische Selbstbestätigung oder metaphysische Ortsbestimmung. Auch die sublimste mittelhochdeutsche Literatur wird so nicht ganz ihre rezeptionsabhängigen Bezüglichkeiten verleugnen können[86].

---

82 Nellmann: Wolframs Erzähltechnik. L.c. S. 44.

83 Der häufige Gebrauch der Vokabeln 'rede/reden' in mittelhochdeutscher Dichtung, wenn es um den Sinnbezirk 'darstellen, erzählen, erörtern' geht, scheint - durch die etymologische Verschwisterung von 'rede/ratio/oratio' - zumindest ein latentes Wissen um das Oratorische jedes gezielten Sprechens, auch des epischen, zu bezeugen. Nach dem, was wir über die andauernde Wirkung der Rhetorik im Mittelalter wissen, scheint 'rede' als literarischer Gattungsbegriff oder als Bezeichnung von Teilen größerer Werke, insbesondere von Exkursen und Kommentaren, den rhetorischen Habitus der Darstellungs- und Darbietungsformen zu konnotieren. Vgl. dazu den Artikel "rede (mhd.)" von Walter Johannes Schröder im Reallexikon der deutschen Literatur. Bd.3.S.431f.

84 Die bisherigen Untersuchungen zum Erzähler in mhd. Epik begrenzen sich auf Formanalysen und lassen die historisch-gesellschaftliche Dimension der Erzählerfunktion unbeachtet, in der sich etwas Konkretes von den Beziehungen zwischen Autor, Werk, Auftraggeber, Publikum und Zeitgeist abbildet.

85 Vgl. Ehrismann: Studien. L.c. S. 14: "Ohne Gunst keine Kunst; dieses Bewußtsein von der notwendigen Grundbedingung ihres dichterischen Schaffens haben wohl alle mhd.

Wenn der mittelalterliche Dichter in dem hier skizzierten Bedingungsrahmen seinen poetischen Stoff darbieten mußte, so hatte er zugleich die Aufgabe zu lösen, seinen besonderen Horizont mit dem des prospektiven Publikums im Werk zu vermitteln[87]. Wenn die Bedingungen der mittelalterlichen Literatur ihre Poetik also im wesentlichen auch in die Dimension einer Wirkungspoetik rücken, dann werden wir in der Rhetorik das Instrument finden, das jene Vermittlung leistet. Nimmt man die von der Kirche geschürte Skepsis gegenüber den unwahren 'res fictivae' der Poeten hinzu, so ist zu ermessen, welche Bedeutung der Rhetorik innerhalb einer so persuasionsabhängigen Dichtung zukommen konnte[88]. Nicht zuletzt für den mittelalterlichen Versroman wird deshalb auch gelten müssen: "Das Moment der Wirkungsintentionalität, des Zweckhaft-Adressatengebundenen als die 'prima causa' der Rhetorik; ihr persuasorischer Grundzug bleibt der rhetorisierten Literatur bis zum Barock hin erhalten"[89].

Rhetorik ist aber keinesfalls nur an die von uns exemplarisch herausgegriffene Erzählerfigur als eine Rollenverkörperung des Oratorischen gebunden. Auch der Monolog, der Dialog oder das berichtende Erzählen bedienen sich im Versroman der 'ars rhetorica' überall dort, wo die Dichtung zugleich mit ihrer Darstellung sich auch ihrer Wirkung versichern will.

Dichter, mag es die Gunst einzelner bestimmter Gönner oder die des Publikums sein."

86 Der überaus reichliche Gebrauch des 'invidia'-Topos in aller Literatur des Mittelalters ist jenseits seiner Traditionalität und rhetorischen 'captatio'-Funktion ein Indiz, das seiner Verwendung ein Moment des realen gesellschaftlichen Lebens anhaftet, und er etwas von der steten Verteidigung der Gönnerschaft gegen Rivalen - einem Nährboden für Neid und exzessive Reaktionen - abbildet und so auf die Atmophäre stichelnden Klatsches und böser Mißgunst im Gefüge konkurrierender Hofgesellschaft hindeutet.

87 Wiederkehrendes Thema der geistesgeschichtlichen Diskussion um Gottfried ist gerade sein Verlassen des verbindlichen gesellschaftlichen Horizonts, sei es in unmittelbar moralischer, sei es in metaphysischer Hinsicht. Diese Tendenz seiner Individualität mußte ganz besonderer persuasiver Anstrengungen bedurft haben, wollte er sein Werk zur Anerkennung bringen.

88 Beredtes Zeugnis sind der inflatorische Gebrauch von Quellenberufungen und Wahrheitsbeteuerungen im mhd. Epos - die-

Wenn hier Zusammenhänge zwischen der Verfügbarkeit der Rhetorik im Mittelalter, ihrer offenkundigen Applikation im 'Tristan' (und der mittelalterlichen höfischen Erzählung schlechthin), der Darbietungsform und der Rezeptions- und Produktionssituation der Dichtung skizziert werden, so gilt es nicht, stringente Kausalbeziehungen zwischen Literatur und Gesellschaft zu behaupten, sondern allenfalls die Verflochtenheit formalliterarischer und gesellschaftlicher Phänomene als Hintergrund eines rhetorisierten Erzählens sichtbar zu machen, denn es lassen sich daneben auch innerliterarische Zusammenhänge plausibel machen, die die Rhetorizität mittelalterlicher Dichtung im Gefolge haben, ohne daß wir auch hier verabsolutieren dürften: So erscheint die exegetische Grundhaltung mittelalterlicher Intellektualität[90], die mit der Scholastik verstärkt auftritt, also jene Doppelheit von 'traditio' und 'ratio', von 'lectio' und 'interpretatio' - ihrerseits den rednerischen Behandlungskategorien von 'narratio' und 'argumentatio' verwandt - als wahrscheinliches Modell der dichterischen Struktur von Erzählung und Kommentar, von Stoffbewahrung und Innovation, von Mimesis und 'oratio', von Formen, wie wir sie nicht zuletzt im 'Tristan' erkennen können und die der rhetorischen Gestaltung bedürfen[91]. Oder es läßt sich unmittelbar auf die traditionelle Verschwisterung von Poetik und Rhetorik verweisen[92], sind doch die traditionellen Zwecke

---

se selbst alte rhetorische Kunstgriffe, die den jahrtausendealten Streit von Philosophie und Dichtung, von 'res vera et res fictiva' begleiten.

89 Walter Jens: Artikel "Rhetorik". In: Reallexikon der deutschen Literaturwissenschaft. Bd 3, S. 441.

90 Vgl. Vinaver: Romance. L.c. Kap. II: The discovery of meaning. Besonders S. 18 f.

91 Der höfische Liebesroman des 12. und 13. Jh. gewinnt unser Interesse nicht zuletzt durch die historische Eigenart, daß ein sich kulturell rasch entfaltendes adlig-klerikales Bildungsbürgertum einerseits die Liebe von Ritter und Dame in den Mittelpunkt seines literarischen Interesses rückt und damit die erste bedeutende nachantike weltliche Liebesdichtung schreibt, andererseits aber dieses irrationale Thema geschlechtlicher Gefühlsbindungen in den sprachlichen Duktus der schematisch räsonierenden Scholastik einbindet, so daß von Gefühlen in der exegetisch-disputierenden Weise der 'dialectica' die Rede ist, daß Liebesbeziehungen im

antiker Dichtlehre, Erbauung und Ergötzung[93], in ihrer Durchsetzung den Instrumenten der Rhetorik verpflichtet[94].

Solcherart läßt sich ein vielfach verschränktes Gerüst von literarischen und gesellschaftlichen Bezügen entwerfen, das uns allerdings über bloße "Verbindungslinien zwischen der epideiktischen Beredsamkeit der zweiten Sophistik, der schulrhetorischen Aufsatzübung und den mittelalterlichen Beschreibungsmethoden"[95] weit hinausführt und die Rhetorik als universelles Bezugsfeld sprachlich-intellektueller Erscheinungsformen des Mittelalters erkennen läßt[96].

Kalkül von Rechten und Pflichten, Trennung und Wiedersehen, Schmerz und Freude eingefangen werden.

92 Traditionell ist die Dichtung ja an den darstellungsästhetischen Begriff der Mimesis gebunden, also am Objekt der sprachlichen Vermittlung ausgerichtet. Rhetorisch dagegen definiert sich aus rezeptionsästhetischen Zwecken; ihr ist Darstellung allererst Mittel der Überredung. Entsprechend differiert die jeweilige Funktion der Sprache, die in der Mimesis die Aufgabe der Inhaltssymbolisierung übernimmt, während sie im rhetorischen Sprechen Beweisfunktion hat. Solche Scheidung ist allerdings im Hinblick auf rhetorisierte Literatur künstlich; Poetik und Rhetorik stehen nicht unvermittelt nebeneinander. Ihr funktionaler Zusammenhang - wichtiges Thema der abendl. Literaturgeschichte - ist eng verwoben und stellt sich historisch unterschiedlich dar. Vgl. im folgenden die Ausführungen zu Poetik und Rhetorik im Mittelalter.

93 Während umgekehrt wiederum 'prodesse' und 'delectare' die Instrumente des rhetorischen 'benevolum et docilis parare' sind.

94 Brinkmann faßt das historische Ineinander folgendermaßen zusammen: "Wer die Geschichte der poetischen Theorie von der Antike bis ins 18. Jh. verfolgt, erkennt staunend die alles beherrschende Macht der Rhetorik". (Wesen u. Form. L.c.S.33)

95 Jens: Rhetorik. L.c. S. 442.- Wenn man wie hier den Zusammenhang von Dichtung und Rhetorik auf den Einfluß des epideiktischen Genus reduziert, vergißt man, daß das gesamte nachantike geistige Leben mit der Rhetorik eng verbunden bleibt und daher die Einflüsse der allgemeinen rhetorischen Sprachkultur sich ebenso in der Dichtung niederschlagen wie das topische Erbe epideiktischer Darstellungsformen.

96 Das disqualifizierende Diktum von der blutlosen Schulrhetorik des Mittelalters hat rhetorische Phänomene in der fiktiven Literatur zur leeren Artistik gestempelt, der der Geist der antiken Beredsamkeit fehle. Solche Beurteilung, die die mittelalterliche Figurenlehre und -praxis an den Schulen an der antiken öffentlichen Parteienrede mißt, übersieht, daß mit der Verwendung rhetorischer Kommunikations-

2.3. Die Rolle der Rhetorik in den Wissenschaften des Mittelalters

Der Hinweis auf die Universalität der Rhetorik verweist uns allerdings auch auf die Grenzen methodischen Operierens, wenn es um die Darstellung rhetorischer Prozesse im 'Tristan' geht. Zwar ist die Rhetorik allgegenwärtig[97], aber darum auch in vielerlei Gestalten und Traditionen verfügbar. Deshalb sind beim desolaten Stand bisheriger Forschung zur Bildungsgeschichte des Mittelalters[98] Versuche historisch-genetischer Darstellungen der Abhängigkeit des Stils (der Stile) eines Werkes von bestimmten Vorbildern in einen Spielraum der Beliebigkeit gestellt[99]. Bei den bisherigen Befunden rhetorischer Praxis in volkssprachiger Dichtung versuchte man neben

---

formen in Brief, Predigt oder Dichtung sich auch im Mittelalter das lebendige Wesen der Rhetorik prinzipiell durchsetzt, nämlich einen kalkulierbaren Zusammenhang zwischen sprachlichen Mitteln und persuasivem Eindruck zu nutzen, beispielsweise mit elokutionellen Figuren affektische Wirkungen im Hinblick auf eine geneigte Rezeption hervorzurufen. Gerade das stereotype mittelalterliche Lob der gefälligen Schmuckform und der sprachlichen Süße scheint auf den Zusammenhang zwischen der sinnlichen Wirkung der Sprechfiguren und dem Gefallen am Text zu verweisen. Darstellungsästhetische Interpretationen vermochten hier nur gegenstandsbezogene Auszierung zu erkennen, nicht aber die gemütserregende Wirkung der Sprachsinnlichkeit.

97 So kann beispielsweise gelten, "daß die Elemente des antiken Briefstils und der lateinischen Kultur des 12. und 13. Jhs. eine gleichmäßige rhetorische Bildung geschaffen haben, die die Literatur in den Volkssprachen mitentwickelt und tief beeinflußt haben." (Fritz Schalk: Zur Entwicklung der Artes in Frankreich und Italien. In: Artes Liberales. Von der antiken Bildung zur Wissenschaft des Mittelalters. Hrsg. von Josef Koch.- Leiden, Köln 1959, S. 147 f.)

98 Vgl. z.B. die ernüchternde Darstellung der Forschungslage durch James J. Murphy mit der Fülle der weißen Flecken im Bereich der mittelalterlichen "arts of discourse" (The Arts of Discourse 1050 - 1400. In: Mediaeval Studies 23 (1961) S. 194-205) sowie einige ähnliche Diagnosen: "Scholarly labors have reconstructud only a brief and equivocal history of rhetoric during the Middle Ages." (Richard McKeon: Rhetoric in the Middle Ages. In: Speculum 17 (1942) S. 2).- "(...) absence of any historical study of the transmission of Ciceronian doctrine (to the Middle Ages, Verf.)." (Hunt: Arthurian Prologue. L.c. S. 6).- Detaillierte Studien über die mittelalterliche Schulrhetorik fehlen (Jens: Rhetorik. L.c. S. 442).

der Bestimmung der Verwendung und Distribution elokutioneller Figuren[100] auch für den jeweiligen dichterischen Stil bestimmte lateinische Figurenbücher, insbesondere unter den 'artes poeticae' des 12. und 13. Jhs., als präskriptive Quelle namhaft zu machen[101]. Diese Versuche allerdings "simply failed to take into account the ubiquity of these figures in mediaeval grammatical texts (...). The point is that any educated reader was expected to have learned for himself the lore of 'figurae', and a glance at any standard grammatical textbook of the Middle Ages will show us where he could have learned them."[102] Die "Offenheit und Verfügbarkeit der Rhetorik"[103] für alle sprachlich kommunizierenden Wissenschaften und Künste

---

99 Überdies macht hier die begrenzte Kompetenz des germanistischen Mediävisten zu schaffen, wenn er, wie wir, ein Thema aus dem Grenzbereich von mittelhochdeutscher Dichtung und lateinischem Bildungsraum wählt, ohne eigentlich Fachmann klassischer oder mittellateinischer oder auch nur altfranzösischer Philologie zu sein. Er ist nicht in der Lage, in diesen Gebieten im nötigen Umfang Grundlagenforschung zu betreiben oder auch nur einen hinreichend detaillierten Einblick in die mittelalterliche Latinität zu erreichen, will er nicht ganz von seinem eigentlichen Gegenstandsbereich abkommen. Damit findet er sich in der nicht leicht zu rechtfertigenden Lage des wissenschaftlichen Dilettanten, der ein Thema von universellem Aspekt für Antike und Mittelalter, die Rhetorik, auf den engen Raum einer volkssprachlichen Gattung, gar eines Werkes applizieren will, ohne daß ihn seine Hilfswissenschaften ausreichend zurüsten könnten.

Diese Situation mag die Art der Zitierung in den Anmerkungen besonders dieses Kapitels rechtfertigen, wo weniger die kritische Notiz und Abgrenzung von anderen Darstellungen als das dokumentierende Zitat zur eigenen Zusammenschau des Wissens um das Thema Rhetorik und Poetik im Mittelalter erscheint.

100 Eine solche Erhebung hat Sawicki (Poetik. L.c.) zu Gottfried vorgenommen. Als terminologischer und definitorischer Bezugsrahmen fungieren in der Regel Cicero, der 'auctor ad Herennium', Quintilian und die mittelalterlichen Poetiken.

101 Murphy spricht beispielsweise mit Bezug auf die Chaucer-Literatur von einem "cult of Vinsauf", "in which numerous efforts have been made to identify rhetorical figures which that poet might have learned from Geoffrey of Vinsauf's 'Poetria Nova'." (Arts of Discourse. L.c. S. 198).

102 Murphy: Arts of Discourse. L.c. S. 198.

103 Jens: Rhetorik. L.c. S. 442.- Den Funktionen der öffentlichen judikativen oder deliberativen Rede entwachsen,wird das argumentatorische Inventar der 'ars oratoria' zum Mittel einer allgemeinen Kasuistik der Wissenschaften.

in nachantiker Zeit[104] hatte im Mittelalter zudem Interferenzen der Disziplinen von Rhetorik, Grammatik und Dialektik zur Folge gehabt[105], die die Rhetorik von ihrem antiken Begriffsumfang entfernt haben[106]. Ihre 'partes artis' sind teilweise von den Nachbarkünsten übernommen worden: Die Dialektik hat Terminologie und Technik der rhetorischen 'inventio' verwandt[107], und die Grammatik lehrt die Figuren der 'elocutio[108]. Gerade im 12. Jh. verschieben sich die Gliederungen und Kompetenzen im System der Wissenschaften rasch. Die Dominanz der Logik in der Entwicklung der scholastischen Philosophie im 12. und 13. Jh. hat die Rhetorik teilweise der

---

104 Zur mittelalterlichen Situation führt McKeon aus: "Rhetoric is applied to many incommensurate subject matters; it borrows its devices from other arts and its technical terms and methods become, without trace of origin, parts of other arts and sciences." (Rhetoric. L.c. S. 3).

105 Vgl. McKeon: Rhetoric. L.c. S. 32: "The art of rhetoric was now identified with, now distinguished from the whole or part not only of grammar, logic, and dialectic (which were in turn distinguished from or identified with each other), but also of sophistic and science, or 'civil philosophy', psychology, law, and literature, and finally of philosophy as such."

106 McKeon faßt das erweiterte Rollenspiel der Rhetorik wie folgt zusammen: "The art of rhetoric contributed during the period from the fourth to the fourteenth century not only to the methods of speaking or writing well, of composing letters and petitions, sermons and prayers, legal documents and briefs, poetry and prose, but to the canons of interpreting laws and scripture, to the dialectical devices of discovery and proof, to the establishment of the scholastic method which was to come into universal use in philosophy and theology." (Rhetoric. L.c. S. 32).

107 McKeon stellt die Übernahme der "rhetorical distinctions into the mediaeval discussion of logic" dar (Rhetoric. L.c. S. 10, Anm. 2). Bei diesem Prozeß wurde die Rhetorik "gradually limited by the transfer of the commonplaces, definitions and finally proof (...) to the domain of dialectic." (L.c. S. 15). Vgl. auch Baldwin: "What was once part of rhetoric was now left to logic and the debates of the schools." (Mediaeval Rhetoric. L.c. S.196). Die 'rhetorica' ihrerseits wurde, den besonderen Bedürfnissen der Epoche entsprechend, vornehmlich zum Ausbildungsfach des Legisten (vgl. Jens: Rhetorik. L.c.S.440).

108 Darum kann Paul Salmon die Frage stellen, "ob die anerkannten Lehrbücher der Rhetorik einen wesentlichen Zusatz zu den Kenntnissen aus den Grammatiken hätten liefern können." (Über den Beitrag des grammatischen Unter-

Dialektik untergeordnet[109]. Die Reihe unterschiedlicher Einteilungen, die das System der drei propädeutischen 'artes' erfahren hat[110], geht auf lokale Schultraditionen[111] und ein Klima des geistigen Wettbewerbs zurück[112].

Eine solcherart aufgelöste Rhetorik[113] hat dennoch ihren eigenen Bereich in besonderen historischen Spezialisierungen bewahrt: Als oratorische Kunstlehre ist sie in die mittelalterlichen 'artes praedicandi' eingegangen und ist ebenso Grundlage der 'ars dictaminis' wie der 'ars poetica'[114].

---

richts zur Poetik des Mittelalters. In: Archiv f. d. Studium d. Neueren Spr. u. Lit. Bd 199. Jg. 114 (1962) S. 68). Vgl. Murphy: Arts of Discourse. L.c. S. 198: "Grammar provided the study of 'figurae et exornationes colores'", vor allem durch die Lehrbücher des Donatus, Priscian und Servius. Die grammatische Unterscheidung von 'verba propria et translata' begründete die Tropenlehre. An den Tropen, die als lexikologischer 'ornatus' zwischen Grammatik und Rhetorik angesiedelt sind, wird so schon in der Antike die Kompetenzüberschneidung der beiden 'artes' deutlich, die sich im Mittelalter verschärft abzeichnet.

109 Louis John Paetow stellt im 2. Kapitel seiner grundlegenden Arbeit dar, wie die Logik sogar das althergebrachte Handwerkszeug der 'grammatica', die literarischen Exempla, verdrängt und auf eine 'grammatica speculativa' hinwirkt, eine Tendenz, die offenbar auch in der Fiktionsliteratur nicht ohne Wirkung geblieben ist, wo das Kommentarwesen den Mythos hin zu einer 'fictio speculativa' auflöst, wie das nicht zuletzt bei Gottfried zu beobachten sein wird. (The Arts Course at Mediaeval Universities with Special Reference to Grammar and Rhetoric. Urbana 1910 (= The University of Illinois Studies. Vol. 3).

110 Zur komplexen Lage der Disziplin, ihren Definitionen, Grenzen und Überschneidungen vgl. insgesamt Salmon: Grammatischer Unterricht. L.c.

111 Ihre exemplarische Polarisierung finden diese in der Rivalität von Paris und Orléans, den Zentren von Logik bzw. Rhetorik, von scholastischer Philosophie bzw. literarischem Klassizismus.

112 Vgl. Garin: Pädagogik. L.c. S. 17.- Es ging im Streit der Schulen beispielsweise um die positive oder negative Einschätzung der 'imitatio' als Mittel des Unterrichts.

113 Charakteristisch für diese Auflösung ist auch die Vielfalt der Verwendungsweisen rhetorischer Elemente. Topoi waren "sometimes techniques for inventing arguments, sometimes means for dilating statements, sometimes methods for discovering things." (McKeon: Rhetoric. L.c. S. 32).

114 Dabei werden diese besonderen Künste wiederum je nach

Nicht so sehr die klassischen Rhetoriken Ciceros und Quintilians als Lehrbücher öffentlicher politisch-juristischer Beredsamkeit bestimmen die literarische Praxis des Mittelalters unmittelbar - wiewohl sie seit dem 9. Jahrhundert mehr oder weniger reichlich in fast allen Bibliotheken vorhanden sind, studiert werden und Grundlagen mittelalterlicher Handbücher werden -, sondern die auf mittelalterliche Kommunikationsbedürfnisse zugeschnittenen Manuale des Predigens, Korrespondierens und Dichtens. Diese verfahren gegenüber den 'auctores' pragmatisch-eklektisch[115] und entwickeln meist keine umfassenden rhetorischen Theorien mehr.

Die 'ars praedicandi' verdankt sich der christlichen Indienstnahme der Rhetorik durch Augustin, die von kaum zu unterschätzender Bedeutung für die Wirksamkeit des Christentums

---

Zeit und Ort in verschiedenen Teilen des Triviums abgehandelt, beispielsweise Predigt- und Brieflehre in der Rhetorik, Dichtung aber in der Grammatik. Vgl. Margaret F. Nims in der Einleitung ihrer Übersetzung der 'Poetria nova': "Grammar as well as rhetoric claimed poetics as its province." (Poetria Nova of Geoffrey of Vinsauf. Toronto 1967. S. 9).- Ob die 'enarratio poetarum' nun Teil der Grammatik ist wie bei Hrabanus - 'grammatica est scientia interpretandi poetas atque historicos, et recte scribendi loquendi ratio' (zitiert nach Finster: Prologe. L.c. S. 33) - oder ob sie Teil der Rhetorik ist, stets bleibt sie im Schema der 'artes' eine Untergliederung von Rhetorik oder Grammatik, hat keinen eigenen Status als wissenschaftliche Disziplin.

115 "This pragmatic principle became a dominant mediaeval criterion". (Murphy: Arts of Discourse. L.c. S. 194). Mittelalterliche Gelehrsamkeit achtete in der Tat nicht auf eine unvermischte, quellenkritische Texttradierung, sondern begünstigte eher durch ihr Florilegien- und Kompendienwesen die Entstehung vielfältiger Schattierungen der Terminologien, Inhalte und Anwendungen der gesamten Tradition. Dies erschwert eine Orientierung in den mittelalterlichen 'artes' für unsere Zwecke erheblich. Das verwirrende Begriffsangebot etwa für den Anfang von Texten (exordium, principium, titulus, praefatio, proömium, prologus, expositio) mag die Unkontrollierbarkeit des damit einhergehenden wechselnden Gebrauchs und der Funktionen der antiken Elemente andeuten. Die wissenschaftlichen Produktionsformen der Epoche - Kommentar, Lesart, Adaption, Dissertation: allesamt Formen des Exegetischen - förderten eine pluralistische Umformung der gesamten Traditionsmasse und die Verschmelzung von verschiedenen Bereichen, etwa von Poetik und Rhetorik, wie sie bereits das 10. Jahrhundert mit der wechselseitigen Interpretation des Horaz vor dem Hintergrund der Herennius-Rhetorik

als Offenbarungsreligion wurde[116]. Augustin erkannte die Notwendigkeit, die biblische Wahrheit jedermann glaubwürdig zu vermitteln, und benutzte die Rhetorik zur wirksamen Verkündigung[117]. Der antiken Rhetorik wurde bei dieser Adaption ihre inhaltliche Motivation entzogen, der Behandlung von 'quaestiones civiles' zu dienen[118]. Stattdessen sah die christliche Rhetorik ihre Aufgabe darin, die 'veritas divina' durch eine rhetorisch erzeugte 'similitudo veri' bei den Zuhörern zu einer 'veritas credita' werden zu lassen, denn das Enigma Gottes war dem Menschen nur als sprachliche 'similitudo' darstellbar[119]. Die Leistung der Rhetorik geht aber von jeher auf diesen Schein der Wahrheit als das dem Menschen in der Sprache allein Mögliche und Gemäße. Daher auch der Streit von Philosophie und Rhetorik, der sich als die prinzipielle Skepsis der Rhetorik gegenüber den apodiktischen Urteilen der Philosophie verstehen läßt, die mit dem Anspruch substantieller Wahrheit auftreten, während das Wahre im Sinne der Rhetorik allein als das in der zwischenmenschlichen Rede glaubwür-

---

- und umgekehrt - in den sogenannten Horaz-Scholien vorgenommen hat. (Vgl. dazu die Darstellung von Franz Quadlbauer: Die antike Theorie der genera dicendi im lateinischen Mittelalter. Wien 1962. S. 53).

116 Zur Sprachgebundenheit von antiker Kultur und Christentum und ihrer Synthese im Sprachdenken Augustins, das die antike "verbal theory of knowledge" mit der christlichen "religion of the word" verband, vergleiche die großangelegte Darstellung von Colish: Mirror of Language. L.c.

117 Er gebrauchte die Rhetorik im aristotelischen Sinne als "the art of giving effectiveness to truth" (Baldwin: Mediaeval Rhetoric. L.c. S. 3).- Borinski nennt das 4. Buch der 'Doctrina Christiana' Augustins die "erste streng antik methodische christliche Rhetorik." (Karl Borinski: Die Antike in Poetik und Kunsttheorie. 1. Band. Darmstadt 1965 (Reprogr. d. Ausg. Leipzig 1914) S. 28).- Später hat Abälard der Offenbarung selbst rhetorischen Charakter zugeschrieben: "The intention of all divine Scripture is to teach or to move in the manner of a rhetorical speech." (Aus dem 'prologus' der 'Commentaria super S. Pauli Epistolam ad Romanos'. Patrologia Latina 178. S. 783-784. Zitiert nach McKeons Übertragung: Rhetoric. L.c. S. 20).

118 Allerdings bleibt ja mit dem mittelalterlichen "transfer of moral and political questions to theology" (McKeon: Rhetoric. L.c. S. 15) die Rhetorik gewissermaßen in ihrem alten Tätigkeitsbereich!

119 Die Grenze sprachlichen Wissens von Gott zieht dem Mittelalter das Apostelwort im 1. Kor. 13, 12: 'Videmus nunc per speculum in aenigmate, tunc autem facie ad faciem.'

dig zu machende faßbar wird, die 'veritas' an den Akt des persuasiven Sprechens gebunden ist. So stehen sich 'logica veritatis' und 'logica probabilitatis', Gewißheits- und Wahrscheinlichkeitslehre in den Erörterungskünsten von Logik und Rhetorik gegenüber[120].

Wollte man nun von dieser Grundbestimmung des Rhetorischen, wie sie sich in der 'ars praedicandi' verwirklicht, auch auf die Funktion der Rhetorik in der 'ars poetica' schließen, müßte sich der Zusammenhang von Rhetorik und Dichtung folgendermaßen darstellen: Die 'ars rhetorica' würde zum Instrument, ein an fiktiven Stoffen Bedeutetes als Wahrscheinliches glaubthaft zu machen. Solcher Zusammenhang ist zwar der Antike geläufig und bestimmt letzten Endes auch die Praxis rhetorisierten Dichtens im Mittelalter, aber von solchen Zwecken steht nun allerdings - wie man vielleicht erwarten möchte - in den von Edmond Faral edierten 'artes poeticae' des 12. und 13. Jahrhunderts nichts[121]. Überhaupt versagen sie sich weitgehend dichtungstheoretische Ausführungen über Zwecke und Wirkung in ihrer Kunstlehre[122]. Was aber beinhalten sie dann und welche Rolle spielt die Rhetorik stattdessen in ihnen?

---

120 Vgl. die entsprechenden Ausführungen von Klaus Dockhorn zur Opposition von Rhetorik und Philosophie in der abendländischen Bildungsgeschichte in seinen Rezensionen von: Heinrich Lausberg: Handbuch der literarischen Rhetorik. In: Götting. Gelehrte Anz. Jg. 214 (1962) S. 184 f.- Hans-Georg Gadamer: Wahrheit und Methode. In: Götting. Gelehrte Anz. Jg. 218 (1966) S. 169 ff. passim.

121 Die summarische Nennung der 'artes poeticae' bezieht sich stets auf seine Ausgabe: Edmond Faral: Les Arts Poétiques. Recherches et Documents sur la Technique Littéraire du Moyen Age. Paris 1924.

122 Diese Eigenart der mittelalterlichen Situation hat Curtius ja auch bewogen, sehr deutlich zwischen Poetik als der technischen Kunstlehre und Dichtungstheorie als der Begründung des Dichtens zu unterscheiden.

2.4. Die 'artes poeticae' des Mittelalters

Es verbietet sich im folgenden, mit den von Faral zusammengestellten 'arts poétiques' summarisch zu verfahren, handelt es sich doch um recht unterschiedliche Regelbücher. Matthäus von Vendôme und Gaufredus von Vinsauf - und in ihrem Gefolge auch Eberhard der Deutsche - vertreten die Eigenart der mittelalterlichen 'poetria' am deutlichsten: Deren Grundlegung in der epideiktischen Beredsamkeit und ihre weitgehende Begrenzung auf den Bereich des Elokutionellen. Gervasius von Melkley ('ars versificaria') und Johannes von Garlandia ('poetria') dagegen geben noch eher das traditionelle Bild eines allgemeinen rhetorischen Kursus (123) und beziehen sich - trotz ihrer eingrenzenden Titel - nicht nur auf poetische Gedichte, sondern auch auf Brief- und Redekunst. (124) Unsere Ausführungen werden sich daher zweckdienlicherweise auf die 'ars versificatoria' des Matthäus und die 'poetria nova' sowie das 'documentum de modo et arte dictandi et versificandi' des Gaufredus beschränken, in denen die Besonderheiten der mittelalterlichen Dichtlehre am ausgeprägtesten theoretisiert sind. (125)

Wenn Matthäus in seiner 'ars versificatoria'[126], der frühesten dieser Poetiken (ca. 1175), sich gleichermaßen des Horaz, des Donatus und des 'auctor ad Herennium' als Quellen bedient, so ist die Mischung, die diese Poetiken veranstalten, recht genau bezeichnet: 'ars poetica', 'ars grammatica' und 'ars rhetorica' werden verwoben, ohne daß die dabei entstehende Dichtungslehre recht eigentlich Dichtungstheorie lieferte oder sich auch des 'recte scribendi' vollständig annähme

---

123 Neben der obligatorischen Behandlung des rhetorischen Ornatus spricht Gervasius auch von der rhetorischen Ausbildung, der Verbindung von Lektüre, Übung und Talent und stellt kurz die "lieux de l'invention et des arguments" dar (Faral: Arts Poétiques. L.c. S. 328 f). Johannes behandelt die 'ars eligendi materiam' ebenso wie die 'inventio' und die 'partes orationis' (Faral. L.c. S. 378 ff). Damit sind ihre Bücher nicht bloß poetische Schmucklehren, sondern eher halbwegs vollständige Rhetoriken für verschiedene mittelalterliche Zwecke.

124 Johannes bezieht sich nicht nur auf die 'tractatus poetarum', sondern auch auf die 'curialibus negotia', handelt sowohl vom "genre narratif" und "divers genres poétiques" wie auch vom "genre épistolaire" und gibt Beispiele von 'litterae curialium' und 'dictamina scolarium' (Faral. Lc. S. 379 f).

125 Zwischen den beiden Poetiken sind zwar deutliche Unterschiede auszumachen, aber diese stehen weniger in Opposition zueinander als daß sie sich ergänzen und so zusammen einen Begriff von der mittelalterlichen 'ars poetica' geben. Daß beide Poetiken zeitlich am ehesten in Gott-

oder gar als Redekunst umfassend wäre[127]. Ihre besondere Legitimation erhalten diese Manuale durch ihren Zuschnitt auf den poetischen 'sermo metrica'[128], denn für jedwede prosaische Textierung stellten ja Grammatik und Rhetorik schon die Mittel bereit[129]. Insgesamt geben sie daher nur "Regeln zur Verfertigung von Gedichten nach vorhandenen Mustern"[130].

Die Rhetorik ist in den Poetiken in erster Linie durch die rhetorische Schmucklehre vertreten. Die drei Elemente des 'ornatus', die Wort- und die Sinnfiguren und die Tropen, hatten die antiken Autoren teils als Tropen vs. Figuren unterschieden[131], teils aber auch die Tropen bei den Wortfiguren mitbehandelt[132]. Matthäus trennt nun 'scemata' und 'tropi'[133] und

---

frieds Gesichtskreis gewesen sein dürften, ist nicht entscheidend, denn es gilt, was schon Sawicki ausgeführt hat: Die Poetiken dürften späte, systematisierte Kodifizierungen einer längeren Lehrpraxis der Schulen sein. (Poetik. L.c. S. 54 f).

126 Faral. L.c. S. 109 - 193.

127 Der Eklektizismus, der das Zustandekommen der Poetiken charakterisiert, die Vermischung von 'praecepta' und 'exempla' verschiedener Herkunft, wie sie die Tätigkeit mittelalterlicher Gelehrsamkeit überhaupt bestimmt, kann auch auf das Verfahren eines gebildeten Poeten wie Gottfried projiziert werden: Er verfügt über eine breite Skala literarischen Angebots und formt daraus talentiert sein eigenes thematisches, stilistisches und poetologisches Konzept. Aus einer Menge genetischer Fäden ist von ihm ein Knoten gebunden worden. Daher kann aber auch - und diese Tatsache ist nicht immer genügend beachtet worden - die Entdeckung eines Fadens und seine Verfolgung nach rückwärts noch keinen Generalschlüssel zum Verständnis des "Knotenwerkes" bieten. So sind auch die Poetiken mit ihren rhetorischen Implikaten nur eine Tür zu Gottfrieds Erzählweise.

128 Vgl. Matthäus v. V.: 'ars versificatoria'. I. 1.: 'Versus est metrica oratio (...)." Diese Auffassung von der Poesie als metrisch gebundener Rede ist antik: "Nach antiker Auffassung sind Poesie und Prosa nicht zwei wesensmäßig und von Grund aus geschiedene Ausdrucksformen. Beide fallen vielmehr unter den Oberbegriff der 'Rede' (...) Poesie ist metrisch gebundene Rede." (Curtius: Europäische Literatur. L.c. S. 157). Brinkmann zitiert eine Definition aus dem 14. Jahrhundert, worin sich das mittelalterliche Bewußtsein dieser Bindung der Dichtung an die oratorische Kunst noch einmal bezeugt: 'nam poesis est scientia que gravem et illustrem orationem claudit in metro'. (Wesen und Form. L.c. S. 15).

129 Die Titel 'ars versificatoria' und 'ars versificaria' signalisieren den versgebundenen Gebrauch einer ansonsten für Vers und Prosa gleich gültigen 'ars rhetorica'. Die

entspricht so der später von Gaufredus dargestellten Zweistillehre, die den Tropen die 'ornata difficultas', den Wort- und Sinnfiguren die 'ornata facilitas' zuspricht. Diese Unterscheidung entwickelte sich höchstwahrscheinlich im Gefolge der grammatischen Lehre von den 'verba propria' und den 'verba translata' und auf Grund eines am kunstvollen Einzelwort interessierten Schmuckbedürfnisses[134]. Dies entspricht der epideiktischen Natur dieser Lehre, die keineswegs eine originäre mittelalterliche Adaption ciceronianischer Rhetorik darstellt, sondern vielmehr den alten Zusammenhang von epideiktischer Beredsamkeit und Poesie aufnimmt[135], wie er

---

'poetria' ist also gewissermaßen nur "Translationsorgan" der Rhetorik für die Dichtung (Brinkmann: Wesen und Form. L.c. S.29), wie ja grundsätzlich zu beachten ist, daß die Poetik nur ein abgeleiteter Teilbereich der drei sprachlichen Künste ist.

130 Sawicki: Poetik. L.c. S. 48.

131 Quintilian: Institutio oratoria. IX, 1, 4-7.

132 Der 'auctor ad Herennium' unterscheidet 'verborum exornationes' und 'sententiarum exornationes'und behandelt die Tropen innerhalb des Wortschmucks.

133 Faral: Arts Poétiques. L.c. S. 177 f. (§ 45).

134 Ulrich Mölk hat einiges Licht in die entstehungsgeschichtlichen Zusammenhänge der elocutionellen Zweistillehre des Gaufredus gebracht (Trobar clus - Trobar leu. Studien zur Dichtungstheorie der Trobadors. München 1968. Kap.3). Es gelang ihm zu zeigen, daß nicht die rhetorische, sondern die grammatische Tradition mit ihrer Unterscheidung von 'verba propria/translata' maßgeblich für die Theorie des 'ornatus facilis/difficilis' sein mußte. Während die klassische Rhetorik, vornehmlich an luzider Argumentation interessiert, vor übermäßigem Gebrauch von Tropen warnt, sprechen die am Einzelwort interessierten Grammatiker dem komplizierten Tropus besondere Dignität zu. Diese Bewertung des Tropus mußte einer literarischen Rhetorik entgegenkommen, die die Schmuckqualität des Einzelwortes höher wertete als etwa die Argumentationsleistung der Sinnfiguren. Grammatik und epideiktische Rhetorik treffen sich so in der Unterscheidung von 'verbum proprium/locutio simplex' und 'verbum translatum/locutio figurata', wie sie bereits Notker in seiner frühmittelalterlichen Rhetorik vollzogen hat und dort den Tropen 'sublimitas' zuspricht. Mölk ergänzt mit seiner Darstellung Quadlbauers Behandlung der 'genera dicendi' in der mittelalterlichen Rhetorik (Theorie. L.c.) und zeigt die Selbständigkeit der epideiktischen Zweischmucklehre gegenüber der rhetorischen Dreistillehre.

135 Dieser Zusammenhang ist wechselseitig, "indem das 'genus demonstrativum' die Technik der überkommenen Poesie über-

dem Mittelalter aus der Spätantike bekannt ist: Mit dem Zerfall der römischen Redekunst entstand in der jüngeren Sophistik ein die Elemente des 'genus demonstrativum' virtuos handhabender Stil, bei dem die artifizielle 'dilatatio materiae' mit Formen des leichten Schmucks, insbesondere der 'determinatio', entscheidend ist. Sein wichtigster, dem Mittelalter gut bekannter Vertreter ist Apollonius Sidonius[136]. Dieser aus spätantiken sophistischen Tendenzen erwachsenen artistischen Rhetorik der Beschreibung[137], in der schließlich das Dekorative für sich selbst sprach und nicht mehr aus einer "urgency of subject matter"[138] motiviert war, ist die mittelalterliche Poetik mit ihrer Amplifikationslehre verpflichtet[139].

Die 'amplificatio' als das poetische Prinzip, dem der 'ornatus' dient, stellt im Grunde, rhetorisch gesehen, die gesamte 'inventio' der aus dem 'genus demonstrativum' herrühren-

---

nimmt und seinerseits die in der Redekunst detailliert ausgebildete Technik der Poesie als Instrument wieder übergibt." (Lausberg: Handbuch. L.c. S. 131 f). Für das Ineinander von Poetik und Rhetorik, von Dichtung und rhetorischer Lehre, gilt für Antike wie Mittelalter allgemein: "Zwischen rhetorischen Lehrbüchern und antiken Dichtwerken besteht schon deshalb kein Gegensatz, weil die Lehrbücher ihre Regeln und Muster aus den Dichtwerken schöpfen und zu ihren formalen Interpretationen hinführen." (Fechter: Lateinische Dichtkunst. L.c. S. 114. Vgl. ähnlich Brinkmann: Wesen und Form. L.c. S. 36). Auch die Tatsache, daß die Frage erörtert wurde, ob Vergil ein Redner oder ein Dichter sei, und die Auffassung von Horaz als Rhetor und von Cicero als Lehrer der Dichter erhellten das Ineinander der Disziplinen (vgl. Finster: Prologe. L.c. S. 59).

136 Gaufredus bezeichnet seine 'determinatio'-Lehre als 'modus et mos Sidonianus' (Poetria nova v. 1825). Alanus ab Insulis bekennt sich zu ihm und repräsentiert in seiner lateinischen Epik diese spätantike Sprachkunst im Mittelalter am vollkommensten.

137 Baldwin bemerkt z.B. zu Matthäus' Poetik: "The idea behind it is that poetry is mainly description, which in turn proceeds mainly by dilation." (Mediaeval Rhetoric. L.c. S. 186).

138 Baldwin: Mediaeval Rhetoric. L.c. S. 7.

139 Vgl. Baldwin: L.c. S. 189: "The sophistic of the ancient encomium walking the schools once more, is now called poetria." Ähnlich Leonid Arbusow: Colores Rhetorici. Göttingen 1948. S. 22.

den mittelalterlichen Poetik dar[140]. Im Gegensatz zu ihrem antiken Begriff als Steigerungsform mit besonderen affektischen Wirkungen[141] erscheint die 'amplificatio' hier als 'dilatatio', als Breitenamplifizierung[142]. Zu ihrem Zweck stellt die mittelalterliche Theorie verschiedene geeignete Verfahren der klassischen Rhetorik zusammen. Bei Gaufredus sind es Elemente der 'inventio' (digressio, collatio), Gedankenfiguren (expolitio, exclamatio, sermocinatio, descriptio, oppositio) und ein Tropus (periphrasis)[143] sowie die wortbezogenen, grammatischen Variationstechniken von 'determinatio' und 'conversio'[144], die dem poetischen Ideal der schmuckvollen Ausweitung der 'res' dienen[145]. Insgesamt er-

---

140 Vgl. Lausberg: Handbuch. L.c. § 61, 3b.- Nims: Poetria nova. L.c. S. 10 bemerkt zum Fehlen einer vollständigen 'inventio'-Theorie in der 'poetria': "'Inventio', however (in its broad sense the finding of the material), was an area of discourse common to poetry and prose, and therefore special treatment in a handbook of poetics was not seen necessary." Dies ist gewiß eine Fehleinschätzung auf Grund der Annahme, 'inventio' von Rede und Dichtung seien weitgehend identisch und Graufredus habe sie deshalb absichtlich übergangen, um nicht etwas bereits in der Rhetorik ausgeführtes zu wiederholen. Vielmehr besteht die Eigenart der epideiktischen Gattung und der ihr verbundenen poetischen Theorie des Mittelalters ja gerade darin, von den 'res' und ihrer inventorischen Bearbeitung abzusehen - der Stoff war ja vorgegeben und mußte nur versifiziert und amplifiziert werden - und sich ganz der Sprachkunst als solcher anzunehmen und sogar einige ursprünglich inventorische Elemente in ornative Funktionen zu überführen. Vgl. dazu Lausberg: Handbuch. L.c. § 755: "Gerade die literarische Verallgemeinerung der Rhetorik hat die Loslösung von Teilen der Statuslehre und der Inventio als Figuren begünstigt."

141 Lausberg: Handbuch. L.c. § 259.

142 Baldwin spricht von der 'ars poetria' als einem "manual of dilation." (Mediaeval Rhetoric. L.c. S. 188).

143 Poetria nova III. A. (Faral: Arts Poétiques. L.c. S. 194 f)

144 Poetria nova IV. 3. 4. (Faral: L.c. S. 196).

145 Die Mischung der Elemente verschiedener Funktionsbereiche der Rhetorik wird möglich durch die gemeinsame Ausrichtung an ihrer neuen poetischen Funktion: Sie sind nicht mehr Fundörter oder Beweismittel, sondern dienen den ornativen Zwecken der adaptiven 'amplificatio'. Dabei sei allerdings schon hier darauf hingewiesen, daß die stilistische Aufschwellung nicht unbedingt eine Verdünnung der Qualität und Wirkung im Gefolge hat, wie das oft pejorativ impliziert wurde, sondern daß Dilation und Wirkungssteigerung

füllen diese pseudoinventorischen Verfahren keinen die 'res' erschließenden Zweck mehr[146], sondern sind Formen einer sich selbst darstellenden Kunstübung[147].

Der Verzicht auf eine ausführliche Behandlung der 'inventio' und 'dispositio', von 'materia artis' und 'status'-Lehre, von 'officium et finis artis'[148] und die Begrenzung auf die Technik sprachlicher Zier entsprechen der demonstrativen Kunst[149], die gegenüber der auf den Entscheidungs- und Handlungswillen persuasiv gerichteten judikalen und deliberativen Rede die 'certae rei amplificatio' zur Aufgabe hat[150], also bereits beglaubigte Gegenstände darzustellen. Sie spricht ein ästhetisch gerichtetes Interesse an, und ihr 'bene dicere qua amplififcatio' strebt eine 'delectatio'

---

durchaus komplementär sein können, je nachdem, welche Figuren mit welchem 'affectus' der 'amplificatio' dienen. Vgl. auch unsere Ausführungen S. 90, Anm. 266.

146 Die Vernachlässigung der 'res' in der amplifizierenden epideiktischen Schreibart der Spätantike korrespondiert der Trennung von 'res' und 'verba' in der Geschichte der mittelalterlichen Rhetorik, wo insbesondere die Logik den 'inventio'-Bereich usurpierte. Was der Rhetorik übrigblieb, war Stilkunst: "By offering the most active training in composition, logic confirmed the restriction of rhetoric to style." (Baldwin: Mediaeval Rhetoric. L.c. S. 151).

147 Diese ästhetisierende Tendenz erstreckte sich schließlich nicht nur auf die Dichtung, sondern drang in alle schriftsprachliche Kultur ein: "Writers as different as John of Salisbury and Brunetto Latini seem to think of it (of rhetoric, Verf.) as polishing, decorating, especially dilating what has already been expressed (...) it has lost its ancient function of composing." (Baldwin: L.c. S. 181).

148 Faral spricht von "des vues très incertaines sur les fonctions de l'art." (Arts Poétiques. L.c. S. XV). Daß die Dichtungen selbst of mehr über Absicht und Zweck ihres Tuns verlauten lassen als die Poetiken an Begründung liefern, rückt nur deutlicher deren engumschriebene Funktion ins Licht.

149 Sie am Maßstab einer Dichtungstheorie messend, kommt Baldwin zwangsläufig zu einem abschätzigen Urteil: "'Poetria', as conceived by the mediaeval manuals, is essentially elaboration of style. That it is a distinct mode of composition is never even hinted. Focused on diction and devoted to elaboration, it draws upon the ancient 'colores' until poetic is indistinguishable from rhetoric." (Mediaeval Rhetoric. L.c. S. 292).

150 Lausberg: Handbuch. L.c. § 409.

an[151], will also allenfalls noch in einem übertragenen, auf sich selbst gerichteten Sinn persuasiv sein[152].

Wenngleich also die Poetiken sich nicht über Zweck und Wirkung ihres rhetorischen Schmuckapparates äußern[153], so kann doch an der psychagogischen Wirkung ihrer Mittel kein Zweifel sein, denn "mit den Gesetzen des Stils übernimmt die Poetik aber auch grundsätzlich eine Zielsetzung, die als die eigentlich rhetorische gedacht wird: die Überredung und Beeinflussung des Hörers."[154] Angesichts der diesbezüglich stummen Poetiken wäre genauer zu bestimmen, welche Richtung die dem rhetorischen 'ornatus' in mittelalterlicher Dichtung

---

151 Dies würde mit jenen Äußerungen in Dichtung und Poetik zusammenstimmen, die Gewicht auf den Wohllaut der Sprache legen, die davor warnen, das Ohr nicht zu verletzen: Nicht die meinungsbestimmende Kraft, sondern die Klangschönheit der Worte entscheidet hier über die poetische Qualität. Liegt der Schwerpunkt der dichterischen Bemühung auf der Zurschaustellung der Kunst selbst, so ist auch die mittelalterliche Gleichgültigkeit in Fragen des Plagiats nicht verwunderlich: Die mehrfache Versifizierung eines Stoffes, die Adaption einer Vorlage oder die Nachdichtung eines fremdsprachlichen Werkes sind so legitime poetische Verfahren des Mittelalters, gilt doch die Kunst nicht in erster Linie den 'res', sondern den 'verba': "Der Stoff wird vorausgesetzt. Das lehrten aufs neue die Theorie der Erweiterung und Verkleinerung." (Brinkmann: Wesen und Form. L.c. S. 47).

152 Lausberg spricht von der "Exhibition der Redekunst" im demonstrativen Genus (Handbuch. L.c. § 239). Vgl. auch Baldwins Charakterisierung der sophistischen Epideixis: "The orator's achievement is not the persuasion of his fellow men; it is his own virtuosity." (Mediaeval Rhetoric. L.c. S. 85).

153 Wenn man von der Erwähnung der 'laus/vituperatio'-Funktion der Epideixis bei Matthäus ('ars versificatoria', I. § 59 (= Faral: Arts Poétiques. L.c. S. 132)) und einigen weitgehend tautologischen Bestimmungen durch formale Kategorien absieht: Schmuck um der Zier willen, 'elegantia' durch 'ornatus' und dergleichen.- Dockhorn führt zum Theoriedefizit in der nachantiken Rhetorikvermittlung aus: "Viele, ja wohl die meisten Rhetoriken und Poetiken des Mittelalters und der Neuzeit sind erläuternde Verzeichnisse der Tropen und Figuren. Bis zum Zeitalter der Gefühlskultur hat dabei dem Wort 'ornatus' die bloße Bedeutung des Schmucks geeignet; die Affektbedeutung der Tropen und Figuren und auch der 'compositio' (Rhythmus, Metrum) tritt hinter einer allgemeinen, stark intellektuell gefärbten 'delectatio' zurück." (Rez. Lausberg. L.c. S. 189).

zwangsläufig inhärenten persuasiven Wirkungen denn nehmen, welcher spezifisch poetischen Funktion sie möglicherweise dienen.

2.5. Rhetorik und höfischer Roman

2.5.1. Ziele und Verfahren

Wenn wir von Rhetorik im höfischen Roman sprechen, kann uns nicht nur die epideiktische Mikrostruktur des Textes, die von der Schmucklehre der Poetiken bestimmt ist, interessieren (wobei allerdings der ungeklärte Zusammenhang von Ornatus und Affekten im Auge behalten werden muß), sondern es geht gerade auch um die weitgehend unbeachteten nichtelokutionellen Leistungen rhetorischer Herkunft, wie sie u.a. in der Rednerrolle des Erzählers, seinem auktorialen Kommentar, im Dialog der Figuren, in der Personen- und Sachbeschreibung oder im Prolog greifbar werden, beispielsweise auch judikale Verfahren in kasuistischen Debatten oder deliberative in exhortativen Adressen. Die mittelalterliche Poetik, nur Stillehre im engsten Sinn, gibt uns hier - wie dargelegt - keine Auskunft[155].

Worauf wir also hinauswollen: Bei der Betrachtung eines höfischen Romans 'sub specie rhetorica' sind zwei Schichten der rhetorischen Tradition zu unterscheiden: Zum einen handelt es sich um das weithin positivistisch, aber noch nicht wirkungspoetisch aufgearbeitete Verhältnis von mittelalterlicher Poetik bzw. rhetorischer Schmucklehre und Dichtung; zum anderen um die in den 'poetriae' nicht gegenwärtigen rhetorischen Kunstteile, die in der rhetorisch begriffenen mittelalterlichen Erzählung ebenso ihren Platz hatten und die aus

---

154 Joachim Dyck: Ticht-Kunst. Deutsche Barockpoetik und rhetorische Tradition. Bad Homburg, Berlin, Zürich (2. Aufl.) 1969. S. 33.

155 Wo es in der Forschung in der Vergangenheit um Aufbau, Form oder Struktur der Dichtung ging, war das Desinteresse an den Poetiken begründet. Die Figurenlehre konnte keine Poetik der mittelalterlichen Erzählung erstellen, denn in den Poetiken erscheint Rhetorik nicht "operative

der klassischen judikal-deliberativen Rhetorik Ciceros und Quintilians kamen, die im Mittelalter für alle schriftsprachlichen Verfahren maßgebend war. Die Grenzen zwischen beiden Einflußbereichen sind in der Dichtung fließend: Rhetorisch-persuasive Stoffgliederung und amplifizierend-affizierende Schmückung bilden in der Praxis eine Einheit.

Wenn man also nicht nur danach sucht, was aus den Poetiken seinen Niederschlag in der mittelhochdeutschen Dichtung gefunden hat, sondern im Text auch solche stilistischen Verfahren beobachtet, die die Poetiken nicht behandeln, wird man auf Wirkungen der allgemeinen ciceronianisch-augustinischen Rhetoriktradition des Mittelalters stoßen. Ob nun Cicero und Quintilian unmittelbar oder die in die zeitgenössische 'dialectica' des Triviums und ihre philosophisch-theologischen Techniken eingeflossene Rhetorik als Einflußbereiche bestimmt werden: Gottfrieds Gegenstandsbehandlung verrät die umfassende schulsprachliche Bildung, in der die Poetiken nur eine begrenzte Stelle einnehmen[156]. Man kann auch beispielsweise darauf hinweisen, daß die in Gottfrieds Werk wichtigen allegorischen Darstellungen nicht von den Poetiken her erklärt werden können, die die Allegorie nur als Worttropus aufführen. Auch stellen die Poetiken nicht alles bereit, was die Form und Leistung des 'Tristan'-Prologs erklären könnte. Dagegen vermag die Einsicht in die allgemeine rhetorische Tradition des Mittelalters Phänomenbeschreibungen von Gottfrieds Darstellung formhistorisch zu erklären und zugleich die kommunikative Leistung der Stellen zu bestimmen helfen. Sie kann beispielsweise auch verstehen machen, daß die Unschärfe einer Vokabel, eines Verses durchaus funktional sein kann, weil deno-

---

as composition, but only as style after the fact." (Baldwin: Mediaeval Rhetoric. L.c. S. 174)

156 Schon Dilthey weiß Gottfrieds formale Bildung einzuschätzen: "Vor allem aber spricht aus seinem Werke eine kunstmäßige Ausbildung des Denkens, in der er unter den deutschen Dichtern der Zeit nicht seinesgleichen hat." (Wilhelm Dilthey: Von deutscher Dichtung und Musik. Aus den Studien zur Geschichte des deutschen Geistes. Leipzig, Berlin 1933. S. 132).

tative Griffigkeit, wie sie eine die Wortbedeutung wägende Interpretationsweise sucht, nicht das angemessene Kriterium sein muß, wo rhetorisiertes Erzählen sich der affektiven Potenzen der Sprache bedient.

Nach allem, was über die Rolle der Rhetorik für die mittelalterliche Dichtung gesagt wurde, stellt sich die Frage nach der eigentlichen Methode der Untersuchung rhetorisierten Erzählens bei Gottfried: Wogegen sollen wir abheben, wenn wir Rhetorik im Roman diagnostizieren wollen? Auf die Weglosigkeit genetischer Analysen wurde schon hingewiesen[157]: Antike Klassiker (Cicero, Auctor ad Herennium, Quintilian)[158], mittelalterliche Rhetoriken (Isidor, Beda, Notker, Marbod u.a.), gallische sophistische Rhetorik, philosophische und theologische Sprechformen des Jahrhunderts und natürlich praktisch-literarische Vorbilder (Vergil, Sidonius, Alanus ab Insulis, französische und deutsche Epik) konnten gleichermaßen bei einem gebildeten Literaten des 12. Jahrhunderts ihren Einfluß geltend gemacht haben[159]. Historische Spezifizierung von Linien zwischen Text und prägendem Anstoß wird nur punktuell und zufällig möglich sein[160]. Auch die Poetiken sind nur eine begrenzte Orientierungshilfe; ihre Regeln werden von volkssprachlicher Dichtung durchaus auch eklatant ins Unrecht gesetzt. Auswahl, Terminologie und Funktion der Elemente in antiken und mittelalterlichen 'artes' - ein Gemisch von Übereinstimmung und vielfältigem konzeptionellen Wandel - machen historisierende Herleitungen für unsere Zwekke nicht möglich[161].

---

157 Vgl. S. 28 - 31.

158 Eine Ermahnung aus dem Kloster Tegernsee, die Sawicki zitiert, hält die Scholaren dazu an, die 'auctores' selbst und nicht Kompendien zu lesen (Poetik. L.c. S. 13). - Hunt hat z.B. in bezug auf die Exordien der höfischen Dichtung gezeigt, daß dem Mittelalter die ganze ciceronianische Rhetorik vertraut war und eben auch in der vernakularen Dichtung bis in die Details befolgt wurde. (Arthurian Prologue. L.c.).

159 Ein Beispiel für viele, letzten Endes arbiträre Versuche: Ehrismann bemüht den Einfluß der 'ars praedicandi': "(...) auch im Predigtstil hat er (Gottfried, Verf.) das geordnete, systematische Denken gelernt." (Literaturgeschichte. L.c. S. 326).

Von der Einbettung des höfischen Versromans, so wie ihn Gottfried repräsentiert, in die mittelalterliche Latinität ausgehend, sind wir insbesondere an denjenigen Leistungen des Rhetorischen im Werk interessiert[162], die sich unter wirkungspoetischem Aspekt als Zusammenhang von Rhetorik und Rezeptionslenkung darstellen lassen[163]. Hierzu bedarf es allerdings nicht notwendig der Suche nach den einzelnen historischen Rückbindungen. Die Formen und ihre Leistung können vor dem Hintergrund eines verallgemeinerten Rhetorikbegriffs, einer rhetorischen Vulgata, erörtert werden - wo immer möglich ergänzt durch historische Präzisierung. Zur Orientierung dient dabei das Gemeingut der antiken Rhetorik, wie es dem Mittelalter durch Cicero und Quintilian zur Verfügung stand und sich in 'grammatica', 'rhetorica' und 'dialectica' der Schulen sammelte, dort sich mit aristotelischer Logik mischend[164]. Zwar stellt die im poetischen Kontext fungierende Rhetorik gegenüber der Redekunst etwas Abgeleite-

---

160 Sawicki hat einige teils wörtliche Übereinstimmungen zwischen Gottfrieds 'Tristan' und Matthäus 'ars' dargestellt. Die Übernahmen sind wahrscheinlich, aber nicht zwingend, da es sich durchaus um topisches Gemeingut der Schulen handeln mag.

161 Vgl. dazu Abschnitt 2.5.2.

162 Das Thema "Rhetorik und Roman" wird nicht nur auf den hier akzentuierten Zusammenhang von Rhetorik und Wirkungspoetik beschränkt bleiben, sondern auch einem poetologischen Problem wie dem Verhältnis von Wahrheit und Fiktion soll vor dem Hintergrund des besonderen rhetorischen Wahrheitsbegriffs ein neues Verständnis abgewonnen werden.

163 Damit erweitern wir gegenüber einer darstellungspoetischen Untersuchung den Textbegriff auf die rezeptionsbestimmten Eigenarten der poetischen Äußerungen. Ökonomisch gesprochen kommt damit dasjenige an der Sprache in den Blick, was über ihren Gebrauchswert für die Stoffdarstellung hinausgeht und ihren Tauschwert ausmacht: Ihre rezeptionsästhetische Konditionierung.

164 Es wird dabei jene zur Disputationslehre der 'dialectica' verselbständigte 'inventio' zu beachten sein, die schließlich als scholastische Kasuistik eine für die geistige Kultur der Epoche entscheidende Stellung einnimmt.

tes dar, aber gerade die Eigenart veränderter Funktionen wird erst vor dem Hintergrund der Lehren zur öffentlichen Beredsamkeit recht deutlich.

Die Lage unseres (begrenzten) Wissens zur rhetorischen Tradition im Mittelalter hilft also ein Verfahren begründen, das verschiedene Quellen - eklektisch wie das Mittelalter selbst - als gemeinsamen Horizont, nicht als Herkunftsorte, heranzieht, um rhetorische Formen ihrem ursprünglichen Sinn und ihrer neuen Funktion nach zu verstehen. Das synkretistische Verfahren scheint schließlich darum angemessen, weil es nicht um Verästelungen mittelalterlicher Bildungsgeschichte geht, sondern allein um das Verstehen historisch geprägter Formen in der Spanne zwischen oratorischer und poetischer Funktion in Gottfrieds Verserzählung.

2.5.2. Exkurs: Genetische Trugschlüsse

Wenn wir genetische Herleitungen von Darstellungsformen aus bestimmten rhetorischen Vorlagen hintanstellen, weil es nicht um den positivistischen Erweis von Vorbild und Abbild gehen kann - solche Genese oder auch ihr Fehlen haben noch nie etwas an und für sich bewiesen -, sondern um die Spezifik der literarischen Leistung von Sprechformen in einem literarischen Werk und deren grundsätzliche Klärung mit Hilfe des allgemeinen Traditionsrahmens, so gibt es andererseits neuerdings wieder Versuche, den fehlenden Nachweis einer unmittelbaren Übereinstimmung zwischen Rhetorik- oder Poetik-Quelle und literarischer Praxis zum Vorwand zu nehmen, die Rhetorik oder die 'artes poeticae' als Verständnishorizont und Interpretationsinstrument ganz auszuschließen. Wir wollen in solchen Fällen von einem genetischen Trugschluß sprechen, weil man in bezug auf die literarische Praxis gegenüber kodifizierten Normen die Kategorie der Innovation ignoriert und - womöglich unter Berufung auf philologische Genauigkeit - den positiven

Erweis genetischer Abhängigkeit verlangt, die genaue Übereinstimmung von Regel und Anwendung oder die nachweisliche Quellenkenntnis des Autors. Es scheint uns nämlich ein Unding, zu glauben, man könne dort, wo im Raum rhetorischer Kultur eine bestimmten 'praecepta' nicht sklavisch folgende Darstellung bestimmte Wirkungen erzielt, auf die Erklärungsmächtigkeit der Traditionsnormen verzichten und den hermeneutischen Kreis verlassen. Man wird bei aller Diversität der Erscheinungen stets das ursprüngliche Funktionsverständnis einer Disziplin heranziehen müssen, die die Möglichkeiten eines wirkungsbezogenen Sprechens umfassend theoretisiert hat.

Wir wollen auf zwei Beispiele eines solcherart verengten Genese-Begriffs hinweisen. Bernd Naumann hat programmatisch Prinzipien für die Prologforschung in der deutschen Dichtung des 12. und 13. Jahrhunderts formuliert[165] und sich dabei gegen die lateinische Rhetorik als Formvorlage für die Analyse des Prologs gewandt, da sie zuwenig leiste und überdies direkte Abhängigkeiten nicht nachprüfbar seien. Von der Fragwürdigkeit der mit dem zweiten Vorwurf eingeführten naturwissenschaftlich-positivistischen Legitimationsnorm abgesehen, wird diese Entscheidung gegen die Rhetorik dann nicht recht einsichtig, wenn zugleich der Vergleich mit lateinischen Schulautoren, lateinischen und deutschen Predigten und theoretischer Predigtliteratur empfohlen wird, also mit Texten, die unabweislich ihre Formen aus den Prinzipien der antiken Rhetorik herleiten - womöglich in dem gleichen Grad, wie dies vielleicht die mittelhochdeutschen Prologe tun. Der Mangel an nachprüfbarer historischer Abhängigkeit kann jedoch der Formenübereinstimmung und insbesondere dem Wirkungssinn der Formen keinen Abbruch tun.

---

165 Bernd Naumann: Vorstudien zu einer Darstellung des Prologs in der deutschen Dichtung des 12. und 13. Jahrhunderts. In: Formen mittelalterlicher Literatur. Siegfried Beyschlag zum 65. Geburtstag. Göppingen 1970. S. 23 - 27.

Nach den Studien von Brinkmann, Eifler, Finster, Hunt, Jaeger und Kobbe[166] zum Prolog müssen wir Naumanns Behauptung, die Rhetorik als Formvorlage leiste zu wenig, als ungerechtfertigt und bislang unbegründet ansehen. Zwar ist durchaus zu erwarten, daß die vergleichende Heranziehung mittellateinischer Gebrauchsprosa die spezifisch mittelalterlichen Exordialformen erhellen kann, aber für die Praxis beider literarischer Bereiche bleibt der Bezugsrahmen letztlich die antike Rhetorik, aus der sich das Verständnis der besonderen Verwendung ableiten muß.

Einen höchst fragwürdigen Umgang mit der Rhetorik in höfischer Literatur praktiziert nach unserer Meinung Eberhard Nellmann[167]. Er führt im dritten Teil seiner Untersuchung - "Die Lehren der Rhetorik" - eine lange Reihe rhetorikinteressierter Studien von Faral und Brinkmann bis zu jüngsten Prologstudien hin an und resümiert: "Alle diese Untersuchungen erwecken den Eindruck, daß die Kunst mittelhochdeutschen Erzählens unter dem maßgebenden Einfluß der Rhetorik stehe"[168]. Dies bestreitet er im wesentlichen, insbesondere für Wolfram, weil er zwischen Rhetorik (meist meint er damit, die genauen Verhältnisse verwirrend, nur die mittelalterlichen Schmucklehren) und Wolframs Technik keine genauen genetischen Zusammenhänge, keine exakten Übereinstimmungen auffinden zu können vorgibt. Das ist in diesem verengten, positivistischen Sinn meist zutreffend, aber Nellmann macht u.E. den Fehler, den allgemeinen Einfluß der rhetorischen Schreibkultur auf die volkssprachliche Dichtung zu ignorieren und damit automatisch die Rhetorik auch als heuristisches Instrument der Funktionsinterpretation erzähltechnischer Momente bei Wolfram auszuschließen. Daß

---

166 Vgl. im Literaturverzeichnis.

167 Eberhard Nellmann: Wolframs Erzähltechnik. Untersuchungen zur Funktion des Erzählers. Wiesbaden 1973.

168 Nellmann: L.c. S. 166.

Wolfram womöglich die Erzähler- und Hörerrolle in ihrem Spielraum virtuos erweitert hat, kann nichts an der Tatsache ändern, daß die Rhetorik seit jeher das Verhältnis Redner - Publikum in persuasorischer Hinsicht grundlegend theoretisiert hat und sie als Theorie gegenüber daraus inhaltlich variierter und weiterentwickelter poetischer Redeverfahren in Geltung bleibt. Es ist fast peinlich anzusehen, wie Nellmann sich demgegenüber abmüht, um jeden Preis Keile zwischen Wolfram und die Rhetorik zu treiben, ohne sie letzten Endes ganz ausschließen zu können. In diesen Fällen rettet er sich jedoch zu den literarischen Vorbildern, deren Rhetorikkenntnis er anerkennt (für Veldeke und Hartmann "darf die Kenntnis der Rhetorik mit Sicherheit vorausgesetzt werden"[169]) und die Wolfram imitiert habe. Damit dreht er sich im Kreis, denn dann ist Wolframs Nachahmung doch nicht weniger rhetorisch! Nellmanns Anstrengung gerät auch dadurch so verkrampft, daß er die rhetorische Theorie - sich wieder auf die Poetiken beschränkend, als habe es sonst keine Rhetorik im Mittelalter gegeben - wie einen dogmatischen Kodex behandelt, der beim leisesten Verstoß Wolframscher Praxis gegen diesen als Quelle für jene ausscheidet. Überdies wendet er ein jeder historisch-philologischen Methode spottendes Verfahren an: Er entwickelt zunächst seine eigenen, deskriptiv gewonnenen Kategorien und Begriffe für die Erzähltechniken Wolframs und weist anschließend nach, daß sie in dieser Form in der Rhetorik nicht vorkommen. Kein Wunder! Ein genetischer Trugschluß par excellence. Wenn die Erzählverfahren auch nicht so, wie sie Nellmann beschreibt, in der Rhetorik beschrieben sind[170], so ist doch

---

169 Nellmann: L.c. S. 166.

170 Die besondere Situation der Künste im 12. Jahrhundert läßt eine solch plane Vergleichung ohnehin nicht zu. Kibelka hat gerade im Hinblick auf Gottfried an Sawickis Figurenbestimmung gezeigt, welche Widersprüche bei der Zuordnung und Identifizierung von Formen im Wege stehen und wie die mittelalterlichen Terminologien nach verschiedenen historischen Umschichtungen kaum noch sicher zu handhaben sind (Johannes Kibelka: 'der ware meister'. Denkstile und Bauformen in der Dichtung Heinrichs von Mügeln. Berlin 1963. Passim.)

die Kommunikationsfunktion dieser Technik ihrem Prinzip nach in den Rhetoriken sehr wohl begründet. Er schreibt z.B.: "Dem Kontakt zwischen Autor und Publikum wird in der (rhetorischen, Verf.) Theorie kein besonderes Kapitel eingeräumt"[171]. Dies ist entweder Haarspalterei oder Ignoranz, denn der Redner-Publikums-Bezug ist die Essenz allen rhetorischen Sprechens und in jedem Kapitel der Rhetorik entweder explizit oder insgeheim gegenwärtig. Überhaupt schätzt Nellmann den Einfluß antiker Quellen gering ein, habe doch beispielsweise die Gerichtsrede nichts mit Dichtung zu tun. In solchen Äußerungen spiegelt sich allerdings die Ahnungslosigkeit Nellmanns gegenüber der Traditionsgeschichte der Rhetorik von der Antike ins Mittelalter. Insgesamt praktiziert Nellmann so einen blinden Positivismus, der Abweichungen im Detail mit der Unabhängigkeit von rhetorischen Verfahren schlechthin gleichsetzt. Stets offenbar in einer Kampfposition gegen die Unterstellung, Wolfram könne womöglich eine Rhetorik studiert haben - worum es zuvorderst gar nicht gehen kann -, schüttet Nellmann schließlich das Kind mit dem Bade aus und versteift sich darauf, daß die Erzählereingriffe in ihrer Gesamtheit ein Stilmittel seien, "das in der (publikumsbezogenen) Dichtung der Volkssprache entwickelt wird, unabhängig von der rhetorischen Theorie"[172]. Diese Behauptung harrt der überzeugenden Begründung und scheint mir ein Produkt des verworrenen Bildes, das sich Nellmann von den Verhältnissen antiker und mittelalterlicher Rhetorik und Poetik macht. So ist er beispielsweise überrascht, daß "Quintilian gelegentlich etwas fordert, was Wolfram praktiziert"[173] und das wiederum in den mittelalterlichen Poetiken nicht zu finden war. Aber er zieht aus der Beobachtung keine Konsequenzen und laviert weiter so zwischen antiker Rhetorik, mittelalterlicher Poetik und rhetorisierten volkssprachlichen Vorbildern, damit nicht wird, was nicht sein darf, daß nämlich Wolfram womöglich maßgeblich von rhetorischer Theorie oder rhetorischen

---

171 Nellmann: L.c. S. 169.

172 Nellmann: L.c. S. 180.

173 Nellmann: L.c. S. 179.

Vorbildern geprägt sei. Diese Sorge scheint uns aber zunächst ohnehin eine unerhebliche Fragestellung zu betreffen, solange nicht zuvor dargestellt ist, ob und auf welche Weise Wolframs Erzählverfahren ihrem Wesen und ihrer Wirkung nach rhetorisch sind. Dazu hat Nellmann allerdings indirekt, in seiner eigenen, die Rhetorik meidenden Terminologie, einen interessanten Beitrag geleistet, der, würde man ihn in die Sprache der antiken Rhetorik "übersetzen", leicht Wolframs Beherrschung der rhetorischen Bildung erweisen möchte. Voreingenommen durch den genetischen Aspekt hat Nellmann so auf ein erklärungsmächtiges historisches Instrument zur Deutung von Wirkung und Funktion der Erzähltechnik verzichtet und gleichzeitig das eigentliche Verhältnis von Rhetorik und höfischem Roman verschattet.

3. Textwidersprüche in Gottfrieds 'Tristan'. Ursachen und Funktion

3.0. Vorbemerkung

Der Weg des Verfassers zu den Zusammenhängen von Rhetorik und Roman bei Gottfried führte weitgehend über die Erfahrung und Auseinandersetzung mit den inneren Unstimmigkeiten und den semantischen Spannungen der Erzählung auf verschiedenen Ebenen[174]. Es scheint uns der geeignete Weg, auch die Darstellung selbst von bestimmten Widerständen des Textes her zu entwickeln. Die Fragen, vor die diese uns stellen, können zu Einsichten in die Elemente des Erzählens hinführen.

3.1. Die Forschungslage

Während der Vorbereitung dieser Arbeit sind einige Studien zu Gottfrieds 'Tristan' erschienen, deren Verfasser die klassizistische Ganzheitsästhetik als historisch-ideologisches Modell der Interpretation mehr oder minder überwunden haben[175]. Die von ihnen herausgestellten Inkohärenzen und Diskontinuitäten auf verschiedenen Ebenen des Werkes überführen die Methode älterer Ansätze, alle Textpartien als substantielle Teile eines konsistenten dichterischen Gehalts zu lesen, ihrer historischen Bedingtheit[176]. Jene Beob-

---

174 Verbunden war dies zugleich mit der Erfahrung, daß in gewissem Umfang die Diversität der Forschungsmeinungen nur in den übergangenen Widerspruchsformen des Textes selbst begründet liegt.

175 Ich nenne hier insbesondere: Gerhard Schindele: Tristan. L.c. - Lore Peiffer: Zur Funktion der Exkurse im 'Tristan' Gottfrieds von Straßburg. Göppingen 1971.- Ilse Clausen: Der Erzähler. L.c. - Karl Bertau: Deutsche Literatur im europäischen Mittelalter. Band 2 (1195 - 1220). München 1973. Besonders: Kap. 30: Poesie als Kommentar. Gottfrids 'Tristan' - Fragment.

176 Der Versuch der harmonistisch-ganzheitlichen Kunstwerkinterpretation, im 'Tristan' sozusagen "Geschichtenklitterung" zu betreiben, mußte die Erzählform verfehlen. Das Lesen, das seine Optik stets so einrichtet, daß sich

achtungen zur Diskontinuierlichkeit im Ganzen und Inkonsequenz im Einzelnen[177] erinnern uns erneut an die Aufgabe, ein historisch begründetes Verständnis für die ästhetischen Prinzipien zu entwickeln, die der Organisation dieser Erzählung zu Grunde liegen[178].

Die in Anmerkung 175 genannten Arbeiten seien an dieser Stelle vorab in bezug auf das Thema der Diskontinuität kurz charakterisiert, um den Stand der Diskussion zu umreißen und das eigene Vorhaben genauer zu bestimmen.

Gerhard Schindele, l.c., macht den erfolgreichen Versuch, Gottfrieds Textgewebe vor dem Hintergrund der Stoffgeschichte an ausgewählten Punkten in seiner Struktur transparent werden zu lassen. Es wird deutlich, wie Gottfrieds (und zuvor Thomas) artifizieller Umgang mit der archaischen Fabel zu logisch-psychologischen und symbolischen Ausdifferenzierungen von Motiven führte und so die "Zerstückelung blockhafter szenischer Masse" und die "Verselbständigung des Details" (S. 71) zur Folge hatte. Schindeles Untersuchung zeigt, daß das Produkt aus Stoffgeschichte und künstlerischem Willen Unstimmigkeiten heraufführt, die es nicht zu interpolieren gilt, sondern die als Folge der Bearbeitung zu verstehen sind. Unbeantwortet bleibt aber noch die Frage nach der historischen Eigenart solcher Bearbeitung und nach der Motivation solcher sich verselbständigenden Ausarbeitung der Teile.

Lore Peiffer, l.c., macht sich diejenigen Textbereiche zum Thema, die schon per se formal Diskontinuität schaffen: Die Exkurse. Ihre Untersuchung hält - allerdings nur mit begrenztem Recht - als Ergebnis die Dichotomie von Exkursen und Handlung fest. Ob ihre inhaltlichen Bestimmungen dieses Verhältnisses immer zutreffen, sei hier dahingestellt (z.B. ihre These von der a-sozialen Minne der Handlung und dem Minneideal der Exkurse oder ihre Opposition der Rationalität der Exkurse und der Irrationalität der Handlung). Ihre Analyse der Begrifflichkeit in verschiedenen Exkursen eröffnet zusätzlich Diskrepanzen von Exkurs zu Exkurs. Ungeachtet ihrer vielen genauen Beobachtungen, Textvergleiche und -interpretationen bleibt auch bei ihr die Antwort auf die Frage nach der historischen Ästhetik eines solchen Diskontinuums ausgespart. Ihre Erklärung, "die Exkurse als abstrakte Darstellungsform (neigten) dazu, das jeweilige Thema strenger und kompromißloser zu fassen als die zugehöri-

---

Konsistenz der Handlung und Konsistenz der Ideen einstellt, müssen wir dogmatisch nennen.

177 Vgl. exemplarisch solche Hinweise, denen jedoch kein neuer Interpretationsansatz nachfolgte, bei: Max Wehrli: Das Abenteuer von Gottfrieds Tristan. In: M.W.: Formen mittelalterlicher Erzählung. Aufsätze. Zürich 1969. S. 268 ("okkasionelle Argumentation").- Hahn:

ge Handlung" (S. 183), bleibt an der Oberfläche.

Die Untersuchung des Erzählers im 'Tristan' führt Ilse Clausen, l.c., unter anderem zu dem "Widerspruch zwischen dem Inhalt vieler Exkurse und der eigentlichen Überzeugung des Dichters" (S. 93), wobei allerdings kritischer zu prüfen wäre, worin diese wohl besteht und ob "wir sie im Prolog ausgesprochen finden" (S. 93). In den von ihr festgestellten Kontradiktionen in den Verhältnissen Exkurs/Exkurs, Exkurs/Handlung und Exkurs/Überzeugung des Dichters will die Verfasserin einen Pluralismus der Perspektiven erkennen, der ein Bewußtsein von der Relativität der Werte ausdrücke, ja den Zweifel des Dichters an absoluter Wahrheit und Transzendenz. Der Weg zu solch abstrakt-unverbindlichen Rückschlüssen von der Darstellungsform auf Weltanschauung führt bei Ilse Clausen über den Gebrauch der Formkategorien "Ironie" und "Spielhaltung", mit denen sie jenen Perspektivismus zu beschreiben versucht. Sie will dadurch zwar eine "fast an die romantische Ironie erinnernde Haltung" (S. 184) erkennen können, aber ihr Verfahren führt über die Historizität des Textes hinweg und spielt selbst so mit Textstrukturen, wie Gottfried angeblich mit Perspektiven spielt. Von den historischen Fragen führt ihre formalistisch-deskriptive Methode weg: Warum schreibt Gottfried um 1200 so und nicht anders? Was macht das ästhetische Gesetz dieses Schreibens aus, und wodurch ist es formgeschichtlich motiviert?

In Bertaus Kapitel über Gottfrieds 'Tristan' in seiner Literaturgeschichte, l.c., das einige überzeugende Darstellungen zur Formgestalt des Werkes vorlegt und ein neues Gesamtverständnis in Aussicht stellt, wird zur Diskontinuität bemerkt: "Doch gerade Konsequenz herrscht in den Kommentaren und Maximen Gottfrieds nicht (...) Man hat sehr den Eindruck, der Dichter rede mal so mal so dem Publikum mit seinen Maximen nach dem Munde." (S. 959). Mit dieser zögernd vorgetragenen Beobachtung bleibt Bertau, wie uns scheint, hinter dem Stand seiner eigenen Analysen zurück, denn er hat scharfsinnig zahlreiche Bedingungen, aus denen Widersprüche erwachsen müssen, dargelegt: Wo in einem Text einmal Vergangenheit, einmal Gegenwart, einmal wünschenswerte Zukunft angesprochen werden, einmal Literatur und das andere Mal Wirklichkeit zum Bezugsfeld werden, und wo dieses multivalente Sprechen im jeweiligen Fall apodiktisch verallgemeinert wird, wo überdies Personen zu Marionetten des Kommentars werden: Dort muß ein logisch-psychologisch-lineares Lesen notwendig den Eindruck der Widersprüchlich-

---

Raum und Landschaft. L.c. S. 82. - Karl Otto Brogsitter: Artuseptik. Stuttgart (2. verb. u. erg. Aufl.) 1971. S. 113.- Hatto: Tristan. L.c. S. 18.

178 Über die Beobachtung eines am Ganzheitsbegriff gemessen diskordanten Textes hinaus ist es noch nicht zu einer historischen Aufarbeitung dieser Erzähleigenart gekommen, wenn man von Hinweisen auf den von uns in Anschlag gebrachten Bedingungsrahmen der Rhetorik absieht.

keit gewinnen. Wir stehen daher vor der Aufgabe, die "Uneigentlichkeit" der Widersprüche zu erkennen (als die sie nur in der Perspektive des ganzheitlichen Kunstwerks erscheinen), und so die Logik eines Gewebes voneinander unterschiedener Bedeutungsfelder darzustellen. Gerade weil bei Bertau die inneren Unstimmigkeiten des Textes eher am Rande als Folge der Kommentarstruktur des Werkes erscheinen, kann der Weg über die Analyse des Widersprüchlichen die von Bertau fast essayistisch vorgetragene Theorie des Erzählens bei Gottfried kritisch erweitern.

Wir werden also den Versuch machen, zunächst Widersprüche des Textes an Beispielen darzustellen und zugleich ihre mögliche Ursache und Funktion zu bedenken, verstanden als das historisch begründete Zusammenspiel von Motivation und Wirkung - warum so und zu welchem Zweck? Die Widersprüche, die nicht entweder formalistisch als Zeichen mangelnder künstlerischer Integrationskraft oder geistesgeschichtlich als strukturelle Mimesis Gottfriedschen Weltgefühls (Zerbrechen der Ordnungen) undialektisch abgetan werden können[179], vermögen so der Stein des Anstoßes sein, um fragend zum Begriff der historischen Werkform des 'Tristan' weiter vorzudringen.

Es sei an dieser Stelle nicht vergessen, daß bereits 1954 Rainer Gruenter in seiner klugen Rezension von Gottfried Webers Tristan-Monographie[180] dem Rigorismus der ideengeschichtlichen Methode Webers die "'Widersprüche' der Darstellung, der Handlungsführung und der Charakterzeichnung"[181] entgegen-

---

179 Wenn Peter Wapnewski die allgemeine Skepsis gegenüber einer einheitlichen Grundauffassung konstatiert und die scheinbare Konzeptionslosigkeit des Werkes auf die Disproportion von Stoff und höfischer Kultur zurückführt und dann gleichzeitig von Gottfried das Bild eines an dieser Auseinandersetzung scheiternden, zerbrechenden Künstlers zeichnet (Tristans Abschied. L.c. S. 336 f.), so enthüllt sich darin das ganzheitsästhetische Vorurteil, wonach ein widersprüchliches Erzählen gewissermaßen einen Defekt darstellt, der den inneren Zustand des Autors spiegelt. Man muß sich über diese immer wieder anzutreffende Gleichsetzung von auktorialer Subjektivität und Kunstform wundern, die noch stets an den romantischen Topos vom scheiternden Genie, an den romantischen Zusammenhang von Weltschmerz und Fragment anzuknüpfen versucht.

180 Rainer Gruenter (Rez.): Gottfried Weber: Gottfried von Straßburg und die Krise des hochmittelalterlichen Weltbildes um 1200. In: Deutsche Literaturzeitung Jg. 75 (1954) H. 5, Sp. 267 - 283.

181 Gruenter: L.c. Sp. 279.

gehalten hat. Zugleich mit seiner nüchternen Einsicht in die Inkonsistenz des Textzusammenhangs mit Gruenter - noch skizzenhaft-hypothetisch - historische Motivationen dieser Struktur versucht, die sich insgesamt in dem Vorschlag niederschlugen, Widersprüche der Darstellung als Stilphänomen zu beurteilen, und somit zu dem 'widerspruchslosen' Begriff dieser Form zu gelangen. Seine Erwägungen von 1954 können heute noch gelten und sind keineswegs aufgearbeitet worden[182]. Sie stellen die sachgemäße Aufgabe, Gottfrieds Darstellung auch vor dem Hintergrund der literarischen Geschmackskultur der Zeit zu verstehen.

3.2. Textuntersuchungen

3.2.1. Der 'zwivel unde arcwan' - Exkurs (13749-13852)

Nachdem Marke, von Marjodo angestiftet, Isolde im Bettgespräch die erste Falle gestellt hat (13676 ff), plagen ihn 'zwivel unde arcwan' (13749 ff). Der Erzähler überführt alsbald die Schilderung von Markes Gemütszustand in verallgemeinerndes Räsonnement über den Zweifel in der Liebe (13777 ff) und urteilt zusammenfassend:

wan daz ez al diu werlt tuot,
so ist ez ein harte unwiser muot
und ist ein michel tumpheit,
daz man an liebe zwivel treit;
wan nieman ist mit liebe wol,
an dem er zwivel haben sol. 13791 ff

Dagegen heißt es wenig später schon:

ouch mag daz nieman verbern,
diu liebe müeze zwivel bern,
zwivel sol an liebe wesen;
mit dem muoz liebe genesen:
die wile si den zwivel hat,
die wile mag ir werden rat; 13821 ff

---

182 Er berücksichtigt bereits den rezeptionsästhetischen Faktor, denkt an Beeinträchtigungen einer textimmanenten Logik durch Zugeständnisse an den Publikumsgeschmack.

Diese beiden offensichtlich antinomischen Standpunkte würde man kaum innerhalb ein- und derselben Erzählung, geschweige denn - wie hier - innerhalb einer einzigen Erzählerrede vermuten. Dennoch lassen sich derartige Kontradiktionen in Gottfrieds 'Tristan' in stattlicher Zahl aufspüren. Sie werden indes zunächst um nichts selbstverständlicher, wenn man ihr Zustandekommen und ihre Funktion im Argumentationszusammenhang beschreiben kann.

Das rhetorische Arrangement des Abschnitts (13749-852) ist offensichtlich: In ihm verbinden sich (Personen-)Darstellung und Räsonnement, jene im 'Tristan' so häufige Kombination von 'narratio' und 'argumentatio', von finiter 'causa' und infiniter Verallgemeinerung[183]. Wir folgen der Gedankenführung des Erzählers: Marke leidet unter dem Argwohn, den er gegenüber Tristan und Isolde hegt. Zwar hat er keinen Beweis für ihre Untreue, aber das 'in dubio pro reo' hat hier keine Geltung: Der Argwohn richtet seine Energie allein auf seine Bestätigung, nicht auf seine Entkräftung. Da Marke Gewißheit nicht erlangt, verbleibt er im quälenden 'statu dubitandi' (13749-776). In zwei rhetorischen Fragen an das Publikum abstrahiert der Erzähler den leidvollen Zustand Markes und leitet damit die infinite Erörterung ein (13777-780). Markes Zweifelerfahrung wird darin noch einmal verallgemeinernd paraphrasiert: Der Zweifel ist weglos; er schwankt zwischen bald greifbar scheinender, bald versagter Gewißheit (13781-13790). Die nun im finiten wie infiniten Rahmen vergegenwärtigte Not[184], die der 'zwivel' dem 'liebe gernden muot'[185] bereitet, gibt dem Erzähler Anlaß zu einem Urteil,

---

183 Die rhetorische Terminologie erhebt, wie in Kap. 2. begründet, keinen Anspruch auf historische Trennschärfe und stützt sich im allgemeinen auf das in Lausbergs "Handbuch", l.c., Zugängliche.- Hier ist das in der Rhetorik geübte Verfahren angesprochen, die Behandlung finiter 'quaestiones' durch die Eröffnung eines infiniten Hintergrundes zu unterstützen. Vgl. Lausberg, l.c., §§ 70 und 341.

184 Gottfried zieht hier die Register eines effektvollen, Markes Dilemma suggestiv herausarbeitenden 'ornatus': Parallelismus, Chiasmus, Oxymoron, Adnominatio sind dicht in die 32 Verse gesetzt.

185 Gegenüber dem Klischee vom lüsternen und darum ehrlos

dessen Formalismus, noch ehe es ausgesprochen, auch schon ironisiert ist: Wer in der Liebe Zweifel hegt, ist töricht, denn er bereitet sich Kummer (13792-796). Formalistisch ist es, weil es nur unter einer - kontextuell und expressis verbis bestrittenen[186] - Willensfreiheit gegenüber dem Zweifel sinnvoll zu denken wäre; ironisch ist es, weil dieser Formalismus vorweg eingestanden wird durch den Hinweis auf die Empirie: Alle Menschen mißtrauen in der Liebe ('wan daz ez al diu werlt tuot' 13791). Der Tadel der 'tumpheit' des 'zwivels' gibt sich also selbst als leere Geste zu erkennen, die aber nichtsdestoweniger als rhetorisches Widerlager zur anschließenden zweiten Stufe des Erzählerurteils zu ihrer logischen Funktion kommt:

> so ist aber noch serre missetan,
> swer so den zwivel unde den wan
> uf die gewisheit bringet; 13797 ff

Mit dieser Klimax des Tadels zielt der Erzähler paradoxerweise auf das inhaltliche Gegenteil des Zweifels, auf die Gewißheit. Die Maximierung des Tadels in bezug auf den herkömmlich positiv konnotierten Begriff 'gewisheit' gegenüber dem negativ bewerteten 'zwivel' bildet die logische Volte, die die eingangs zitierten, sich widersprechenden Behauptungen ermöglichen wird. Dem paradox Behaupteten folgt die amplifizierende Begründung (13800-820), die beim Publikum sozusagen den Leerraum des Staunens ob dieses Sophismas ausfüllt: Der Zweifel und das argwöhnische Suchen nach Vergewisserung sind gegenüber der 'waren künde' das geringere Übel.

Die Dialektik von Zweifel und Wahrheit wird schließlich sentenziös abstrahiert:

---

liebenden Marke beachte man, daß die Argumentation und Wortwahl hier und an anderen Stellen durchaus supponiert, daß er Isolde von Herzen liebt, daß nicht die Rücksicht auf seine 'ere', sondern seine 'herzeliep' (13756) den Argwohn für ihn so schmerzlich macht.

186 Vgl. 13753 f: 'der zwivel unde der arcwan,/ den er haete und muose han'. 18320 f: 'ouch mag daz nieman verbern/ diu liebe müeze zwivel bern'.

sus kumet, daz übel übele vrumet,
biz daz daz ergere kumet;
so daz danne wirs tuot,
so diuhte danne übel guot. 13813 ff

Die 'sententia' stützt die vorausgegangene Argumentation durch ihre 'auctoritas'[187]. Insgesamt verläuft der Beweisgang für die These, daß Gewißheit schlimmer als Zweifel ist, in dem bei Gottfried charakteristischen Dreischritt: Der finiten Behandlung (zwivel vs. gewisheit) folgt die infinite Bekräftigung (übel vs. ergeres übel), wonach das Ergebnis noch einmal im infiniten Rahmen zusammengefaßt wird (13817-820) und zugleich in die Handlung zurückleitet. Die nächsten beiden Verse - 'ouch mag daz nieman verbern,/ diu liebe müeze zwivel bern.' (13821 f) -, die durch nichts als durch ihre apodiktische Setzung legitimiert erscheinen, sind als notwendige Prämisse des abschließenden Urteils eingeschoben: Da sich der Zweifel in der Liebe gar nicht umgehen läßt, die Bewahrheitung des Zweifels aber die Liebe tötet ('so si die warheit ersiht,/ zehant enist ir dinges niht' 13827 f), so muß der Zweifel geradezu wünschenswert sein; er garantiert ihren Bestand.

Fassen wir das 'procedere' der winkligen Argumentation bis hierher zusammen: Marke leidet unter seinem Argwohn. Was könnte es in der Liebe auch Schlimmeres geben? Deshalb ist es töricht, zu zweifeln. Törichter aber noch, die Wahrheit zu ergründen. Der Zweifel als das geringere Übel ist, an der Gewißheit gemessen, gut. Wo nämlich Übel schlimmeres Übel hervorbringt, ist das geringere von beiden gut. Der bedrückendste Zweifel ist also leichter zu ertragen als seine Bestätigung. Da der Zweifel nun einmal zur Liebe gehört, soll sie daran festhalten. Mit ihm nur kann sie sich bewahren, denn die Wahrheit ist das Ende der Liebe.

Das Ganze bietet nicht etwa ein sauberes Schlußverfahren nach den Regeln logischer Beweisgänge; vielmehr ist es ein pseudologisches Konstrukt geworden, das sich in künst-

---

187 Lausberg: Handbuch. L.c. § 872.

lich hergestellten Koordinaten bewegt[188]. Das Artifizielle der Gedankenentwicklung gründet vor allem in dem eigentümlichen Begriffsumfang von 'zwivel' und 'warheit', wie er in diesem Abschnitt hergestellt wird. 'Warheit' wird synonym mit 'gewisheit', 'bewaerde' oder 'ware künde' gebraucht, jedoch in einem verengten Sinn von Wahrheit als demjenigen Wissen, das den Zweifel als einen begründeten Verdacht ausweist. Die Möglichkeit des unbegründeten Argwohns wird von der Begriffsverwendung nicht gedeckt (vgl. 13669, 13773, 13803, 13827, 13849). Die Begriffsverengung wird in Wendungen wie 'daz er den zwivel waren weiz' (13801), 'den bewaereten haz' (13820) oder 'und daz er mit der warheit / uf sin herzecliches leit / vil gerne komen waere' (13849 ff) deutlich markiert. Ganz entsprechend ist die Bedeutung von 'zwivel' eingeschränkt: Sie bezieht sich nicht auf die Spannung von begründetem und unbegründetem Verdacht, sondern meint einzig den begründeten, aber noch nicht nachgewiesenen Verdacht. 'Zwivel' und 'warheit' wären in diesem Kontext vielleicht am besten mit den juristischen Termini "dringender Tatverdacht" und "Überführung" zu übersetzen.

Gottfried praktiziert also eine argumentations- und situationsspezifische Begriffsfüllung, die von dem Gebrauch der Vokabeln in anderen Kontexten abweicht[189]. Der ins Allgemeingültige stilisierte Kommentar schafft sich so seine eigenen Prämissen: 'Zwivel' und 'gewisheit' in der Liebe stellen sich

---

188 Bereits die Motivation von Markes Zweifel ist willkürlich herbeigeführt und ignoriert den pragmatischen Zusammenhang: Durch den Hinweis Marjodos mißtrauisch geworden, stellt Marke Isolde eine Fangfrage (13683 ff), die gar keine sein kann, denn wen anders als den untadeligen Tristan, Neffen und rechte Hand Markes, sollte auch die treueste Isolde nennen? Erst ein anderer Name hätte womöglich den Verdacht der Verheimlichung ihrer Liebe zu Tristan erregen können.- Daß diese Darstellung nicht als Charakterisierung eines blind-zweifelnden Marke zu gelten hat, der sowieso jede Antwort Isoldes dem Konto des Argwohns gutschreibt, machen die ganz konformen Reaktionen sowohl des Erzählers ('und vienc si ouch dar inne' 13682) wie Marjodos - der allerdings ein Interesse an der Bestätigung des Verdachts hat - und auch Brangänes deutlich, die sogleich Isoldes Antwort tadelt und in Markes Frage eine List erkennen will. Auf diese Art der psychologischen Inkonsequenz werden wir zurückkommen.

189 Im Isolde-Weißhand-Teil bezeichnet 'zwivel' die Verwir-

ausschließlich als das Verhältnis von vermuteter und bestätigter Untreue dar. Liebe ohne Argwohn und der widerlegte Argwohn sind als mögliche Notationen der Begriffe ausgeschlossen.

Das Verhältnis der auf diesem kleinen Nenner entfalteten Argumentation zu der sie umgebenden 'narratio' ist ambivalent. Einerseits paßt die Maxime, den Zweifel der Wahrheit um der Liebe willen vorzuziehen, auf die objektive, allerdings nur von Autor und Publikum einsehbare Lage Markes: Er beargwöhnt Frau und Neffen, und die Entdeckung der tatsächlichen Untreue würde in der Tat seiner Liebe ein Ende setzen; er sollte also besser beim Zweifel verharren. Andererseits geht die Darstellung von Markes subjektiver Situation, unbekümmert um die Klugrederei des Räsonneurs, ihren handlungspragmatischen Weg, ja die Verse 13835 ff, die aus dem Kalkül zu Markes Psyche zurückführen sollen, widerrufen bereits die theoretisch gewonnene Empfehlung durch gültiges Wissen um der 'liebe site'[190]: Die Liebe geht solange dem Zweifel nach, bis sie ihr Herzleid ausfindig gemacht hat. Dieser zwar 'sinnelosen', aber immer wieder bestätigten Praxis folgt auch Marke (13843 ff), denn - so möchte man sagen - der spekulative Rat des Autors erreicht ihn ja nicht.

---

rung eines vor zwei Alternativen stehenden Tristan (19249, 19352).- In den Versen 17526 ff wird Markes 'zwivel' als Nichtwissen um Schuld oder Unschuld definiert.

190 Solch apodiktisch vorgetragenes Wissen begegnet auch in 13829 ff, ohne daß es allgemein oder kontextuell begründet würde. Die Behauptung, daß Liebe einmal gewonnenes Glück leicht wieder fahren läßt, ist weder in sich selbst besonders evident, noch ist sie signifikant in bezug auf Markes oder Tristans Liebe. Ihr Gehalt und ihre Funktion scheint einzig darin zu bestehen, die in die Handlung zurückführende Gegenthese kontrastiv aus sich hervorgehen zu lassen: Der Zweifel jedoch klammert sich fest (13829 ff). Die Behauptung wird also durch ein 'contrarium' rhetorisch profiliert. Solche für die Semantik der Erzählung nicht substantiell, sondern nur formal relevanten rhetorischen Gerüste finden sich im 'Tristan' häufig und sind mit am Eindruck der Konsequenzlosigkeit beteiligt. Wir haben bereits auf solch einen rhetorisch-funktionalen Aufbau bei der Opposition von schlechtem Zweifel und schlechterer Wahrheit hingewiesen.

Von der Stellung des Exkurses innerhalb der Erzählung läßt sich also sagen: Das Räsonnement hat in bezug auf Marke durchaus recht, aber der Immanenz der Figur Markes bleibt es äußerlich. Als Deduktion einer schlechthin gültigen Maxime aber ist es für den kritischen Hörer/Leser provokant[191], denn es bekräftigt nicht sentenziös ein Stück Empirie ('die Moral von der Geschicht'), sondern aus einem einmaligen Vorgang[192] wird unter Reduktion des empirischen Gehalts der Begriffe ein Kalkül gesponnen. Es entwickelt keine an der Welterfahrung des Publikums oder der Gesamtdarstellung der Figuren verifizierbare Psychologie, sondern eine präparierte Logik macht sich anheischig, Psychologie zu deduzieren und handlungsanleitend zu verallgemeinern[193].

---

191 Wir haben natürlich den Unterschied im Auge zu behalten zwischen der Analyse des Philologen, der durch das Raster seiner Fragen und Hypothesen die Strukturen des Darstellungsvorgangs abgreift, und der einmaligen Rezeption des mündlichen Vortrags. Über die Wirkung dieser Stelle, das Maß ihrer rhetorisch induzierten Glaubwürdigkeit und ihrer intellektuellen Attraktivität für das zeitgenössische Publikum, soll also mit den bisherigen Darlegungen noch mitnichten entschieden sein.

192 Marke zweifelt ja nicht stets und ständig. Sein Verdacht wird später wiederholt entkräftet. Das Räsonnement abstrahiert vielmehr eine zeitlich begrenzte Innerlichkeit zu Thesen, die eine generell gültige Interdependenz von Liebe, Zweifel und Untreue zu definieren vorgeben.

193 Lore Peiffers Darstellung dieses Exkurses (l.c. S. 186 - 189) verwischt die logische Kultur des Argumentierens durch spekulative Interpretationen des tieferen Sinns einzelner Stellen. Sie meint, daß dort, wo eine "mögliche positive Bedeutung des 'zwivels' nur angedeutet" (S. 189) ist (13821-828), man "so weit gehen (könnte), hierin eine grundsätzliche Maxime über die Minne zu sehen: 'so si die warheit ersiht' wäre dann allgemeiner als ein absolutes Durchschauen und Kennen des Partners zu fassen, das eine Sicherheit bedeutet, die unvereinbar mit Liebe, ja geradezu tödlich für sie ist; denn in lebendiger Liebe erscheint der Partner immer wieder neu (...), so wie der Liebende selbst immer wieder von der Liebe verwandelt wird und also fern von Sicherheit und Gewißheit ist." (S. 189) Für solche Extrapolationen kann, mit Verlaub, weder der Text noch der Kontext, sondern nur die Phantasie der Verfasserin geradestehen. Bedeutete ihr der 'zwivel' zunächst nur die Rettung einer Liebe, die "ungewiß und unzuverlässig von Grund auf ist" (S. 187), so faßt ihn Peiffer alsbald symbolisch vertieft als "eine positive Spannung" auf, die "zur Liebe wesentlich hinzugehört" (S. 188), weil keine Liebe die "Ernüchterung und Desillusion im

Die ausführliche Auseinandernahme des scheinbar widerstandslos dahinfließenden Textstücks hat uns die künstliche Willkür erkennen lassen, mit der eine Argumentationsfolge in die Handlung eingelagert wurde und sich verselbständigt hat. Deren Angelpunkt ist eine geistesgeschichtlich interessante Konzeption: Mit 'zwivel' und 'warheit' sind nicht ein universalistisch-objektives 'bonum' und 'malum' gegeben, sondern erst im Akt der subjektiven Auswahl zwischen einem 'malum major' und einem 'malum minor' konstituiert sich ein subjektiver Relationsbegriff von gut und schlecht. Die quantitative Differenz zweier Übel stellt sich dem Subjekt als qualitative Opposition dar[194]. Solch eine Stelle erscheint wie eine paradigmatische Demonstration des frühscholastischen Nominalismus, in dessen Nähe Gottfried schon hin und wieder gerückt wurde. Der Exkurs kapriziert sich nämlich auf die Vertauschung der 'voces' 'übel' und 'guot', deren inhaltliche Füllung in das Ermessen des Subjekts gestellt wird. Der von Gottfried noch wiederholt thematisierte 'wort - sin'-Bezug wird so als Reflex des die beiden Jahrhunderte vor und nach dem 'Tristan' durchziehenden Streits von Realisten und Nominalisten erkennbar[195].

Erkennen der Warheit" (S. 188) ertragen könne. Dies ist ein erschreckendes Beispiel dafür, wie eine in einem lokalen Darstellungszusammenhang begrenzt funktionale Aussage durch überzogene Interpretation zum Orakel über das Wesen der Liebe stilisiert wird. Bemerkenswerterweise sieht Peiffer abschließend doch "eine Schwierigkeit" (S. 189) mit ihren Thesen: Es gibt auch Stellen im 'Tristan', die zweifelfreie Minne-Harmonie darstellen. Es wird also stets auf die Reichweite von Allgemeinaussagen in mikrostrukturellen Kontexten zu achten sein, statt sie zu Gottfriedschen (oder eigenen) Existentialien aufzublähen.

194 Der Gedanke als solcher ohne die besondere kontextuelle logische Präparierung wird bereits angesichts von Tristans Alternative, entweder sterben zu müssen, oder sich von Isolde heilen zu lassen, didaktisch vorgetragen. Von Marke heißt es nach Tristans Vorschlag, die Fahrt nach Irland zu wagen: 'diz geviel im übele unde wol;/ wan daz man schaden zu noeten sol / dulten, als man beste kan;/ under zwein übelen kiese ein man,/ daz danne minner übel ist:/ daz selbe ist ouch ein nütze list.' (7317-7322).

195 Vgl. auch Abschnitt 4.1.2. und S. 62 f.

Die eingangs zitierten Kontradiktionen vom schädlichen bzw. nützlichen Zweifel erklären sich nun aus dem insgesamt Dargelegten: Der subjektivistische Relationsbegriff im Verein mit der rhetorischen Aufbereitung eines aus künstlichen Prämissen sich verselbständigenden Argumentierens spannt den paradoxen Bogen vom 'übel' zum 'übel guot'. Welche Funktion kann aber nun solch ein Passus im Werk haben? Erzähltechnisch und inhaltlich erübrigt sich der Exkurs (13777-828) völlig, denn an Vers 13776 läßt sich bruchlos 13829 ff anschließen[196]. Wozu also?

Der eingeschaltete deliberative Exkurs stellt eines der rhetorisch-poetischen Mittel dar, mit denen Gottfried dem 'taedium' des Publikums vorbeugen konnte[197]. Dieser löst sich aus der 'narratio' und weist über seinen unmittelbaren Anlaß hinaus und dient zugleich dem 'docere'. Präzisiert man diese Funktion des Exkurses historisch aus rezeptionsästhetischem Blickwinkel, so könnte dies die Antwort sein: Weil Gottfrieds Publikum ihn erwünschte, weil es solche Einlagen schätzte, weil der dialektisch-spitzfindige verbalistische Diskurs für die Hörer einen hohen Unterhaltungswert hatte. Der rezeptionshistorischen Antwort ließe sich die produktionshistorische anschließen: Weil derartiges Räsonnement Gottfrieds intellektuellem Habitus entsprach, weil seine Ausbildung und sein geistiger Lebensraum ihm diese Art literarischer Objektivation an die Hand gaben.

Dies blieben nun in der Tat recht unverbindliche Konjekturen, wenn wir nicht wenigstens umrißhaft einen Begriff des historischen intellektuell-literarischen Geschmacks erstellen würden, der sich auf einer Ebene mit Gottfrieds Darstellungsweise träfe.

---

196 Solche "überflüssigen", den Gang der Erzählung bei ihrem Fehlen nicht störende Einlagen - meist selbständige Themaerörterungen - werfen an sich schon ein bezeichnendes Licht auf die Struktur des Erzählens. Vgl. beispielsweise auch die Einlage 4506-4546.

197 Vgl. Lausberg: Handbuch. L.c. § 1219, 3.

3.2.2. Die Scholastik und der intellektuelle Habitus des 12. Jahrhunderts

Wenn sich angesichts der in dem behandelten Exkurs mehr raffiniert-suggestiven als klaren Argumentation leicht der Begriff des Sophistischen einstellt, so braucht das in einem Zeitalter nicht zu verwundern, das wegen des kasuistischen Gepräges seines Denkens berühmt-berüchtigt ist und dessen philosophiegeschichtliche Benennung als "scholastisch" charakteristischerweise heute ein umgangssprachlich pejorativ gebrauchter Terminus im Sinne von wortklauberisch-spitzfindig ist. Dieser Wortgebrauch erinnert an die Gefahr, die den formalisierten Verfahren mittelalterlicher scholastischer Disputation innewohnte: die wirklichkeitsenthobene, verbalistische Spekulation.

Der Übergang vom erfahrungsgebundenen Argument zum leeren Kalkül liegt in der Geschichte mittelalterlichen Denkens begründet. Die scholastische Methode erwuchs aus dem Studium der 'artes liberales' an den Dom- und Klosterschulen. Die von Rhetorik und Dialektik bereitgestellten Prozeduren der Behandlung von 'quaestiones' wurden Grundlage aller geistigen Auseinandersetzung. Der Weg dorthin aber bedeutete eine großangelegte Verschulung antiker Geistigkeit. Was einmal als Kunst der freien, existentiell engagierten öffentlichen Rede in Recht, Politik und Kultur das ciceronianische Zeitalter durchtränkte, starb im mittelalterlichen Schulbetrieb meist zum formalistischen Exerzitium ab, zu einer gerade auch für die spekulativen Disziplinen von Philosophie und Theologie verfügbaren Technik beliebiger Themenerörterung[198]. Eine solche nur in der relativ sterilen Atmosphäre der Schulen praktizierte Disputationskunst führte fast zwangsläufig auch zu narzistischen Erscheinungen: Die Kunst der Kasuistik

---

198 Insbesondere die 'modi tractandi'-Lehre mit dem durch Priscian dem Mittelalter wohlvertrauen System der 'praeexercitamina' führte in der 'exercitatio' an den Schulen zu einer Technik der sprachlichen Behandlung, die allen Bereichen offenstand und nicht zuletzt die Methodik der scholastischen Philosophie mit geprägt hat. Vgl. auch Lausberg: Handbuch. L.c. §§ 1105, 1106.

brilliert um ihrer selbst willen; sie macht nur noch die Wörter, nicht mehr die Sachen und die Beziehungen zu ihnen zu ihrem Inhalt[199]. Von dort ist es nur ein Schritt zu den "puzzles of the sophists, which turn on the confusion of word and thing or the application of a word or statement to itself"[200].

Solch sophistischer Sprachumgang hat mit der ihm eigenen verblüffenden, scheinhaften Schlüssigkeit seine Wirkung auf die Scholaren des 12. Jahrhunderts offensichtlich nicht verfehlt - das ungehemmte Eindringen der 'scientia argumentativa' in alle Bereiche im 13. Jahrhundert spiegelt etwas davon -, und so wird man neben den philosophie- und bildungsgeschichtlichen Höhenlinien der Epoche einen breiten Unterstrom jener ins selbstgenügsame Kalkül ausufernden Rhetorik und Dialektik berücksichtigen müssen, der seine Spuren eben auch in die Darstellungsform der weltlichen Vernakulardichtung getragen hat[201].

Schon Mitte des 12. Jahrhunderts macht der hochgebildete Johannes von Salisbury, selbst engagierter Anwalt der sprachlichen Künste, auf die Gefahren aufmerksam, die im routinierten Umgang mit der Dialektik für seine Zeit steckten. Im ersten Buch seines "Metalogicus" rechnet er mit den verbalistischen Spitzfindigkeiten solcher Sophisten ab, die all ihre Kraft auf 'quaestiones' von der Art richten, ob denn das zum Markt gebrachte Schwein nun vom Seil selbst oder aber von dem das Seil haltenden Bauer geführt werde[202]. Ende des Jahrhun-

---

199 Da war auch bereits in der der Scholastik zugrundeliegenden aristotelisch-boethianischen Logik angelegt, die grammatikalisch ausgerichtet war, sich der Betrachtung der Nomina und ihrer Beziehungen zuwandte, also sprachlogisch interessiert war. Vgl. Johannes Hirschberger: Geschichte der Philosophie. Altertum und Mittelalter. Basel, Freiburg, Wien (6. Aufl.) 1962. S. 412.

200 McKeon: Rhetorik. L.c. S. 26.

201 Die schon in Kap. 2. angesprochenen Beziehungen zwischen höfischer Dichtung und der Welt der Schulen und zwischen Trivium und volkssprachlicher Fiktionsdarstellung wurden insbesondere durch die 'schola exterior' ermöglicht, die die Kloster- und Domschulen in der Regel für Laien neben der 'schola interior' für ihren eigenen Nachwuchs einrichteten. Auch wird das Angebot an logischer Propädeutik im deutschen Raum nicht weit hinter dem der Pariser Artisten zurückgestanden haben, hat doch bereits Otto von

derts beklagt sich der Bischof von Tournay in einem Brief an den Papst über das sophistische Gebaren der Studenten: '(...) muscas inanium verbulorum sophismatibus suis tamquam aranearum tendiculus includunt'[203]. Die Faszination, die in dieser Epoche von den Techniken dialektischen Argumentierens ausgeht - auch bei trivialstem Anlaß -, sollte also nicht unterschätzt werden[204].

Im Zusammenhang mit dem 'Tristan' Gottfrieds sind zugleich die nominalistischen Strömungen der Frühscholastik von Interesse, die sich auf dem Boden der von Boethius tradierten Elemente der aristotelischen Logik entwickelten[205]. Die nominalistische Sprachkritik mit ihrer Unterscheidung von 'vox' und 'sermo' war ein idealer Nährboden dialektischer, sich zwischen Laut und Meinung bewegender Erörterung. Darauf gründet schließlich auch Abälards 'sic et non' - Verfahren, das den Autoritätenwiderspruch unter der Voraussetzung einer Differenz

---

Freising (gest. 1158) die ganze 'logica vetus' der Boethius-Tradition nach Deutschland gebracht.

202 'Insolubilis in illa philosophantium schola tunc temporis quaestio habebatur, an porcus, qui ad Venalitium agitur, ab homine, an a funiculo teneatur (...). Sufficiebat ad victoriam verbosus clamor.' (Ioannis Saresberiensis: Metalogicus. In: Patrologiae Cursus Completus. Series Secunda Latina. Ed. J.P. Migne. Tomus 199. Paris 1855. S. 829).

203 Zitiert nach Paetow: The Arts Course. L.c. S. 31,Anm.72, der die Stelle folgendermaßen übertragen hat: "With their sophistications they catch flies of senseless verbiage as in the webs of spiders."

204 Dazu muß eine Tatsache stets vor Augen bleiben: Für jeden, der es zu einem Schulunterricht brachte, waren das Trivium oder Teile davon das Einmaleins seiner Ausbildung. Grammatik, Rhetorik und Dialektik waren die Grundlage jeder weiteren Befassung mit irgendwelchem Wissen. Der Modus der Weltbegegnung war bei allen Gebildeten danach zwangsläufig ausgesprochen ratiocinativ.

205 Fromm hat schon einmal auf diese Zusammenhänge hingewiesen (Schwertleite. L.c. S. 338) und Gottfrieds Einsicht in die historische Lage des Sprachverstehens betont. In seiner dort angekündigten und mittlerweile erschienenen Studie über Gottfried und Abälard zeigt er Verbindungen zwischen Abälards frühscholastischer Semasiologie und Gottfrieds Sprachgebrauch auf (Abaelard. L.c. passim), ein Thema, auf das wir später noch zurückkommen werden. Vgl. Abschnitt 4.1.2.

von Text und interpretationsfähiger Meinung rational überwand. Wo die Begriffe zunächst nur 'in intellectu solo et nudo et puro' sind und sich erst je mit subjektiven Bedeutungsgehalten füllen, mit 'sermones'[206], wird die Begriffswelt mehrdeutig; und, eingespannt in das Geschirr des Syllogismus, kann die Logik mit ihr die bizarrsten Sophismen ausklügeln[207].

Es kann nun nicht schwerfallen, zwischen Gottfrieds Kommentarform in unserem ersten Textbeispiel und der skizzierten allgemeinen Disposition seiner Zeit für sophistische Logik und Rhetorik zunächst zumindest ein verwandtes Nebeneinander zu erkennen. Dem liegt allerdings, wie weiter zu zeigen sein wird, das umfassendere Nebeneinander von rhetorisch-dialektischen Verfahrensweisen überhaupt - wovon der Sophismus nur ein besonders zeittypisches Symptom ist - und den literarischen Formen im 'Tristan' zugrunde: Die kasuistisch erörternde Erweiterung der Geschehensdarstellung entspricht dem intellektuellen Modus der logisch-rationalen Auseinandersetzung mit Texten, wie sie in den Schulen geübt wurde. Der Autor geht nach scholastischer Methode an die literarische Vermittlung überkommener Stoffe oder Texte heran: Der Autorität der Quelle oder der Fiktion der Fabel tritt die 'ratio', die exegetische Anverwandlung der 'traditio' gegenüber[208].

---

206 Hirschberger: Geschichte der Philosophie. L.c. S. 413.

207 Macht man die natürliche Sprache zum Mittel logischer Beweisgänge, kann die semantische Instabilität der Wörter Sophismen heraufführen. Darum die Skepsis der modernen Logik gegenüber den natürlichen Sprachen und die Bevorzugung definierter Metasprachen und mathematisierter Bedeutungskalküle. Die Scholastik hat diesen Schritt noch nicht vollzogen, sondern ging mit der natürlichen Sprache noch so unbefangen um, als garantiere die logische Verfahrensregel wahre Sätze und Urteile.

208 Als das Instrument solcher Stoffmodellierung im höfischen Roman hat schon Eugéne Vinaver die Rhetorik herausgestellt: "In Roman times Rhetoric was conceived as a means of conveying the speaker's conception of the case, his way of looking at the events and the people concerned (...). Carried one stage further this method was bound to result in the remodelling of the matter itself, or at least of those parts of it which were at variance with the thoughts and feelings one wished to

Diesen Darbietungsformen gegenüber werden wir uns ein Publikum zu denken haben, das ein intellektuelles Vergnügen an der Suggestivität des Kalküls hatte und das auktoriales Räsonement delektierte, zumindest aber doch die Alternation von Erzählung und Kommentar als eine aus verschiedenen Lebensbereichen vertraute Art der Weltbegegnung als natürlich empfand[209].

Ein Textstück, das gegenüber dem Handlungsfortgang als irrelevante Digression erscheint, das zwar von der psychologischen Situation Markes seinen Ausgang nimmt, zu dieser aber schließlich keinen handlungsbestimmenden Bezug erhält, haben wir unter den Gesichtspunkten von Mitteln, Zweck und Wirkung in seiner poetischen Legitimität zu erhellen versucht. Die Verselbständigung und Künstlichkeit des Räsonnements muß danach als eine dem historischen Erwartungshorizont durchaus gemäße Störung der epischen Kontinuität erscheinen. Anlaß ist der sich aus der Handlung ergebende Kasus, hier die Psychologie des Liebeszweifels, dessen logische Struktur die ratiocinativen Kräfte von Autor und Publikum auf sich zieht, und dessen Darstellung unabhängig von der Bedeutungsstruktur des epischen Geschehens seinen literarischen Wert in sich selbst hat.

---

convey. Rhetoric could thus lead to a purposeful refashioning of traditional material, and the adaptor could become to all intents and purposes an original author (...)" (Rise of Romance. L.c. S. 22).

209 Es entspricht einer älteren germanistischen Idealisierung, den Begriff der höfischen Dichtung an ein ritterlich-waffentragendes, burgensässiges, völlig schulfernes Publikum zu knüpfen, woran Wolframs Illiteraten- und Ritterstandsbekenntnisse nicht den geringsten Anteil haben mögen. Wir dürfen uns dieses aber durchaus gemischter und intellektuell bewanderter vorstellen. Insbesondere die größeren Hofgemeinschaften hatten allerlei schulisch gebildete und halbgebildete Mitglieder: Kleriker im weitesten Sinn, Adlige, die eine Lateinschule besucht oder gar das Trivium ganz durchlaufen haben oder von einem Hauslehrer unterwiesen wurden, fahrende Scholaren, juristisch gebildete Kanzlisten und literarisch bewanderte Autodidakten, nicht zuletzt unter den Damen. Hartmann von Aue zeigt, zu welchem Maß an formaler Schulbildung es ein 'dienstman' bringen mochte - und als Verwaltungsbeamter wohl bringen mußte.

3.2.2. Die Bettgespräche (13637 - 14234)

Hatte sich der Widerspruch im 'zwivel'-Exkurs auf der linguistischen Ebene entwickelt, u.a. durch die dem frühscholastischen Sprachdenken eigene 'significatio ad placitum' der Wörter, so finden sich auch auf der Ebene der Handlung und der Personengestaltung Inkonsequenzen, die Einblick in die Darstellungsweise Gottfrieds vermitteln. Wir betrachten dazu zunächst die Gesprächssequenz, in die die 'zwivel/arcwan'-Stelle eingelagert ist.

Von der Eigenart der ersten Falle, die Marke Isolde gestellt hat, wurde schon gesprochen[210]. Beim zweiten Versuch Markes ist Isolde durch Brangäne gewarnt und zur Gegenlist präpariert. Nachdem Marke beklagt hat, daß ihn sein Abschied von Isolde schier um den Verstand bringe (13873 ff), übernimmt Isolde sogleich die Initiative: Sie habe letzte Nacht Markes Absichtserklärung nicht ernst genommen und sei bestürzt, daß er tatsächlich fort wolle. Von der Maske der Tränen unterstützt (13887 ff) kann sie alsbald Markes Mißtrauen vertreiben. Ihren Kummer demonstriert sie mit der Dialektik von 'ellende' und 'liep': Markes Liebe habe sie in die Fremde nach Cornwall gelockt. Wenn er sie nun allein ließe, werde offenbar, daß er Liebe nur geheuchelt habe. Sie aber bliebe freudlos allein unter Fremden. Marke korrigiert ihren Begriff der Fremde und lenkt so das Gespräch auf Tristan: Sie sei Königin und gebiete über Land und Leute; darüber hinaus werde ihr ja Tristan zur Seite stehen, und wem wären sie und wer wäre ihnen schließlich mehr zugetan? Das ist das Signal für Isoldes große Denunziation Tristans: Aus Angst vor ihrem Haß - wegen Tristans Mord an ihrem Oheim - umwerbe er sie und versuche heuchlerisch ihre Gunst zu erwerben. Gott und sie selbst wüßten aber, daß seine Liebe nur gespielt sei. Andererseits: Wolle sie nicht als eine Frau gelten, die ihres Mannes Freunde haßt, müsse sie notgedrungen, da sie seinen Umgang nicht meiden könne und dürfe, ihm freund-

210 Vgl. S. 56, Anm. 188.

liches Entgegenkommen zur Schau tragen, das aber, wie gesagt, nicht von Herzen komme. Deshalb wolle sie um keinen Preis in Tristans Obhut sein. Marke selbst müsse sich ihrer annehmen, wohin er auch fahre. Mit dieser Erklärung gelingt es Isolde 'losend' jeglichen Argwohn Markes zu beseitigen.

Wie ist das angesichts des entschiedenen Bekenntnisses zu Tristan in dem vorangegangenen Gespräch möglich? Psychologisch und handlungslogisch wird diesem Gegensatz nicht beizukommen sein. Ein Marke, der heute dies und morgen das bare Gegenteil glaubt, wird nicht mehr als Person faßbar. Auch der spontane Wechsel von beschwichtigtem Zweifel zu erneuter Prüfung Isoldes (14027 ff) läßt Marke nur als Funktion des Argumentationszusammenhangs erscheinen, als eine Figur, die zwar den epischen Ablauf materiell gewährleistet, aber nur als ein Instrument im Gefüge der Sprachlisten. Er ist Opfer einer je in sich selbst schlüssigen Argumentation, und Gottfried gibt ihm nicht die Kompetenz einer historischen Person, die sich von Isoldes Rede zu distanzieren, Wort und Wirklichkeit, Wort und früheres Wort zu konfrontieren vermöchte.

Marke verfällt der rhetorischen Kunst Isoldes: Sie gibt vor, irrtümlich Ernst als Spaß aufgefaßt zu haben ('schimpf'/ ernest') und verwandelt mit pathetischem Klagen ('owe mir, innecliche owe!' 13881) und vorgetäuschtem Weinen ('ane meine und ane muot' 13901)[211] Markes Argwohn in interessiertes Mit-

---

211 Gottfried würdigt an dieser Stelle in einem Kurzkommentar die betrügerische Kunst der Frauen, grundlos und jederzeit Tränen vergießen zu können (13895-902) - wohl eine Paraphrase der Ovidschen Verse 'Quo non ars penetrat? discunt lacrimare decenter,/ Quoque volunt plorant tempore, quoque modo.' (Ars Amatoria. III. 291 f) - und zwar, wie wir hinzufügen wollen, um wohlberechnete Gefühlswirkungen auszulösen, denn, so lehrt uns die Rhetorik, alles Sprechen über Gefühle taugt nicht, wenn der Redner diese nicht selbst in sich beim Reden verkörpern kann, um das Publikum zu affizieren. 'Siccis agentis oculis lacrimas dabit?' fragt Quintilian (Inst. Orat. VI. 2, 27). Wer würde ein paar dürren Worten seine Tränen schenken? Isolde weiß das und setzt dieses und andere Mittel der rhetorischen Beeinflussung von Markes 'opinio' ein: Pathoshaltige Amplifikation ('tot/begraben' 13948 f), Apostrophe Gottes als Zeuge, amplifizierende Vereindringlichung von Tristans schmählichem Verhalten (13952-956, 13963-965), Auszierung ihrer Täuschungskunst gegenüber

leid. Daraufhin klagt sie Marke selbst der geheuchelten Liebe an (13917 ff) - denn wie könnte er sie sonst einfach alleine lassen! Marke aber insistiert: Warum sollte er die Sorge um ihre 'ere' und 'vröude' nicht einmal für kurze Zeit an Tristan, ihr aller Freund, delegieren? Der Tenor von Isoldes dezidierter Antwort: Nie und nimmer! (13947 ff). Isolde heuchelt, sie habe gegenüber Tristan Zuneigung nur geheuchelt, der seinerseits Zuneigung nur geheuchelt habe, ein Vorwurf, den sie überdies auch gerade noch Marke gemacht hatte[212]. Was also Isolde Marke als Ursache für den bloßen Anschein einer Liaison mit Tristan vorstellt - ihr beiderseitiges Freundlichkeits-Heucheln -, das ist im gleichen Vollzug ihr Mittel, um Marke zu täuschen. Der Grund ihrer Liebeswürdigkeit gegenüber Tristan seien Markes und ihr Ansehen (13987 ff); ebendieses aber, und das Tristans dazu, sind letzten Endes wiederum der Anlaß für Isoldes Täuschung Markes, um dadurch ihre Liebe zu schützen.

Das gedoppelte Spiel mit Schein und Sein, das Gottfried hier inszeniert und das Marke zum Opfer der Schadenfreude seines wissenden Publikums werden läßt, zeigt die Kunst des Autors, die Polysemie der Wörter und die Polyvalenz der Sachen, die uns auf verschiedenen Ebenen der Darstellung implizit und explizit begegnet, auch im Dialog zu entfalten, wo sie sich als Differenz von Sprechen und Meinen darstellt.

Indem Isolde die Faktoren, die Markes Verdacht begründet haben müssen - Anzeichen vertraulicher Zuneigung zwischen der Königin und dem Neffen in der Öffentlichkeit - demonstrativ bestätigt, um sie sogleich jedoch zu den Angelpunkten eines logischen Zusammenhangs zu machen, der überzeugend ihre Unschuld, ja ihre verantwortliche Tugend hervorkehrt - sich al-

---

Tristan durch chiastische Doppelung (13983 f, 13990 f) und gedrängt-eindringliche Schlußadresse an Marke (13995 ff).- Dies ist einer der Fälle innerliterarischer Rhetorik im Dialog, von der das Publikum wie im Drama auf dem Umweg über die Kunstleistung der dramatischen Wechselrede affiziert wird. Zugleich dokumentiert sich hier das lebendige Wissen um die Affektenlehre des Altertums als Darstellungsmoment.

212 Die Vokabeln für die Schar der Heuchler sind: losaere; gelichsend; in einem velchlichen site; sus losete die lose Isot; bis daz sim losend angewan; sus gies ir herren losend an.

so insgesamt der Taktik der 'concessio' bedient[213] –, kann sie Marke täuschen und ihn glauben machen, daß 'an ir dingen waere / dekeiner slahte valscheit' (14020 f). Die Zweifelseele Markes könnte nun Ruhe haben, aber der Autor sieht offenbar die dialektische Substanz der Konstellation und ihre Fruchtbarkeit für weitere dialogische 'sermocinatio' noch nicht erschöpft. Die ungelenke Überleitung zum dritten Bettgespräch rückt jedoch zugleich deutlich die psychologische und handlungsmäßige Unmotiviertheit einer erneuten Probe auf Isoldes Unschuld ins Licht: Marjodo, dem der Seelenfriede Markes nicht recht sein kann ('diz was dem truchsaezen leit / und tet im in dem herzen we' 14022 f), legt dem König, unbekümmert um den ja beseitigten Argwohn, einen neuen Plan vor:

> iedoch lerter in aber do me
> und seit|im, wier Isolde
> aber versuochen solde.
> Des nahtes, do Marke aber lac
> (...) 14024 ff

Marke, eben noch als Funktion der Überzeugungsrede Isoldes dargestellt, wird kommentarlos sogleich wieder Instrument der Listinstruktionen Marjodos, der ja selbst nur wieder ein Katalysator der Darstellungsbewegung Gottfrieds ist. Es wird an dieser Stelle sichtbar, was noch öfter gelten wird: Die Darstellungsintention Gottfrieds geht nicht auf die Psyche Markes als eines interpretierbaren Organismus. Marke ist hier epische Staffage, in die Gottfried seine – beliebig vielen – Listreden einhängen kann[214].

Marke stellt also seine dritte Falle 'unde betrouc si aber dar in' (14031). Er ignoriert dabei Isoldes vorige ultimative Forderung, sie nicht allein zu lassen, bzw. sie mitzunehmen, ein Indiz, wie unverknüpft und selbstgesetzlich die einzelnen Dialoge nebeneinanderstehen. Es sind keine voll rückbezüglichen Gespräche, sondern monologische Dispute, aus absichtsvoll gewählten Setzungen je neu entfaltet[215]. Marke

---

213 Lausberg: Handbuch. L.c. § 856.

214 Ähnlich schon Ingrid Hahns allgemeines Urteil im Ergebnisteil ihrer Dissertation: "Die Personen selbst sind für Gottfried Chiffren, die in verschiedenen Zusammenhängen Verschiedenes ausdrücken." (Raum und Landschaft. L.c. S. 147).

trägt diesmal vor, er fahre ins Ausland und lasse sie an seiner Statt als Landesherrin zurück, versehen mit der Unterstützung aller Wohlgesinnten. Wer immer aber ihr zuwider sei, den solle sie verbannen. Deshalb werde er auch Tristan, da er sie so belästige, alsbald nach Parmenien in sein eigenes Land schicken, damit sie 'vro unde vruot' sein könne. Isolde dankt für Markes Sorge um ihr Wohl, dreht aber sogleich den Spieß um: Ihre privaten Wünsche müßten hinter Markes Reputation zurückstehen. Würde er den Neffen und Freund verbannen, fiele die Schande auf sie zurück. Würde ihr kleinlicher Haß denjenigen, der allein Marke als Landesherr vertreten könne (was ihr als Frau nicht möglich sei), vertreiben, verlöre sie ihr Ansehen. Wenn er sie also nicht mit auf die Reise nehmen wolle, solle er - ungeachtet ihrer persönlichen Gefühle - Tristan das Land regieren lassen.

Wieder eine der vorigen Rede entgegengesetzte Stellungnahme Isoldes, aber nichtsdestoweniger eine durchaus wohlbegründete, schlüssige Argumentation, voll Staatsräson und persönlichem Verzicht. Und doch - diese Rede weckt erneut Markes Argwohn; nicht jedoch, weil er dem Widerruf nicht traute, sondern irrational, wie im ersten Gespräch, wertet hier Marke das objektiv begründete Eintreten Isoldes für Tristan als den besten, unentbehrlichsten Mann im Land als subjektives Bekenntnis Isoldes zum Geliebten (14139 ff), während in der Nacht zuvor die geheuchelte Kritik an Tristan seinen Argwohn zerstreuen konnte. Wiederum auch teilt Brangäne Markes Beurteilung von Isoldes Worten und sieht sich zu neuen Listinstruktionen veranlaßt.

---

215 Dies ist eine Diskontinuitätserscheinung, die sich auch in anderen Dialogen höfischer Erzählungen findet. Z.B. folgen im 'Moriz von Craûn' in den Versen 1290 ff und 1340 ff zwei unvermittelte Reden von 'magedin' und 'graevinne' aufeinander, von denen die zweite nicht die erste repliziert, sondern gewissermaßen monologisch aus einer ganz anderen Perspektive spricht. (Moriz von Craûn. Hrsg. von Ulrich Pretzel. Tübingen (3. durchges. Aufl.) 1966 (= Altdeutsche Textbibliothek Nr. 45).

Noch einmal wiederholt sich das Spiel, eingeleitet von der schon zuvor benutzten Kunstfrage - die einen Meinungswechsel Isoldes kaschieren soll -, ob Marke es denn tags zuvor wirklich ernst gemeint habe mit dem Wegschicken Tristans. Sie sei sich nicht sicher gewesen, ob es nur ein 'versuochen' war (was es war, und was sie weiß). Sei es ihm aber wirklich ernst damit, werde sie ihm ewig dankbar sein und seine Liebe zu ihr darin erkennen. Lange sei es ihr heimlicher Wunsch gewesen, aber sie habe die Bitte nicht gewagt. Isolde denunziert Tristan nun nicht mehr als scheinheiligen Galan, sondern als prospektiven Usurpator ihres Throns, falls Marke auf der Reise etwas zustoßen sollte. Sie schlägt Marke verschiedene Lösungen der Situation vor, die sie in jedem Fall von Tristan trennen würden, ja, sie empfiehlt gar Marjodo als ihren Beistand. Die Heuchelei ist perfekt, Marke ist überzeugt:

> und (er) aber die küniginne
> mitalle unschuldic haete
> vor aller slahte untaete. 14226 ff

Marke hält dagegen Marjodo, der allein die Wahrheit kennt, für einen Lügner. Damit wird die 'wortlage' abgebrochen, und Marjodo wird sich der Präparierung eines Hinterhalts zuwenden, aus dem Marke das Paar 'in flagranti' ertappen soll. Brangäne und Isolde aber haben, dank ihres Informationsvorsprunges, Marke zunächst täuschen können.

Betrachten wir die Gesprächsfolge zusammenfassend, so fällt die strenge, symmetrische Systematik der vierfachen 'wortlage' ins Auge, die sich folgendermaßen aufführen läßt:

I. Gespräch

1) Szene: Bettgespräch (13677 f)
2) Marke: Stellt eine Falle 'und vienc si ouch dar inne' (durch Marjodo instruiert)
3) Isolde: Spricht sich mit objektiven Gründen <u>für</u> Tristan aus (<u>nicht</u> durch Brangäne instruiert)
4) Ergebnis: Markes Argwohn wird <u>bestätigt</u>

II. Gespräch

1) Szene: Marke liebkost die Königin (13869 ff)
2) Marke: Stellt eine Falle 'da vie diu küniginne/ den künec ir herren inne' (durch Marjodo instruiert)

3) Isolde: Spricht sich mit geheuchelten subjektiven Gründen gegen Tristan aus (durch Brangäne instruiert)

4) Ergebnis: Markes Argwohn wird beschwichtigt

III. Gespräch

1) Szene: Bettgespräch (14027 ff)

2) Marke: Stellt eine Falle 'und betrouc si aber darin' (durch Marjodo instruiert)

3) Isolde: Spricht sich mit objektiven Gründen für Tristan aus (nicht durch Brangäne instruiert)

4) Ergebnis: Markes Argwohn wird bestätigt

IV. Gespräch

1) Szene: Die Königin liebkost Marke (14156 ff)

2) Marke: Spricht nicht. Seine Meinung wird in rhetorischen Fragen in Isoldes Monolog gespiegelt (nicht durch Marjodo instruiert)

3) Isolde: Spricht sich mit geheuchelten subjektiven Gründen gegen Tristan aus (durch Brangäne instruiert)

4) Ergebnis: Markes Argwohn wird beseitigt

Der Vergleich kann zeigen, daß das erste und das dritte Gespräch völlig gleichförmig verlaufen. Das zweite und vierte Gespräch entsprechen sich dagegen reziprok. Hatte in II Isolde den liebkosenden und fallenstellenden Marke nur durch eine Gegenlist vom Zweifel abbringen können, übernimmt sie in IV selbst die Initiative und gewinnt mit liebkosender Einschmeichelei und 'wortlage' jenen Vorsprung, der die Listsequenz an dieser Stelle zu ihrem Vorteil zum vorläufigen Abschluß bringt.

Die Art der Reaktionen Markes ist sonderbar. Isolde spricht sich im ersten Gespräch zunächst - keiner Falle gegenwärtig - unbefangen für Tristan als den natürlichen Statthalter Markes aus. Marke macht aber nun keinen Unterschied zwischen dem selbstverständlichen Bekenntnis der Königin zum Neffen ihres Mannes und einem möglicherweise darin verborgenen geheimen subjektiven Bekenntnis der liebenden Isolde. Subjektiv und objektiv fallen für ihn zusammen. Jedes 'pro Tristan' ist ihm unmittelbar Indiz von Isoldes Innerlichkeit. Als dann Isolde, vor der zweiten Falle gewarnt, vorgibt, Tristan zu hassen, reagiert Marke naiv-wortgläubig, und das bloß verbale 'contra Tristan' beseitigt sein Mißtrauen. Beide entgegengesetzten Reaktionen wiederholen sich noch einmal: Isoldes 'pro et contra Tristan' verwandeln sich bei Marke, ungeachtet der entweder wohlbegründeten objektiven oder der geheuchelten subjektiven Motive, unvermittelt in 'zwivel' oder 'geloube'[216]. Es kann dann auch nicht mehr verwundern, daß die Tatsache des dreimaligen Widerrufs, den Isolde ja schließlich praktiziert, Marke nicht weiter berührt, entspricht doch sein alternierendes Reagieren nur dem in dialogische Handlung überführten abstrakten Gehalt des 'zwivel'-Phänomens, dem Pendelschlag zwischen beschwichtigtem und stimuliertem Argwohn. An all dem wird deutlich, wie starr und erfahrungsenthoben das Konstrukt der Listsequenz seinen ausgezirkelten Gang geht.

Ein Erzähler, dessen Darstellungsinteresse sich in diesem Maße auf eine abstrakt-logische Struktur der Darstellungsfolge richtet, wird sowohl mit der psychologischen Wahrscheinlichkeit der Figuren wie mit der plausiblen Verknüpfung der Teile in Konflikt geraten. Das einzelne Wort und die einzelne Handlung gelten nicht mehr repräsentativ über ihren unmittelbaren Kontext hinaus, haben sie doch zu oft nur begrenzte Funktion innerhalb einer erzählerischen Wirkungsabsicht, die sich in diesem Fall auf die Komödie der Hypokrisie konzentriert. Die Protagonisten sind puppenhaft durch die Souffleure Brangäne und Marjodo, mit deren Hilfe Gottfried das Redegeflecht lanciert, künstlich gelenkt[217]. Es gilt also festzu-

---

216 Marke funktioniert hier wie ein Charaktertypus der Komödie, der sich von verbaler Logik intrigieren läßt. Daß er jedoch an anderen Stellen der Erzählung eine andere Konstitution erhält, braucht nicht betont zu werden. Die wohlfeile Frage "Was ist Marke eigentlich für ein Mensch?" ist illusionistisch und obsolet und muß ersetzt werden durch die andere: "Welchen Funktionen führt Gottfried die Figur Markes in den verschiedenen Darstellungsbereichen zu?"

217 Die sich in der Handlungsführung und Personendarstellung einstellenden Brüche lassen die Tatsache unberührt, daß im 'Tristan' im Detail durchaus griffige Portraits der Figuren und ihrer Innerlichkeit gegeben werden, daß über Strecken jene Beobachtungen der Forschung, die von feiner, differenzierter Motivation, von realistischem

...en, daß nicht auf der Ebene der sprechenden Figuren und ...es pragmatischen Zusammenhangs der Handlung sich kohärente sinn- und wirkungsgerichtete Erzählstruktur abbildet und dort erfolgreich interpretiert werden könnte, sondern auf der jenseits der Immanenz von Figur und Handlung liegenden Ebene des streng kalkulierten dialektischen Gefüges, in das der Stoff recht und schlecht eingezwängt erscheint, vermittelt sich die literarische Leistung des Textes: Das intrigante vierstufige Dialogspiel zwischen Zweifler und Heuchlerin und ihren Informanten als rhetorisch-dialektisches Schauspiel zur Unterhaltung eines im 12. und 13. Jahrhundert von spannend aufgebauter, sprachlicher List faszinierten Publikums.

3.2.4. Das rhetorische Muster der poetischen Wirkung

Zur Erzeugung solcher Publikumswirkung, wie sie sich bei den Bettgesprächen aus dem Gefälle der unterschiedlichen Informationsniveaus von Figuren und Publikum ergibt, stellte die poetisch-rhetorische Theorie der Antike in ihren Wirkungen wohldurchdachte Verfahren bereit, die den von uns zunächst aus ihren Widerständen beschriebenen Prozeß der Gespräche in ihrer Struktur und wirkungsgerichteten Leistung noch genauer beschreiben lassen[218].

Detail oder gar von einfühlsamer Charakterzeichnung sprechen, ihre begrenzte Berechtigung haben. Diese partikulare, selbst wieder besondere rhetorische Zwecke erfüllende Darstellungskunst (etwa den der 'evidentia', der anschaulich-lebhaften Vergegenwärtigung) darf jedoch nicht auf die Struktur des Werkganzen hin extrapoliert werden, so als sei der 'Tristan' ein Schritt für Schritt durchmotivierter oder gar ein realistischer Roman.

218 Auch hier geht es nicht darum, unbedingt eine Ausarbeitung des Listgewebes durch Gottfried nach rhetorischen Präskriptionen zu behaupten. Hier wird zunächst auch an alte literarische Traditionen zu denken sein - an den hellenistischen Liebesroman so gut wie an spielmännisches Erzählen -, deren Muster immer neu aufgelegt wurden. Die Rhetorik aber liefert das Interpretationsinstrument, das sowohl die Technik der Lüge, der Verhüllung, der Ironie, der Fangfrage und andere Dialogverfahren auf den Begriff zu bringen vermag, als auch die Einsicht in die Wirkung und poetische Funktion dieser Listen vermittelt.

Dem mittleren Direktheitsgrad im Epos entsprechend[219], läßt der Erzähler die Personen in dialogischer 'sermocinatio' selbst zu Wort kommen und vermittelt dem Publikum dadurch einen dem Drama angenäherten Grad der 'evidentia', der unmittelbaren Augenzeugenschaft[220], der der "Belebung des Handlungsablaufs"[221] dient. Für die Wirkung des Erzählens ist dabei das Gefüge der Informationsspannen zwischen dem Wissen der Figuren und der erzählten Wirklichkeit, zwischen den Figuren untereinander und zwischen den Figuren und dem Publikum ausschlaggebend, wobei die Unterscheidung in die Sympathieträger Tristan und Isolde einerseits, und den 'nidegen Marjodo' und den eifersüchtigen Marke andererseits, für die affektive Disposition des Publikums eine Rolle spielt[222]. Das instabile Gefüge des Figurenwissens bewegt die Gefühle des dem Gespräch unmittelbar beiwohnenden Publikums zwischen Hoffnung und Furcht ('spes/metus')[223].

Markes und Isoldes Gesprächsmanöver bedienen sich der Mittel der 'ironia'[224], d.h. sie täuschen einander durch 'dissimulatio' (Verheimlichung der eigenen Meinung)[225] und durch 'simulatio' (Vortäuschung einer eigenen Meinung)[226]. Marke bedient sich zunächst der 'dissimulatio', indem er - ohne etwas von seinem Verdacht merken zu lassen - eine verfängliche Frage stellt, "die der nichtausgedrückten eigenen Meinung durch Bloßstellung des Gesprächspartners schließlich zur Evidenz verhelfen soll"[227]. Brangäne, die die Fangfrage durchschaut, rät Isolde zur Taktik der 'simulatio'. Dagegen

---

219 Lausberg: Handbuch. L.c. § 1174.

220 Lausberg: L.c. §§ 810. 817.

221 Lausberg: L.c. § 823, 2.

222 Die Behandlung dieses Informationsgefälles haben der Detektiv- und Kriminalroman zur Perfektion entwickelt.

223 Lausberg: L.c. §§ 258. 1224.

224 Lausberg: L.c. § 902.

225 Lausberg: L.c. § 902, 1.

226 Lausberg: L.c. § 902, 2. Meine Behandlung der rhetorischen Ironieformen ist unabhängig von Ilse Clausens Darstellung entstanden (Clausen: Der Erzähler. L.c. S. 153 f).

227 Lausberg: L.c. § 902, 1.

bleibt die Waffe der wiederum von Marke versuchten 'dissimulatio' stumpf, denn die 'ignorantia' Isoldes ist durch die ihr von Brangäne vermittelte 'anagnorisis'[228] aufgehoben, und sie selbst kann nun ihr "besseres Wissen (...) durch 'simulatio' vollends dem Zugriff des Verdachts entziehen"[229]: 'si stiez sin wider sin' (13879). Marke befindet sich nun seinerseits im 'error'[230] und muß aus mangelnder Einsicht zwangsläufig das glauben, was Isolde nur vorgibt. Markes dritter Versuch zieht die Konsequenz aus Isoldes simulierter Antwort: Er will Tristan wegschicken. Um Tristans tatsächlicher Entfernung vorzubeugen, ist Isolde gezwungen, ihren simulierten, privaten Haß Tristans durch eine Reihe objektiver Gründe und Notwendigkeiten, die Tristans Verbleib in Markes und ihrem Interesse verlangen, zu ergänzen. Diese Ehrenrettung Tristans hat jedoch, wie wir sahen, Markes Verdacht erneuert, und Isolde muß im vierten Gespräch den Argwohn durch erneute 'simulatio' vollends beseitigen. Es gelingt ihr, durch die "politisch-taktisch-dialektische Verwendung"[231] der Simulationsironie nicht nur die eigene 'voluntas' vor Marke zu verbergen, sondern sogar deren Gegenteil glaubthaft zu machen (Marjodo als ihr erwünschter Beschützer). Markes 'coniectura animi'[232] führt also nicht zum Erfolg, da deren Voraussetzung, die Ahnungslosigkeit Isoldes, schon nach dem ersten Gespräch fehlt und Marke selbst nichtsahnend der taktischen Heuchelei Isoldes erliegt, die damit schließlich den "verdachtslosen Friedenszustand"[233] herstellt.

---

228 Lausberg: L.c. § 1213.

229 Lausberg: L.c. § 1213 (S. 586).

230 Lausberg: L.c. § 188.

231 Lausberg: L.c. § 902, 3.- Gegenüber der "rhetorischen Ironie", die sich als Ironie zu erkennen gibt, um den Gegner vor dem Publikum bloßzustellen, ist jene eine verinnertlichte Ironie, die sich als Waffe der Täuschung dem Gegenüber nicht als Ironie zu erkennen gibt.

232 Lausberg: L.c. § 154.

233 Lausberg: L.c. § 902, 3 a.

Die in den Gesprächen praktizierte taktisch-verhüllte Ironie als rhetorisches Mittel des dialektischen Parteienkampfes[234], das in die Poetik von Komödie und Tragödie, aber auch, wie hier, in die Dialogszenen des Epos Eingang gefunden hat, erreicht ihre poetisch-affektische Wirkung bei einem Publikum, das - durch den Erzähler laufend informiert - das Sprechen als ironisch-täuschendes durchschaut, den Figuren gegenüber also wissend ist. Da das durch den Erzähler in seiner Sympathie und Antipathie gelenkte Publikum selbst Partei ist, aber nicht aktiv eingreifen kann, fällt ihm die Rolle des tatenlos Wissenden zu, dessen Gefühle an die Verstrickungen und Wechselfälle seiner Identifikationspersonen ausgeliefert sind. Die daraus erwachsende Spannung, die sich in den Leitaffekten 'spes' und 'metus' konkretisiert, bewerkstelligt der Autor, wie schon gesagt, indem er Publikum und Figuren in ganz verschiedenem Ausmaß über die fiktionale Wirklichkeit informiert sein läßt.

Form und Leistung der Szenen, wie wir sie dargestellt haben, zielen als einzelne nicht auf einen Beitrag zu einem wie immer gearteten Gesamtsinn der Dichtung, treffen kein Urteil über Isolde und die Tristanmine, sondern liefern - unter wirkungspoetischem Gesichtspunkt - ein eigengesetzliches, komödiantisches Schauspiel innerhalb des Romans, dessen Mittel, die taktische Heuchelei, gattungsspezifisch für eine Schwankstruktur ist. Jene ist also nicht Ausdruck einer moralischen Korruption Isoldes unter dem Zwang diabolischer Minne, sondern Formgrundlage einer spannenden Unterhaltung.

---

234 Wie schon erwähnt, wird solche Heuchelei von Isolde sowohl Tristan und Marke wie ihr selbst zugeschrieben. Diese angebliche dreifache 'simulatio' aber ist Gegenstand von Isoldes wahrer 'simulatio' gegenüber Marke.

3.2.5. Die Truchseß-Episode

Ähnlich werden wir auch Einlagen wie die Truchseßgeschichte am irischen Hof, die noch ganz außerhalb des Minnebereichs liegt, zu beurteilen haben. Der szenische Aufwand, mit dem diese Episode vom simulierten Drachenkampf bis zur Entlarvung des Heuchlers vor der Hofgesellschaft gestaltet ist, steht in keinem Verhältnis zu ihrer strukturellen und erzähltechnischen Funktion[235]. Die brillant ausgefeilte Kontrafaktur arthurischer 'aventiure'-Kühnheit beim Drachenkampf des Truchsessen, die sich mit unverkennbarer Ironie der Requisiten eines zierlich-höfischen Turnierwesens bedient und eines der komischsten Stücke in mittelhochdeutscher Literatur darstellt (9093-9246), wird seine Wirkung beim zeitgenössischen Publikum nicht verfehlt haben, bezieht sich doch offenbar das entblößte Mißverhältnis von Ideal und Wirklichkeit gezielt auf ein Spannungsverhältnis von literarischem und lebenspraktischem Erfahrungshorizont des höfischen Publikums. Es ist eine der Stellen, wo das Ungleichgewicht von Idealität und gegenwärtiger Wirklichkeit komisch aufgelöst wird; an anderen Stellen wird es im Pathos der Zeitklage vorgestellt[236].

Aus der Rivalität zwischen dem dreisten Lügner und dem einstweilen behinderten Helden gestaltet Gottfried eine dramatische Situation, die 'spes' und 'metus' der Hörerschaft mobilisieren muß: Wird sich die Wahrheit, wird sich Tristan durchsetzen? Als Tristan von den Frauen gerettet und die Zunge in Sicherheit ist, und die Königin die Sache Tristans vor dem König vertreten will, scheint die Entlarvung nur noch eine Formsache zu sein, aber es wird dennoch einige hundert Verse brauchen, bis der Kasus vor dem König entschieden ist. Gottfried läßt sich die szenische Dramatik des Parteienstreits, das Pathos der unmittelbaren Wechselrede, nicht entgehen und präsentiert ein Stück Gerichtsrhetorik mit Richter, Kläger,

---

235 In der 'Tristrams Saga' ist sie in einem Satz zusammengefaßt!

236 Vgl. unsere Darstellung in 5.1.1.

Beklagtem und Verteidigung[237].

Es sind zwar keine geschlossenen, umfänglichen Klage- und Verteidigungsreden, aber die Elemente eines rhetorisch geschulten Prozedierens und judikalen Argumentierens sind gleichwohl erkennbar. Auf die Aufforderung des Königs, seine 'bete' und 'ger' vorzutragen, beginnt der Truchseß mit einer Forderung, die nur recht und billig ist und allgemeinen Konsens erwarten kann: Der König soll an ihm sein Wort nicht brechen. Syllogistisch trägt er dann seine spezielle Argumentation vor: Der König habe geschworen, daß der Drachentöter seine Tochter erhält. Er, der Truchseß, habe nun aber den Drachen erschlagen. Als 'probatio' zu dieser zweiten Prämisse führt er das 'signum' des Drachenkopfes, den "Augenscheinbeweis"[237a], vor. Die Konklusion, daß demnach Isolde ihm gehören müsse, ist in dem perorativen Appell, 'küneges wort und küneges eit' (9818) einzulösen, enthalten. Ungebeten wirft nun die Königin ihre 'refutatio' ein: Ohne Fleiß kein Preis (9820-24). Der Truchseß macht daraufhin gewissermaßen Verfahrensmängel geltend und verweist auf die Zuständigkeit des Königs (9826-29). Dieser aber, ist er doch zugleich Richter und Beklagter[237b], delegiert seine Verteidigung an die Königin, die für ihn, für die Tochter und für sich selbst das Wort führen solle. Die Königin beginnt mit einer ironischen 'concessio'[238] - seine,

---

237 Abgesehen von der allgemeinen rhetorischen Bildung, die schon in 'grammatica' und 'dialectica' weitgehend enthalten war, fällt von der spezifisch mittelalterlichen Funktion der 'rhetorica' im Unterricht ein Licht auf die juristischen Kenntnisse Gottfrieds und sein Darstellungsinteresse am Judikal-Prozeduralen (vgl. auch die Vorbereitungen zum Ordal): "Während des gesamten Mittelalters war der Rhetorik-Unterricht identisch mit der Unterweisung in Rechtsgeschäften - der Rhetor ist 'Legist' - (...)." (Jens: Rhetorik. L.c. S. 440). Paetow spricht vom "business course" der mittelalterlichen Universitäten (Arts Course. L.c. Kap. 3). Zu Gottfried vgl. insgesamt Rosemary Norah Combridge: Das Recht im Tristan Gottfrieds von Straßburg. Berlin (2. überarb. Aufl.) 1964 (= Philologische Studien und Quellen 15). Sie ist allerdings nur an den juridischen Sachgehalten, nicht an der Darstellungsform interessiert. Zu Hartmanns Rechtskunde vgl. Rainer Gruenter: Über den Einfluß des genus iudicale auf den höfischen Redestil. In: DVjs 26 (1952) S. 49 - 57.

des Truchsessen Liebe verdiene wahrlich eine gute Frau - und wendet sie sogleich gegen ihn: Wenn er aber eine noch bessere Frau ganz ohne Verdienst haben wolle, so sei das eine 'missetat' (9840). Sie wisse nämlich, daß er sich zu Unrecht seiner Tat rühme. Der Truchseß verweist wieder auf sein 'wortzeichen', aber Isolde bestreitet nun die Beweiskraft des Drachenkopfes, erklärt diesen zu einem 'signum non necesaria'[239], dessen unvollkommene Beweiskraft nun auch die Tochter kritisiert (9853-55). Der Truchseß ergreift die Gelegenheit der Einrede der jüngeren Isolde und lenkt, indem er sich an die Begehrte selbst wendet, die Argumentation vom bisherigen 'status coniectura' ab, also von der Frage, ob er oder ob er nicht der Drachentöter sei, und macht moralische Ansprüche auf Isolde geltend. Als diese daraufhin meint, zur Liebe gehörten zwei, entwickelt der Truchsuß den ovidianischen Topos von den Frauen, die anders sprechen als sie es meinen, die zu hassen vorgeben, was sie insgeheim lieben[240]. Darum seien sie unberechenbar und ein Tor der Mann, der ohne Rückversicherung sein Leben für sie wage. Bei ihm werde es aber nicht nach dem Reden der Frauen gehen, es sei denn, man bräche ihm den Eid - womit er wieder insinuiert, die Frage seiner Legitimation sei bereits entschieden.

Die Königin macht noch immer nicht den Versuch, die Behauptung des Truchseß endgültig zu bestreiten, sondern spielt souverän ihre rhetorischen Karten aus und macht den Truchseß zunächst als Redner lächerlich, indem sie seine eigenen Argumente gegen ihn wendet ('conciliatio'[241]): Er wisse so überaus gut über die Frauen Bescheid, daß er schließlich ganz 'der manne art' (9908) verloren habe und nun selbst wie eine Frau sich verhalte und diejenige liebe, die ihn haßt, denn ihre Tochter - genauso wie sie selbst - waren ihm 'nie holt'.

237a Combridge: Das Recht. L.c. S. 63.

237b Vgl. Combridge: Das Recht. L.c. S. 62: "Dies scheint ein Königsgericht zu sein (...), in dem der König Richter u n d Partei sein kann."

238 Lausberg: Handbuch. L.c. § 856.

239 Lausberg: L.c. § 363.

240 Ein Sentiment, das übrigens die 'Tristrams Saga' im Zusammenhang mit Blanscheflur verwendet.

241 Lausberg: L.c. § 783.

Indem die Königin so seine Forderung - an seinen eigenen Maßstäben gemessen - als weibisch-irrational dekuvriert und seine Position ins Lächerliche gezogen hat, kann sie ihm getrost formal konzedieren, daß der König seinen Eid einhalten müsse. Überdies wisse sie vom Hörensagen, daß ein anderer den Drachen erschlug. Als sie sich dann bereit erklärt, den wahren Helden zu präsentieren, bietet der Truchseß sogleich den Zweikampf an, worauf die Austragung des Streits drei Tage aufgeschoben wird.

Als man wieder zusammengekommen ist, beginnt die juristische Prozedur von neuem (12221 ff): Der Truchseß und der nun erschienene Tristan stellen zunächst das Streitige fest: 'herre, ich sluoc den serpant.' Darauf Tristan: 'herre, irn tatet.' (11227/29) Der Truchseß kündigt den Beweis an. 'Mit was bewaerde?' fragt Tristan. Den daraufhin präsentierten Drachenkopf will er aber nur gelten lassen, sofern man im Drachenkopf auch die Zunge findet, was nicht gelingt. Tristan läßt nun seinerseits die Zunge als Indiz seines Kampfes bringen und gibt seine 'narratio' des Hergangs, nicht ohne den Truchseß mit einigem Sarkasmus zu bedenken: Nachdem er, Tristan, dem Drachen die Zunge herausgeschnitten hatte, sei der Truchseß gekommen und habe das Tier totgeschlagen! Die Anwesenden erkennen Tristan als den tatsächlichen Drachentöter an, und dieser fordert den versprochenen Preis. Der Truchseß aber besteht als letztem Ausweg auf dem ursprünglich anberaumten Zweikampf, schwenkt also vom ordentlichen und erfolgreichen Gerichtsverfahren auf das archaische Mittel des Kampfurteils. Die Königin aber läßt ihm das nicht durchgehen und macht klar, daß alles Rechtens entschieden sei und Tristan ein Tor wäre, würde er 'umbe den wint' kämpfen. Als Tristan dennoch den Kampf anbietet, weicht der Truchseß schließlich aus und 'nam (...) ein ende / mit offenlicher schende.' (11365 f).

Insgesamt hat Gottfried mit dem Gerichtsverfahren eine spannend-komische, szenisch-dramatische Ausgestaltung des Truchseßmotivs vorgelegt, die über ihre strukturelle Funktion hinaus - die Rettung Isoldes vor dem unerwünschten Gemahl ist zugleich die Rettung Tristans vor den beiden Isolden - einem unmittelbareren Erzählinteresse folgt. Entfernt an das komische

Enthüllungsverfahren im "Zerbrochenen Krug" Kleists und an Richter Adam erinnernd, unterhält Gottfried sein Publikum mit der taktischen rhetorischen Raffinesse der Königin und Tristans, die den Truchseß nicht nur des Betrugs überführen, sondern ganz und gar der Lächerlichkeit preisgeben. Das genaue Auserzählen, die 'sermocinatio' der Figuren und die ironisch-parodistischen Lichter geben dem Erzählstück jenen 'affectus', der das Publikum Schritt für Schritt zu fesseln vermag.

In dem den oben behandelten Bettgesprächen nachfolgenden Listgeschehen wird sich noch einmal genauer die Technik der rhetorischen Publikumsaffizierungen studieren lassen.

3.2.6. Der Hinterhalt im Ölbaum (14538-14906)

Nachdem Marke über die Stufen von verhohlener Beobachtung und gesprächsweiser 'wortlage' zu keiner gewissen Erkenntnis gelangt ist, schreiten Marke und Marjodo, verstärkt um die Komplizenschaft des Zwerges Melot, von der theoretischen Prüfung zum praktischen Experiment: Tristan wird der Umgang mit Isolde und den Damen des Hofes verboten[242]. Nachdem sich im Aussehen der unfreiwillig getrennten Liebenden Symptome des Liebeskummers einstellen, will Marke es nun ganz genau wissen: Er reitet für längere Zeit auf die Jagd, um Tristan und Isolde die Chance einer Zusammenkunft und sich selbst einen Hinterhalt dazu zu verschaffen. Melot

---

242 Markes Anordnung selbst - auf einen vagen, doch gerade erst ausgeräumten Verdacht hin - und mehr noch die seltsame Passivität Tristans lassen die abstrakt-unpsychologische Motorik der Handlung erkennen. Tristan fügt sich schweigend in das Verbot, die Damengemächer zu betreten, aber bei ihm, der hervorragendsten Gestalt neben Marke am Hof, kommt das einer Schuldanerkenntnis gleich. Dies zeigt uns aber schließlich nur, daß es Gottfried offensichtlich nicht so sehr auf empirische Wahrscheinlichkeit als auf die Herstellung einer bestimmten Versuchsanordnung ankommt. Er hat die Ölbaumszene als einen erzählerischen Höhepunkt vor Augen, deren Exposition er sich nicht durch Rücksichten auf den epischen Kontext komplizieren läßt.

stellt die Falle, die Marke und ihn auf den Ölbaum im Garten führt, unter dem Tristan seine Geliebte erwartet. Die zum Rendezvous kommende Isolde wird durch Tristans Reglosigkeit unter dem Baum argwöhnisch, sieht alsdann statt des einen gleich drei Schatten unter dem Baum und durchschaut den Hinterhalt.

Genaugenommen entbehrt die Szene der physikalischen Plausibilität: Wie immer man sich die Belaubung eines 'öleboums' vorstellen mag, so wird man über die Alternative doch nicht hinauskommen, daß entweder Zweige und Blätter Marke und Melot vollständig dem Blick entziehen – dann wird man aber auch keinen Schatten von ihnen auf dem Boden sehen können, noch auch von Tristan, der sich ja in den Schatten des Baumes gestellt hat (14623 f) –, oder aber der Baum ist gering oder gar nicht belaubt, und das Mondlicht kann die Kontur aller drei Personen abbilden. Dann aber wiederum könnte Isolde die beiden im Baum sehr wohl sehen und nicht nur vermuten. Gottfrieds einzige Einlassung zu diesen optischen Verhältnissen in den Versen 'wan der mane ie genote / durch den boum hin nider schein' (14630 f) verwischt die Alternative sichtbar/unsichtbar dadurch, daß dem Mond eine besondere Strahlkraft (ie genote) zugeschrieben wird, die sozusagen 'durch den boum', durch das Laub hindurchdringe und so die Schatten doch abbilde.

Pedantisch und irrelevant wie diese Szenenkritik sein mag, so kann sie doch zeigen, wie sich Gottfried hier ganz auf die abstrakte Kontur der Situation konzentriert und eine andernorts bei ihm beobachtbare fast illusionistische Raum- und Vorgangspräzision (243) vernachlässigt. (244) Entscheidend ist allein die Funktion der wie auch immer zustandegekommenen Schatten: Sie ermöglichen Tristan und Isolde die h e i m l i c h e Wahrnehmung der ansonsten unsichtbar verborgenen Lauscher. Erst diese paradoxe sichtbare Unsichtbarkeit der Detektive für die kurz zuvor ahnungslosen Opfer kehrt die Informationsdifferenz zwischen Lauschern und Belauschten sinnfällig um, ermöglicht die Täuschungsreden Isoldes und Tristans und liefert dem mit dem Mond auf beide Parteien zugleich blickenden Publikum erhöhten intellektuellen Reiz und parteiischen 'affectus'.

---

243 Vgl. etwa die Beobachtungen zur Beschreibungspräzision Gottfrieds beim Moroltkampf durch Walter Johannes Schröder (Bemerkungen zur Sprache Gottfrieds von Straßburg. In: Volk, Sprache, Dichtung, Festschrift Kurt Wagner. Gießen 1960. S. 49 - 60.)

244 Selbst Ingrid Hahn läßt sich in ihrer ausführlichen Behandlung der Raumdarstellung in dieser Szene durch den Anschein der logischen Präzision bestechen und bescheinigt Gottfried die "Genauigkeit der landschaftlichen Skizze", die auf exakter Motivierung und streng logischer Zuordnung der Elemente beruhe! (Raum und Landschaft. L.c. S. 75).

Um die Wirkung des nun von Isolde und Tristan gegenüber den Lauschern simulierten Gesprächs zu ermessen, müssen wir zurückgreifen: Bis zur Entdeckung der Schatten durch Isolde vermittelt die Handlung über mehrere Stationen hinweg die Spannung einer möglichen Entdeckung und Überführung der Liebenden, ja sie rückt in greifbare Nähe. Tristan gibt sich zwar gegenüber dem falschen Boten Melot keine Blöße und jagt ihn schließlich scheltend weg; er ahnt aber nicht, daß Melot die für einen Uneingeweihten - für den er ihn hält - rätselhafte Boschaft der Königin (14547 ff) nur simuliert, wozu ihn sein verborgenes Hintergrundswissen um das Rendevous am Brunnen befähigt. Der hier in Gang gesetzte 'metus' des Publikums um den getäuschten Tristan erreicht seine erste Zuspitzung, als Tristan im Garten Isolde durch die Späne herbeiruft und nichtsahnend unter den Hochsitz des Königs tritt. Seine Entdeckung der Schatten hebt zur Erleichterung des Publikums seine Ahnungslosigkeit auf, aber die Information wird von Tristan zunächst als Wende ins Unglück erfahren. Er denkt sogleich an die Gefahr, in die sie geraten werden, falls Isolde nicht ebenfalls den Hinterhalt durchschaut. Er weiß nicht, wie er sie, ohne sich zu verraten, warnen soll und fleht inbrünstig um Gottes Beistand (14637-14656). Diese zwanzigversige rhetorische Dramatisierung von Tristans Angst findet ihr Echo in der Bestürzung Isoldes, als sie die Schatten auch entdeckt und in einem Stoßgebet wie Tristan ihr beider Schicksal in Gottes Hände legt (14700-709). Das von Isolde dann als solches erkannte beiderseitige Wissen um den Hinterhalt gibt ihnen den Informationsvorsprung, der sie befähigt, die Listinitiative zu übernehmen und der Schadenfreude des Publikums einen düpierten Marke und einen disqualifizierten Melot auszuliefern.

Die die Affekte des Publikums erregende kunstvoll-dramatische Lenkung des Figurenwissens gibt dem Umschlag aus der drohenden Gefahr in die mögliche Sicherheit jene Fallhöhe, die das komödiantische Spiel der intriganten Ironie Isoldes und Tristans an dieser Stelle so effektvoll macht. Wie funktioniert dieses nun?

Wenn Isolde zunächst Tristan heftig tadelt, daß er sie so spät und heimlich an diesen Ort gelockt habe und darauf hinweist, daß sie nur auf heftiges Drängen Brangänes ihre zögernde Einwilligung dazu gegeben habe[245] und von der Achtung spricht, die Tristan dem König und ihr schulde (14717-738), so simuliert sie die Entrüstung einer untadeligen, Tristan distanziert gegenüberstehenden Königin, die Marke, der seinen Hinterhalt ja nicht durchschaut weiß, nicht anders denn als unmittelbare Wahrheit auffassen kann. Wenn die Rhetorik in der 'simulatio' die "positive Vortäuschung einer eigenen, mit einer Meinung der Gegenpartei übereinstimmenden Meinung"[246] sieht, so läßt hier das szenische Arrangement die "Meinung" Markes erst aus Isoldes Äußerungen selbst erwachsen, denn sein Einblick in den, wie er glauben muß, unverstellten Dialog konstituiert sein gesichertes Wissen: Isoldes 'simulatio' und Markes Meinung fallen zusammen. Ist die 'simulatio' im offenen Dialog taktisches Mittel, um durch "Heuchelei der Konformität"[247] die eigene 'voluntas' zu verschleiern, wird sie hier gegenüber einem nicht beteiligten Dritten durch das Ungleichgewicht des Wissens zum Mittel vollkommener Meinungs- und Willenslenkung. Dazu gehört natürlich hier eine dem Vorwissen Markes angepaßte Wahrscheinlichkeit der Verstellung, die etwa an den Inhalt der Bettgespräche anknüpft und die Gerüchte des Hofes und den Anschein ihrer Berechtigung konzediert, um sie allerdings um so nachdrücklicher zu widerlegen.

Ehe wir näher auf die Technik der Meinungslenkung eingehen, ist auf die rezeptionsästhetisch entscheidende Zweistrahligkeit der Verstellungsironie hinzuweisen. Was als politisch-tak-

---

245 Es wird an diesem Hinweis Isoldes wieder sichtbar, daß einzelne Inkonsequenzen den Bogen der Darstellung nicht tangieren: Nicht Brangäne ist der Mittler des Rendevous ('als si hiute von iu schiet' 14734), wie Marke wissen muß, sondern Melot hat jenen unbestimmten Hinweis gegeben, den Tristan zielsicher in die Tat umzusetzen wußte. Überhaupt kommt Melots Wissen gar nicht zum Zug (auch nicht das Marjodos), um Markes Befangenheit in der Täuschung zu stören. Das Darstellungsinteresse wendet sich ganz der rhetorischen Intrigierung Markes zu. Mit Worten soll ihm kunstvoll ausgetrieben werden, was er mit Händen zu greifen womöglich imstande wäre.

246 Lausberg: Handbuch. L.c. § 902, 2.

247 Lausberg: L.c. § 902, 3 a.

tische Ironie das Publikum im Baum täuschen soll, fungiert zugleich einem zweiten Publikum, den literarischen Rezipienten (und den Dialogpartnern Tristan und Isolde selbst) als rhetorische Ironie[248]. Sie durchschauen den ironischen Gestus, womit der irregeführte Marke der Lächerlichkeit preisgegeben ist. Was in der Parteienrede stets einzeln vorkommen wird - also entweder eine Meinungen verbergende und vortäuschende Ironie, oder aber offene Ironie zur Bloßstellung der gegnerischen Meinung - erscheint hier zusammen in der semantischen Zweistrahligkeit einer auf zweierlei Zuhörer mit unterschiedlichen Informationen gerichteten Rede.

Die taktische Raffinesse der Gesprächsführung, die die Gefühle des Publikums auf dem Weg über seine wissende Teilnahme an der ironischen Täuschung erregt und sympathetisch reagieren läßt, gilt es noch näher zu betrachten.

Ihre Schelte Tristans begründet Isolde mit der Gefahr, in die sie sich begeben habe. Als Opfer verleumderischer Gerüchte gäbe sie lieber ein Glied ihrer Hand als hier - so sicher der Platz auch sei (!) - mit Tristan entdeckt zu werden und 'boeser liute vare' (14742) ausgeliefert zu sein - ein Seitenhieb gegen Melot und Marjodo. Isolde reinigt also das Treffen als solches zunächst von jedem unziemlichen Verdacht. Dann geht sie auf das Gerücht von ihrer 'valschlichen vriuntschaft' (14750) mit Tristan ein:

> des wanes ist der hof vol.
> nu weiz ez aber got selbe wol,
> wie min herze hin ziu ste; 14751 ff

Damit verläßt Isolde die einfache Prätention ihrer Unschuld - die die Wahrheit geschickt verbarg und etwas anderes als Lüge ist[249] - und bedient sich nun der doppeldeutigen Rede, die die

---

248 Vgl. S. 74, Anm. 231.

249 Es gehört zum Wesen der Listsequenzen im 'Tristan', daß ihr komödiantisches Intrigenspiel nicht durch eine blanke Konfrontation von Marke und Isolde aufgehoben wird - auf die Frage Markes "Liebst du Tristan?" müßte Isolde mit ja (Wahrheit) oder nein (Lüge) antworten -, sondern daß die Kontrahenten sich stets maskieren, um auf indirektem Weg Meinungen zu erkunden oder Meinungen zu induzieren. Auch beim Gottesurteil schwört Isolde ja keineswegs, sie habe Tristan nie geliebt!

Wahrheit spricht, sie dem Getäuschten aber nicht zu erkennen gibt. Marke, mit seiner auf den Kontext der Worte verkürzten Perspektive, kann in der unter die Apostrophe Gottes gestellten Aussage nur ein Bekenntnis ihrer Unschuld erkennen, während sie zu Tristan und dem Publikum von jener in Gottes Schutz befohlenen Minne spricht. Isolde führt das doppelbödige Sprechen weiter und nimmt den wahr-unwahren Schwur beim Gottesurteil hier bereits einmal - sozusagen platonisch ohne Eisenprobe - vorweg:

> (...)
> und wil ein lützel sprechen me:
> des si got min urkünde
> und enmüeze ouch miner sünde
> niemer anders komen abe,
> wan alse ich iuch gemeinet habe,
> mit welhem herzen unde wie;
> und gihes ze gote, daz ich nie
> ze keinem manne muot gewan
> und hiute und iemer alle man
> vor minem herzen sint verspart
> niewan der eine, dem da wart
> der erste rosebluome
> von minem magetuome. 14754 ff.

Was Marke als eheliches Treuebekenntnis verstehen muß, ist ein verhülltes Liebesbekenntnis zu Tristan, dem allein Isoldes Liebe gehört. Die Ambiguität des Sprechens ist Marke nicht zugänglich; der ständig apostrophierte Gott kann ihm nur als Garant orthodoxer gesellschaftlicher Verhältnisse erscheinen, nicht aber als der von Isolde gemeinte Schutzherr ihrer Liebe zu Tristan, der ihre Gesinnung gegenüber Tristan zum Maßstab der Vergebung ihrer Sünden machen soll. Indem also Isolde "die lexikalische Wertskala des Gegners verwendet und deren Unwahrheit durch den (sprachlichen oder situationsmäßigen) Kontext evident werden läßt"[250], und zwar für Tristan und uns, vermittelt der Autor jene rhetorische Ironie, die das Vergnügen des Publikums ausmacht:

> ich han iu hundert tusent stunt
> vriundes gebaerde vor getan
> durch die liebe, die ich han
> ze dem, den ich da lieben sol,
> dan durch valsch, daz weiz got wol; 14776 ff

250 Lausberg: Handbuch. L.c. § 582.

Wir wissen, wen sie 'lieben sol', aber Marke, der ja von dem Trank und seiner Wirkung nichts ahnt, kann es nur auf sich beziehen.

Isolde verfährt insgesamt getreu dem dialektischen Prinzip der Gerichtsrhetorik: "Jeder der beiden Redner muß die gegnerische Beurteilung des Tatbestandes in Rechnung stellen, so daß die Dialektik nicht nur durch die Tatsache, daß zwei Reden gehalten werden, hervortritt, sondern auch in jeder Einzelrede bereits verwirklicht wird"[251]. Isolde, die im Grunde mit Tristan nur einen Monolog der Anklage gegen Marke führt, ohne daß dieser zu Wort kommen kann, nimmt geschickt die 'opinio' und 'voluntas' Markes auf und wendet sie dialektisch zu ihrem Parteiinteresse. So kann sie Markes Mißtrauen und seine Anfälligkeit gegen Verleumder tadeln, wo er doch die Wahrheit (!) aus den Bettgesprächen mit ihr kenne. Marke kann, ahnungslos, dieser Kritik an seinem Mißtrauen sein 'concedo' nicht versagen, ein 'concedo', das in Isoldes Rede eben vorausschauend in Rechnung gestellt ist. In der Wiederholung von Argumenten aus den Bettgesprächen erhalten diese nun - "unverstellt" gesprochen - in Markes Ohren nachträglich ihre volle Glaubwürdigkeit.

Im Schlußteil des Dialogs, als schon aller Zweifel Markes ausgeräumt ist, ebnen sich Tristan und Isolde den Weg zu weiterem Zusammensein am Hofe mit nunmehr unverfänglich scheinenden Argumenten: Sie, Isolde, wolle trotz aller Verleumdungen Tristan nicht hassen, sondern ihm ebenso freundlich begegnen wie jedem andern Freund Markes. Tristan seinerseits fingiert eine Reiseabsicht wegen der Verleumdungen mit dem heimlichen, schließlich auch erreichten Zweck, daß Marke ihn später selbst zum Dableiben überreden werde und ihm womöglich noch größeres Vertrauen als bisher schenke. Damit gehen Tristan und Isolde als Sieger aus dem Hinterhalt hervor, denn Marke hat unzweifelhaft erfahren, daß Sprechen und Meinen Isoldes übereinstimmen, und er ihr künftig "aufs Wort" wird glauben können, ja, er legt ihr gegenüber später sogar ein Gelübde ab, sie nie wieder zu verdächtigen (15028).

---

251 Lausberg: L.c. § 63.

Trotz allem: Bald darauf vermögen Marjodo und Melot Markes Zweifel erneut zu schüren und ihn zur Mehlstreulist zu bewegen. Vergessen sind die Evidenz der Beobachtungen aus dem Baum, vergessen der Schwur. Wieder macht das pragmatisch Wahrscheinliche einer Diskontinuierlichkeit Platz, die die Folge der Listhandlungen als eine disjunktive Reihe erkennen läßt, in der jeder Teil in sich schlüssig gestaltet ist, aber nicht als organische Grundlage für den folgenden Teil taugt.

Man hat versucht, die mit der Folge der Listen einhergehende dauernde Revision von Markes Meinung als die Gestaltung seiner Psyche zu interpretieren, als die Symptome eines labilen, unköniglich-würdelosen, melancholischen Marke. Von der grundsätzlichen Fragwürdigkeit psychologischer Figureninterpretation im mittelalterlichen Roman und ihren Trugschlüssen - worauf wir noch ausführlicher zurückkommen[252] - abgesehen, kann dieser Eindruck von Marke nur als das Nebenprodukt einer Erzählweise gelten, die eine Vielzahl stoffgeschichtlich vorgegebener Listfabeln jeweils streng durchführt - wobei mal die eine, mal die andere Partei initiativ wird und gewinnt oder verliert -, die sodann aber die Verbindungsglieder der Kette der Einzelgeschichten aus künstlichen, der Wahrscheinlichkeit schwer standhaltenden Setzungen knüpfen mußte. So wird es z.B. nötig, daß der durch die brillante List am Brunnen bis zum Abschwören jedes künftigen Mißtrauens gebrachte Marke sogleich darauf dennoch - wollte Gottfried nicht umfangreiche Teile der wesentlich episodisch gearteten stofflichen Substanz des Epos aufgeben - wieder für die nächste, eigene List gegen alle Räson neu motiviert werden mußte[253]. Und als dann schließlich nach der Inspizierung der gestellten Falle der Beweis der Untreue für Marke mit Händen greifbar scheint - in beiden Betten sind die Laken blutig -, konserviert der Erzähler Markes 'zwivel' für künftigen Erzählstoff, indem er formalistisch zwei entgegengesetzte Indizien sich die Waage halten läßt: Das Blut in den Betten steht gegen die unberührte Mehlstreu (15240 ff).

---

252 Vgl. Abschnitt 4.2.

253 Vgl. die nachfolgende Darstellung in 3.2.7.

Fassen wir das Prinzipielle zusammen: Die Untersuchung von Widersprüchen hat uns ihre Ursachen erkennen lassen, die meist mit den besonderen Darstellungsformen in den behandelten Abschnitten zusammenhängen, die wiederum sich an zeittypische Verfahren der literarischen Objektivation anlehnen, mit denen sich bestimmte Wirkungsintentionen verbinden. Die Einsicht in die Leistung dieser Darstellungsformen, etwa in rhetorisch kalkulierte Publikumswirkungen, kann davor bewahren, begrenzt funktionale Details eines mikrostrukturellen Kontextes auf eine allgemeine Ideen-, Handlungs- oder Personenstruktur hin überzuinterpretieren[254]. So ist beispielsweise die Priorität rhetorisch-dialektischer Sprachabläufe vor realistischer Stimmigkeit, die Isolation einzelner Darstellungseinheiten oder die Marionettenhaftigkeit Markes deutlich geworden. Zugleich wurde die Wirkung solchen Erzählens bestimmt: Intellektuelle Verblüffung im belehrend-spitzfindigen Exkurs neben affektischer Identifikationslenkung in der komischen Szene[255]. So treten rhetorische Verfahren in zweierlei Weise in poetische Funktion: Im Exkurs und Kommentar dient die persuasive Demonstration von Sachverhalten und Meinungen dazu, unmittelbar auf das Publikum einzuwirken. Im Dialog der Figuren wird rhetorische Parteienrede szenisch vorgeführt, wird zum Gegenstand der Mimesis und das rhetorische Agieren zum Instrument der Komödie. Die Details der Analysen konnten zugleich einen ersten Begriff geben, in welchem Maße die rhetorische Schulgelehrsamkeit als Bezugsfeld der literarischen Präsentation im 'Tristan' im Hintergrund zu denken ist. Ein Beispiel dafür kann auch der zwischen Brunnen- und Mehlstreulist eingelagerte Textteil noch einmal abgeben.

---

254 Ingrid Hahn warnt bereits, daß es in den Betrugsszenen "gar nicht um Wesensdeutung" gehe (Raum und Landschaft. L.c. S. 144).

255 Quintilian behandelt bezeichnenderweise die rhetorische und taktische Ironie, die dabei die entscheidende Rolle spielen, in seinem Kapitel über das Lachen: 'plurismus autem circa simulationem (et dissimulationem) risus est (...).' (Institutio Oratoria VI. 3, 85).

3.2.7. Die rhetorische Verknüpfung zweier Listepisoden (15047-15116)

Die schon erwähnte neuerliche Bereitschaft Markes zur List erscheint im Text nicht ganz unvermittelt. Ehe Gottfried Markes Zweifel unter den erneuten Einflüsterungen seiner Spitzel wieder wach werden und ihn dem 'valschen rat' zur Mehlstreulist folgen läßt, zeichnet er in einem Exkurs eindringlich die heuchlerische Potenz des 'valschen husgenoz', wie ihn Melot und Marjodo verkörpern, um dadurch Markes Sinneswandel, wenn nicht logisch, so doch atmosphärisch wahrscheinlicher zu machen, ihn also nicht werkimmanent begründend, sondern wirkungsästhetisch glaubwürdig machend.

Der Exkurs (15047-103) stellt eine nahtlos und wirkungsvoll in die Handlung eingearbeitete gedankliche 'expolitio' dar[256]. Damit bezeichnet die Rhetorik die paraphrasierende und variierende Ausarbeitung eines Gedankens. Als eine der klassischen Übungsaufgaben der Schulrhetorik fand sie im sogenannten Progymnasma ein siebenteiliges Schema zur Behandlung einer Sentenz[257]. Elemente dieser rhetorischen Erörterungsform finden sich an verschiedenen Stellen im 'Tristan'[258]. Eine starre, lehrbuchgetreue Gedankenbehandlung dürfen wir jedoch im Kontext der poetischen Darstellung bei Gottfried nicht erwarten, beruht doch die Qualität seines Stils auf der souveränen Vertrautheit mit den Elementen von Poetik und Rhetorik und einer entsprechend freien Dosierung in Auswahl und Kombination der Mittel, je nach dem poetischen Zweck. Es kann daher bei der folgenden rhetorischen Beschreibung des Exkurses, eingedenkt auch der instabilen Begriffsbildung der rhetorischen Theorien, nicht um die unstrittige Identifikation eines kompletten Progymnasmas[259] oder bestimmter rhetorischer Figuren gehen, sondern um die Erhellung des wirksamen poetischen Zusammenhangs.

---

256 Lausberg: Handbuch. L.c. § 842.

257 Lausberg: Handbuch. L.c. §§ 842. 857.

258 Vgl. Sawicki: Poetik. L.c. S. 95 ff.

259 Die Herennius-Rhetorik unterscheidet folgende sieben Schritte: 1. rem simpliciter pronuntiare, 2. rationem

Die Aufstellung der Sentenz, das hier hyperbolisch erfaßte 'rem simpliciter pronuntiare'[260], gerät zweiteilig, nicht 'in re', aber paraphrasierend 'in verba':

> (...)
> (1) daz keiner slahte nezzelcrut
> nie wart so bitter noch so sur
> alse der sure nachgebur
> (2) noch nie kein angest also groz
> alse der valsche husgenoz. 15048 ff

Soll die 'sententia' an sich durch ihre Kürze erfreuen[261], gewinnt hier die Form des hyperbolischen, bildkräftigen Vergleichs in der variierenden Wiederholung an Eindruckskraft. Der 'sure nachgebur' und der 'valsche husgenoz' addieren sich als Metaphern des 'Wolfs im Schafspelz' und versinnlichen so auch quantitativ die Negativität des Urteils[262]. Der Sentenz folgt eine definitorische Periphrase (15053-15056), in der Gottfried unter den Varianten des Begriffs der 'valschheit' die kontextuell signifikante semantische 'voluntas' der Sentenz bestimmt: Die Differenz von freundlichem Gesicht und bösem Herzen. Der verdeutlichten 'sententia' folgt als zweiter Teil der 'expolitio' die 'ratio'[263] (15057-64), die, tropisch beginnend, Honigmund und Giftstachel gegenüberstellt[264] und, das Bild übertragend, von dem 'eiterine nit' des falschen Freundes spricht, der ständig Schaden bringt,ohne daß man sich dagegen wappnen könnte. Es folgt als dritter Schritt das 'dupliciter pronuntiare, vel sine rationibus vel cum rationibus'[265]. Darin wird die 'sententia' zunächst 'ex contrarium' erhärtet:

---

subicere, 3. dupliciter pronuntiare, 4. afferre contrarium, 5. afferre simile, 6. afferre exemplum, 7. afferre conclusionem (nach Lausberg: L.c. § 842).

260 Lausberg: L.c. § 842, 1.

261 Lausberg: L.c. § 875.

262 Durch die auktorial personalisierte Präsentation des Gedankens ('ich spriche daz wol überlut (...) ich meine daz') könnte die 'sententia' hier auch als 'chria', also als "eine finit eingebettete 'sententia'" (Lausberg: L.c. § 1117) verstanden werden, die einer historischen Person in den Mund gelegt ist.

263 Lausberg: Handbuch. L.c. § 842, 2.

264 Man könnte auch bereits in der Definition der 'valscheit' die Behandlung 'a causa' sehen wollen und hier nun das 'afferre simile'.

swer aber offenbare
dem vinde sine vare
ze schaden breitet unde leit,
dazn zel ich niht ze valscheit; 15065 ff

Diese Alternative zur 'valscheit' ist 'cum rationibus':

die wile er vint wesen wil,
die wile enschadet er niht ze vil. 15069 f

Als zweiter Teil dieses Schritts folgt eine Variation der Sentenz, allerdings 'sine rationibus':

swenner sich heinliche dar,
so neme der man sin selbes war. 15071 f

Schließlich ist das 'afferre exemplum' an der Reihe, mit dem Gottfried die 'sententia'-Ausarbeitung nun an die Handlung anbindet: 'Als tet Melot und Marjodo (...)' (15073). An dieser Stelle wird nun allerdings deutlich, daß das 'exemplum' nicht als historisch-exemplarischer Erweis der Gültigkeit der 'sententia' fungiert, wie das in einem nichtfiktionalen Zusammenhang sein sollte, sondern die 'expolitio' wird hier als gezielte theoretische Begründung der Gefährlichkeit der Heuchler erkennbar. Ist das 'exemplum' für den Zusammenhang der 'sententia'-Erörterung eine von außen hinzugeholte 'probatio' der 'causa', so hat Gottfried für seinen literarischen Zusammenhang das Verhältnis auf den Kopf gestellt und begründet die Gefährlichkeit und den Einflußreichtum von Melot und Marjodo durch die rhetorische Demonstration der Perfidie der Heuchelei[266].

265 Lausberg: L.c. § 842, 3.

266 Die hier in Erscheinung tretende Gedankenexpolitio ist eines der Mittel der 'amplificatio', des Hauptziels in der mittelalterlichen Poetik. Auch als 'digressio' gegenüber dem Erzählzusammenhang verstanden, würde der Passus mittelalterlich als Instrument der 'amplificatio' eingestuft. Für die wirkungspoetische Bewertung hilft die Diagnose 'amplificatio' aber nicht weit, da sich in bezug auf die mittelalterliche Situation das eingeschränkte Verständnis von der bloßen Aufschwellung beharrlich festgesetzt hat. Demgegenüber hat Ernest Gallo deutlich gemacht, daß mit der Dilation auch im Mittelalter, der Natur der Sache gemäß, auch eine Wirkungssteigerung einherging: "Expansion and enhancement are complementary, not mutually exclusive functions of Amplification." (The 'Poetria Nova' and its Sources in Early Rhetorical

Die Erörterung der 'valscheit'[267] ist damit nicht vollends abgebrochen, sondern Gottfried versteht es, sie poetisch wirksam nun in der erzählten Handlung weiterleben zu lassen: Tristan warnt Isolde vor 'zwen eiterslangen / in tuben bilde, in süezem site / smeichende alle stunde mite' (15088 ff) und amplifiziert die Bilder von den 'husgenozen', von 'slange' und 'hunt', von Melot und Marjodo. Exkurs und Handlung, rhetorisch-infinite Erörterung und finiter Kontext sind hier gelungen integriert. Der reiche tropische Schmuck, definitorisch gelockert, unterstreicht das luziferische Bild, das Gottfried von den Höflingen zeichnet.

Insgesamt vermag die so geartete Einlage die handlungspragmatische Diskrepanz zwischen den beiden umschließenden Episoden zu überspielen. Markes sachlich unbegründete Rückkehr zum Zweifel wird wahrscheinlicher, wenn man ihn wehrlos der Doppelgesichtigkeit seiner Ratgeber ausgeliefert sieht. Der Exkurs über die Heuchelei stimmt ein in weiteres Listgeschehen, dessen Instrument sie zugleich ist. So wird also die eingeschobene rhetorische Behandlung der 'sententia' poetisch wirksam als Wahrscheinlichmachung eines neuen Figurenverhaltens.

Doctrine. The Hague. Paris 1971. S. 166). Es empfiehlt sich in dieser Lage, die verschiedenen rhetorischen Elemente von ihrem Eigenwert her zu beurteilen, um die bei ihrer Verwendung zur Darstellungserweiterung einhergehenden affektischen Wirkungen beurteilen zu können.

267 Schon vor dem Brauttausch in der Hochzeitsnacht äußert sich Gottfried einmal zur 'valscheit', allerdings bei 'tumben kinden': 'alsus so leret minne / durchnehtecliche sinne / ze valsche sin vervlizzen' (12447 ff). Hier findet sich aber kein Schreckbild von der 'slange in tuben bilde', sondern eher verwunderte Sympathie des Autors mit dem listigen Ausweg aus der Not, ein Beispiel für viele, wie Begriffe und Themen in verschiedenen Zusammenhängen verschiedenen Stellenwert erhalten. Das eine Mal soll der Betrug Isoldes Ehre und Minne schützen; das andere Mal will die 'valscheit' der Höflinge diese zerstören. So wird deutlich, daß die Mittel keine Qualität an sich haben, sondern ihr Zweck sie heiligt oder entwertet, so wie es die Handlung erfordert. Der Begriff von der "Überzeugung des Dichters" wird an solchen Zusammenhängen als untaugliches Interpretationsinstrument offenbar.

3.2.8. Marke und die Liebenden (15117 ff)

Wir bleiben noch eine Weile bei dem bisher berücksichtigten Handlungsstrang, dem Gegeneinander von König und Liebespaar, um weitere Aspekte des Zusammenhangs von Diskontinuität und Rhetorik zu beobachten.

Das erwähnte äquivoke Ergebnis der Mehlstreulist nützt Gottfried weidlich aus, den paradoxen Sachverhalt amplifizierend zu umkreisen. Die Figur der Gleichzeitigkeit des Gegensätzlichen zieht hier wie andernorts Gottfrieds Formulierlust an, vom Sachverhalt der blutigen Laken und des unberührten Mehls ausgehend und bis zur abstrakten Essenz des Befundes fortschreitend: 'hie mite was ime diu warheit / beidiu geheizen und verseit." (15257 f) Dieser dargestellte Prozeß der inneren theoretischen Verständigung Markes über den Ausgang der List und dessen Reduktion auf eine logische Figur, den unauflösbaren Widerspruch, erscheint schließlich als der eigentliche Zweck der erzählten Szene. Die Blutspuren, die Marke handlungspragmatisch als Beweis der Untreue hätten genügen dürfen, werden unter dem Anspruch logischer Abstraktion zum Teil eines Widerspruchsverhältnisses reduziert. Dadurch verselbständigt sich die von Gottfried oft geübte extensive theoretische Durchdringung eines Handlungsteils bis zu dem Punkt, wo das Erzählgeschehen zum Paradigma eines abstrakten Gedankens zurücksinkt. Der scholastische Geschmack gibt sich an solch intellektualisierter Adaption fiktiven Stoffs zu erkennen.

Die wirkungspoetische Leistung der Stelle liegt in der plastischen Herausarbeitung eines Dilemmas, dessen Ausweglosigkeit spannungserregendes Pathos vermittelt[268]. Der unaufgelöste Widerspruch der Indizien, an dem Marke leidet, trägt die Spannung des Publikums vorwärts und verlangt nach Auflösung. Da Gottfried Marke dem kontradiktorischen Zeugnis von Blut und Mehl mit der leeren Rationalität des Kalküls begegnen läßt, gleichsam in der Rolle eines Sophisten, zugleich

---

268 Lausberg: Handbuch. L.c. § 393 (S. 217).

dem Publikum aber den König als am paradoxen Ergebnis 'verirret' bezeichnet, erscheint die Figur als Opfer ihrer Logik: Dies muß eine der Faszinationen des Erzählens und Hörens in dieser Zeit gewesen sein, die sich hier aus dem literarisch vermittelten Widerspruch von abstrakter Logik und mehrschichtiger Wirklichkeit speist. Mit dem Sprung von Bett zu Bett schlägt die Empirie dem Sophisten Marke ein Schnippchen[269].

Da die Gerüchte nun weder bestätigt noch entkräftet sind und Marke mehr und mehr um sein Ansehen sorgen muß, sucht er Rat bei seinen Fürsten. Es kommt zum Gottesurteil, das den Verdacht öffentlich zunichte macht. Wieder scheint ein Friedenszustand hergestellt, aber Gottfried weiß den Krieg der Parteien geschickt motivierend und räsonnierend wieder in Gang zu bringen, und es wird sich wiederum erkennen lassen, daß neuer Zweifel oder Gewißheit nicht eine notwendige Folge aus den Tatsachen oder aus den Charakteren sind, sondern sich nach den Anforderungen wechselnder Handlungszüge in Verbindung mit wechselnden Themen des Autors richten.

Auf zwei Figuren zumindest hat das Gottesurteil keinen Eindruck machen können: Melot und Marjodo. Sie wissen es besser und praktizieren heuchelnd die 'samblanze', bringen Tristan und Isolde nur 'ere ane ere' entgegen. Tristan und Isolde sind vorsichtig und vermeiden jedes Risiko: Wenn sie sich nicht treffen können, nehmen sie 'den willen vür die tat' (16426). Das ist für Gottfried das Stichwort einer Erörterung des Verhältnisses von Gesinnung und Handeln in der Liebe: Wo die Gelegenheit zur Liebe fehlt, soll der 'gemeine wille', das hoffende Planen und Erwarten den Mangel des Augenblicks im geistigen Vorgriff auf die Zukunft ausgleichen.

Dieser Kommentar (16415-439) ist voll in den Handlungsbericht integriert, anschließend an und einmündend in den Bericht von Tristans und Isoldes Praktizierung des 'gewissen und gemeinen willen' (16411-414 und 16440-448); er begründet die-

269 Diese Empirie selbst ist allerdings eine arg idealisierte, denn wenn beide Betten voller Blut waren, warum fiel dann beim Weitsprung über die Mehlstreu kein einziger Tropfen Blut nach unten?

se und verallgemeinert sie zugleich zu gültiger Didaxe:

> diz ist diu rehte trutschaft,
> diz sint die besten sinne
> an liebe und an der minne:
> swa man der tat niht haben müge,
> da nach als ez der minne tüge,
> daz man ir gerne habe rat
> und neme den willen vür die tat. 16420 ff

Dieser allgemeine Lehrsatz für eine Liebe, die Entdeckung fürchten muß, bestimmt nun bekanntlich nicht das Verhalten des Liebespaares in anderen Phasen der Erzählung, noch geht er ineins mit den dort angeschlossenen Minnekommentaren[270]. Weder die finite Schilderung der Praxis des 'willen vür die tat', noch die daraus entwickelte Norm weisen über den unmittelbaren Kontext hinaus, ja die Stelle gewinnt den Charakter einer lose sich in den Erzählzusammenhang einfügenden Einlage; werkumgreifende Relevanz hat sie nicht. Gottfried entwickelt vielmehr eine der Facetten aus dem Spektrum mittelalterlicher Minnethematik[271] disjunktiv neben anderen in anderen Werkabschnitten und scheint so einem auf theoretische Distinktion im Feld minnetheoretischer Gemeinplätze gerichteten Publikumsinteressen zu genügen.

Verfolgen wir den Text weiter, zeigt sich sogleich die Beiläufigkeit und das Aufgesetzte des Kommentars über den 'willen' gegenüber der Handlung, denn das taktische Verfahren der Gedankenliebe vermag die Liebenden nicht vor der Entdeckung zu schützen. Die zeitweilige Beschränkung der 'gemeinen liebe' auf den 'gemeinen muot' rechnet nicht mit der Genügsamkeit des Argwohns, dessen Same schon bei der geringsten Feuchtigkeit aufgeht (16455 ff). Gegenüber dieser Penetranz des Argwohns erscheint

---

270 Sei es, daß einmal jedes Auseinandersein als krankmachend, ja tödlich bewertet wird oder sei es umgekehrt, daß z.B. Tristan bei Gilan Urlaub macht, ohne daß diese längere Trennung sonderlichen Schaden anrichtete. Der 'wille' als Trost spielt nirgends eine praktische Rolle.

271 Der gesinnungsethische Gedanke ist der Antike wohlvertraut. Im 12. Jahrhundert hat bekanntlich Abälard die Gesinnungsethik aktualisiert. Gottfried verwandelt die dialektische Ethik zum Minnetherapeutikum.

das Reden vom 'willen' nur als eine idealistisch gefärbte rhetorische Arabeske; die Handlung steuert es nicht[272].

Marke, der unterdessen die Mienen und Blicke der Liebenden beobachtet hat, ist sich zum erstenmal seiner Sache ganz sicher: Tristan und Isolde lieben sich. Ihr Herz leuchtet aus ihren Augen, und Marke erkennt am Äußeren ihr wahres Gesicht: 'bi der gebaerde erkenne ich mich,/daz er iu lieber ist dan ich.' (16559 f)[273] Marke ist sich so sicher, daß er einen Zweifel gar nicht mehr in Betracht zieht: 'ern haete niht gegeben ein har,/ waer ez gelogen oder war' (16533 f). Zweifel und Argwohn machen nun Verzweiflung und Zorn Platz. Er gibt sich ganz seinem 'blinden leide' hin und ruft sofort Tristan und Isolde zusammen mit dem ganzen Hof zu sich in den Palas und hält ihnen eine Rede (16541 ff).

Die Rede revidiert bisherige Positionen: Das Ergebnis der Eisenprobe wird bedeutungslos, die Fama des Hofes wird statt dessen ins Recht gesetzt, und der bisher mehrfach am Offenkundigen vorbeigestolperte Marke wird mit einem Male scharfsichtig und steht nicht an, das auch zu bekunden: 'ine bin niht ein so tumber man' (16551). War der Beweggrund zum Gottesurteil die Sorge um sein Ansehen, und hatte er damals den Rat seiner Fürsten angerufen, so sind jetzt seine Worte von privatem Schmerz diktiert und erscheint die Verbannung, die er ausspricht, als subjektives Bedürfnis Markes. Die Möglichkeit einer verschärften 'huote' schlägt er weltklug aus: Das habe er schon zu Genüge ohne Erfolg versucht[274]. Damit erkennt er gewissermaßen die besondere Qualität dieser Liebe an, die er nicht aus der Welt schaffen kann.

---

272 Dabei stellt die hyperbolische Darstellung des Argwohns im metaphorischen Bild selbst eine rhetorische Vignette dar, aber sie begründet einleitend auf infiniter Ebene den nächsten Handlungsschritt und ist insofern stärker in die Handlung integriert als der Willensexkurs.

273 Vgl. dagegen vv. 13666 ff: 'ir rede und ir gebaerde / daz bemarcter allez sunder / und enkunde si hier under / an keiner warheit ervarn.' Bei konzentrierter Beobachtung kann er das eine Mal nicht erkennen, was ihm das andere Mal unzweifelhaft erscheint!

274 Nach der Minnegrottenepisode wird Marke die 'huote' dennoch wieder praktizieren, letzten Endes, damit Gottfried Gelegenheit hat, ausführlich über die 'huote' kritisch zu

Weit davon entfernt, uns Marke psychologisch griffig werden zu lassen, erweisen sich seine Worte als Rollenrede, als eine der Figur aufgesetzte Deklamation, die diese als konsistente Gestalt weit überfordern würde[275]. Auf der einen Seite ist Marke von Zorn und Wut gepackt, da seine Liebe zu Isolde ins Leere läuft (16517 ff), und der Schmerz zwingt ihn zum Handeln, zur Beseitigung seiner Qualen; andererseits verfährt er dabei überaus pragmatisch-weise und gnädig-tolerant zugleich: Die Liebe zwischen Frau und Neffen kann er nicht brechen. Da sie ihm aber beide wert sind, will er sie nicht nach Rechtsbrauch strafen (16583 ff), sondern schickt sie Hand in Hand von seinem Hof weg, damit sie ihrer Liebe leben können, ohne daß ihm dadurch Leid und Schande bereitet würde (16596 ff). Seltsam verbinden sich hier Altruismus und Epikuräismus in Markes Argumentation zu einem Subjektivismus, der von Amt und Würde des Königs absieht[276].

Wir können hier, wie gesagt, nicht nach einer Identität Markes fragen. Er rezitiert gewissermaßen nur eine idealistisch stilisierte Innerlichkeit. Sie macht ihn als Verzichtenden zum dritten Opfer des Tranks, und die in seinem Leid bewiesene Großmut weckt Sympathie für ihn. Marke, der lange Spielball seiner Ratgeber und seiner unstetigen Gefühle war, wird hier eine

---

räsonnieren. Es ist stets der gleiche Befund: Kaum etwas, das die Personen sagen oder tun, hat Geltung über den Anlaß hinaus.

275 Bertau hat treffende Ausführungen über das Verhältnis von Figuren und Sprache - in stilistischer wie inhaltlicher Beziehung - gemacht und an Beispielen demonstriert. Er resümiert: "So wie die rhetorische Kunstsprache des Dichters, indem sie sich zur Schau stellt, die gesellschaftliche Rede überfordert, so überfordern theoretisches Wissen und theoretische Absicht des Dichters die epischen Kapazitäten seiner Figuren." (Deutsche Literatur. L.c. S. 928).

276 Die wechselnde themen- und situationsspezifische Verwendung Markes, u.a. als betrogener Ehemann in der Schwankstruktur, läßt ihn in der Tat als unwürdigen König erscheinen, der nicht wie Artus als ruhender Pol der höfischen Gesellschaft Repräsentant einer gesellschaftsbildenden Norm und den irrenden Rittern Ziel und Rückhalt ist, sondern der sich hier als schwächstes Glied eines Dreiecksverhältnisses in die Verwirrungen des Privaten verstrickt. Mit dem Zug des Mitleids, das ihm Gottfried überdies angedeihen läßt, haben wir ein säkularisiertes, entmythisiertes Herrscherbild. Man wird darin jedoch kaum ein literarisches Programm Gottfried sehen dürfen, das etwa eine historisch aktuelle Kritik des

Eigenständigkeit des Urteils und der Entscheidung zugemessen, die ihn auf die gleiche Höhe mit Tristan und Isolde stellt. Aber es ist eben nur eine Rolle, die er bald wieder gegen die eines von der Minne geblendeten Hahnreis eintauschen wird. Die minnetheoretischen Möglichkeiten eines Dreiecksverhältnisses, insbesondere hier die Irrwege und Selbsttäuschungen des betrogenen Dritten, wollen weiter durchgespielt sein: Die Geschichte hat noch kein Ende.

Marke wird wiederum seine Überzeugung wechseln. Diesmal, am Ende der Waldlebenepisode, sind es nicht die verstellte Rede, der falsche Eid oder der zweideutige Beweis, die ihn täuschen, sondern die Minne selbst intrigiert ihn. Aus der Wahrheitssuche des zweifelnden Königs wird durch die betörende, blendende Wirkung der erotischen Ausstrahlung Isoldes das Wunschdenken eines Fauns, der mit der Rehabilitation Tristans und Isoldes allein die Möglichkeit der Gratifikation der eigenen Begehrlichkeit im Auge hat. Marke wird so zum Medium einer mit großem szenischen und rhetorischen Aufwand betriebenen Darstellung eines weiteren wichtigen Minnethemas, der verführerischen Sinnlichkeit[277]. Aus dem König Marke im Joch des Zweifels macht Gottfried den Liebhaber Marke in den Fesseln der Begierde. Gottfried schreitet so weiter das Spektrum der Minnephänomenologie ab und erweitert die Minnezweisamkeit um den Dritten, der an ihr zum Opfer wird - eine nicht unwesentliche Darstellungsleistung Gottfrieds.

Das Keuschheit verheißende Schwert zwischen den schlafenden Liebenden in der Grotte, das Marke durch eins der Fenster sieht, läßt ihn zweifeln: Hat er die beiden zu Unrecht beschuldigt? Dem erneut 'wegelosen man' (17533) wird die Entscheidung von der Minne selbst abgenommen, die mit all den ihr zur Verfügung

---

Verhältnisses von Amt und Würde beinhaltete - Marke ist ja in der Vorgeschichte ebenso auch der vorbildliche höfische König -, sondern es ist das beiläufige Ergebnis einer wechselnden Figurenadaption unter der Regie von Episodenfolge und Themenprofilierung.

277 Möglich wird das praktisch erst dadurch, daß Marke nicht auch - wie in anderen Tristan-Versionen - vom Liebestrank etwas abbekommt und so für dieses Thema freigesetzt ist.

stehenden Kräften der Sinnesverführung das Verlangen Markes nach Isolde weckt. Darum erhält das Schwert als 'signum factum' der Treue Isoldes nur in dem Maße seine Beweiskraft, wie die erotische Verzauberung Markes Isoldes Rückkehr an den Hof wünschenswert macht.

Dazu läßt Gottfried zunächst die personifizierte Minne auftreten, die in der Maske des 'guldinen lougen' Tristan und Isolde von Schuld freispricht. So wie Marke dem Schein der Schminke, wie er im allegorischen Bild dargestellt ist, folgt[278] so liefert ihn die 'schoene des wibes', die 'schoene ir libes' (17595 f) dem Schein der Minne aus. Als bloßer Voyeur ist er zwangsläufig Opfer der Differenz von außen und innen, von Schein und Sein. Mit dem rhetorischen Aufwand von 'personificatio', reicher 'descriptio' und auktorialem Beiseitesprechen nimmt die Stelle die Darstellung eines grundsätzlichen Minneproblems in Angriff, deren geeignetes Medium wiederum Marke ist: Wenn die Liebe des Herzens in die Augen tritt, wenn sich das 'meinen' als Schönheit äußert, wird sie frei verfügbar und rührt nicht nur den Geliebten an. Sie weckt das Begehren des Königs, und die in dem Verlangen nach der Schönheit vorgestellte Minne ist die Selbsttäuschung des Voyeurs Marke[279]. Der Text präzisiert die Ambivalenz dieser Schönheit mit bitterer Ironie in einer Anmerkung Gottfrieds: Er wisse nicht, auf welche 'arebeit' das 'maere' den blühenden Glanz Isoldes, ih-

---

278 Rainer Gruenter hat die Bildlichkeit der Stelle, den Zusammenhang von Schminke und Lüge dargestellt (Das 'guldine lougen'. Zu Gottfrieds 'Tristan' vv. 17536-17556. In: Euphorion 55 (1961) S. 1-14). Seiner dialektischen Interpretation, daß das 'guldine lougen' erst ein Geschöpf von Markes eigener Lust sei, kann ich nicht folgen, denn es ist in der Tat die schon von Markes Jäger bezeugte außerirdische Schönheit Isoldes (17469 ff), die in dem ahnungslosen Marke spontanes Verlangen wachruft. Die Minne in der Maske der Sinnlichkeit lügt, und Marke ist ihr Opfer, nicht aber Subjekt einer selbsterzeugten Lüge. Zwar operiert die personifizierte Minne in Marke selbst und entzieht so das Treue-Problem durch Schminke seinem Blick, aber ihre Liebesmittel liegen außerhalb: 'Minne diu warf ir vlammen an,/ Minne entvlammete den man/ mit der schoene ir libes' (17593 ff). Erst im späteren Exkurs wird die Schuld der 'geluste' des Mannes zugesprochen und die Frau von jeder bösen Absicht freigestellt, aber die letzte Ursache dieses Lasters beläßt Gottfried bei jener 'schoene', welche 'hoene' ist (17803).

ren glühend roten Mund zurückführe. Dann habe er aber dennoch die Ursache ihrer Animation beschrieben gefunden: Am Morgen sei sie durch den Tau der Wiese 'geslichen' und 'was da von enbrunnen' (17574 f). Gottfried, der hier gegenüber seinen Zuhörern mit rhetorischer 'dissimulatio' ('ine weiz ...') und anschließender ironischer 'simulatio' (vom 'touwe ... enbrunnen') nur allzudeutlich macht, wovon Isolde tatsächlich 'erhitzet solte sin' (17563) und damit Markes Schönheitsbegeisterung und Liebesbegehren sich gleichsam am Nachglanz der von Tristan und Isolde genossenen Liebe entzünden läßt, demonstriert damit die tiefe Entzweiung von innen und außen, von Minne und Schönheit, von zweisamer Liebe und einsamem Begehren. Höchst bezeichnend ist in diesem Zusammenhang jene Geste Markes, als er mit etwas Gras und Laub den Teil des Fensters der Grotte verdeckt, durch den die Sonne auf Isoldes Gesicht scheint: 'er vorhte, ez waere ir an ir lich / schade unde schedelich.' (17611 f)[280] Marke ist um Isoldes Schönheit besorgt, um ihren Teint, nicht um ihr Herz. Er kultiviert sein Idol.

Seine theoretische Erörterung erfährt das hier noch ganz in der Handlung entfaltete Thema der blinden, unerwiderten Liebeslust nach der Rückkehr von Tristan und Isolde an den Hof. Zunächst ruft Marke seine Fürsten zusammen; diesmal charakteristischerweise nicht, um sich wie vor dem 'concilje ze Lunders' als König ganz deren Rat anzuvertrauen, sondern um nun aus privaten Motiven ihre Zustimmung zu seinem Entschluß zu gewinnen, Tristan und Isolde als unbescholtene Glieder des Hofes zurückzuholen. Als dies geschehen ist, tritt gegen alle Wahrschein-

---

279 Vgl. Walthers von der Vogelweide Behandlung des Themas: 'sie getraf diu liebe nie,/ die nach dem guote und nach der schoene minnent; we wie minnent die?/ Bi der schoene ist dicke haz:/ zer schoene niemen si ze gach./ liebe tuot dem herzen baz:/ der liebe get diu schoene nach./ liebe machet schoene wip:/ desn mac diu schoene niht getuon, sin machet niemer lieben lip.' (Lachmann 49, 35 f. und 50, 1-6).

280 Gerade diese präzise Begründung der Geste zeigt, wie Gottfried literarischen Motiven die für seinen Darstellungs- und Sinnzusammenhang relevante 'significatio' zuweist. Die Bedeutung, die die Abdeckung des Sonnenstrahls in der persischen Märchenwelt hat (vgl. Walter Haug: Struktur und Geschichte. In: GRM 54 (1973) S. 144 f.) - der betrogene Dritte versucht durch die damit bezeugte liebende Demut den Partner zurückzugewinnen - ist ganz durch die kosmetisch-medizinische Indikation ersetzt.

lichkeit 'Marke der zwivelaere' auf den Plan und fordert von Tristan und Isolde, keine Liebesblicke mehr zu tauschen oder vertrauliche Gespräche zu führen (17712-722). Gleich darauf heißt es: 'Marke der was aber do vro' (17723), daß er Isolde wieder sein eigen nennen konnte. Der dramaturgisch konzipierte wechselnde Rollencharakter Markes wird überdeutlich. Ein Marke, der, von der Minne geblendet, die Liebenden an den Hof holt und deren mögliche Schuld zumindest verdrängt hat, ist für einen Augenblick aber wieder der 'zwivelaere', der als solcher vorbeugend die Bewegungs- und Handlungsfreiheit der beiden einschränkt und damit handlungspraktisch - ganz nach dem Sinn des Autors - den Knoten auf den Punkt der Flucht Tristans hin schürzt und gleichzeitig Anlaß zu dem weitläufigen 'huote'-Exkurs bietet. Der 'zwivelaere' hat damit aber bereits seine Schuldigkeit getan, und Gottfried fährt fort mit dem Marke, den 'geluste und gelange' nach Isolde unbeschwert 'vro' machen[281].

Dieser wechselnde Gebrauch, den Gottfried mit bestimmter thematischer oder struktureller Absicht von der Figur Markes macht, also das Rollenspiel Markes, ist formal in den wechselnden programmatischen Fügungen von Markes Namen mit substantivischem oder adjektivischem Attribut markiert: Marke der zwivelaere, der gewaere, der einvalte, der geloubege, der verirrete usw. Als 'weinender, trureger man' (17617 f) scheidet Marke von den Schlafenden in der Grotte, ein ironisches Kontrafakt zu dem wahren 'truraere' Tristan. Als Marke später Isolde bei sich am Hofe hat, ist er Paradigma jener Kategorie von Liebenden, deren 'herzelose blintheit' (17739) Folge von 'geluste und gelange' ist. Das illusionistische Begehren Markes, so als ob 'er ir vil liep waere' (17737) und das 'niht ze eren' ist[282], gibt Anlaß und Rahmen eingehender Erörterung von 'blin-

---

281 Einen Rollencharakter hat bereits Gisela Hollandt Marke für diesen Bereich zugeschrieben: "Im Minnezusammenhang ist Marke Träger eines Phänomens, das den Dichter offenbar beschäftigt hat: der einseitigen, undifferenzierten, von seinem Minnegesetz her illegitimen Liebe." (Hauptgestalten. L.c. S. 75).

282 Das 'niht ze eren' könnte ein Hinweis sein, daß Marke im Grunde als episches Paradigma für jene von der höfischen Minnedoktrin des Andreas Capellanus verpönte und untersagte Leidenschaftsliebe in der Ehe gelten darf und in dieser Richtung kritisch behandelt ist.

der minne'. Die Schönheit als eine Chimäre, die den von ihr Verzauberten knechtet, auch wenn er ihre Lügenhaftigkeit durchschaut: In diese Dialektik stellt Gottfried Marke und verallgemeinert sie disputierend[283]. Wieder ganz der deliberativ-didaktische Rhetor, durchwebt Gottfried den finiten Bericht von Marke rhetorisch effektvoll mit infiniter Deutung, topischen Verallgemeinerungen in Sentenz und Sprichwort, rhetorischer Frage an das Publikum und fingierter Frage aus dem Publikum und gegenwartsbezogenem 'exemplum' ('Ahi, waz man noch hiute siht' 17770). Die Argumentation steuert wieder auf das von Gottfried in vielen Erscheinungen immer wieder aufgespürte Paradoxe. Wie in der Mehlstreuszene umkreist er unablässig das Phänomen der Identität der Gegensätze, die sehende Blindheit, das blinde Sehen:

> ern wil des niht gewizzen,
> daz ime lit an den ougen,
> und hat daz vür ein lougen,
> daz er wol weiz und daz er siht. 17778 ff

Wieder konzentriert sich die Darstellung auf die - man möchte sagen: genüßliche - Amplifikation des Dilemmas. Sie stellt hier die Endstufe der für Gottfrieds kommentiertes Erzählen charakteristischen drei Darstellungsschritte oder -schichten dar: Erfahrung, Topos, Ratio oder fictio, sententia, ratiocinatio. Markes Erfahrung innerhalb der literarischen Fiktion wird vom Sprichwort resümiert und autorisiert: 'diu blintheit der minne / diu blendet uze und inne' (17741 f). Die Hermetik des Sprichworts, des Topos, des Tradierten aber bedarf des Verstehens. Der scholastische Erzähler traktiert sie deshalb mit

---

283 Klaus Peter hat das Thema von der Gefährdung durch die Schönheit, durch den Schein, zwischen Tristan und Isolde angesiedelt, freilich weil er die Liebe vor dem Trank entstanden wissen will und dieser ihm nur noch Bestätigung des Schönheitszaubers ist. Daß Markes Verzauberung dargestellt und weidlich kommentiert wird, von der Wirkung der Schönheit Isoldes auf Tristan der Text aber kein Wörtchen verlauten läßt, scheint ihn nicht zu stören, geht es ihm doch um den "historischen Sinn der Dichtung", der "aus dem nämlichen Geist, dem jene Sirenen ihr literarisches Leben verdanken, die in der Romantik ihr Wesen oder Unwesen trieben", stamme (Utopie. L.c. S. 328).

den Mitteln der 'dialectica' und scheint erst dann zufrieden, wenn er finites und infinites 'argumentum' auf ihren abstrakten Kern, auf ihren logischen Begriff gebracht hat.

Der ganze Passus (17723-17816) ist ein Beispiel für eine rhetorisch effektvolle, 'narratio' und 'argumentatio' eng verwebende Darstellung, die in einer streng gegliederten Argumentationskette Markes ehrlosem Verhalten nachfragt, um schließlich in der 'schoene' die letzte Ursache für seine blinde Liebe aufzudecken. Die Schritte lassen sich folgendermaßen darstellen[284]:

723-39	Marke liebt ehrlos aus 'blintheit'	narratio	Heute wie damals jene 'blintheit'	770-81
740-42	Es ist die 'blintheit der minne'	sententia		
743-45	Sie 'blendet uze und inne'	subnexio		
746-52	'also was Marke geschehen'	narratio/ exemplum		
753-55	Wo liegt die Schuld?	subjectio	Woher kommt das?	782
756-63	Nicht bei Isolde	argumentum a circumstantia	Die Frauen haben keine Schuld	783-91
764-65	Warum liebt Marke dennoch Isolde?	subjectio		
766-69	'geluste unde gelange'	argumentum a causa	'geluste unde gelange'	792-00

Nach dieser zweimaligen Erörterung des Themas - mit Bezug auf Marke im Besonderen und mit Bezug auf die Gegenwart im Allgemeinen - fehlt im Grunde die Zwischenfrage, was denn nun wiederum die Ursache der die Blindheit verursachenden Begierde sei; statt dessen setzt Gottfried unvermittelt mit der Antwort ein:

---

284 Aus Platzgründen verwende ich nur die letzten drei bzw. zwei Verszbefore des zuvor angegebenen Abschnitts.

sententia	'schoene daz ist hoene'	801-03
argumentum a persona	Isoldes Schönheit macht Marke blind	804-12
conclusio	Marke sieht nichts als seine Liebe	813-16

Hier wie in so vielen Zusammenhängen bei Gottfried ist es das Widersprüchliche, das in seiner dialektischen Form als paradoxes Dilemma als 'ultima ratio' der empirischen Sachverhalte herausgearbeitet ist und im Vollzug seiner Darbietung ein Maximum an pathetisch-intellektueller Stimulanz vermittelt.

3.3. Zusammenfassung

Versuchen wir die Einzelbeobachtungen, die wir bei der Untersuchung eines guten Teils des Geschehens zwischen Marke und den Liebenden gemacht haben, zusammenzuschauen. Ihre Bedeutung wird sich allerdings erst bei der Behandlung anderer, gemeinhin als gewichtiger angesehenen Passagen zu erweisen haben.

Störungen des Kontinuums der epischen Wahrscheinlichkeit, die Verbindlichkeit der Teile für das Ganze und Friktionen zwischen verschiedenen Darstellungsebenen haben erkennen lassen, daß Gottfried auf der Ebene der Figuren das wechselnde, begrenzt funktionale Rollenspiel praktiziert und damit die Fiktion des historischen Charakters aufhebt, daß er auf der Ebene der Handlung die schwankartige, eigengesetzliche - d.h. von innerer und äußerer Wahrscheinlichkeit unabhängige - Listepisode gestaltet und daß auf der Ebene des Kommentars die aus dem einzelnen Anlaß induzierte Sentenz und das sich verselbständigende dialektische Räsonnement gegenüber der Gesamthandlung unverbindlich bleiben.

Nicht von ungefähr schließen sich allerdings die Figur als Typus, die vordergründige Logik der Handlung und die abstrakte Maxime des Kommentars zu einem gemeinsamen poetischen Verfahren zusammen, dessen wiederholter Gebrauch bei wechselnder Inhaltlichkeit innerhalb des Romans jedenfalls den Schein einer kontinuierlichen, teleologischen Mimesis, wie wir sie im mittelhochdeutschen Roman vielleicht gemeinhin erwarten möchten, zerstört. Wir meinen die Poetik des epischen Schwanks, deren Kriterien nicht Wahrscheinlichkeit, Charakterdarstellung oder Problemvertiefung sind, sondern die auf Situations-, Sprach- und Typenkomödie aufbaut und in der Abstraktion von konsistenter Empirie jene Kalkulation von Mißverständnissen und Täuschungen gewährleistet, deren Zweck die spannende Belustigung des Publikums ist[285].

Man sollte das Schwankhafte im 'Tristan' schon auf Grund seiner Quantität in seiner Bedeutung für die Wirkungsintention des Gesamtwerks nicht unterschätzen. Von der Täuschung in der Brautnacht bis zum endgültigen Abschied Tristans von Isolde besteht die Handlung - wenn man von Teilen wie der Minnegrottenszene und Exkursen absieht - über fast 6000 Verse hin aus einer Folge schwankartiger Listepisoden. Dazu kommen Szenen aus Tristans Irlandfahrten wie die bereits behandelte Truchseßgeschichte oder die Überlistung Gandins. In ihnen verbürgt Gottfrieds plastische Szenendarstellung und die ausgiebige Verwendung dialogischer 'sermocinatio' jene 'evidentia', jenen Augenschein, der die Erzählung in die Nähe des Schauspiels rückt. Gottfrieds 'Tristan' ist so über weite Strecken rezitierte Komödie und kann innerhalb der höfischen Kultur wie eine Simulation des ihr fehlenden weltlichen dramatischen Schauspiels erscheinen.

Die sich aus Typus und Situation herleitende epische Komödie ist nun nicht isoliert und auf sich gestellt in die übrige Handlung eingelagert, sondern mit einem Kommentargewebe verflochten. Als spezifische Leistung von Gottfrieds Erzählen bringt diese rhetorisch-dialektische Überformung der episodischen Elemente der Tristanfabel aber auch Zielkonflikte der Darstellung mit sich, die wir als Diskontinuitäten herausgestellt haben. Wenn Figuren kraft ihrer individuellen Identität mitgestaltend

---

285 In diesem Sinn bemerkt Gruenter ganz richtig zu den Listszenen: "(...) das höfische Publikum Gottfrieds wird sie mit ästhetizistischem Beifall quittiert haben." (Rez. Weber. L.c. S. 277).

die Handlung eines ganzen Romans tragen sollen, aber vorübergehend, einer besonderen Gattungspoetik gehorchend, zu Funktionstypen des Schwanks oder zu Paradigmen wechselnden theoretischen Arguments werden, verlieren sie den Anschein der Individualität und Geschichtlichkeit, und ihre jeweilige Lage wird zum theoretischen Fall; die Figur wird zum Bezugspunkt rhetorischer Rede, die aus der Immanenz des Geschehens hinausschallt[286]. Wenn ferner das auktoriale Sprechen, statt der Handlungsdarstellung dienend zur Seite zu stehen, diese erst prägt und lenkt oder sich gar ganz von ihr löst, durchbricht es die Fiktion einer geschichtlichen und poetischen Kohärenz des Erzählten und bringt zugleich jene oft bemerkte "Doppelschichtigkeit in Urteil und Wertung des Dichters"[287] zustande.

Die Adaption Gottfrieds scheint so durch das dialektische Gegeneinander von Erzählstoff und Themenprofilierung geprägt: Die Episodenfolge bietet eine Reihe von Themenpunkten an, und der diese entwickelnde Kommentar und die sie vorführende Darstellung fordern ihrerseits theoriegerechte Figuren- und Handlungskorrekturen. Diese abschnittsweise, entstehungsgeschichtliche Verflechtung von Kommentar und Handlung unterstützt eher die Vorstellung einer vertikalen Segmentierung des Romans in selbstgesetzliche und selbständige Einheiten von Bericht u n d Kommentar als - wie bisher meist - die Schichtenunterscheidung einer poetischen Handlung an sich von den Exkursen, wobei ja die interpretative Relevanz beider Schichten umstritten blieb. Nur eine an goethischem Poesieverständnis geschulte und der Ästhetik des 19. Jahrhunderts verhaftete Kritik konnte den Eigenwert und den symbolischen Eigensinn der erzählten Welt von der "trockenen Theorie" der Kommentare isolieren und grundsätzlich höher als diese bewerten. Die mittelalterlicher Geistigkeit korrespondierende Erzählweise Gottfrieds ist aber gerade

---

286 Bezeichnenderweise fehlen dem Schwank historische Namen; er braucht nur den abstrakten Typenbegriff des Bauern, des Pfaffen usw. Gottfried aber läßt Figuren, die unter dem Gesetz einer fiktiven historischen Epik als namentlich identifizierbare Personen antreten, zugleich typenhaft agieren und damit gegenüber ihrer Gesamtdimension im Roman inkonsequent erscheinen.

287 Hans Goerke: Die Minnesphäre in Gottfrieds Tristan und die Häresie des Almarich von Bena. Phil. Diss. Tübingen 1962. S. 6.

die des interpretierenden, distinguierenden Darstellens, das logische und didaktische Weiterungen einschließt; dessen Poetik erfüllt sich aber nicht mit symbolischer Unmittelbarkeit, sondern mit einem Maximum an deutender Vermittlung[288]. Wo immer möglich, durchbricht die exegetische 'ratio', die scholastische Distinktion die Eigenmächtigkeit des Stoffes. Dadurch entstand ein durchbrochenes, mosaikartiges Werk, dem ganzheitsästhetische Vorstellungen nicht beizukommen vermögen[289].

Wo der Kommentar das Erzählgeschehen von Zeit zu Zeit auf einen abstrakten Nenner bringt, schlägt dessen zeitlose normativ-didaktische Qualität sodann - jedenfalls vor dem vergleichenden Auge des Philologen - kritisch gegen die Behandlung anderer Teile der Geschichte zurück, denn - so möchte man meinen - was in einer Situation so entschieden Geltung beansprucht, sollte im vergleichbaren Fall ebenso gelten. Der Text zeigt aber wiederholt, wie sich das rhetorische Sprechen am logischen Gehalt eines Sachverhalts entzündet und eine verballogische Problemisolierung betreibt, deren Eindimensionalität die Mehrschichtigkeit der Erzählwirklichkeit hinter sich läßt. In der Regel bilden Erzählung und topische Verallgemeinerung zunächst noch einen genauen Zusammenhang; eine weiterführende 'ratiocinatio' verläßt aber leicht den Spielraum der Geschichte, und wir erhalten Thesen, die nicht mehr zur Interpretation des Geschehens taugen. Das heißt aber zugleich - und darauf wird zurückzukommen sein -, daß der demonstrativ zur Schau gestellte rhetorische Exkurs in sich selbst eine spezifische poetische Leistung von Gottfrieds Erzählen darstellt.

---

288 Daß es darüber hinaus noch stets die Dimension des dem Stoff eigenen Mythos gibt, die sich mit und gegen Gottfried durchsetzt, die dem Werk jenseits aller Kasuistik das Offene des poetischen Symbols beläßt, ist unbestritten, macht aber gerade durch ihr Spannungsverhältnis zur auktorialen Exegese die Antwort auf Fragen nach dem Sinn der Dichtung oder dem Minnebegriff Gottfrieds so komplizier

289 Was Joachim Dyck in bezug auf die Barockliteratur feststell kann in gewisser Weise auch für die Diskontinuitätsstrukturen in Gottfrieds rhetorisiertem 'Tristan'-Roman gelten: "Weil die Rhetorik das Denken in so hohem Maße bestimmte, deswegen gelingt es so selten, eindeutige und grundsätzliche Antworten zu finden, deswegen kommt es so oft vor, daß der gleiche Autor dieselbe Frage an verschiedenen Stellen verschieden beantwortet." (Ticht- Kunst. L.c. S. 113).

Die in der sprachlichen Zuspitzung des Einzelfalls prätendierte Allgemeinverbindlichkeit wird über die Grenze der Episode hinaus auch nicht durch den Roman im Ganzen eingelöst. Erzählung und Kommentar entwickeln andernorts andere Meinungen, die durchaus konträr laufen können. Dementsprechend setzt die auktoriale Einrede auch keine symbolischen, innerliterarischen Signale mit weitreichender Verbindlichkeit[290], sondern sie steht über ihre mikrostrukturelle Funktion als Erklärung oder Begründung eines Zusammenhangs hinaus für sich selbst und appelliert, rät und erheischt Aufmerksamkeit in Richtung auf das Publikum und läßt u.U. den literarischen Bezugspunkt hinter sich. Sie dient 'ad coram publico' ganz dem Augenblick und repräsentiert wie alles rhetorische Sprechen nicht die Wahrheit eines Ganzen und führt auch nicht zu ihm hin, sondern lebt von der Durchschlagskraft der Rede im Vollzug[291].

Die Rede, die wie die Msuik als Zeitkunst nur im jeweiligen Vollzug Stück für Stück zur Existenz gelangt, kann - zur 'persuasio' angetreten - für den Augenblick die Illusion der Widerspruchslosigkeit erreichen[292]. Darin liegt ihre Chance: Das Publikum ist dem Hier und Jetzt jeder Redephase ausgesetzt, und was die Rhetorik für den Augenblick wahrscheinlich zu machen vermag, gilt. Das kann Licht auf den wirkungspoetischen Kern von Gottfrieds Erzählen werden: Gottfrieds rhetorische Adaption einer episodischen Minneerzählung zielt auf fesselnde 'attentio'-Erregung in der schrittweisen Verbindung von Szenen-

---

290 Solche sind allerdings auf anderen Darstellungsebenen durchaus gestaltet.

291 Dementsprechend mißt sich auch nicht die poetische Relevanz eines Exkurses an seiner Konformität mit dem wie immer verstandenen Gehalt des 'Tristan', mit seiner Minnekonzeption. Im Dissens mit anderen kategorialen Äußerungen im Roman ist ein Exkurs auch nicht ein irrelevantes Anhängsel der Erzählung, sondern integraler Bestandteil einer "Epik als Kommentar", wie es Bertau nennt (Deutsche Literatur. L.c.), die nicht auf eine einheitliche dichterische Idee abhebt, sondern das Kaleidoskop eines Minneräsonneurs vorführt.

292 Diese Leistung wird als rhetorisch durchschaubar, wenn der Autor an anderer Stelle ebenso zwingend die Gegenposition einzunehmen versteht. Wir erinnern an die Verse 13792 ff und 13821 ff.

darstellung und sophistisch-dialektischem Räsonnement. Die auf suggestive Wirkung hin angelegten Sprachabläufe verschleiern ohne Mühe vordergründige inhaltliche und semantische Widersprüche zum übrigen Text. Wenngleich auch dem hörenden Publikum prinzipiell das Mittel des kritisch-erinnernden Vergleichens offenstand, so scheint es ihm jedoch von vornherein gar nicht auf übergreifende realistische Wahrscheinlichkeit angekommen zu sein[293]. Entscheidend ist offenbar vielmehr die kasuistische Perfektion innerhalb eines begrenzten Zusammenhangs[294], die Brillanz der schulmäßigen Demonstration, die Vers für Vers eine intellektuell-ästhetische 'attentio' herausfordert[295].

293 Das gilt nicht allein für Gottfrieds 'Tristan'. Nellmann macht auch zum 'Parzival' einige Feststellungen, die sich prinzipiell mit unseren Beobachtungen zur Diskontinuität bei Gottfried decken: "Es gibt (...) Kommentare, die ganz auf die augenblickliche Wirkung beim Publikum hinzielen und ohne jede Relevanz für den Gesamttext sind." Oder: "(...) der Erzähler (vertritt) einen vorläufigen Standpunkt, der sich im Verlauf des Romans als zu eng erweist." (Wolfsrams Erzähltechnik. L.c. S. 135).

294 Solches gilt nicht nur für den ausgesprochenen Kasus, sondern für die Szenen- und Handlungsdarstellung gleichfalls. So kann Ingrid Hahn über das Verhältnis von Teil und Ganzem zutreffend schreiben: "Gottfried meistert das Gegenwärtige ganz. Das Prinzip der Kontinuität der sukzessiven Aufeinanderfolge vermag dabei in der jeweiligen Handlungsphase den Vorgang als Einheit zu erfassen, bei der Konzeption übergeordneter Zusammenhänge jedoch, wo eine vor- und zurückggreifende, vom Ganzen statt vom Einzelnen ausgehende Behandlungsweise nicht entbehrt werden kann, führt dasselbe Prinzip zu mangelnder innerer Konsequenz." (Raum und Landschaft. L.c. S. 82). Auch der durch redundante Detaillierung bewirkte Eindruck eines Duktus der epischen Vollständigkeit darf nicht auf das Werk als Ganzes hin verallgemeinert werden.

295 Auf den wahrscheinlichen literarhistorischen und rezeptionspoetischen Kontext dieser Darstellungsabsichten hat Gruenter hingewiesen. Gottfrieds Exkurs über die Eifersucht in der Liebe beispielsweise hält er für "nichts anderes als ein modisches Zugeständnis an die beliebten höfischen Debatten über die 'minne', wie sie etwa des Andreas Capellanus ovidisierendes Handbuch der höfischen Liebeskunst angeregt und festgehalten haben mag.- Solche räsonnierenden Hinweise Gottfrieds, oft gnomisch gefaßte Nutzlehren, gleichsam Ausschnitte aus einer höfischen 'ars amatoria', entsprechen dem zeitgenössischen Geschmack. Sie müssen nicht unbedingt auf die erzählte Handlung oder die geschilderten Charaktere abgestimmt sein." (Rez. Weber. L.c. S. 274 f).

Die Gestalt der zunächst herangezogenen Texte läßt ihre literarische Leistung also nicht so sehr in einem zusammenhängenden, aufgefächerten Grundgehalt erkennen als vielmehr in ihrer kontinuierlichen affektischen Wirkung, wobei Themen, Resümees und Topoi als Teile eines höfischen minnetheoretischen Inventars prinzipiell austauschbar erscheinen. Entscheidend ist ihre Darbietung, die zugleich innere Schlüssigkeit wie epische Integration wahrscheinlich machen muß. Die Rivalität beider Ansprüche schafft Dramatik: Figuren und Handlung, Elemente der Mimesis, rennen in die Stricke abstrakter Logik; empirische und logische Fiktion liefern sich Scharmützel. Die oft ins poetische Abseits gestellten theoretischen Digressionen sind so eine entscheidende Quelle des poetischen 'affectus' des Werkes.

Die behandelten Textstellen haben bereits eine immer wiederkehrende logische Apperzeptionsform der Wirklichkeit in Gottfrieds Erzählen erkennen lassen: Figuren des Widersprüchlichen, des Paradoxen. Sie können als ein entscheidendes Strukturmerkmal des Romans betrachtet werden, denn sie bewirken in vielerlei Gestalt Retardierungen des Geschehens, stauen den Strom der Handlung in mäandernde Breite. Wo die Paradoxie die Handlung in den Griff nimmt, bleibt alles in der Schwebe, kann der Erzähler sich rhetorisch im Kreise drehen. Das Zugleich des Widersprüchlichen lähmt die Entscheidungs- und Willenskraft der Figuren. Markes Zweifeln zwischen Wissen und Nichtwissen, die Liebe-Leid-Identität der Trankminne und viele andere Gegensätze einfacher oder dialektischer Art halten die Handlung in jenem gespannten Gleichgewicht, das den Spielraum für Gottfrieds erörterndes Erzählen gewährleistet. Die Verblüffung durch das Kalkül der Auswegslosigkeit, das sich weit von empirischer Wahrscheinlichkeit entfernt, kann als wichtige, zeittypische Wirkungsintention seiner Darstellung betrachtet werden.

Die deutlich unter den Kategorien der 'dialectica' stehenden Perzeptionsformen, die die empirische Vielgestaltigkeit immer wieder einzuholen vermögen, sind also zugleich das wirkungspoetische Programm: Eine 'sub specie dialectica' geschaute Minnewelt ist das Faszinosum, dessen sich Gottfrieds Sprache aufwendig annimmt und das die 'attentio' eines sophistisch interessierten Publikums auf sich zieht und für dessen 'delectatio' sorgt[296].

296 Das Resümee mit seinem Akzent auf dem wirkungspoetischen Zweck der Erzählform mag u.U. den Eindruck erwecken, wir meinten, Gottfried habe nur eine leere Spielerei inszeniert um mit vordergründigen Effekten nur die Sinnlichkeit seines Publikums zu fesseln. Unsere methodische Spezialisierung läßt uns nämlich zunächst übergehen, daß der bohrenden rationalistischen Erörterung der Minnethematik im 12. Jahrhundert ein lebendiges moralisches Interesse beim Publikum entgegenkommt, daß dem kasuistischen Verfahren durchaus die Dignität ernsthafter Wahrheitssuche zugemessen wird und das Feld der weltlichen Dichtung neben dem kirchlich-religiösen Bereich einen bedeutenden Faktor sozialer Selbstverständigung in moralisch-praktischen Fragen darstellt. Den rhetorisch-dialektischen Anstrengungen des Rednerpoeten dürfte daher eine Empfänglichkeit auf seiten den Publikums entgegengekommen sein, die mit der ästhetischen Affizierung zugleich den didaktischen Gehalt aufnimmt.

4. Der rhetorische Partikularismus des Minneromans

4.0. Vorbemerkung

Das bisher vorgetragene Verständnis von Gottfrieds Erzählweise und Erzählabsicht stützte sich auf Textteile, die in der Gottfriedforschung eher eine periphere Rolle gespielt haben, da sie nicht so unmittelbar mit der Thematik der Tristanminne befaßt sind wie etwa der Prolog, die Trankszene, das Minnegrottenleben oder die Abschiedsrede Isoldes. Auch bei den Figuren sind wir zunächst von dem nur mittelbar von der Tristanminne betroffenen Marke ausgegangen. Das "Diskontinuum Marke", das immer neu Medium, nicht Subjekt der Darstellung ist und sich jeweils als Funktion eines Themas oder Handlungszugs legitimiert[297], steht aber nicht allein. In gewissem Umfang kann das Gleiche auch von Tristan und Isolde gelten, die verschiedene Stationen disparater Minneerfahrung durchlaufen, letzten Endes zu dem Zweck, verschiedene Minnephänomene und -konstellationen darstellbar und diskutierbar zu machen. Deshalb scheint mir auch die frühere Konzentration auf die Suche nach dem einen, alles beherrschenden Minnekonzept Gottfrieds und nach der damit zusammenhängenden besonderen Personalität der Liebenden an den erzählerischen Intentionen der Darstellung vorbeizugehen. Die hypostasierte "Tristanminne" und ihre beiden Protagonisten sind nicht statische Konzepte, die die Dichtung und ihre Meinungen regierten - wenngleich die Apodiktik des Vortrags dies mancherorts vermuten ließe -, sondern beweglicher Rahmen einer breiten, diversifizierten Kommentarstruktur mit allerlei heteronomen Antrieben[298]. Das Moment der situations- und themenspezi-

---

297 Gisela Hollandt, die bereits Marke strukturell bedingtes Rollenspiel mit verschiedenartigen Handlungsfunktionen zugeschrieben hat, erachtet dagegen alle anderen Figuren als "ganz in der Einheitlichkeit ihres Wesens ruhende Gestalten". (Hauptgestalten. L.c. S. 78).

298 Wenn dennoch sich die Vielfältigkeit der Darstellung stets wieder in gleichen Grundfiguren bewegt, wenn das Paradoxe, das Doppelsinnige und die Differenz von Anschein und Wahrheit das Erzählen strukturieren und die sprachliche Welterfahrung Gottfrieds auszumachen scheinen, so sind dies Darstellungsantriebe, denen das Minnethema als Inhalt sogar mehr Anlaß denn Zweck der Darstellung zu sein scheint.

fischen Diskontinuität haftet darum auch Tristan und Isolde an[299].

Wir gehen zunächst an das Ende des Fragments und beobachten Gottfrieds Darstellung der Isolde Weißhand-Geschichte, um von dort zu anderen Textteilen auszugreifen.

4.1. Die Isolde Weißhand-Episode

4.1.1. Tristans Rollenspiel in der Fremde

Ähnlich wie Marke die Stationen von Zweifel und Gewißheit wiederholt durchläuft, so schwankt Tristan am Hof zu Karke, durch die Gegenwart Isolde Weißhands 'verirret', in seiner Haltung gegenüber den Namensschwestern. Tristan hatte zunächst bei 'ritterschefte' in 'Almanje' und zuletzt im Kampf für Herzog Jovelin von Arundel 'trost ze siner triure' (18417) gesucht - und damit exakt den Rat des Prologs befolgt, daß derjenige, der 'senede not ze herzen trage,/ daz er mit allem ruoche / dem libe unmuoze suoche' (88 ff) -, wurde dann aber durch des Herzogs Tochter 'Isot as blanschemains' an sein altes Leid wieder erinnert.

---

299 Diese Beobachtungen sind nicht ganz neu und finden sich ähnlich bereits in der Zusammenfassung von Ingrid Hahns Dissertation. "Gottfried präsentiert dem Leser keine in sich einheitliche 'Konzeption'" heißt es dort (Raum und Landschaft. L.c. S. 146). Die Handlung biete dementsprechend nur eine "lose Folge von Herausforderungen, auf die die Liebenden jeweils verschieden reagieren. In der Tristanliebe, wie Gottfried sie an den Motiven der Fabel darstellt, handelt es sich um ein Nebeneinander typischer Situationen, in denen die Minne immer andere Möglichkeiten ihres komplexen Wesens offenbart." (L.c. S. 144). Diese partikularistische Werkstruktur interpretiert Ingrid Hahn geistesgeschichtlich als Abbild von Gottfrieds Einsicht in die "Mehrdeutigkeit des Seins" (L.c. S. 147). Das Ungenügen an dieser Gleichung, die später auf anderem Wege von Ilse Clausen mit den Begriffen "Relativismus" und "Pluralität" noch einmal formuliert wird, begründet unseren Versuch, die strukturelle Diskohärenz historisch plausibler aus dem form- und denkgeschichtlich Vorgegebenen zu verstehen.

Auch dann reagiert er zunächst getreu der weiteren Programmatik des Prologs. So wie der 'edele senedaere' durch das 'senemaere' mit gesteigertem Leid auch gesteigerte Liebe erfährt, so ist Tristan die durch die 'maget Isolde' ausgelöste schmerzliche Erinnerung an seine Liebe zugleich auch seine Freude; so 'liebeter den smerzen' (18978) und 'minnete diz ungemach' (18981). Die Dialektik der Identität von Liebe und Leid macht sich im sehnsuchtsvollen Erinnern geltend:

> so ime Isot sin herze ie me
> in dem namen Isote brach,
> so er Isote ie gerner sach. 18990 ff
>
> so sach er si gerne umbe daz:
> im tet die triure verre baz
> dier nach der blunden haete,
> dan im ander vröude taete. 18983 ff

Nachdem Tristan sich daraufhin mit dem Problem der verwirrenden Namensidentität beschäftigt hat, erwägt er schließlich die Möglichkeit, die 'maget', deren Anblick ihm 'viuwerniuwet ... den muot' (19045)[300], nicht nur als Medium seiner 'minnesene' zu erfahren, sondern in ihr selbst 'gemuotheit' zu finden:

> er wolte liebe und lieben wan
> wider die maget Isote han,
> sin gemüete gerne twingen
> zir liebe uf den gedingen,
> ob ime sin senebürde
> mit ir iht ringer würde. 19057 ff

Er läßt darum Isolde seine Zuneigung erkennen und überlegt,

> mit swelher slahte dingen
> erz möhte vollebringen,
> daz al sin herzeswaere
> dermite erloschen waere. 19081 ff

Tristan bezieht also nacheinander drei verschiedene Positionen: Zunächst findet er ablenkende 'unmuoze' in 'ritterschefte' und folgt darin der in den Versen 77 - 92 entwickelten Beschäftigungstherapie, wodurch 'senedes leit' gelindert werden

---

300 Gottfried gibt uns keine besondere Schönheitsbeschreibung Isolde Weißhands; er stellt sie nur kurz in neun Versen vor (18956-964). Ihre Wirkung übt sie zunächst allein qua Namen aus. Später erst zieht sie durch liebendes Werben Tristans Begehren auf sich.

soll - wenngleich dort, der Zwecksetzung des Prologs entsprechend, nur von der Beschäftigung mit einem 'maere' ausgegangen wird. Danach erinnert ihn der Name der Herzogstochter an seine alte 'herzeriuwe', aber er wehrt die damit verbundene Not nicht ab, sondern findet wie ein 'edelez herze' in ihr 'daz übel, daz tuot so herzewol' (116). Seinem - allerdings nicht literarischen - Identifikationsobjekt Isolde Weißhand ist darum Tristan dankbar als Medium gesteigerter 'senegluot' nach der blonden Isolde. Schließlich fragt sich Tristan, ob er nicht seine Liebe zur fernen Isolde namenslogischerweise auf die nahe Isolde übertragen könne, um seines Leides ledig zu werden, eine Alternative, die der sich auf das 'senede maere' als Therapie beschränkende Prolog allerdings ausschließt:

und gerate ich niemer doch ar an,
daz iemer liebe gernde man
dekeine solche unmuoze im neme,
diu reiner liebe missezeme:
ein senelichez maere
daz tribe ein senedaere
(...) 93 ff

Den ovidianischen Hintergrund zu der hier im Prolog und Isolde Weißhand - Teil verwendeten 'remedia'-Topik hat Gerhard Meissburger ausführlich dokumentiert[301], und Ingrid Hahn hat daran anschließend Gottfrieds kritische Überwindung Ovids dargelegt, dessen 'amor'-Verständnis Gottfried "als bloße Vorform eigenen Wesens" einstufe[302]. In der Tat setzt sich Gottfried im Prolog ausdrücklich in Gegensatz zu Ovid, welcher zwar in seinen 'remedia amoris' die unglücklich Verliebten vor der Muße warnt ('otia fugias', weil 'Venus otia amat' (136, 143)) und statt dessen Beschäftigungen empfiehlt ('da vacuae menti, quo teneatur, opus' (150)), weil diesen die bedrängende Liebe

---

301 Gerhard Meissburger: Tristan und Isold mit den weißen Händen. Die Auffassung der Minne, der Liebe und Ehe bei Gottfried von Straßburg und Ulrich von Türheim. Basel 1954. S. 10, Anm. 51.

302 Raum und Landschaft, l.c. S. 113. Vgl. den Abschnitt "'trost' und 'zwivel'", S. 107 ff, insgesamt.- Die 'Tristrams Saga' behandelt übrigens den Topos noch ganz ovidianisch: Als Blanscheflur, von Liebe verwirrt, zur Ablenkung sich das Turnier betrachtet, äußert der Erzähler: "... denn so geht es bei der liebe gewöhnlich, daß, wenn jemand auch von liebeswuth befangen ist, und hat da-

weicht ('cedit amor rebus' (144)), aber andererseits warnt Ovid ausdrücklich vor der Lektüre von Liebesgedichten, auch seinen eigenen ('teneros ne tange poetas' (757)). Der epikuräischen Flucht vor dem 'amor' ovidscher Prägung setzt Gottfried die Beschäftigung mit der Liebe selbst qua Literatur entgegen, denn ihm und der Welt der 'edelen herzen' ist die Liebe ein höchster Wert, dessen 'swaere' durch ein 'senelichez maere' gelindert wird. In der inhaltlichen Verkehrung des ovidschen 'desidia'-Topos bringt Gottfried so seinen Liebesbegriff und zugleich sein rezeptionsästhetisches Programm zum Ausdruck. Während also die programmatisch gehaltene Kontrafaktur des 'amor'- und 'remedia'-Konzepts Ovids im Prolog deutlich hervortritt, läßt Gottfried dann Tristan in der Fremde allerdings Ovids Ratschlägen folgen - Kampf und neue Liebe -, "um damit Ovid zu widerlegen", wie Meissburger im Hinblick auf Tristans Verfehlen der 'triuwe' meint[303]. Die Ausnahme bildet jene Position zwei, wo Tristan sich als 'edeler senedaere' dem eigenen Liebesleid stellt. Dieser Sicht der Zusammenhänge, wie sie Ingrid Hahn unter dem literarhistorischen Gesichtspunkt der ideologischen Umformung des ovidschen 'amor' dargestellt hat, wollen wir eine Analyse unter mehr werkimmanenten, binnenstrukturellen Gesichtspunkten anschließen, die den Wirkungsaspekt berücksichtigt.

Von den oben geschilderten drei Positionen Tristans sind eins und zwei - Kurieren der 'swaere' durch Ritterschaft und liebendes Erleiden der Minnesehnsucht - einander entgegengesetzt. Der Wechsel von eins nach zwei ergibt sich für Tristan zwangsläufig aus der Handlungsentwicklung. Wir haben diese Positionen mit zwei aufeinanderfolgenden Phasen der Argumentation im Prolog korreliert. Sind diese dort auch entgegengesetzt? Was, durch die Wechselfälle epischen Geschehens moti-

---

bei eine vergnügliche zerstreuung und etwas zu thun, da ist die liebe viel leichter zu tragen." (Tristrams Saga ok Isondar. Mit einer literarhistorischen Einleitung, deutscher Übersetzung und Anmerkungen hrsg. von Eugen Kölbing. Heilbronn 1878. S. 119 (= Die nordische und die englische Version der Tristansage. Erster Teil)).

303 Meissburger: Tristan und Isold. L.c. S. 10, Anm. 51.

viert, sehr wohl als wechselnde Innerlichkeit Tristans erscheinen darf - Vergessen und Erinnern -, könnte in der abstrakten Simultaneität einer zusammenhängenden, handlungsanleitenden Erörterung deren Konsistenz gefährden. Schauen wir uns deshalb den Prolog an dieser Stelle genauer an.

Gottfried spricht nach dem strophischen Prolog von Absicht, Zweck und Wirkung seines literarischen Unterfangens, das er den 'edelen herzen' zugedacht hat. Die ersten Wirkungsbestimmungen zielen auf allgemeine 'delectatio': 'ze liebe' (46), 'zeiner hage' (47) und 'ze kurzewile' (72). Die nächsten präzisieren die Funktion solcher Unterhaltung für 'edele herzen':

> (...)
> daz si mit minem maere
> ir nahe gende swaere
> ze halber senfte bringe,
> ir not da mite geringe. 73 ff

Der Mechanismus der Erleichterung der 'swaere' durch das 'maere' wird erläutert:

> wan swer des iht vor ougen hat,
> da mite der muot zunmuoze gat,
> daz entsorget sorgehaften muot,
> daz ist ze herzesorgen guot. 77 ff

Die 'unmuoze' als die geeignete Therapie begründet er 'ex contrario': Jeder wisse, daß 'muoze' bei einem Liebenden dessen Leid stets noch vergrößere. Darum muß sich der 'muot' Beschäftigung suchen.

Bis hierher spricht Gottfried ganz undialektisch von der Reduzierung des Minneleids durch die Beschäftigung mit dem literarischen Werk; es besitzt für die 'edelen herzen' ablenkende, sedative Qualität. Bis zu diesem Punkt hat Gottfried auch noch nicht verraten, was für ein 'maere' er diesem Zweck zuführen will. Als er schließlich präzisiert, 'ein senelichez maere / daz tribe ein senedaere' (97 f), nimmt er sogleich zu dem ovidianischen Einwand Stellung, daß die Beschäftigung des 'senedaere' mit einem 'senemaere' seine 'swaere' nur steigern würde. Gottfried widerlegt das Argument mit der Dialektik der Minne der 'edelen herzen': Sie lassen nicht wegen des Leides die Liebe fahren, denn beides gehört untrennbar zusammen. Je größer der Schmerz, desto größer auch die Liebe. Daher weicht der 'senedaere' der 'senegluot' nicht aus und 'minnet senediu maere'.

Hatte also Gottfried zunächst noch unspezifisch von der Erleichterung des 'seneden schadens' durch ablenkende 'unmuoze' gesprochen, führt ihn alsbald die Frage, ob die Identifikation mit einer Liebesgeschichte die 'sene' nicht noch schüre, statt sie zu lindern, dazu, zur liebend-leidenden Identifikation aller 'edelen herzen' mit den 'senedaeren' seiner Geschichte geradezu einzuladen: Aus dem Sedativum ist das Elixier der Passion geworden! Dabei hebt Gottfried nicht das erste ausdrücklich durch das zweite auf, sondern die beiden Gedanken stehen so selbstredend nebeneinander, daß der Dissens gar nicht recht auffällt. Was Ingrid Hahn historisch als Zitierung und typologische Überwindung des ovidschen Konzepts analysiert hat, stellt sich also textlogisch als Widerspruch dar, wirkungspoetisch aber - und das scheint uns wichtig - als schrittweise 'captatio' des Hörers. Wenn Gottfried nämlich zunächst von den Wirkungen der 'muoze' bzw. der 'unmuoze' auf die 'herzeswaere' spricht, bedient er sich des dem Mittelalter wohl vertrauten ovidianischen 'desidia'-Topos als eines allgemeines Einverständnis erheischenden Gedankens. Als dann aber mit dem 'senemaere' der Identifikationsbezug zwischen literarischen Rezipienten und literarischen Protagonisten erkennbar wird, stellt Gottfried jene Topik in einer dialektischen Volte auf den Kopf und erklärt sein Werk zur spezifischen Quelle der Freude für das 'edele herze', ist doch das zentrale Moment seiner Minne die Identität von Liebe und Leid im 'seneden muot'. So läßt sich das analytisch Unterschiedene unter dem Gesichtspunkt seines Wirkungszusammenhangs im rhetorischen Aufbau des Prologs als funktional aufeinander bezogen bestimmen.

Der Weg von der ausgiebigen Amplifikation einer 'opinio communis' zu ihrer paradoxen Verdrehung, von der 'kurzwile' hier zur gesteigerten 'sene', gibt zugleich ein Beispiel für die Eigenart einer öfter anzutreffenden Darstellungsweise, der die Zelebrierung einzelner wohlgerundeter Gedanken als bloße Hilfsmittel der Gesamtargumentation - mit der ihnen darum eigenen aphoristischen Kurzatmigkeit gegenüber ihrer weiteren Umgebung oder dem Werkzusammenhang - von Interesse ist und die die Aufmerksamkeit auf weiträumige Gültigkeit von Maximen rhetorisch zu überspielen weiß[3o4].

Kehren wir von diesem Ausflug zum Prolog nun zum Fragmentende und zu jener dritten Position Tristans zurück[3o5], als er bereit ist, sein Glück in der Liebe zur 'maget Isolde' zu suchen. Diese kommt ihm dabei mit 'rede unde gebaerde' (19106) so sehr entgegen, bis 'daz ime der name begunde / den oren senften an der stete, / der ime da vor unsanfte tete: / er horte und sach Isolde / vil gerner danne er wolde.' (19112 ff). Aber die Erinnerung an den alten 'erbesmerzen' (19127) stellt sich bei Tristan wieder ein: Position vier. Er bereut, je die Liebe zu einer andern als Isolde von Cornwall erwogen zu haben, und bezichtigt sich als 'triuwelosen Tristan' (19154), hat doch seine Isolde nur einen Tristan, während er 'zwo Isolden minnet' (19155). Tristan gibt also wieder 'minne unde muot' (19168) zur 'maget' auf und wird wieder zum 'truraere', ohne dies jedoch nach außen merken zu lassen; gegenüber Isolde 'begienger sine höfscheit' (19182) und leistet ihr mit Gesang und Musikspiel weiterhin Gesellschaft. Darüber hinaus täuscht der sehnsuchtsvolle Refrain seiner Lieder, der 'Isot mamie' gilt, das Mädchen und den ganzen Hof über seine Absichten und entfacht die Liebe Isoldes zusätzlich. Sie versucht darum immer mehr, ihm zu gefallen, bis schließlich Tristan erneut an seiner 'triuwe' irre wird: 'er zwivelt an Isolde,/ ob er wolde oder enwolde.' (19249 f). An dieser fünften Station seiner Minneodyssee kommt

---

3O4 Hans Fromm hat in dem Argumentationszusammenhang der Verse 81 - 130 den streng geregelten Aufbau einer 'quaestio' erkannt, worin wir ihm zustimmen. Befremdlich scheint uns jedoch sein zusammenfassendes Urteil: "Die 50 Verse sind, scheint mir, ein deutlicher Beweis dafür, daß der Dichter eines volkssprachlichen Epos - eine absolute Ausnahme! - mit den schulmäßigen Übungen der frühen Scholastik vertraut war." (Abaelard. L.c. S. 212). Ich möchte hier nur die sich insbesondere aus Kapitel 2. und aus verschiedenen Teilergebnissen unserer Arbeit legitimierende Behauptung dagegen stellen, daß wir beispielsweise Chrestiens 'Cligès Thomas 'Tristan', minnekasuistische Literatur in der Art von Hartmanns 'Büchlein' oder auch Teile des Minnesangs in der uns bekannten Gestalt nicht hätten, wären die Autoren nicht in der einen oder anderen Weise mit dem scholast schen Bildungshintergrund des 12. Jahrhunderts verbunden gewesen. Der schulmäßige rhetorisch-dialektische Aufbau de

ihm die personifizierte 'staete' zur Hilfe und verpflichtet ihn zur Treue gegenüber der 'getriuwen Isold' (19260). Diesmal läßt Tristan auch seine 'höfscheit' fahren und überläßt sich seinem Schmerz: 'sin tougenlichiu swaere / diu wart als offenbaere' (19275 f). Die getäuschte Isolde aber bezieht sein Leid auf ihre gemeinsame Liebe und 'sin triure was ir ungemach' (19313), während doch in Wahrheit 'ir minne unde ir meine / (...) waren ungemeine' (19301 f). Tristan versucht nun, Isolde, die 'ir sinne/ so verre an sine minne / umb niht haete verlan' (19329 ff), erneut mit 'höfscheit' aus ihrer 'swaere' zu befreien, aber die Minne hat nun endgültig von ihr Besitz ergriffen, und sie gibt ihre Gefühle mit 'gebaerde, rede und blicke' Tristan 'alse dicke' (19349) zu erkennen, 'daz er aber in sine zwivelnot / zem dritten male geviel' (19352 f) und nach unserer Zählung Position sechs erreicht hat[306].

---

ganzen Prologs und vieler anderer Stellen bei Gottfried dürfte ohnehin nicht mehr überraschen. Fromms Hinweis auf Abälardsche Stilelemente in Gottfrieds Passage kann sicherlich nur zeigen, wie sich die frühscholastische Dialektik in den Formen ihres führenden Vertreters bis in den deutschen Raum hinein schulmäßig durchgesetzt hat, wobei die unmittelbare Kenntnis Abaelardscher Schriften durch Gottfried zusätzlich offen bleibt.

305 Die Darstellung Tristans in der Fremde scheint gewissermaßen zunächst jenen Zweischritt des Prologs handlungsmäßig nachgebildet zu haben, indem Tristan erst - ovidianisch - Zerstreuung im Kampf sucht (Rem. Amor. 153 ff), dann aber bei Isolde Weißhand dem Gottfriedschen 'sene'-Begriff Tribut zollt. Daß es dabei nicht bleibt - siehe Position drei - liegt strenggenommen daran, daß ja Tristan nicht, wie im Prolog empfohlen und in der Minnegrotte praktiziert, sich an Liebesmären der Vergangenheit erbaut, sondern einer leibhaftigen Isolde als Doppelbild gegenübersteht.

306 Mehrmals wird Tristan an seiner 'triuwe' irre, und stets geht dem das liebende Werben Isoldes voraus. Ihr Name allein erinnert ihn nur an seine 'swaere', aber 'diu lust, diu den man / alle stunde und alle zit / lachende under ougen lit,/ diu blendet ougen unde sin,/ diu ziuhet ie daz herze hin' (19358 ff). Ähnlich wie bei Marke gewinnt hier die erotische Verführung Macht über ihn: 'er horte und sach Isolde / vil gerner danne er wolde' (19115 f) und 'ouch tet ez ime entriuwen not / do siz im also suoze bot' (19251 ff). Die 'minne nahe bi' wird der 'verren minne' überlegen: Es geht handfest um die erotische Gefährdung Tristans.

Gottfried hält nun die Schilderung an, um die verfahrene Situation, in der sich die beiden befinden, zu erläutern (19358 ff), um insbesondere den Mechanismus der Eskalation der auseinanderstrebenden Gefühle zu zeigen: Je mehr Tristan, den Refrain über Isolde auf den Lippen, sich nach seiner 'erbeminne' sehnt, desto mehr verfolgt Isolde Weißhand den Gast mit ihrer Liebe, 'biz daz sin an dem vierden trite / der minne erzoch, da er si vloch, / und in zuo (z)ir her wider zoch' (19416 ff). Tristan, erneut im inneren Konflikt, räsonniert in dem den Roman als Fragment abschließenden Monolog über seine Lage und fragt sich, wie sein Leid am besten zu ertragen sei: 'da von ich sus beswaeret bin, / sol mir daz uf der erden / iemer gesenftet werden,/ daz muoz mit vremedem liebe wesen.' (19428 ff). Tristan faßt also ins Auge, was er bereits einmal erwogen und praktiziert hat[307]; diesmal aber versichert er sich plausibler Gründe für 'vremede liebe'. Dem ovidianischen Topos folgend, 'daz ein trutschaft / benimet der andern ir craft' (19433 f)[308], quantifiziert er seine 'minne' und 'triure'. Wie der 'michele Rin', wenn er sich in mehrere Arme verteilt, schließlich nur 'ein rinnelin' (19441 f) ist, so will Tristan seine Minne 'zerteilen und zelan (...) an maneger danne an eine' (19458 ff) und dadurch ein 'triureloser Tristan' (19464) werden. Um die Notwendigkeit dieses Unterfangens zu begründen, fragt er ganz pragmatisch, ohne Rücksicht auf die absolute Verpflichtung, die ihm seine Minne auferlegt (und offensichtlicht unberührt vom Zwang des Tranks!), nach dem Nutzen dieser Minne hier und jetzt. Er sieht seine 'triuwe' verschwendet, denn sie bietet ihm keinen Trost. Er rechtfertigt sich gegenüber Isolde: 'diz leben ist under uns beiden / alze sere gescheiden' (19477 f), nicht geographisch verstanden, sondern in

307 Vgl. bereits 19061 ff: 'ob ime sin senebürde / mit ir iht ringer würde (...) daz al sin herzeswaere / dermite erloschen waere.' Außer der 'vremeden liebe' hat Gottfried im Roman noch zwei Fluchtwege aus der Trankminne vorgestellt: Die Schelle Petitcreius und jene 'unmuoze' durch 'ritterschefte'.

308 Rem. Amor. 445 f: 'Grandia per multos tenuantur flumina rivos,/ Haesaque seducto stipite flamma perit.'

bezug auf das Ungleichgewicht von Freude und Leid: 'nu bin ich truric, ir sit vro' (19484). Tristan unterstellt Isolde 'vröude' mit ihrem 'gesellen' Marke, während er allein sei. Kleinmütig hadert er mit der fernen Isolde: 'durch waz habt ir mich mir benomen,/ sit ir min also cleine gert / und min ouch iemer wol enbert?' (19500 ff). Das stille Zwiegespräch des verunsicherten Tristan mit der fernen Geliebten setzt sich nun bis zum Ende des Fragments fort: Er fragt nach der Praxis der 'triuwe' bei Isolde, die ihn offenbar vergessen habe, die nicht nach ihm suchen lasse, die aber allein nur in der Lage sei, ihm 'vröude und vrolichez leben' (19548) zu geben.

Mit den dargestellten Positionswechseln im Denken und Handeln Tristans in der Fremde haben wir nur das Gerüst der Episode. Wie aber ist es verschränkt, wodurch wird es zusammengehalten und worauf kommt es dem Erzähler an? War die epische Handlung vor dem Minnetrank weitgehend ein Ergebnis von Tristans frei planender Aktivität, so daß seine Geschichte auch keinen Platz bot für räsonnierendes Wenn und Aber in Monolog und Kommentar, so ist Tristan seit dem Trank an die Fatalität seines Minneschicksals ausgeliefert. Mit Isolde zu einem Leben und einem Tod verbunden, wird sein Bewegungsspielraum eingeengt und kalkulierbar. Wie mit einem Seil an einem Stamm gebunden, kann die Figur in einem beschriebenen Umkreis mancherlei Wege einschlagen, ohne doch vom Stamm loszukommen. Im Sinne dieses Bildes wird Tristan in der Isolde Weißhand-Geschichte zum Probierstein alternativer minnepsychologischer Exkursionen. Als Experimentierfeld von Handlungs- und Reflexionsentwürfen ist dann an ihm nicht mehr das Private, sondern das Paradigmatische seiner Rollenvollzüge von Interesse. Damit findet auch jene "preziöse Entpsychologisierung" des Monologs statt[309], der sich nur noch im abstrakten Raum des Denkmöglichen bewegt. Tristan war ja zunächst nicht der Mann minnepsychologisch konditionierter Reflexe oder eines alternativ verfahrenden Denkens, sondern wird erst als 'minnaere' Spielball spekulativen Erzählens. Betrachten wir also das rhetorische

---

3o9 Nolting-Hauff: Liebeskasuistik. L.c. S. 66.

Spiel mit minnetopischen Konjekturen und logischem Kalkül, durch das Tristan geführt wird.

Tristans Absicht, seine Liebesnot bei Isolde Weißhand vergessen zu machen (19056 ff), kommt nicht von ungefähr. Der vorausliegende Monolog Tristans über die Not der Namensverwirrung führt zu ihr hin (18994-19040). Tristan 'wirret' das doppelte Signifikat des einen Namens Isolde. Hinzu kommt als Komplizierung die Gegenwart der einen und die Abwesenheit der anderen, der "eigentlichen" Namensträgerin, womit für Tristans Nachsinnen alle Bedingungen gegeben sind, sich dem wohlvertrauten Gottfriedschen Spiel mit der Identität der Gegensätze hinzugeben: Tristan hört den Namen, aber findet seine Geliebte nicht; er sieht Isolde, aber sie ist es nicht; er hat sie wiedergefunden, aber sie ist nicht da. Name und Sache treten auseinander; der Name erinnert, aber verbürgt nicht die Wirklichkeit[310]. Das Paradox, daß Isolde nah und doch fern ist, schlüsselt sich aber Tristan schließlich auf: 'ich han Isote vunden / und iedoch niht die blunden, / diu mir so sanfte unsanfte tuot.' (19025 ff).

Bis hierher ergeht sich das Selbstgespräch in naiv-kindlichem Staunen ob der Duplizität des Namens. So wie ein an die Täuschung seiner Sinne ausgelieferter Gaffer in der Hand des Gauklers bald ein Ei erscheinen, bald verschwinden sieht, so bleibt Tristan, der andernorts so souverän in der Welt bestehen konnte, in diesem Monolog zunächst ungläubig in seiner Mystifikation befangen[311]. An der Tatsache, daß der ehedem so 'vorbesihtige' und 'sinneriche' zum Opfer sophistisch-vordergründigen Sprachspiels gemacht wird[312], ermiß sich das Interesse, das Gottfried und seine Zeit an der Natur der 'nomi-

---

310 Indem Tristan und Isolde in ihren Abschiedsworten von sich und insbesondere von Isolde in der dritten Person sprachen (z.B. 'Isot diu muoz iemer / in Tristandes herzen sin' (18278 f)), begeben sie sich in eine auf Isolde Weißhand vorausdeutende Doppeldeutigkeit, die sich diesmal gegen die vielfache Intrigantin selbst wenden wird. Die allgemeine Verpflichtung Tristans auf den Namen Isolde statt auf das persönliche Ich und Du wird von der späteren Namens-'beworrenheit' her beim Abschied bedeutsam.

311 '(...) wie bin ich / von disem namen verirret' (18994 f); 'wie wunderliche ist mir geschehen' (19017).

312 So wie der Trank seine Opfer an die Minne ausliefert, so

na' als einer philosophisch sehr umstrittenen Spezies der Gesamtrealität hatte[313]. Wo wie hier das Verhältnis von Sprache und Wirklichkeit, von Namen und Sache in den Blick kommt, ist Gottfrieds logische Phantasie und rhetorische Amplifikationskunst in ihrem Element. Wo ihm sein Stoff diese Gelegenheit bot, hat er das vor und nach ihm die Köpfe der 'scholastici' beschäftigende Verhältnis von 'nomen, ratio et res'[314] aus seinem epischen Material plastisch herausgetrieben und zur Ansicht gebracht[315]. Ehe wir uns weiter mit Tristans

---

schickt die Sprache ihr Opfer in die Irre. In beidem objektiviert sich die Willkür und Zufälligkeit der Dinge, die Gottfrieds Weltdarstellung maßgeblich zu prägen scheinen, und die er an einer Stelle ins Bild der 'schibe', des Rads der Fortuna, gefaßt hat (14470).

313 Zur Quelle dieses sich in der Frühscholastik mächtig in den Vordergrund schiebenden Interesses vgl. Wolfgang Stammler: "Seit Bekanntwerden der Aristotelischen Schriften und ihrer Kommentatoren hatten die darin verstreuten sprachphilosophischen Erwägungen stark auf das westliche Abendland eingewirkt." (Aristoteles und die Septem Artes Liberales im Mittelalter. In: Der Mensch und die Künste. Festschrift Heinrich Lützeler. Düsseldorf 1962. S. 206).

314 Ein Bild davon kann beispielsweise Johannes von Salisbury mit seinem 'Metalogicus' geben (L.c. = Anm. 202, kurz: P.L. 199). Er will die Sprach- und Erkenntnistheorie von Plato und Aristoteles auf einem Mittelweg ausgleichen ('Ut autem a Platonis eminentia cum Peripateticis paululum descendamus (...)' (P.L. 199, S. 939 C)). Er kennt auch die übrigen antiken sprachtheoretischen Traditionen, etwa die stoische mit ihrer Etymologielehre. Er nennt Abälard seinen Lehrer, tendiert selbst zum Nominalismus, unterscheidet 'vox', 'sermo' und 'res' und beschäftigt sich immer wieder mit dem instabilen Verhältnis von Wort und Bedeutung. Für ihn, dem sich fast selbstverständlich Bedeutung erst im Gebrauch der 'voces', aus ihrem kontextuellen 'usus' herstellt, gilt das Axiom von der 'indifferentia in vicissitudine sermonorum' (L.c. S. 886 D). Deshalb erinnert er immer wieder an den Zeichen- und Funktionscharakter der Wörter, der variabel sei: 'Nec opinior auctores hanc vim imposuisse sermoni, ut alligatus sit ad unam, in junctoris omnibus, significationem.' (L.c. S. 887 C). Das bedeutet dann für die rhetorische Praxis: 'Nihil enim utilius ad scientiam, aut victoriam, distinctione eorum, quae multipliciter proferuntur.' (L.c. S. 898 C). Es geht also um die Nutzbarmachung der Neutralität der 'voces' gegenüber verschiedenen möglichen 'significationes' - eine Dimension der Sprachbehandlung, die wir offenbar auch bei Gottfried reflektiert und praktiziert finden werden.

Sprachverwirrung im besonderen beschäftigen, wollen wir dieser Tendenz von Gottfrieds Adaption in einer exkursartigen, zusammenhängenden Darstellung zu Gottfrieds Sprachdenken nachgehen.

4.1.2. Exkurs: Gottfried und die Sprache

Gottfried gibt uns verschiedentlich Beweise einer sprachbezogenen Reflektiertheit. Die Sprache als Darstellungsmittel erscheint dann nicht mehr in selbstverständlicher Eindeutigkeit, sondern wird semantisch problematisiert, die vage Allgemeinheit von Begriffen wird kontextuell präzisiert, ihre Mehrdeutigkeit definitorisch eingegrenzt. Dergleichen ist schon wiederholt angesprochen worden[316] und nun in letzter Zeit von Hans Fromm an das frühscholastisch-abälardsche Sprachdenken angebunden worden[317]. Wir glauben nicht, daß damit Gottfrieds Verhältnis zur Sprache hinreichend und historisch verbindlich bestimmt sein kann. Wir wollen zunächst jedoch einige Textbeispiele aus dem 'Tristan' in den Raum der frühscholastischen Semasiologie stellen, um anschließend die Legitimität der hergestellten Zusammenhänge zu erörtern.

Als Riwalin rätselt, welchem 'vriunt' Blanscheflurs er denn weh getan habe, gibt Gottfried uns Bescheid: 'der vriunt (...)/ daz waz ir herze' (767); hier ist die Vieldeutigkeit des Wortes 'vriunt' für Blanscheflur taktisches Mittel schamhafter Verschleierung, und die 'meine' muß von Riwalin erst heraus-

---

315 Das Motiv der Namensdoppelung als solches hat Tradition – es kommt im persischen 'Wis und Ramin' - Epos wie im französischen 'Galeran de Bretagne'-Roman vor –, jedoch hat das Motiv bei Gottfried eine auf der Höhe der zeitgenössischen Sprachbildung sich bewegende Ausarbeitung in scholastischer Begriffsdialektik gefunden und damit einhergehend eine Ausdruckssteigerung der existentiellen Orientierungsnot Tristans bewirkt.

316 Kaum eine Studie in den letzten zwanzig Jahren, die nicht auf das ambige Sprachwesen im 'Tristan' hinwiese und in der einen oder anderen Weise das Phänomen kommentierte, wie "Wort und Sinn sich löst und auseinandertritt" (Max Wehrli: Der Tristan Gottfrieds von Straßburg. In: Trivium 4 (1946) S. 86).

317 Schwertleite. L.c. 1967. – Abaelard. L.c. 1973.

gefunden werden.- Als Tristan nach Tintagel kommt, wo die 'lantgenozen' von Cornwall ihre Kinder für den Tribut an Irland verlosen wollen, heißt es: 'daz Tristan komen waere:/ des warens alle samet vro. / vro meine ich aber, als ez in do / nach ir leide was gewant' (6026 ff). Der Grad der Freude wird gegenüber der Universalität des Begriffs den Umständen nach spezifiziert.- Als Isolde ihren Herzenszustand in das Wort 'lameir' verhüllt, muß Tristan 'des selben wortes meine' (11992) herausfinden. Im Gespräch mit Isolde kann er zwei der Alternativen ('der meine der duht in ein her' (11996)) eliminieren und schließlich den von Isolde intendierten Sinn dekodieren.- Von Tristan und Isoldes Minne wird an einer Stelle gesagt: 'liep unde leit was under in / in micheler unmüezekeit:/ liep meine ich ane herzeleit.' (13076 ff). Wo sonst 'liep unde leit' auf den Grundsachverhalt ihrer Beziehung verweist, muß Gottfried hier im Anschluß an den Gedanken vom 'zorn ane haz' (13033) die engere Bedeutung von 'leit' abgrenzen: Es geht um die 'cleine swaere', die die Liebe 'niuwet'.- Als Isolde Markes Frage, ob Tristan krank sei, bejaht, erklärt Gottfried die 'ware meine' ihrer Antwort: 'daz meinde si zer minne:/ si wiste wol sin swaere, / daz diu von minnen waere.' (14976 ff).- Oder zum Begriff des 'valschen husgenoz' definiert Gottfried: 'ich meine daz zer valscheit:/ der vriunde vriundes bilde treit / und in dem herzen vint ist' (15052 ff).

In all diesen Beispielen haben wir den Gestus der näheren Bestimmung der 'meine' eines Wortes, um die besondere Wirklichkeit, die hinter der Abstraktheit des Wortes vorgestellt sein will, einzuholen. Solche Darbietungsweise scheint nun in der Tat demonstrativ auf ein Wissen um die grundsätzliche semantische Mehrwertigkeit der Wörter und damit um das scholastische Konzept vom arbiträren Zeichencharakter der 'voces' hinzuweisen[318]. Bei Gottfried scheinen wir die Praxis solchen Wissens, die 'impositio' der 'voces' nach dem 'arbitrio poetae', greifen zu können: 'si haeten leit unde leit:/ leit umbe Markes arcwan, / leit, daz si niht mohten han / keine state under in zwein.'

---

318 Vgl. unsere Skizze in Anschluß an Johannes von Salisbury in Anm. 314.

(14310 ff). Die Distinktion von zweierlei Leid könnte abbilden, was die Frühscholastik über den Zusammenhang von Bedeutung und Benennung, von 'significatio' und 'nominatio' vorstellte: "Die 'significatio' eines Wortes ist ein Universale, das es an seine verschiedenen 'denotata' oder 'substantiae' distribuiert."[319]

Gottfried achtet also auf das genaue Verständnis dessen, was zunächst im knappen, rhetorisch zugespitzten und darum oft paradox-änigmatischen Diktum vorgetragen wird und sich noch in unbestimmter Allgemeinheit bewegt. Damit stellt er Verständigung zwischen der Unterschiedenheit von 'wort' und 'meine' her, eine Anstrengung, die er offenbar als eine entscheidende dichterische Leistung ansieht, die er bei Hartmann (4621-4627) und bei Bliker (4705-4708) zu bewundern scheint, die ihm aber - wie er vorgibt - selbst einmal bei Tristans Schwertleite abhanden kommt, als er 'zunge' und 'sin' nicht zueinander bringen kann (4826-4830).

Bei Gottfried verlangt gerade der inflatorische Gebrauch einiger zentraler Begriffe des Romans, in nach Personen und Situationen unterschiedlich gelagerten Fällen, nach der je besonderen Bedeutung: 'diu verre gelegenheit / diu was im liep unde leit:/ liep meine ich von dem wane,/ si waeren valsches ane;/ leit meine ich, daz er sichs versach.' (17511 ff). Weil solche Wörter eine unterschiedliche 'ratio' zulassen, kann Gottfried z.B. zunächst im chiastisch gegliederten Sprachspiel Paradoxie herstellen, um sie sodann durch die zweifache Begriffsklärung wieder aufzulösen: 'Tristan vloch arbeit unde leit / und suochte leit und arbeit;/ er vloch Marken unde den tot / und suochte totliche not,/ diu in in dem herzen tote:/ diu vremede von Isote.' (18419 ff).

---

319 Jan Pinborg: Logik und Semantik im Mittelalter. Ein Überblick. Stuttgart - Bad Canstatt 1972. S. 59.- Fromms Klage, daß "Hörer und Leser die jeweilige Polysemie (...) selber erkennen müssen", und daß "kein sprachliches Signal die Mehrdeutigkeit der Bedeutung anzeigt" (Abaelard. L.c. S. 204) kann man nicht uneingeschränkt gelten lassen, führt doch Gottfried, wie gezeigt, semantische Präzisierungen regelrecht vor und bringt sein Wissen um die Sprachprobleme explizit in die Darstellung ein. So dokumentiert Gottfried doch gerade an ausgewählten Stellen die von Fromm berufene vox-sermo-Distinktion des Abälard.

Neben diesen unmittelbaren Demonstrationen von Polysemie ist der stillschweigende Gebrauch gleicher Wörter in verschiedenen Bedeutungszusammenhängen immer wieder verwirrend augenscheinlich und zu einer Hürde des Textstudiums geworden. So geraten beispielsweise 'triuwe' und 'ere', Leitbegriffe höfischer Tugend, im 'Tristan' nicht mit solchen des Lasters in Konflikt, sondern gewissermaßen mit sich selbst: Eine zweifache Relationalität und Inhaltlichkeit der Begriffe und ihrer Allgemeinbedeutungen begründen ja gerade das Dilemma, in das Tristan und Isolde gestellt sind. Zwei gleichartige, aber sich gegenseitig ausschließende Ansprüche auf 'triuwe' und 'ere' machen sich mit den gleichen Wörtern geltend: Das Paar ist sich selbst und zugleich Marke zu 'triuwe' verpflichtet. Frühscholastisch formuliert wäre hier die 'significatio' der 'vox' 'triuwe' an die 'appelatio' von zweierlei 'res' distribuiert[320].

Nicht nur auf das Verhältnis von Wort und Bedeutung, sondern auch auf das Auseinander von 'nomen' und 'res' läßt sich Gottfried ein. 'Wirn haben an ir niwan daz wort' (12282) heißt es im Minneexkurs von der Minne, aber das Wort verbürgt und deckt nicht mehr die ursprünglich mit ihm vorgestellte Wirklichkeit; nicht die Bedeutung des Wortes, sondern die 'res' selbst hat sich verändert[321]. Gottfried differenziert hier offenbar sehr genau. Zwar zieht er keinesfalls den Begriff der Minne, ihre Idee in Zweifel - sie ist Universalie -, aber im allegorischen Bild der Bettlerin ist sie die von den Menschen Vertriebene ('getriben unde gejaget / an den endelesten ort' 12280), und zurückgeblieben ist nur ihr Name. Dieser aber ist so 'zetriben', 'verwortet' und 'vernamet', daß die Minne sich darin nicht mehr erkennen kann. Das Reden von Minne und der Umgang mit ihr haben sich gleichermaßen von "ihrer geistigen Wirklichkeit"[322] weit entfernt: 'der staete

---

320 Pinborg: Logik und Semantik. L.c. Kap. 3.

321 Nicht die 'significatio' selbst, die kommunikative Leistung der 'vox', ist gestört, sondern ihre 'designatio', der Bezug der 'significatio' zur 'res'.

322 Fromm: Abaelard. L.c. S. 206.

vriundes muot' (12269), 'den vindet lützel ieman nuo' (12277). Es geht hier also nicht nur um den semantischen Aspekt des "Zerredens", sondern um die Pervertierung der Sache selbst.

Dort, wo die Differenz von Anschein und Wirklichkeit von den Figuren nicht wahrgenommen wird, macht das Gottfried in der Sprache deutlich. Bei der Beschreibung der Hochzeitsnacht ist in der Konjunktion der Metaphern 'mit messing und mit golde' (12603) eine zweifache Perspektive eingefangen: In Wahrheit bietet Brangäne nur Messing, aber Marke hält es für Gold. Zwei verschiedene Begriffe haben simultan Geltung für ein- und dieselbe Sache. Zur Mehrdeutigkeit der Wörter gesellt sich also ein relativer Wirklichkeitsbegriff. Andererseits zeigt Gottfried auch, wie solche doppelschichtige Wirklichkeit das Wort überfordern kann, wenn es sich am Schein der Wirklichkeit als Begriff bildet, aber nicht zugleich auch das hinter dem Schein Verborgene mit darstellen kann[323]. so wie etwa im folgenden Beispiel, wo es um die Differenz von Gesinnung und Gebaren geht:

> (...) daz im Marjodo
> ere uzerthalp des herzen bot
> und sin gewete petit Melot;
> die sine vinde e waren,
> swaz eren ime die baren,
> da was vil lützel eren bi.
> hie sprechet alle, wie dem si:
> da diu samblanze geschiht,
> weder ist ez ere oder niht?
> ich spriche nein unde ja:
> nein unde ja sint beidiu da:
> nein an jenem, der si birt,
> ja an disem, dem si wirt.
> diu zwei sint beide an disen zwein,
> man vindet da ja unde nein. 16316 ff

Die minutiöse Erklärung der zweifachen Bezüglichkeit des Begriffs auf ein Außen und ein Innen wird schließlich in der tautologischen Negation 'es ist ere ane ere' (16332) wieder auf den einen Begriff gebracht, worin der Doppelaspekt von subjektiver Gesinnung und objektiver Haltung erfaßt ist. Auch hier macht es den Eindruck, als habe sich Gottfried vor

---

323 In solchem Fall sind also die Wörter, wie Fromm formuliert, "der Ambivalenz der Dinge (...) mit der Eindeutigkeit ihres Lautkörpers nicht mehr gewachsen." (Abaelard. L.c. S. 206).

dem Hintergrund zeitgenössischen Sprachverstehens der Aufgabe gestellt, dort, wo das "'significans' (...) auf mehrere antinomische 'significata'"[324] zielt, den mehrfachen "Wahrheitswert der Zeichen"[325] deutlich zu bestimmen.

Es will also scheinen, als gehe solch sprachreflektierte Darstellung auf zeitgenössische zeichentheoretische Unterscheidungen zurück[326], die für die literarische Darstellung nutzbar gemacht und in ihrer erkenntnispraktischen Bedeutung anschaulich vor Augen geführt seien. Die gegebenen Beispiele und Gottfrieds 'wort/sin' - Unterscheidungen scheinen es ingesamt nahezulegen, den sprachreflektierten Habitus von Gottfrieds Darstellung vor dem Hintergrund jener frühscholastischen Bewegung des 12. Jahrhunderts zu sehen, die sich mit den semantischen Voraussetzungen der aristotelischen Logik befaßt, der es also um Konnotierung, Denotierung und Wahrheit der Termini und Sätze geht, und die ein angestrengtes metasprachliches Interesse an den Zeichen als Zeichen verfolgt hat[327].

Die bis hierher bewußt im Potentialis vorgetragene Parallelisierung von Gottfrieds Sprachbehandlung und mittelalterlicher Sprachtheorie ist uns selbst fragwürdig, da wir sowohl an der genetischen Relevanz des zeitgenössischen Sprachdenkens für Gottfrieds Darstellungsweise, als auch an seinem Nutzen für die Interpretation der sich an diesen Stellen vermittelnden literarischen Leistung zweifeln müssen. Zwar wollen wir nicht Gottfried die "Einsicht in die Doppeldeutigkeit aller Begriffe"[328] absprechen noch auch die strukturelle (!) Übereinstimmung der frühscholastischen Sprachauffassung mit bestimmten Sprachproblematisierungen Gottfrieds, aber die historischen Linien zu Gottfrieds literarischer Darstellung scheinen mir anders zu laufen.

---

324 Fromm: Abaelard. L.c. S. 204.

325 Hennig Brinkmann: Die Zeichenhaftigkeit der Sprache, des Schrifttums und der Welt im Mittelalter. In: ZfdPh 93 (1974). S. 10.

326 Z.B. 'aequivocum' als eine 'dictio' mit mehreren 'res' gegenüber den 'multivoca', wo eine 'res' mehrere 'voces' auf sich vereinigt, was den Begriffen Polysemie und Synonymie entspricht. Vgl. dazu Brinkmann insgesamt (Zeichenhaftigkeit, L.c.).

327 Vgl. die "Vornotiz" bei Pinborg (Logik und Semantik. L.c.).

Um unsere Sicht darzustellen, wollen wir ein weiteres Textbeispiel heranziehen, in dem offenbar wiederum einer 'vox' ihr 'sermo' zugeschrieben wird, in dem der Autor wiederum die 'indifferentia' des Wortes durch eine 'significatio ad placitum' aufzuheben scheint. Was aber geht literarisch tatsächlich vor? Im Prolog will Gottfried keinen Zweifel daran lassen, welcher 'werlt' zuliebe er erzählt (48 - 66). Mit dem Wort verbindet er eine besondere Bedeutung, die an diesem nicht selbstevident ist, sondern expliziert werden muß. Gottfried beschränkt sich dabei nicht auf eine knappe definitorische Periphrase der 'voluntas' von 'werlt' (49), sondern gibt mit rhetorischer 'copia verborum' eine "Periphrase der Periphrase des Wortes"[329] in den Versen 50 - 70. Über ihre Leistung führt Lausberg aus: "Diese Zweigradigkeit kann als intellektuelles und poetisches Reizmittel verwandt werden. Hierbei kann sich die Periphrase von der logischen Vollständigkeit lösen und den Begriff durch eine Auswahl von Eigenschaften evozieren"[330]. Genau dies letztere tut Gottfried mit der Kette der Oxymora in den Versen 59 ff. Zusammenfassend gilt für die rhetorische Funktion der verhüllenden Umschreibung von 'werlt' hier im Prolog: "Die proömiale Periphrase dient (...) der Verhüllung (fumus), erst die 'narratio' bringt die Enthüllung (lux). Die Verhüllung gibt dem Hörer ein Rätsel auf, dessen Lösung durch Deutung der Periphrase ihm intellektuelle Genugtuung verschafft"[331]. Was diese 'werlt' nun sei, wird zunächst 'ex contrario' bestimmt ('ir aller werlde niht' usw.) und dann in den Oxymora vorläufig verrätselt. In der dann folgenden Anreicherung der epideiktischen, dem Lob jener 'werlt' geltenden Definitionsperiphrase mit narrativen (64-70) und emotionalen Elementen (Polemik in 50-57) steigert sich diese "zur pathetischen Evozierung des Gegenstandes. Eine so mit

---

328 Hahn: Raum und Landschaft. L.c. S. 145.

329 Lausberg: Handbuch. L.c. § 111.

330 Lausberg: L.c. § 111.

331 Lausberg: Handbuch. L.c. § 598.

Fleisch und Blut umkleidete Definition nähert sich der Poesie und hat in der Tat poetische Verwendung gefunden"[332], was Gottfrieds Text an dieser Stelle geradezu schulmäßig belegt.

Fromm führt allgemein zum Umgang mit den Begriffen im Prolog aus: "Das alles ist sowohl gute rhetorische Übung als auch Zeugnis für ein Sprachverstehen, das von den dialektischen Überlegungen des neuen Aristotelismus Kenntnis genommen hatte"[333]. Ob jenes Sprachverstehen als eine notwendige, eine unmittelbare Quelle der Darstellung - hier der Behandlung des Prologbegriffs 'werlt' - betrachtet werden muß, scheint uns zweifelhaft, läßt sich das Darstellungsverfahren nach Form und Leistung doch befriedigend nach rhetorischen Prinzipien bestimmen. Was also geistesgeschichtlich als Zeugnis eines zeitgenössischen Sprachdenkens erscheinen mag, ist offenbar den antiken poetisch-rhetorischen Verfahren, die Gottfried gebraucht, schon inhärent. Naturgemäß hat ja auch die judikative Rhetorik zur Feststellung semasiologisch und onomasiologisch strittiger Sachverhälte im Rahmen des 'status finitionis' Verfahren ausgebildet, die dann in allen rednerischen Formen Verwendung gefunden haben[334]. In solchen Verfahren hat sich gewissermaßen der Bodensatz antiken Sprachdenkens verschiedener Provenienz niedergeschlagen, so daß von dieser Prägung her sich die Assoziationen zu einer mittelalterlich aktualisierten aristotelischen Sprachtheorie einstellen mögen, wo es sich im Grunde aber nur um konventionelle, auf bestimmte Wirkungen gerichtete, literarische Techniken handelt. Die "onomasiologische Weitmaschigkeit der Sprache"[335] etwa ist ein selbstverständliches Wissen der Rhetorik, die ihre Instrumente ja daraufhin eingestellt hat. Sie operiert mit der 'ambiguitas' und begegnet der Instabilität der Begriffe mit Figuren wie der 'definitio', 'interpretatio', 'correctio' oder 'significatio'. Das bedeutet allgemein, daß die Rhetorik als Theorie wirkungsgerichteten Sprechens ihre Mittel an einem Grundverständnis von Wesen und Leistung der

---

332 Lausberg. L.c. § 111.

333 Fromm: Abaelard. L.c. S. 211.

334 Lausberg. L.c. §§ 104 ff.

335 Lausberg: Handbuch. L.c. § 222, 1. Anm. 1.

Sprache ausrichtet. Hier mischt sich allerlei, wie es einer im Wechselspiel von Praxis und Theorie über Jahrhunderte gewachsenen Disziplin entspricht. So beziehen sich die semantischen Figuren auf den polysemen, die Paronomasien auf den materiellen und die Tropen auf den metaphorischen Charakter der Sprache. So mögen sich schließlich in der Gestalt rhetorischer Beweis- und Schmuckfiguren Residuen antiken Sprachdenkens abbilden, nicht jedoch wird man darum etwa eine 'correctio' gegenüber jener "schillernden Mehrdeutigkeit des Wortes"[336] bei Gottfried gleich als gezielten Reflex der Auffassung von der grundsätzlichen 'indifferentia vocis' betrachten können, sondern sie ist im Hinblick auf eine bestimmte darstellungs- und publikumsbezogene Wirkung gestaltet. Beispielsweise verfährt Gottfried in den Versen 'ez ist in sere guot gelesen./ guot? ja, innecliche guot:/ (...)' (173 f) exakt nach dem Schema des "affektstärkeren Typs 'x -- x? immo y'" der 'correctio'[337] zum Zweck der rhetorischen Ausdruckssteigerung, hier speziell zur exordialen 'captatio' durch gesteigertes Eigenlob[338].

Wir meinen also, daß Stellen, die den Anschein einer bewußten Verarbeitung frühscholastischen Sprachdenkens erwecken mögen, besonders wo es um 'wort'-'meine'-Beziehungen geht, sich im Grunde als tradierte Elemente literarisch-rhetorischer Darstellung erweisen lassen, und daß die Stellen auch von diesem Bezugsrahmen her angemessen in ihren Funktionen bestimmt werden können, nämlich poetische Wirkungen zu erfüllen und nicht Mimesis sprachtheoretischer Konzepte zu sein. Wir wollen dazu noch einige Beispiele heranziehen, zunächst von den oben bereits behandelten Texten. Als Formen der 'correctio' lassen sich etwa auch die Stellen '(...) vro./ vro meine ich aber (...)' (6027 f) und 'liep unde leit (...)/ liep meine ich ane herzeleit' (13076 ff) bestimmen. Die Stelle 'si haeten

---

336 Fromm: Schwertleite. L.c. S. 349.

337 Lausberg. L.c. § 785, 2.

338 Zu dem, was wir hier nur exemplarisch an Figuren und Textbeispielen für unsere Argumentation herausgreifen, vgl. die Dokumentationen Sawickis (Poetik. L.c.).

leit unde leit:/ leit umbe Markes arcwan,/ leit, daz si niht mohten han / keine state under in zwein (...)' (14310 ff) ist klassisches Beispiel für eine 'regressio'[339], die Lausberg als "nachträgliche, detaillierend-verdeutlichende Wiederaufnahme (...) jedes einzelnen Gliedes einer zweigliedrigen Aufzählung (...)" definiert[340]. Gottfried geht es hier also nicht um den sprachkritischen Hinweis auf ein Homonym oder die Polysemie einer 'vox', sondern um die affektische Wirkung der so vorgelegten 'concordantia oppositorum' von 'leit unde leit'[341], von deren Funktion Fritz Tschirch im Zusammenhang mit den 'aequivocationes' im "Ackermann aus Böhmen" schreibt: "Der kräftige Reiz, den der spannungsvolle Gegensatz zwischen dem gleichen Klang und dem verschiedenen Sinn eines Lexems auslöst, soll den Leser oder Hörer überwältigen und in den Bann der Dichtung schlagen"[342]. Insgesamt werden sich solche scheinbar wortproblematisierenden Stellen, die sich meist der Isocola bedienen, um die semantischen Relationen emphatisch zu strukturieren, regelmäßig durch die eine oder andere "semantische Figur"[343] der Rhetorik interpretieren lassen.

Den Anschein einer theoriebestimmten Sprachbedächtigkeit Gottfrieds mögen insbesondere seine vielgestaltigen Paronomasien erwecken, die er im Vergleich zur zeitgenössischen Epik mit herausragender Virtuosität handhabt und die oft unzureichend als Wortspielerei bezeichnet wurden[344]. Die 'annomina-

---

339 Lausberg: Handbuch. L.c. § 798.

340 Lausberg. L.c. § 798.

341 Solche verblüffende Paarung identischer Lexeme, die anschließend in ihrer unterschiedlichen Bedeutung expliziert werden, ist bei Gottfried ein beliebtes affektisches Mittel, das auch umgedreht als steigernde Summe des zuvor Auseinandergelegten vorkommt (vgl. 'diu sunne und die sunne' in 17572 ff).

342 Fritz Tschirch: Colores Rhetorici im 'Ackermann aus Böhmen' (Aequivoca, Synonyma, Figurae etymologicae und Reimformeln). In: Literatur und Sprache im europäischen Mittelalter. Festschrift Karl Langosch. Darmstadt 1973. S. 396.

343 Lausberg. L.c. §§ 781-807.

344 Darin war Gottfrieds Erfindungsreichtum gewissermaßen stil-

tiones', die 'figurae etymologiae' und die 'derivationes' oder ihre Geschwister, die 'equivocationes', wie Matthäus von Vendome die künstlichen Homonymien nennt, und wie wir sie im rührenden Reim der vierversigen Strophen, in der 'lameir'-Stelle (11985 ff) und letztlich auch in der 'ere ane ere'-Stelle finden[345], sowie das grammatische Generieren und glossomorphe, sprachinduzierte Prägen von Begriffen ('entsorget sorgehaften muot', 'pflegen/widerpflegen')[346] und andere Formen sachentfernten Sprachverbuhltseins bei Gottfried: Alle diese Gestaltungsweisen machen sich die der Sprache eigenen sinnlichen Wirkungen und deren künstliche Steigerung zunutze; sie sind rhetorischer Schmuck und haben die emotionale Wirkung des poetischen 'sermo' im Sinn, denn es ist natürlich wirkungsvoller, Gegensätze in die verblüffende Verbindung gleicher oder leicht veränderter Wörter und Wortstämme einzulagern als zwei lautlich-semantisch beziehungslose Begriffe zu gebrauchen, denen ganz die sinnliche Bekräftigung ihrer Denotate abgeht. Die effektvolle Konturierung der Sachverhalte verdankt sich in diesen Formen der Spannung aus der syntaktisch-phonetischen Linearität der 'verba' im Kontrast zu ihrer semantischen Unterschiedenheit.

---

bildend für den volkssprachlichen Paronomasienmanierismus des 13. und 14. Jahrhunderts.- Richtig ist der Hinweis Fourquets auf die schulische Unterweisung in solchen grammatischen Derivationskünsten, womit neben der allgemeinen rhetorischen Bildung eine Quelle für diese Virtuosität Gottfrieds angegeben ist, die unmittelbarer und wirkungsmächtiger für Gottfried zu denken ist als abälardsche Sprachdialektik: "Les jeux linguistiques, qui nous paraissent parfois un peu puérils, sont aussi un élément clérical; ils étaient, en latin, l'objet d'un enseignement méthodique. La nouveauté est leur transposition sur l'allemand." (Jean Fourquet: Le Prologue du Tristan de Gottfried. In: Bulletin de la Faculté des Lettres de Strasbourg. Avril 1953. S. 255).

345 Vgl. auch beispielsweise die mehrfache 'equivocatio' des Lexems 'habe' in den Versen 8779 f, 8857 f und 8887 f.

346 Hier wären einmal die Zusammenhänge zwischen solchen grammatischen Derivationen und der grammatischen Theorie der 'modi significandi', wie sie die Scholastik im 13. Jahrhundert vorlegt, zu untersuchen. Vgl. zur scholastischen Grammatik im Literaturverzeichnis die Arbeiten von Grabmann, Pinborg, Roos und Saarnio. Neuerdings: Helen Leuninger: Scholastische und transformationelle Sprachtheorie. Ein Beitrag zur Theorie der allgemeinen Grammatik. Phil. Diss. Frankfurt 1969.

Mit diesen Beispielen und Erläuterungen wollen wir auf die gattungsmäßige Wesensverschiedenheit eines rhetorisierten Erzählens von einer erkenntnistheoretischen Begriffsdialektik aufmerksam machen, die nicht nur eine unmittelbare Inbezugsetzung ausschließt, sondern auch für diese Beispiele die scholastische Sprachtheorie als allgemeine Voraussetzung von Gottfrieds Sprachbehandlung zumindest entbehrlich macht. Was als strukturelle Ähnlichkeit erscheinen mag, ist seiner Funktion nach jedoch prinzipiell verschieden: Analysiert die scholastische Dialektik den Wahrheitswert der Zeichen, so macht sich die Dichtung den Wirkungswert der Zeichen zunutze. In diesem Zusammenhang müssen wir daher auch bezweifeln, ob die List der doppeldeutigen Rede als literarische Möglichkeit "nur aufgrund eines nominalistischen Sprachverständnisses gegeben"[347] ist; wir meinen vielmehr, daß der frühscholastische Nominalismus als besondere und gesonderte Aufarbeitung der Antike in der "Renaissance des 12. Jahrhunderts" neben den unmittelbarer wirksamen literaturpraktischen und rhetorischen Traditionen der Antike im Mittelalter sich nur mittelbar assoziieren läßt. Damit rühren wir an ein noch lange nicht bewältigtes Thema einer mediävistischen Bildungsgeschichte, nämlich das Neben- und Ineinander der allgemeinen Rezeption der lateinischen Sprachkultur im nachrömischen Mittel- und Nordeuropa einerseits und der speziellen, geistesgeschichtlich prägnanten philosophischen Auseinandersetzungen mit einzelnen Gegenständen antiker Philosophie in den scholastischen Jahrhunderten andererseits, die Verschränkung letztlich von sprachlich verfestigtem antikem Geistesgut und von produktiver, zeitgeschichtlicher Anverwandlung.

Ein unmittelbarer Bezug zwischen der Dichtung und einer speziellen Erkenntnistheorie verliert insbesondere dann an Plausibilität, wenn man die ganze Breite der Sprechformen Gottfrieds in den Blick nimmt, wenn man sieht, wie scheinbar "Nominalistisches" und scheinbar "Ideenrealistisches" sich mischen, wenn man also sieht, daß der Wechsel der Darstellungsmodi so etwas wie ein einheitliches, theoriebestimmtes und

---

347 Hollandt: Hauptgestalten. L.c. S. 120.

werkbestimmendes Sprachkonzept Gottfrieds offenbar ausschließt. Noch bei Heinrich von Mügeln, der in erstaunlicher Direktheit nominalistische zeichentheoretische Programmatik in seiner Dichtung vorträgt (z.B. 'wie nam und wort nach will ir düten han,/ bi brote stein, bi steine brot ich mag verstan:/ nam ist kein ding, sunder der dinge zeichen.')[348], stellt Karl Stackmann dies Nebeneinander, wie es sich bei Gottfried aufspüren läßt, fest: "Eine erstaunliche Theorie bei einem Mann, dem wir in anderem Zusammenhang ein Liebäugeln mit begriffsrealistischen Vorstellungen und einem in etymologischen Phantastereien erscheinenden Glauben an eine prästabilierte Harmonie zwischen Namen und Sache nachweisen konnten"[349]. Die Frage nach den sprachtheoretischen Grundlagen der Darstellungsweisen Gottfrieds würde ins Uferlose führen: Da stehen schließlich Allegorien und typologische Schemata neben höchster Präzision der Wirklichkeitsbeobachtung, Sprachgläubigkeit neben produktiver Sprachverfügung durch den Autor, erörternde Meinungsbestimmung von 'voces' neben deiktischer Worterklärung (Hirschbast!), Etymologisieren neben der Kontrolle der Sprache an der Wirklichkeit, Sophistik neben mythischem Vertrauen ins Wort. Hinweise auf Platonisches, Aristotelisches, auf christliches Allegorisieren oder nominalistische Sprachskepsis müssen in dieser Lage historisch willkürlich und unzuverlässig bleiben. Das Prekäre eines Versuchs, Sprachstil und Weltanschauung Gottfrieds kausal zu verknüpfen, deutet sich an. Dagegen scheint es uns darauf anzukommen, den Mittelcharakter der Ausdrucksformen zu erkennen, die sich schließlich als verfestigte Formen des verschiedenartigsten Umgangs mit Welt in der Sprache in dem gestaltreichen Fundus der Rhetorik auffinden und sich in ihrer literarischen Funktion nach ihrem systematischen Ort in dieser bestimmen lassen.

Nun hat von jeher die Schwertleitszene mit ihrer ausdrücklichen Nennung des Verhältnisses von 'wort' und 'sin' den Anknüpfungspunkt für poetologische und sprachtheoretische Erörterungen abgegeben, und von hier aus wurde auch die Brücke zur

---

348 Zitiert ist die Wiedergabe ungedruckter Teile bei Karl Stackmann: Der Spruchdichter Heinrich von Mügeln. Vorstudien zur Erkenntnis seiner Individualität. Heidelberg 1958. S. 169.

349 Stackmann: Heinrich von Mügeln. L.c. S. 169.

'vox/sermo'-Unterscheidung Abälards geschlagen. Was aber ist mit 'wort' und 'sin' genau gemeint? Die divergierenden Antworten darauf mögen ein Hinweis auf die in diesem Feld noch anstehenden Probleme sein, für die auch dieser Exkurs nicht mehr als ein Diskussionsanstoß sein kann[350]. Soweit ich sehe, sind bisher etwa fünf Voten abgegeben worden, ohne daß ihr unterschiedlicher Anspruch schon zu einer klärenden Kontroverse geführt hätte[351]: Man hat die Begriffe verschiedentlich mit Kategorien der poetischen Schmucklehre des Mittelalters gleichgesetzt ('wort' = figura verborum; 'sin' = figura sententiarum)[352] und meinte, Gottfried stelle 'verborum excogitatio' und 'sententiae conceptio' gegenüber[353]. Ehrismann sah dagegen in 'wort' und 'sin' einfach ein Form-Inhalts-Verhältnis ausgedrückt[354]. Als Verhältnis von Literal- und Spiritualsinn hat Friedrich Ohly die Begriffsopposition erwogen[355]. Nach Walter Johannes Schröder fügen sich 'wort' und 'sin' zur treffenden Benennung zusammen, so daß 'sin' "die klare Vorstellung des gemeinten Sachverhalts" bezeichne[356]. Schließlich sind 'wort' und 'sin' dem Paar 'vox' und 'sermo' zugeordnet worden[357]. Von diesen Möglichkeiten haben die drei historischen Anbindungen an das geistliche allegorische Spre-

---

350 Wir sind uns bewußt, daß wir in Verfolgung der Perspektiven von Rhetorik und Wirkungspoetik unsere Betrachtung auf das Bedeutungsproblem im engeren Sinn abgestellt haben, also auf die arbiträre 'vox-sermo'-Relation, während die Brisanz der erkenntnistheoretischen Diskussion und auch von Gottfrieds Weltdarstellung im Verhältnis 'verbum/res' liegt, also von Sprache und Wirklichkeit, ein Thema, das die Möglichkeiten des Exkurses übersteigt, der nur ein Hintergrundsbild zu den Sprachverhedderungen und rhetorischen Selbstproblematisierungen Tristans geben will. Ebensowenig können wir z.B. innerhalb dieses Rahmens die an Gesichtspunkten reiche Interpretation der Schwertleitszene durch Ingrid Hahn (Literaturschau. L.c.) kritisch behandeln, die das Sprachproblem differenziert in ein Gesamtverständnis der poetischen Prinzipien und des Weltbildes Gottfrieds einzuordnen versucht.

351 Wir nehmen hier Kibelkas Hinweis auf dreierlei Interpretationsmöglichkeiten auf und erweitern ihn ('der ware meister'. L.c. S. 226, Anm. 23).

352 U.a. Sawicki: Poetik. L.c.

353 So die Stufen des poetischen Schaffensprozesses nach Matthäus von Vendome (vgl. Quadlbauer: Genera dicendi. L.c. S. 70.

chen, an die poetischen Kolorierungslehren und an den scholastischen arbiträren Zeichenbegriff z.B. schon nichts unmittelbar miteinander gemein. Die Belege der Begriffsverbindung, die offenbar durch Wörter wie 'zunge', 'rede', 'meine' variiert wird, deuten überdies nicht ohne weiteres nur in die eine oder andere Richtung, und die literarische Praxis Gottfrieds schließlich liefert Beispiele für alle drei Modelle wie auch für die "Übereinstimmung von Wort und Sache im Sinn begrifflicher Erfassung"[358] nach Votum vier.

Mit der Erinnerung an diese Divergenzen, die offensichtlich noch einer sorgfältigen Abklärung bedürfen, bei der Gottfrieds Qualitätsurteile im Literaturkatalog unter wirkungspoetischen Gesichtspunkten erörtert werden müßten, wollen wir den Sprachexkurs abbrechen und zu Tristan zurückkehren.

4.1.3. Tristan und die Sprache

In Tristans Monolog über die zwei Isolden (18994 ff), von dem wir ausgegangen waren, hat Gottfried die Auseinandersetzung mit dem Verhältnis von 'nomen' und 'res' seinem Helden selbst zur Aufgabe gemacht. Das elaborierte, ratiocinative Abgreifen und Entwickeln des Problems vor, in und nach dem Monolog läßt dabei allerdings Tristan mehr als Opfer denn als Agent der Kalkulationen erscheinen. Ungleich allen epischen Helden der höfischen Literatur und ungleich seiner bisherigen Rolle stellt ihn nicht die kompakte Wirklichkeit auf die Probe, sondern er wird an einer erkenntnistheoretisch dif-

---

354 Ehrismann: Studien. L.c. S. 31.

355 Friedrich Ohly: Vom geistigen Sinn des Wortes im Mittelalter. Darmstadt 1966. S. 18 f.

356 W. J. Schröder: Bemerkungen zur Sprache. L.c. S. 57.

357 In Darstellungen Fromms (Schwertleite. L.c.; Abaelard. L.c.

358 W. J. Schröder. L.c. S. 53.

ferenzierten Wirklichkeit irre, die sich als Zusammenspiel von Sprache und Welt darstellt, und an deren Auseinanderfallen sich Tristan gewissermaßen bewähren muß. Der Monolog schlägt also nicht als Form der Charakterstudie poetisch zu Buche, es sei denn als das befristete erstaunliche Portrait eines epischen Helden, dessen Schritte sich nicht aus der Spannung von Charakter, Welt und Schicksal entwickeln, sondern der sich mit den Chimären der Sprache herumschlägt, der in fragwürdigem Kalkül Handlungsmöglichkeiten erdenkt, sie probiert, sie widerlegt und so - auch über den Monolog hinaus - in dieser Episode gewissermaßen das Bild eines philosophischen Helden liefert, der als solcher allerdings sehr wohl das epische Ideal einer Zeit sein mochte, die so intensiv mit sprachlogischer Rationalität als Medium der Erfahrung und Weltdarstellung befaßt war[359].

Das Sujet vom Helden, der Opfer eines vordergründigen Wortfetischismus wird - zwei verschiedene Frauen, ein Name -, wird uns heute eher grotesk anmuten, aber es spiegelt sich darin die Methode, mit der man in Gottfrieds Epoche sich szientifisch der Wirklichkeit annahm: Es ist das Verfahren des Kalküls, das Welt und Sprache als ein Feld von Zeichen und Regeln betrachtet und damit schematisch operiert, ohne im jeweiligen Einzelfall nach dem besonderen Sinn des Bezeichneten zu fragen; das Kalkül verzichtet auf die historische Dimension der Dinge. Als Tristan über Isolde Weißhand nachdenkt, bringt er nicht seine genaue, historische Erfahrung ins Spiel, sondern bewegt sich an der Oberfläche der Erscheinungen und setzt die dabei gewonnene restringierte Selektion von Merkmalen absolut[360]: Der Name Isolde, getragen

---

359 Entgegen unserer Beschränkung im Sprachexkurs auf die Klärung der Genese bestimmter Darstellungsformen erweitern wir hier die Perspektive um die nicht zu verleugnende t h e m a t i s c h e Bedeutung der letzten Endes an zeitgenössische erkenntnistheoretische Horizonte angebundenen Darstellung von Subjekt-Sprache-Objekt-Relationen.

360 Im 'Moriz von Craun' (hrsg. von Ulrich Pretzel. Tübingen (3. Aufl.) 1966) findet sich ein derbes Beispiel für solch erfahrungsenthobenes Kalkül, das sich ganz an den nicht historisch relativierten Schein hält (180 ff): Kaiser Nero wunder sich, wie er mit seiner mächtigen Körperfülle

von einer schönen, jungen Frau, repräsentiert ihm in der Fremde seine Liebe. Darum ist ihm Isolde zugleich 'verre' und 'bi' (19005), darum kann ihn die Doppelheit wirren. Erst in der allmählichen Reflexion über die Differenz von Namen und Person, über Ort und Zeit, macht er sich die volle Unterschiedenheit der beiden Isolden klar und hebt für sich das täuschende Kalkül auf[361].

Dieses Kalkül war letzten Endes nur möglich auf Grund einer ausgeprägten Wortgläubigkeit, die im Namen unmittelbar die Wirklichkeit erfährt. Tristan ist es nicht recht möglich, sich von dem Namen Isolde als einem arbiträren, multivalenten Zeichen zu distanzieren. Auch die anderen Figuren Gottfrieds zeichnen sich in der Regel durch Vertrauen in die Substantialität der Sprache[362] wie in den Anschein der Wirklichkeit aus.

---

aus dem Leib seiner zierlichen Mutter geboren werden konnte. Um der unverständlichen Sache auf den Grund zu gehen, läßt er ihr den Bauch aufschneiden. Drei Dinge hat Nero logisch miteinander verknüpft: Geburt aus dem Bauch der Mutter und seine und seiner Mutter gegenwärtige Größe. Die Tatsache seines Wachstums vom Säugling zum Mann blendet er aus. Die ahistorische Reduktion der Wirklichkeit führt zur verkürzten Logik des sophistischen Kalküls. Die darin erzwungene Verrätselung der Wirklichkeit und der damit einhergehende pathetische Affekt treffen offenbar aber den rezeptionsästhetischen Nerv der Zeit.

361 In der Spannung von Kalkül und Historie werden wir überhaupt ein entscheidendes 'movens' der Erzählung erkennen müssen. Es ist das Gegeneinander von scholastischer Fall-Logik und alter epischer Struktur. Die selbstgenügsame logische Aufrüstung eines Erzählelementes, die sich in Widerspruch zur Pragmatik der epischen Wirklichkeit setzt, haben wir hie und da schon vorgeführt. Sie findet vor allem Eingang in die Exkurse und in die Mono- und Dialoge.

362 Wie sehr einerseits dem einmal formulierten Wort unabdingbare Realität und Rechtsverbindlichkeit zugemessen wird und wie dies sich andererseits Intriganten zunutze machen, die abstrakte Vielsinnigkeit eines Satzes zu ihrem Vorteil auszuschöpfen, zeigt u.a. die Gandin-Episode. Gandin, der Isolde gewinnen will, verlangt für seinen Liedvortrag von Marke vorweg eine Zusicherung auf 'miete'. Markes Geste der Großzügigkeit ('welt ir iht, des ich han,/ daz ist alles getan / (...) ich gib iu, swaz iu liep ist.' 13193 ff die sich im ungeschriebenen Gesetz der 'maze' einer Grenze gewiß glauben kann, wird von Gandin allzu wörtlich ausgelegt, und er verlangt den unentbehrlichsten Besitz, die Gattin Isolde. An den verbalen Sinn seines Versprechens als

Während Gottfried als Erzähler die Differenz von Anschein und Wirklichkeit im Kommentar wiederholt aufzeigt, läßt er seine Figuren jedoch an kurzer Leine; sie können zunächst nicht hinter die Fassade schauen[363]. Das betrifft das Geschehen wie die Sprache. Aus dem Gegeneinander von jenen Figuren, die in Wort und Handlung einen bestimmten Anschein erwecken oder eine Absicht verbergen wollen, und solchen, die den Erscheinungen naiv Glauben schenken und das Wort unmittelbar für wahr halten, entsteht über weite Strecken die Listepisodik des 'Tristan', wovon wir einiges schon bei der Behandlung der Bettgespräche und der darauffolgenden Listen gesehen haben. Dort vermochte Marke nie über den Anschein und die vordergründige Rede hinwegzublicken, um das Auseinander von Innen- und Außenwelt zu sehen. Im Gegeneinander von eindimensionaler und zweidimensionaler Perspektive erscheint die Wortgläubigkeit oft für das Publikum in ironischem Licht, wie etwa auch beim Gottesurteil[364].

König gebunden, ohne seinen intentionalen Sinn reklamieren zu wollen, erfüllt Marke seine 'warheit' (13223) und gibt Gandin tatsächlich Isolde. Erst Tristan wird den offensichtlichen Mißbrauch des formalen Rechts sühnen und Isolde zurückbringen.- Ähnliches vollzieht sich zwischen Tristan und Gilan, wo allerdings Leistung und Verdienst - die Tötung Urgans und das Geschenk Petitcreiu - näher beieinander liegen.

363 Dabei ist Marke nicht alleiniges Opfer der täuschenden Außenwelt. Die Handlung bewegt sich immer wieder durch Irrtum und Täuschung vorwärts: Tristan und Isolde halten das Minnegift für Wein.- Der Gast, der sich Tantris nennt, wird erst spät als der Erzfeind Tristan erkannt.- Mit dem Drachenkopf vermag der Truchseß zunächst den Anspruch auf Isolde legitim zu vertreten.

364 Beim Schwur zur Eisenprobe (15706-723), der weder im unmittelbaren Sinn noch in seinem Hintersinn eine Lüge enthält, kann sich auch Gott offenbar nicht der Richtigkeit des Gelöbnisses entziehen und sanktioniert es. Ungeachtet der Täuschung des Hofes durch Tristans Maskerade geht es allein um die Wahrheit der Worte des Schwurs. Nicht umsonst geht Isoldes Formulierung ein langer Streit um die Wahl der richtigen, keine Täuschung zulassenden Worte voraus (15681 ff)! Da Isoldes Worte stimmen - niemand außer Marke und dem Pilger alias Tristan hat sie berührt -, geht Isolde unversehrt aus der Probe hervor. Das bedeutet aber, daß hier die Logik, nicht die empirische Wahrscheinlichkeit, den Charakter der Erzählwirklichkeit bestimmt, also ein Moment, daß uns ja schon wiederholt begegnet ist und an dem sich im Grunde nur Interpreten aufhalten können, die

Am Ende des Tristanmonologs, von dem wir ausgingen, setzt sich die Wortbefangenheit Tristans demonstrativ in Szene. Hatte Tristan das Namensparadoxon dargestellt und schließlich

---

ihr privates Wirklichkeitsverständnis gegen die Gottfriedsche Erzählweise durchsetzen wollen. Die Praxis dieser Logik, die unverbrannte Hand, garantiert der 'wintschaffene Crist', der zwar insgesamt ihre 'trügeheit' auf diesem Wege ermöglicht, der aber nicht - wie moralisierende Interpretationen meinen können - darum jede Sünde als solche wie ein Antichrist auf seine Kappe nimmt, sondern der, indem er sich streng legalistisch verhält, nach der formallogischen Wahrheit der Schwurworte urteilt und sich so in die von Isolde kunstvoll angelegte List einfügt 'als er von allem rehte sol' (15740), d.h. er erfüllt nicht die genuine Funktion des Gottesurteils, die juristisch nicht klärbare Schuld oder Unschuld auf Grund seiner Omniszienz durch ein Zeichen festzustellen, sondern begibt sich auf das Niveau der Richter und urteilt nach dem Anschein.

Damit wird zwar noch nicht der nie recht zufriedenstellend gedeutete Kommentar Gottfrieds über den 'wintschaffenen Crist' miterhellt, aber unser Versuch will zunächst den Blick weg von theologischen Spekulationen auf die Logizität der erzählerischen Auffassung der Zusammenhänge, auf das Sophisma des Kalküls Isoldes lenken. Das kann zugleich auf den wirkungspoetischen Charakter eines solchen Handlungskonstrukts aufmerksam machen, dem von Werner Schwarz unter Hinweis auf vergleichbare Szenen in mittellateinischer Literatur eine "Mischung von Religion, Unterhaltungsliteratur, Erotik, Laszivität und Pikanterie" zugeschrieben wurde (Gottfrieds von Straßburg Tristan und Isolde. Rede. Groningen - Djakarta 1955. S. 11). Das Umspringen mit dem christlichen Gott als einem im Rahmen der Logik verfügbaren 'deus ex machina' hat parodistische Wirkungen und kann bei einem höfischen Erzähler nicht überraschen, der Gottvater in bezug auf die Behandlung Evas im Paradies eine pädagogische Fehlentscheidung unterstellt ('ez ist ouch noch min vester wan: Eve enhaetez nie getan / und enwaere ez ir verboten nie.' 17947 ff) und der überdies die ganze Sündenfallgeschichte in deutlich parodistischem Rahmen behandelt; man denke nur an die unmißverständliche Geste auf die sexuelle Natur der ersten Sünde in beziehungsreicher Parallelität zur höfischen 'huote'-Problematik: 'die pfaffen sagent uns maere,/ daz ez diu vige waere;/ daz brach sie (...)' (17943 ff).(Vgl. hierzu Tax: Tristanroman. L.c. S. 221). Die Wirkungsmomente und die Gattungshaftigkeit der List können uns auch beim Gottesurteil vor verdinglichten historischen Urteilen wie "Blasphemie" oder "aktuelle Kirchengerichtskritik" warnen, zumal Gottfrieds Darstellung nur ein Glied in der Kette literarischer Darstellungen des trügerischen Ordals ist. Thomas hat diese Listepisode offenbar gestaltet, wie unser Gewährsmann, die altnordische Saga-Version bezeugt, die übrigens interessanterweise den Trug christlich-harmonistisch resümiert ("(...) und gott in seiner milden barmherzigkeit gewährte ihr eine schöne rechtfertigung." (Tristrams Saga.

L.c. S. 172)). Im späteren 13. Jahrhundert findet sich der trügerische Schwur beispielsweise im französischen Flamenca-Roman, so als habe sich dieses Listmotiv schon zum erfolgreichen literarischen Schaustück verselbständigt, das nicht an den moralischen Implikaten interessiert ist, sondern ganz mit den aus der Schwursophistik sich entfaltenden intellektuell-affektischen Leistungen befaßt ist. Das Intrigenmodell des Ordals an sich dürfte also für das 12. und 13. Jahrhundert topisch sein.

Aber kommen wir noch einmal genau zu Gottfrieds Version. 'Vil verre uf gotes höfscheit' (15552) baut Isolde bei ihrer List, d.h. sie beansprucht einen Gott, der die höchste Tugend ihrer Umwelt verkörpert. Diese Haltung ist aber von Gottfried als der Bereich des Anscheins, der Äußerlichkeit, der Prätention genau markiert worden. Beispielsweise soll Marke - so läßt Tristan ihn durch Isolde bitten - seinen Zorn 'durch sine höfscheit/ hele(n) unde höfschliche trage(n)' (14812). Die Gesittung des höfischen Menschen wird hier als konventionelle Maske eingestuft, mit der man das Innere verbergen kann.- Als Tristan sich nach der ersten Irritation durch Isolde Weißhand innerlich wieder von ihr gelöst hat, 'begienger sine höfscheit' (19182): 'Do leiter sinen vliz dar an,/ daz er ir vröude baere' (19186 f). 'Höfscheit' als ein Ritual, das 'vröude' gewährleisten soll, schiebt sich als Schleier vor Tristans Seele.- Auch Melot und Marjodo genügen der höfischen Konvention und verbergen Haß und Neid hinter höfischer Ehrerbietung gegenüber Tristan ('ere ane ere'). 'Höfscheit' wird an diesen Stellen als Fassade einer dazu differenten Wahrheit des Innern diagnostiziert. Gottfried läßt nun Isolde sich einem solchen menschenhaften Gott, der am Schein des Äußeren haftet, anvertrauen. Mit solch einem höfischen Gott aber läßt Gottfried Isolde nur denjenigen Pappkameraden aufrufen, der wesensgemäß zur Institution und Praxis des Gottesurteils gehört. Und darin liegt, wie mir scheint, das kritische Potential der Darstellung, die sich in der Tat "gegen jene, die das Ordal für ein Mittel echter Wahrheitsfindung halten", richtet und die "die Konzeption eines auf menschliche Veranlassung bewirkten göttlichen Wunders (...) zutiefst fragwürdig erscheinen" lassen will (Hollandt: Hauptgestalten. L.c. S. 134). Den metaphysischen Gott als das irdisch schlechthin Unbegreifliche läßt Gottfried unangetastet. Er würde nicht das Feuerspiel der 'witzegen antisten' mitspielen; er ließe sich nicht beliebig vorladen; seine Wege sind unerforschlich. Das scheint mir die kritische "Moral" von Gottfrieds Behandlung der Episode. Unter gezielter Verwendung des sprachlogisch induzierten "Wunders" der unversehrten Hände - "the workings of Providence are governed by nothing less than logic and laws of grammar and semantics", wie Harold D. Dickerson, Jr., vielleicht etwas überzogen formuliert (Language in 'Tristan' as a Key to Gottfried's Conception of God. In: Amsterdamer Beiträge zur älteren Germanistik 3 (1972) S. 133) - betreibt Gottfried eine Entmythologisierung, die die Institution des Gottesurteils als Menschenwerk entlarvt, denn er läßt ironisch Christus nur das sanktionieren, was die Beteiligten in den Grenzen menschlicher Erkenntnis unter sich veranstalten und was den irdisch Klügsten, Isolde, begünstigt. Lore Peiffer beobachtet nicht anders, daß Gottes Hilfe bei der Eisenprobe nicht ein Akt der Barmherzigkeit gegenüber der besseren Sache ist, sondern sich nur in einen Mechanismus einfügt, dessen Regeln der Wahrheit des höfischen Scheins genüge tun und Gott dementsprechend nicht als metaphysische Instanz fungiert (Exkurse. L.c. S. 162 f). Die Beanspruchung Gottes allein im Bereich des "Ansehens" scheint im Zusammenhang mit anderen Symptomen allerdings eine grundsät liche Kritik an einem Kulturstil zu beinhalten, der sich nu noch auf einen konventionalisierten Schein gründet und von dem sich das Bewußtsein von der Relevanz der Unmittelbarkeit des Innern, nicht zuletzt mit Gottfrieds Werk, in dieser Zeit abzusetzen beginnt.

Betrachten wir schließlich noch einmal das nach wie vor zwielichtige Urteil Gottfrieds über Christus. Als Isolde sich zunächst wie eine fromme Christin 'mit gebete und mit vaste' (15548) an diesen wendet, ist er der 'genaedige Crist,/ der gehülfic in den noeten ist' (15545 f). Seine Barmherzigkeit soll ihre 'waren schulde' ihr nicht zurechnen und ihre 'ere' bewahren. Gottes 'güete' vertraut sie sich ganz an und erscheint im Gewand der Büßerin. Überträgt man diesen theologisch orthodoxen Rahmen der Vorbereitung Isoldes auf das Ordal, so ließe sich argumentieren, daß Got ihr entweder geholfen hat, weil er ihre Sache als subjektiv gut betrachtet, also nach gesinnungsethischen Maßstäben ver fährt, oder weil Christus der demütigen Ehebrecherin gegenüber Gnade vor Recht ergehen läßt, was - wie H.B. Willson dargestellt hat - dem biblischen Christus entspräche, der der Sünderin vergibt und den Pharisäern listig-dialektisch begegnet (The Old and the New Law in Gottfried's Tristan. In: The Modern Language Review 60 (1965) S. 212-224). Gott wird ja gleichzeitig vom Klerus Markes zum Weltenrichter bestellt und von Isolde um Beistand gebeten: Der gerechte und der gnädige Gott sind aufgerufen. Der gnädige offenbart sich, so daß also nicht die Schuldfrage entschieden wird, sondern Barmherzigkeit geübt wird. Dies wäre die mögliche theologische, dem erzählten Vorgang unterlegbare Dimension, die dann jedoch offenbar von Gottfrieds 'wintschaffen'-Kommentar ins Zwielicht gerückt wird:

da wart wol goffenbaeret
und al der werlt bewaeret,
daz der vil tugenthafte Crist
wintschaffen alse ein ermel ist:
er vüeget unde suochet an,
da manz an in gesuochen kan,
alse gevuoge und alse wol,
als er von allem rehte sol.
erst allen herzen bereit,
ze durnehte und ze trügeheit.
ist ez ernest, ist ez spil,
er ist ie, swie so man wil.
daz wart wol offenbare schin
an der gevüegen künigin:
die generte ir trügeheit

und ir gelüppeter eit,
der hin ze gote gelazen was,
dazs an ir eren genas; 15733 ff

Gegenüber dem orthodox christlichen Verständnis scheint der Kommentar den Ordalausgang ganz an die Ränke des Subjekts anzubinden, welche Christus nur noch nach Maßgabe der Logik im Bereich des Anscheins sanktioniert. Die menschliche Unverfügbarkeit der göttlichen Gnade scheint aufgehoben und dem Zynismus "Hilf dir selbst, so hilft dir Gott" Platz gemacht zu haben. Haben wir es also mit der Darstellung eines ohnmächtigen, subjektiv völlig verfügbaren Gottes zu tun? Es ist längst nicht entschieden, welchen Ton die 'wintschaffen'-Stelle anschlägt. Bisher wurde sie oft in sofortiger Assoziation mit unserer Redewendung "sein Fähnchen nach dem Wind hängen" und ihrer pejorativen Bedeutung als eines politisch opportunistischen Verhaltens als Kritik an Gott selbst empfunden. Wiebke Freytag hat dagegen darauf aufmerksam gemacht, daß 'tugenthaft' und 'wintschaffen' in einem Bedingungsverhältnis stehen, daß also Christus, indem er 'wintschaffen' ist, 'tugenthaft' ist (Das Oxymoron bei Wolfram, Gottfried und anderen Dichtern des Mittelalters. München 1972. Kap. E. 1.). Sieht man mit ihr, die H.B. Willsons Argumente fortführt, in der widersprüchlichen Prädikation das Wesen Christi ausgedrückt, so verliert die Stelle ihren resignativ-kritischen Anschein. Das Entscheidende scheint für Gottfried ja zu sein, 'dazs an ir eren genas', obwohl sie ihre 'waren schulde' bekannt, aber Gottes Gnade anheimgestellt hat. Ein Christus, der die 'ere' auch auf dem Weg über einen 'gelüppeten eit' wahren hilft, indem er sich 'wintschaffen alse ein ermel' den irdisch-menschlichen Wegen der listig kämpfenden Frau anpaßt, ist 'tugenthaft'. Es heißt ja, daß er sowohl der 'durnehte' wie der 'trügeheit' zur Verfügung steht: Gegenüber der Moralität der Mittel des Menschen ist er indifferent, wenn ein Herz demütig seine Hilfe erfleht. Diese unbegrenzte Anpassungsbereitschaft Gottes, wie sie Gottfried hinstellt, schließt zugleich Kritik an der Institution des Gottesgerichts ein, welche ebensoviel zu wissen erheischt wie Gott, der aber zugunsten des Sünders nicht mehr Wissen bezeugt als es dem menschlichen Vermögen der Richter selbst entspricht. Er desavouiert das Gottesgericht, indem er es zum Menschengericht macht. Wir meinen also, daß der Kommentar Gottfrieds durchaus als ein sarkastisch gegen die Ordalpraxis gerichtetes Lob eines barmherzigen Gottes gelesen werden kann, dessen Allmacht ihn zur 'wintschaffenheit' befähigt, sich der Logik der menschlichen Mittel anzupassen. Solche Lesart würde Handlung und Kommentar in dieser Szene versöhnen.

auch aufgelöst, folgt er zum Schluß einer eigenartigen, eine Beziehung zu Isolde Weißhand ermöglichenden, planen Wortlogik:

> swaz aber min ouge iemer gesiht,
> daz mit ir namen versigelt ist,
> dem allem sol ich alle vrist
> liebe unde holdez herze tragen,
> dem lieben namen genade sagen,
> der mir so dicke hat gegeben
> wunne unde wunneclichez leben. 19034 ff

Tristan verkehrt das Mittel zum Zweck. Diejenige Isolde, die seine Sehnsucht nach Isolde wieder geweckt hat, soll auch deren Ziel sein. Alles, was Isolde heißt, verdient seine Liebe, denn darin verkörpert sich ja qua Namen seine Liebe.Dieses, die Substantialität des Namens beschwörende, Kalkül ist die Grundlage für die nachfolgenden Bemühungen Tristans um Isolde Weißhands Liebe.

Nicht allein Tristan verfängt sich in der Differenz von Namen und Sache, von Anschein und Wirklichkeit, von Außen und Innen; Isolde Weißhand und der Hof sind nicht weniger deren Opfer. Isolde identifiziert sich mit der Isot in Tristans Liedern, sie interpretiert Tristans besorgte 'höfscheit' als Liebe und teilt mißverstehend seine Traurigkeit. In alledem wird sie durch eine von Namen und Gebärden verstellte Wirklichkeit irregeführt. Ihre Liebe zu Tristan wächst dabei mit jedem Irrtum. So addiert sich das Dilemma des gleich-ungleichen Paars, und Gottfried kann die Dialektik ihrer Beziehungen in allen möglichen logischen Varianten durchspielen - nicht in ihren pragmatisch wahrscheinlichen, versteht sich, wo ein paar offene Worte die Situation bereinigen könnten[365].

---

365 Die Tendenz von Gottfrieds Darstellung, seinen Stoff, wenn möglich, dilemmatisch zuzuspitzen, um daran alternative logische Fiktionen zu knüpfen, muß insgesamt wohl als Widerspiegelung des Interesses der Schulen an 'insolubilia 'fallaciae' und 'sophismata' bewertet werden, die im epischen Rahmen der Minneerzählung plastisch entfaltet und in ästhetische Wirkungsfunktionen überführt werden können.

4.1.4. Alternativ-spekulatives Erzählen

Gottfried dient eine in Subjektivität und Objektivität auseinandergetretene Welt[366] als Gerüst einer logisch hantierenden Möglichkeitsdarstellung. Dabei kommt es vor, daß einer theoretischen Variante der Spekulation zunächst die stoffliche Grundlage fehlt. Gottfried schiebt zu diesem Zweck unmerklich Fiktionen ein, die das episch Vorgegebene verlassen. Beispielsweise gründet Tristans Erörterung im Schlußmonolog u.a. auf dem Vers 'nu bin ich truric, ir sit vro' (19484), aber was hier plötzlich berücksichtigt wird - Isoldes Lustgewinn aus der ehelichen Verbindung -, ist zwar ein eingängiger, psychologisch naheliegender Verdacht, aber er hatte bisher nie eine Rolle gespielt; Isoldes Rolle als Ehefrau hatte nie im Konflikt mit Minnebegriff oder Minnepraxis der Liebenden gelegen[367]. Erst als Tristan in der Fremde beginnt, Leid und Freude

---

366 Für den Hof der Burgunden in Worms im Nibelungenlied konstatiert Walter Falk: "Die Ehrewelt war getragen von dem Vertrauen, daß der Augenschein nicht trüge, und daß die Fama die Wahrheit sage." (Das Nibelungenlied. L.c. S. 110). Aber am Ausgang des Epos ist diese Welt 'gelegen tot' (2378, 1). Was sich hier im Gemälde der Sagendichtung als Prozeß der Zerstörung der heilen Welt des Anscheins darstellt, ist Gottfried dauerndes Thema geworden. So stellt sich in beiden Werken in zweierlei Art gleichermaßen das Bewußtsein der Epoche von der Unverbindlichkeit der Außenwelt dar.

367 Isolde spricht im Abschiedsmonolog von ihrer Liebe, 'diu (...) so reine an uns gewesen ist' (18306) und mahnt für die Zukunft zur Treue. Ihr ehelicher Beischlaf wird in dieser Rechnung offensichtlich nicht mit saldiert. Stellt man daneben die bei Thomas dargestellte fortgesetzte Weigerung Tristans, seiner ehelichen Liebespflicht nachzukommen - dies aus treuer Verbundenheit zu seiner fernen Isolde -, so erscheint daran gemessen wiederum Isolde im Ehestand mit Marke ihrem Geliebten gegenüber gewissermaßen untreu. Solche Ungereimtheiten aber ergeben sich fast zwangsläufig mit einer partikularen minnetheoretischen Ausmauerung eines vielfarbig-episodischen epischen Gebäudes. Im besonderen wird bei diesem Beispiel die epische Kontinuität durch eine grundsätzliche Verlagerung der Minneproblematik gestört: Während die Liebenden am Hof gemeinsam in den Konflikt zwischen gesellschaftlicher und privater 'ere' gestellt waren und ihre Liebe gegen den Hof behaupten mußten, geht es nach der Trennung um die 'triuwe' des Einzelnen, um die individuelle Loyalität zueinander. Mit solch einer Handlungs- und Themenverlagerung rückt ein Aspekt der Minne in den Vordergrund, die persönliche Liebestreue, der bis dorthin nur in der Petitcreiu-

zu quantifizieren und ihr jeweiliges Quantum zum Maßstab seines Wohlbefindens macht, als er sich nicht mehr wie ein 'edelez herze' zur Leidminne bekennt, sondern mehr einem Minnesänger ähnelt, der um den vorenthaltenen Lohn klagt, und als er zwischen 'triuwe' und 'vremeder liebe', zwischen 'triure' und 'vröude' die Vorteile abwägt, erst dann unterstellt er Isolde eheliche 'vröude' außerhalb ihrer Minne. Im Kontext des Monologs bedeutet dies die Suche nach Rechtfertigungen für seinen geplanten ovidianischen Ausweg, die Liebe zu teilen, die Tristan solche Fiktionen "erfinden" und darüber räsonnieren läßt. Auch der Vorwurf, Isolde lasse nicht nach ihm suchen und habe ihn also vergessen (19500 ff), ist aus der Luft gegriffen, hatten sie sich doch beim Abschied darüber verständigt, daß es an ihm liege, ihr beider Leben wieder zusammenzuführen[368]:

> (Isolde:)
> lat mich an iu min leben sehen,
> soz iemer schierest müge geschehen,
> und sehet ouch ir daz iure an mir.
> unser beider leben daz leitet ir. 18347 ff

Tristan spricht in seinem Monolog also offensichtlich als eine Figur ohne Gedächtnis und Charakter. Er denkt und handelt nicht so, wie es ihm episch vorgegeben ist, sondern wie es in seiner Situation ganz unhistorisch-abstrakt als möglich vor-

---

Episode erschienen war, dort aber nicht unter dem Gesichtspunkt sexueller Untreue, sondern auf dem Niveau einer symbolischen Darstellung der unausweichlichen Identität der Liebenden gestaltet ist.

368 Tristans Anklage wird auch dadurch als opportune Selbstrechtfertigung erkennbar, daß Tristan ja gerade auf dem Weg zu Isolde war, als er nach einem Aufenthalt in Parmenie durch die kriegerischen Ereignisse in Arundel aufgehalten wurde: 'Do Tristan, alse ich iezuo las,/ zAlmanje gewas/ ein halp jar oder mere,/ nu belanget in vil sere / hin wider in die künde,/ daz er eteswaz bevünde,/ waz der lantmaere/ von siner vrouwen waere.' (18601 ff). Er selbst sucht also Kontakt und wird später - nach Thomas Version - noch mehrmals nach Cornwall fahren, um Isolde zu sehen. Die Handlung bestätigt also, was der räsonnierende Diskurs Tristans unterschlägt.

stellbar wäre[369]. Indem Tristans Denken und Handeln wie auch der auktoriale Kommentar bloß dem Anspruch des Kalküls genüge tun, einer Weise des Denkens auf Kosten von Inhalt und Sinn, entbehrt Tristan jeder charakterlichen Identität - der Monolog stellt ja nicht qua Monolog automatisch die Konstitution individueller Subjektivität dar - und besetzt in der Isolde Weißhand-Episode nur wechselnde Rollen in einer Revue minnetheoretischer Topik: Bald erscheint er als das 'edele herze', das in 'triuwe' die 'seneswaere' minnt, bald als der an der Namensidentität irre Werdende, der schließlich mit der zuhandenen Isolde 'liebe und gesellescheft' (19121) pflegt, und hierauf wiederum als der reuige Sünder, der sich der Not Isoldes von Cornwall erinnert, die 'niwan einem Tristande holt' (19158) ist[370]. Daraufhin trennt Tristan innere 'triuwe' und 'triure' von äußerer 'höfscheit', 'geselleschaft' und 'höfschen liedelin' (19178 ff)

---

369 Zweimal nur wird der indikativische Behauptungscharakter von Tristans Vorwürfen durch ein 'ich waene' (19488, 19496) unterbrochen, womit allerdings die fiktive Grundlage der Argumentation kaum mehr als angedeutet ist.- Gottfried schiebt nicht nur Erzählteile ein, die sich nicht aus dem Gesamtzusammenhang legitimieren, sondern er verkehrt auch hie und da die Abfolge von Handlung und Kommentar derart, daß nicht die Historie selbst, sondern die theoretische Reflexion die Wahrheit des Erzählten verbürgt: Gottfried legitimiert seinen Bericht von Riwalins erfolgreichem Überfall auf Morgan mit einer Quellenberufung: 'wan als sin aventiure giht (...)' (344). Aber auch Riwalin hat Verluste, und Gottfried räsonniert: 'wan zurliuge und ze ritterschaft/ hoeret verlust unde gewin:/ hie mite so gant urliuge hin,/ verliesen unde gewinnen/ daz treit die criege hinnen.' (366 ff). Nach dem apodiktischen Resümee nimmt Gottfried nicht etwa die beglaubigte Handlung wieder auf, sondern er deduziert aus seiner Einsicht in die allgemeine Regel den wahrscheinlichen historischen Vorgang: 'ich waene, im Morgan alsam tete:/ er valte im ouch bürge unde stete (...)' (371 f). An die Stelle der Quellenberufung ist die topische Legitimation als Kriterium der Authentizität getreten.

370 Wenn sich Tristan in diesem Zusammenhang fragt, was ihn so desorientiert hat ('ine weiz, waz mich verkeret hat' 19152), so möchte man ihm antworten: Es ist der Partikularismus der Personenführung durch den Dichter, der ihn einmal diesen, einmal jenen Weg gegenüber Isolde Weißhand einschlagen läßt.

und täuscht dadurch Isolde Weißhand. Als deren gesteigerte Liebe ihn wiederum verunsichert, tritt allegorisch die 'staete' auf den Plan und erinnert ihn daran, daß Isolde 'nie vuoz von iu getrat' (19261). Und weiter wechseln sich Jammer, Zweifel, Höflichkeit und Liebesversuche ab. Einmal stellt Gottfried Tristans Lage in den infiniten Rahmen eines didaktischen Kommentars des Inhalts, man ertrüge leichter das Verlangen nach der Liebe einer fernen Frau als sich der Liebe, die vor Augen liegt, zu enthalten[371]. Je mehr Tristan der nahen Minne entflieht, desto mehr aber verfolgt diese ihn, bis er in jenem ovidianischen Topos Zuflucht sucht[372] und 'vremede liebe' als Weg zu einem 'triurelosen Tristan' zu rechtfertigen unternimmt.

Dieser Prozeß alternativer Handlungs- und Reflexionsentwürfe bildet sich ganz am Schluß von Tristans Monolog noch einmal en miniature ab: Zunächst beklagt Tristan, daß er Isolde offenbar nichts mehr bedeute, denn sie stelle ja keinerlei Nachforschungen über ihn an. Diesen Gedankengang gibt er bald wieder auf und schilt sich: 'a was red ich:/ nu wa besande si mich (...)?' (19509 f), ist er doch mal hier und mal dort; wo sollte man ihn da suchen? Nach Anklage und Entlastung Isoldes wendet sich Tristan mit einer tautologischen Antwort auf diese letzte Frage wieder zum Angriff gegen Isolde: Man findet mich da, wo ich bin, denn die 'lant', in denen ich mich ja schließlich aufhalte, 'enloufent niender hin' (19520); man braucht also nur lange genug zu suchen, und man wird mich finden.

Solchen wechselnden Einsichten kommt – vielleicht mit Ausnahme ihrer jeweils abschließenden Konklusionen – keine handlungsbestimmende Funktion zu; sie sind spekulativ[373]. Da der

---

371 Der Topos in Ovids Bildersprache: 'Non facile esuriens posita retinebere mensa,/ Et multum saliens incitat unda sitim.' (Rem. Am. 631 f).

372 Vgl. S. 126, Anm. 308.

373 Eine Bemerkung Ilse Clausens mag die Art des zögernden Als-Ob charakterisieren, in der das sich verselbständigende Räsonnement schon verschiedentlich umschrieben wurde: "(...) und es entsteht der Eindruck, als werde nur ein Begriff oder abstrakter Sachverhalt von Gottfried spielerisch und losgelöst vom Kontext auf seine möglichen Formen hin reflektiert." (Der Erzähler. L.c. S. 92). Welche Erfahrungsweise und welches Darstellungsprinzip solchem literarischen Verfahren zugrunde liegen mag, ist bis-

Monolog so auch keine individuelle Charakterisierung Tristans bietet - allenfalls eine paradigmatisch-überindividuelle Mimesis zweifelnden Grübelns -,müssen Sinn und Leistung solchen Erzählens auf einer anderen, nicht inhaltlich-symbolischen Ebene liegen. Sie lassen sich unter wirkungspoetischem Gesichtspunkt erfassen. In unserem Beispiel vollzieht sich der wechselnde Gedankenweg in einer 'subiectio'[374], einem fingierten Dialog im Monolog mit Frage und Antwort, in der mit rhetorischer Frage[375] und gespielter Hilflosigkeit des Sprechers[376] zusammen mit entsprechendem rhetorischem 'ornatus' sich ein zugleich pathetischer wie intellektueller Reiz vermittelt. Die Spannung des interessanten Erzählens speist sich aus rhetorisch verdichteten und damit wahrscheinlich gemachten potentiellen Alternativen der fiktiven Wirklichkeit, die dem Publikum bald die Verzweiflung, bald die Hoffnung, bald das Dilemma und bald den Ausweg Tristans vor Augen führen. Das Publikum ist so der Erregung durch den Wechsel künstlicher Entwürfe, rhethorisch-kalkulierter Wirklichkeiten ausgesetzt, in denen Tristan nur der Agent einer psychologisierenden Ratio ist[377], die den "kasuistisch distinguierenden Monolog des Mannes zwischen den beiden Frauen"[378] gestaltet.

---

her aber nicht historisch untersucht worden. Clausens Deutungen als Pluralismus der Perspektiven und Relativismus sind letzten Endes nur abstrahierte Tautologien ihres zuvor beschriebenen "Eindrucks". Auch ihre Vermutung, Gottfried ließe so sein Publikum in produktiver Ungewißheit und fordere die selbständige Urteilsbildung gegenüber offengelassenen Alternativen heraus, folgt nur dem historisch fehlplazierten Klischee moderner Ästhetik vom offenen Kunstwerk, denn es ist gerade Wesen und Absicht solcher disputatorischer Darstellung, den Hörer Schritt für Schritt an den Argumentationsvorgang zu fesseln und ihn nicht aus der Aufmerksamkeit und Affirmationshaltung zu entlassen. Die kritisch-produktive Vergleichung und Sinnerschließung setzt eine ganz anders geartete Distanz zwischen Werk und Publikum voraus als der Text sie anbietet und der mündliche Vortrag insbesondere sie gewährleistet.

374 Lausberg: Handbuch. L.c. §§ 771 ff.

375 Lausberg: L.c. §§ 767 ff (interrogatio).

376 Lausberg: L.c. § 779 (communicatio).

377 Die moralische Kritik, die am Tristan der Isolde Weißhand - Episode wiederholt geübt wurde - er verletze die geschworene 'triuwe'-, verbunden mit der Schlußfolgerung, an Tristan offenbare sich das Scheitern der Gottfriedschen

4.1.5. Rhetorische Selbstvergewisserung

Die geschilderte literarische Praxis wäre kaum zu verstehen ohne Hinweis auf die Übung des mittelalterlichen Schulunterrichts, gleichermaßen Position und Gegenposition einer These wirkungsvoll vertreten zu lassen ('De omni re potest in utramque partem probabiliter disputari')[379], und ohne Einsicht in das dem mittelalterlichen Geistesleben vertraute rhetorische Verständnis allen Sprechens, das er erlaubt, verschiedene Meinungen in einer Streitfrage erfolgreich wahrscheinlich machen zu können, denn es gilt: 'Nihil est tam incredibile quod non dicendo fiat probabile.'[380]

Mit den uns vorausliegenden Epochen eines naturwissenschaftlichen und dann ganz allgemeinen Positivismus ist uns weitgehend das Verständnis für die Legitimität des rhetorischen Wahrheitsbegriffs abhanden gekommen, der sich auf das Wahrscheinliche in den nichtpositiven Bereichen des Lebens bezieht.[381]

Minnekonzeption - darum auch der "Abbruch" -, scheinen mir völlig fehl zu gehen, denn es gehört zu dem schon bei Thomas noch ausgeprägter zu findenden Erzählmodus, mit Tristan eine minnekasuistische "tour d'horizon" zu veranstalten, worauf sich schließlich aber handlungspraktisch seine Treue durchsetzt und er seiner Ehefrau Isolde die Liebe verweigert. Solche Kritik hätte im Grunde nur Recht, wenn sich in jedem Wort und jeder Handlung Tristans die existentielle Kondition eines einmaligen Charakters unmittelbar abbilden würde. Daß dem wohl nicht so ist, hoffe ich schon hinreichend gezeigt zu haben. Es ist im Grunde sogar unerheblich, daß es gerade Tristan ist, an dem die Gefährdungen von 'minne' und 'triuwe' durchexerziert werden. Isolde als Ehefrau Markes ist strukturell dazu nicht geeignet, und es entspricht überdies den Gattungsstrukturen des Mittelalters, daß es der Mann ist, der sinnlich verführbar ist und untreu werden kann. Mittelalterliche Minnetopik hat stets dieses Gefälle zwischen Dame und Ritter. Es würde daher einer naiven Psychologisierung entsprechen, wenn man Tristan und Isolde als zwei gleichartige und gleich verantwortliche und gleich gefährdete Individuen moralisch gegeneinander aufwöge.

378 Wapnewski: Abschied. L.c. S. 338.

379 Ioannis Saresberiensis: Metalogicus. P.L. 199. L.c. S. 916 A (nach Pythagoras).

380 P.L. 199. L.c. S. 835.

381 Wir werden auf das Wahrheitsproblem des rhetorisierten Romans Gottfrieds noch gesondert zurückkommen.

So wie die Gerichtsrhetorik die vergangene, nicht mehr zu vergegenwärtigende Tat nur 'probabiliter' beurteilen kann und der politische Redner der ungewissen Zukunft nur mit der glaubwürdigen Projektion beikommen kann, genauso ist es dem mittelalterlichen Scholastiker aufgegeben, das im wahrsten Sinne des Wortes Glaubwürdige im Bereich der Metaphysik rhetorisch-dialektisch zu demonstrieren. Nicht anders verhält es sich mit dem mittelalterlichen Dichter, der die wissenschaftlicher Positivität unzugänglichen Bereiche zu behandeln hat. Er bildet gegenüber Stoff und Vorlage in Schilderung, Gespräch, Disput oder Plädoyer mit logischem Scharfsinn und rhetorischer Kraft Meinungen heraus und macht sie wahrscheinlich. Dieses Geschäft, das das moralische Interesse des Publikums fesselt, ist im Rahmen eines stofflich vielgestaltigen episodischen Romans nicht geradlinig, vollzieht sich in Stufen, Kehren und Sprüngen und führt jenen rhetorischen Partikularismus herauf, von dem wir beim 'Tristan' sprechen wollen und der sich wiederholt als epische Diskontinuität bemerkbar gemacht hat.

Wenn wir die rhetorisch profilierte logische Distinktion der Natur und der Konventionen der Minne und anderer Erlebnisbereiche als den zeittypischen Modus der literarischen Urteilsbildung und Selbstvergewisserung ernst nehmen, entfällt der sich aus der historischen Distanz leicht einstellende Vorwurf des Manierismus, als habe Gottfried eine gelangweilte Hofgesellschaft mit leeren Spitzfindigkeiten kitzeln wollen. Vielmehr haben wir es mit einer in den Traditionen rhetorischer Bildung stehenden literarischen Gesellschaft zu tun, die ernsthaft versucht, in der Blütezeit der 'dialectica' sich gegenüber den Imponderabilien der menschlichen Liebesbeziehungen ratiocinativ Vergewisserung zu verschaffen. Im Unterschied zu den einfachen literarischen Formen von Traktat, Lehrgedicht, Spruch und sonstiger didaktischer Kleindichtung müssen sich nun aber das topische Moralisieren und die kasuistische Exegese im Minneroman Gottfrieds im Kraftfeld des Fabelstoffs immer neu konstituieren und behaupten, wodurch die Struktur der Erzählung jene Abfolge dissoziierter Tendenzen gewinnt, die schrittweise das logische und das emotionale Interesse der Hörer an sich ziehen[382]. Als ästhetische Wirkung stellt sich spannende Kurzweil ein, in der das theoretisch-moralische wie das historische Interesse lustvoll befriedigt werden. Solches gilt eben nicht zuletzt von dem rhetorisierten Kalkül in den Positionswechseln in Tristans Monolog wie von jenen im Rahmen der Handlung im Isolde Weißhand-Teil insgesamt.

4.1.6. Exkurs: Thomas und Gottfried

Zu den mit Gottfrieds Text konvergierenden Fragmentteilen des Thomasschen 'Tristan'[383] gehört jener Tristanmonolog, der Gottfrieds Fragment beschließt. Blickt man auf diesen Monolog und vergleichsweise auch auf die übrigen von Thomas erhaltenen Teile der Isolde Weißhand-Geschichte, so springt das, was wir bisher bei Gottfried vergleichsweise mühsam zu demonstrieren versuchen, nämlich die rhetorische Organisation des Romans, als beherrschende Erscheinung in die Augen: Da finden wir die schier unbegrenzte Amplifikation einiger weniger, spekulativ gefundener Gedanken im Korsett der 'dialectica', die mit formallogischer Phantasie passioniert in Szene gesetzte Herrschaft des Kalküls im Raum alternativer, fiktiver Entwürfe[384], die Profilierung von Standpunkten in

---

382 Wie sehr Gottfried nicht nur in Kommentar und Figurensprechen, sondern auch in der Organisation von Szene und Handlung das logische Interesse anspricht, zeigen die Umstände des Morolt-Kampfes: Tristan und Morolt fahren mit je einem Boot zu der Insel, auf der sie kämpfen werden. Nach der Ankunft überläßt Tristan sein Boot den Wellen und vertritt gegenüber dem sich wundernden Morolt die arrogante, erregende Logik des Siegers: Nur einer wird lebend zurückkehren! Die altnordische Tristramssaga, die ja zugleich Thomas repräsentiert, weiß von alledem nichts: Der Kampf findet auf dem Festland statt.

383 Wir zitieren nach der Ausgabe von Bartina H. Wind: Thomas. Les Fragments du Roman de Tristan. Genf - Paris 1960. Im übrigen verweisen wir dort auf die Prosaübersetzung des Tristanschlusses in A.T. Hattos Übertragung von Gottfried und Thomas, wo dies für unsere Zwecke genügt (Hatto: Tristan. L.c.).

384 A.T. Hatto charakterisiert im "Appendix I" seiner Übersetzung - "A Note on Thomas's Tristan" - die grenzenlose Kom-

konträren Plädoyers eines imaginären 'advocatus diaboli'[385], damit die Vorwärtsbewegung des Monologs in Antithesen, und alles getragen von einer Suada des Räsonnierens, das nicht die abstrakteste und immateriellste Alternative einer Situation auszulassen gewillt scheint[386] und das zugleich in jedem Teilschritt sich der sophistischen Grundüberzeugung gewiß scheint, daß die Rhetorik dazu taugt, verschiedene Standpunkte plausibel einzunehmen. In alledem bietet Thomas' Dar-

---

binationslust: "With what gusto he rings the changes between Tristan and Ysolt and Mark in their seemingly eternal triangle; and how he pounces on the latent possibilities from all angles (...)." (Tristan. L.c. S. 361).

385 Das vielleicht prägnanteste Beispiel solch konträrer Beweisführung innerhalb eines Textes - worin sich natürlich das Übungsprogramm der Schulen spiegelt, eine These gleichermaßen überzeugend zu vertreten wie zu widerlegen - findet sich für Thomas' Zeit in dem Traktat des Andreas Capellanus über die Liebe, das offenbar mit seiner konträren Beweisführung zugleich das der Antike und später auch der Renaissance wieder vertraute literarische Muster der Palinodie erfüllt. (Andreae Capellani Regii Francorum De Amore Libri Tres. Recensuit E. Trojel. München 1964). Den aus der Bildungsgeschichte ableitbaren Formalismus des Traktats hat Gruenter folgendermaßen charakterisiert: "So ist es ein müßiges Unterfangen, den Text des Andreas zu befragen, ob der Verfasser die Minne für etwas Gutes oder für etwas Schlechtes halte. Er liefert lediglich die Argumente, um beides zu beweisen (...) So bietet in der Minne-Reflexion des Andreas (...) das Minne-Thema nur den Vorwand für die Entfaltung zahlreicher 'Pro und contra'-Erörterungen. Sie werden als Kasuistik Selbstzweck." (Rainer Gruenter: Bemerkungen zum Problem des Allegorischen in der deutschen Minneallegorie. In: Euphorion 51 (1957) S. 11). Ähnlich urteilt E. Talbot Donaldson: "Andreas is not to be understood as seriously promulgating immoral doctrine (...) he had the essentially playful idea of seeing to what outrageous lengths he could push arguments in favour of immoral love." (zitiert nach Barbara Nelson Sargent: A Medieval Commentary on Andreas Capellanus. In: Romania 94 (1973) S. 532). Dieses Vergnügen an der Brillanz der rhetorisch-dialektischen Wahrscheinlichmachung als 'ultima ratio', dergegenüber die speziellen Inhalte indifferent bleiben, sollte eben auch im Hinblick auf rhetorisch begründete Widersprüche im epischen Erzählen als mögliche Motivation beachtet werden, so daß die Verbindlichkeit der Inhalte hinter der rhetorischen Wirkungsabsicht zurücksteht.

386 Hatto schreibt: "Thomas pursues his analyses 'a outrance'", und er spricht von seinen "psychological 'tours de force'"

stellung das paradoxe Schauspiel, wie mit einem Maximum an rationaler Erörterung[387] ein Maximum an Irrationalität geradezu beschworen wird: Das unauflösbar scheinende Dilemma. Mit ihm vermittelt sich aber zugleich das Pathos dieses, nur scheinbar so kühl-exakten Erzählens dem Hörer.

In der Fortführung der Fabel bei Thomas bis hin zum Liebestod zeigt sich aber auch, daß die uns manieristisch anmutenden Exzesse einer unablässig amplifizierenden 'ratiocinatio', jene scheinbar selbstgenügsamen Exerzitien der 'raisun'[388], nur spekulative Durchgangsstationen neben der sich schließlich durchsetzenden Macht der durch Trank und Gelöbnis unverbrüchlich gemachten Minne sind. Das gedanklich erprobte, praktisch aber vergebliche Entrinnen Tristans aus dem Dilemma wird schließlich durch die keusche Ehe mit Isolde Weißhand noch dramatisch hervorgehoben, in deren Doppelaspekt von legalisierter, aber unvollzogener Ehe sich die reflektierten Alternativen von angestrebtem Vergnügen und übermächtiger Minnebindung handlungsmäßig abbilden[389].

(Tristan. L.c. S. 362).- Bartina H. Wind spricht von "analyses psychologiques teintées de préciosité" (Thomas. L.c. S. 12).

387 Thomas ist darin der scholastische Poet par excellence: "Thomas was nothing if not a rationalist." (Hatto: Tristan. L.c. S. 361). Das Ratioide seines elaborierten Distinguierens verdankt sich den Verfahren der scholastischen Dialektik: "(...) son rationalisme influencé de rhétorique, ses syllogismes conformes aux règles (...)" (Wind: Thomas. L.c. S. 12). Was wir in deren Erscheinungsformen als spitzfindig und wortklauberisch zu kritisieren geneigt sind, handelt sich im Rahmen einer Dichtung leicht den Vorwurf des Manierismus ein, während es doch historisch offenbar als eine ernst geübte und ernstgenommene Art und Weise des Weltverstehens Geltung hatte.

388 Thomas repräsentiert "a mind that was dominated above all by reason - a favourite word of Thomas - 'raisun'." (Hatto. L.c. S. 361). In der Erzählung setzt sich auch bei Tristan 'raisun' als der Anwalt der Minnebindung an Ysolt gegen die Verführungen des Liebesgenusses bei Ysolt a blanschemains durch: 'Sa nature proveir se volt,/ La raison se tient a Ysolt./ (...) Amur e raisun le destraint, E le voleir de sun cors vaint.' (Wind: Thomas. L.c. S. 57: Fragment Sneyd 595 ff). Die Kontrolle der Sinnlichkeit durch den Verstand ist die Grundlage aller mittelalterlichen Minnekasuistik in der Dichtung. Johannes von Salisbury hat diese Grundeinstellung der Zeit vortrefflich allegorisiert: 'Et quia (ratio) sensuum examinatrix est, qui ob

Wenngleich sich Tristans Monologisieren als ein brillierendes Spazierenführen der Logik von der epischen Substanz gewissermaßen abheben läßt[390], sollten wir nicht verkennen, daß hinter dem angestrengten Räsonnieren keine leere Spielerei steckt, sondern ein intensives moralisches Interesse der höfischen Gesellschaft - hier wahrscheinlich im Umkreis des anglonormannischen Hofes und der Königin Eleanor[391] - an rationaler Vergewisserung über Formen, Möglichkeiten, Gesetze und Grenzen einer höfischen Liebeskultur, über Liebespsychologie und Liebesethik sich daran kundtut. Dem minnetheoretischen Interesse des Publikums wird vom Dichter ein Kasus vorgeführt, bei dem der Erzähler Kläger und Verteidiger im Wechsel ist, also alternative Argumentationen vorführt und - wenn er nicht auch noch als Richter in Erscheinung tritt - dem Publikum die Beurteilung überläßt. So fordert Thomas beispielsweise angesichts des erbarmungswürdigen Quartetts von Liebenden - Ysolt

---

fallendi consuetudinem possunt esse suspecti, natura optima parens omnium, universos sensus locans in capite, velut quemdam senatum in Capitolio animae, rationem quasi dominam in arce capititis statuit, mediam quidem sedem tribuens inter cellam phantasticam et memoriam, ut velut e specula sensuum, et imaginationum, possit examinare judicia.' (Metalogicus. L.c. P.L. 199. S. 926 B).

389 Das bedeutet nun auch, daß wir weder bei Gottfried noch bei Thomas jene nur scheinbare Selbstdarstellung Tristans im Monolog etwa moralisch gegen den Anspruch, unter dem er im Zusammenhang der Fabel sonst stehen mag, aufrechnen dürfen. Das bewegliche Reflektieren im Monolog hat eine andere semantische Wertigkeit als die dichte epische Mimesis anderwärts.

390 Emil Nickel sieht darum in Thomas den "kalten, lehrhaften, seine Personen sozusagen nur als Problem fassenden Typ eines gelehrten Dichters." (Studien zum Liebesproblem bei Gottfried von Straßburg. Königsberg 1927. S. 37).

391 Bartina Wind fragt: "A-t-il vécu à la cour d'Aliénor? Lui a-t-il dédié son oeuvre? Certains savants en sont persuadés." Und zwar: "Loomis, Hofer et dernièrement Rita Lejeune et Dominica Legge ont rattaché Thomas à la cour des Plantagenêts et spécialement à l'entourage d'Aliénor." (Wind: Thomas. L.c. S. 13 und S. 16).

und Ysolt, Marke und Tristan –, die alle keine Freude, sondern jeder nur Leid aus seiner Lage ziehen, das Publikum auf zu entscheiden, wer denn nun am besten oder am schlechtesten dran sei: 'La parole mettrai avant,/ Le jugement facent amant,/ Al quel estoit mieuz de l'amor/ Ou sanz lui ait greignor dolur.'[392] Solch ein Aufruf des Publikums zum Gericht stellt den Roman von Thomas in den Raum der legendären "Cours d'amour" Frankreichs im 12. Jahrhundert, an denen Streitfragen der Liebe entschieden worden sein sollen und in dem auch die Liebeskasuistik des Andreas entstanden zu denken ist[393].

Die archaische Fabel der Tristangeschichte wird also von den komplizierten Konventionen der höfischen Liebeskultur des 12. Jahrhunderts überlagert, die das Herz sich in den dünnen Fäden der Rationalität verfangen lassen. Grundlage der Minne- und Rechtskasuistik ist eine wahre "Psycho-Logik", die wenig mit einer neuzeitlichen Einfühlungspsychologie zu tun hat und die den wenigen empirischen Daten der epischen Geschichte sogleich mit dem Impetus des Syllogismus begegnet[394]. Solche plane Logik macht es leicht, etwa für Tristans inneren Disput gleichgewichtig scheinende Argumente sowohl für wie gegen den Beischlaf mit Isolde Weißhand zu entwickeln, ja Thomas nutzt die epische Konstellation, Tristans Dilemma zu einem Disput über den Grundkonflikt zwischen Herz und Leib zu stilisieren und um die minnetheoretische Frage zu entscheiden, ob sexuelles Vergnügen ohne Herzensliebe möglich sei. Unter der aufwendigen Erörterung droht die Fabel fast zu verschwinden und Bedeutung nur als Rahmen der Minnekasuistik zu erlangen, die offenbar im

---

392 Wind: Thomas. L.c. S. 75: Fragment de Turin 148 ff.

393 Vgl. S. 147, Anm. 385.

394 Darauf hat Heinrich Hempel schon hingewiesen: "Die oft gerühmte Psychologie des Thomas ist doch eigentlich nichts anderes als ein scholastisches Spiel mit Antithesen, ein endloses Umsichselbstkreisen der Begriffe, bei dem keine sachliche Erleuchtung herausspringt." (Französischer und deutscher Stil im höfischen Epos. 1934. In: H.H.: Kleine Schriften. Heidelberg 1966. S. 252). Die Abwertung, die sich in Hempels Worten ausdrückt, wäre jedoch zu korrigieren angesichts einer Wirkungsleistung, die gerade nicht auf psychologische Mimesis, sondern auf rhetorischen 'affectus' qua Begriffsdialektik zielt.

Mittelpunkt des literarischen Interesses steht.

Dort, wo die Spekulation keine Gewißheit zu bringen vermag, geht Thomas sogar soweit, das Kalkül in die Handlung zu projizieren und zum praktischen Experiment werden zu lassen: Da sich Isolde offenbar mit Marke vergnüge und sie Tristan darüber vergessen habe, bleibe ihm, Tristan, nichts anderes übrig, als auszuprobieren, ob man Vergnügen in der Ehe haben könne, ob man die eigene 'sene' vergessen könne und zu sehen, wie Isolde gegenwärtig mit dem König lebt und liebt. Deshalb müsse er, gewissermaßen "probeweise", Isolde Weißhand heiraten[395]. Ja, die moralkasuistische Analyse wird soweit getrieben, daß die experimentelle Heirat, anstelle eines außerehelichen Verhältnisses, mit einem ganz vordergründigen 'triuwe'- und 'ere'-Begriff verteidigt wird: 'Pur cq volt femme espuser/ Qu'Isolt n'en puisse blamer/ Que encontre raisun delit quierge,/ Que sa proeise nen afirge.'[396] Tristan heiratet also eine andere, damit ihm seine Isold nicht etwa ehrloses Lieben zum Vorwurf machen kann.

Ein solches Maß an moralisch indifferentem Kalkül erlaubt sich Gottfried nicht mehr; solch pedantisch-willkürliche Zergliederung des Stoffes scheidet Gottfried aus; es wäre bei aller noch verbleibenden mikrostrukturellen Partikularisierung dem grundsätzlichen Ernst der Behandlung der Minne bei Gottfried fremd. Thomas unterwirft nämlich nicht nur die sprachliche Erörterung der Minne der Ratio, sondern er verdinglicht sie auch dem Inhalt nach; sie geht völlig in seiner Sprachdialektik auf. Bei Gottfried dagegen setzt sich bei aller rhetorisch-dialektischen Darstellungskunst der Mythos der irrationalen Tristanminne immer wieder durch, den die Sprache Gottfrieds nicht zu beherrschen, sondern zu begreifen versucht.

Vergleicht man Thomas und Gottfried miteinander, zum einen, soweit der gemeinsame Abschnitt vorhanden ist, und zum andern an Hand der Stiltendenzen auch der bei Gottfried nicht vorhandenen Textteile des Thomas, so muß es nach dem Dargelegten zunächst fragwürdig erscheinen, ausgerechnet an Gottfrieds 'Tri-

---

395 Hatto: Tristan. L.c. S. 302 f.

396 Wind: Thomas. L.c. S. 42: Fragment Sneyd[1] 193 ff.

stan' den Begriff eines rhetorisierten höfischen Erzählens darstellen zu wollen, wo sich doch Gottfried gegenüber seiner einige Jahrzehnte älteren Vorlage gerade durch Begrenzung einer allzu ausufernden Kasuistik, durch ökonomischere und weniger monotone Handhabung der amplifizierenden Techniken auszeichnet, durch eine Reduktion der Zahl der abstrakten Argumentationswege zugunsten einer konkret inhaltlichen Ausgestaltung einzelner Gedankenzüge[397], durch genauere epische Anbindung der Gedanken, durch poetische Konzentration schlechthin[398]. "Thomas was a

---

397 Z.B. steht den wenigen knappen Versen, die bei Thomas der Frage gelten, ob und wie Isolde nach ihm hätte suchen sollen, bei Gottfried ein inhaltlich und rhetorisch stark angereicherter Passus entgegen. Man vergleiche:

	(...)
U me trovreit? La u jo sui.	daz ir mich sit haetet besant
Si ne set u ne en quele tere.	und eteswaz umb min leben erkan
Nun? e si me feist dunc querre!	si mich besande? a waz red ich:
	nu wa besande si mich
(Wind: Thomas. L.c. S. 38:	und wie bevünde si min leben?
Fragment Sneyd[1] 88 ff).	ich bin doch nu vil lange ergeb
	als ungewissen winden,
	wie kunde man mich vinden?
	ine kan es niht erdenken wie:
	man suoche da, so bin ich hie;
	(...) 19507 ff

In dieser Weise führt Gottfried das Räsonnement mit praktischen Argumenten noch über 28 Verse fort!

398 In romantisch-modernistischem Mißverstehen hat Samuel Singer Thomas und Gottfried in einen Gegensatz von Psychologie und Logik gebracht (Thomas von Britannien und Gottfried von Straßburg. In: Festschrift für Edouard Tièche. Bern 1947. S. 99). In Thomas' streng formalisierter innerer Reflexion glaubt er "das Ringen in der Seele des hin und her gerissenen Mannes so meisterhaft dargestellt" zu finden im Sinne einer naturalistischen Mimesis - die scheinbar überflüssigen Wiederholungen seiner Gedanken als Ausdruck seiner verwirrten Seele!-, was aber "Gottfried (...) kaum verstanden" habe, der stattdessen Wiederholungen gestrichen und aus "gelehrtem Snobismus" Ovids Topos "als logische Begründung" eingeschoben habe. "Aber Logik, auch noch so sehr mit poetischen Bildern verbrämt, ist das Letzte, was man unter solchen Umständen haben möchte", klagt Singer. Er scheint blind für die nach unserem Verständnis ausgesprochen seelenlose, mechanistische Kasuistik des Thomas, deren Sequenzen Tristan wie einer Sprechpuppe in den Mund gelegt sind und deren Abstraktionsgrad Tristan sich selbst zum paradigmatischen Fall werden läßt. Während also Thomas' Tristan in einer unabsehbaren Argumentationskette alle möglichen Alternativen seines Verhältnisses zu

great writer rather than a poet", schreibt Hatto[399] und meint damit, daß Thomas das Schwergewicht auf die scholastisch-rationale Ausleuchtung des menschlichen Herzens gelegt habe und nicht so sehr auf die Gestaltung einer aus sich selbst bedeutsamen, dramatischen Fabel mit einem konsistenten Sinngefüge. Gottfried wäre in diesem Sinne "a poet rather than a writer", jedoch ist die Differenz zwischen beiden Autoren nur graduell: Auch bei Gottfried unterliegt die poetische Struktur dem Einfluß der rhetorisch-dialektischen Weltbegegnung, wenngleich die Spannungen zwischen Fabel und Ratio verdeckter sind, das Kalkül sich nicht ebenso aufdringlich ausbreitet wie bei Thomas. Wenn wir also Gottfrieds 'Tristan' angemessen verstehen wollen, sollte uns die gegenüber Thomas quantitativ verminderte Rhetorizität nicht davon abhalten, unser Interesse diesem entscheidenden, qualitativen Faktor zuzuwenden, der seine literarische Bedeutung für das Werk aus seinem wirkungsästhetischen Potential erhält.

4.2. Der Abschied von Tristan und Isolde

4.2.1. Isolde: Figur oder Charakter

Nachdem die Beobachtung des Rollenspiels von Marke und Tristan rhetorische Strukturen des Romans erhellen konnte, wenden wir uns auch der dritten Hauptfigur, Isolde, zu und werden ihr Sprechen in Dialog und Monolog bei und nach dem Abschied

---

den beiden Isolden durchschreitet, um zu einem praktischen Urteil und Entschluß zu kommen, besteht Gottfrieds poetische Ökonomie darin, daß sein Tristan sehr rasch in 'vremeder liebe' den einzigen Ausweg aus seiner Lage sieht (19431) und dann nur noch Argumente sammelt und ein paar wenige aus dem Weg räumt, um sein Vorhaben zu rechtfertigen. In den Mittelpunkt stellt er Ovids 'remedium' durch 'me danne eine minne', mit dessen beweiskräftigen Bildern er die langen Räsonnements bei Thomas abkürzt und darüber hinaus aber das einzelne Argument disziplinierter in den epischen Kontext einbindet. Wenn also eine Unterscheidung am Platz ist, dann nicht die zwischen Psychologie und Logik, sondern zwischen einer abstrakten Sophistik bei Thomas und einer realistischeren Verankerung des Kasuistischen in der epischen Wirklichkeit bei Gottfried. Beiden gemeinsam ist aber die logisch deduzierte Psychologie, nicht die realistisch abgemalte.

399 Hatto: Tristan. L.c. S. 361.

von Tristan untersuchen, das zugleich auch in die zentrale Minneproblematik einführen kann.

Da Tristans und Markes Reden und Handeln nicht als konsequenter Ausdruck einer individuellen Wesensart gedeutet werden konnten, sondern oft bestimmten, außerhalb der Figuren liegenden Darstellungsinteressen gehorchen, sei aber vorweg die Frage aufgeworfen, ob nun nicht auch bei Isolde die Vorstellung von einer psychologisch-realistischen Einheit des Charakters fehl am Platz ist.

Neuerdings hat Wilfried Wagner eine folgerichtige Charakterentwicklung für Gottfrieds Figuren behauptet[400]. Seine Analyse der Verhaltensentwicklung der jungen Isolde scheint mir allerdings grundsätzlich bedenklich, da er versucht, die der erzählerischen Mimesis eigene artistische Begrenzung und Stilisierung der Wirklichkeitsmomente aufzuheben, um interpretierend den Hintergrund des epischen Bildes aufzufüllen, so als sei es nur Skizze einer eigentlichen Wirklichkeit, deren volle Vergegenwärtigung Aufgabe des Interpreten sei. So nimmt sich Wagners Versuch aus, den erzählten Symptomen von Isoldes Entwicklung den tiefenpsychologischen Hintergrund zu addieren. Wagners Schema, nach dem mit dem Trank die kindliche Phase der Emotion durch die Ratio der minnenden Frau abgelöst wird, verführt ihn, Einzelphänomene diesem unkritisch zu unterwerfen: Während er Isoldes buchstabierende "Tantris"-Auflösung als Ausdruck kindischer Naivität einstuft, sieht er in Isoldes Mordanschlag auf Brangäne nur "kühl berechnende Überlegung"[401]. Einerseits ist aber die Auflösung eines Anagramms etwas höchst rational Kalkuliertes, das im Mittelalter von intellektuellem Reiz und keineswegs kindisch war und hier eher die schulmäßige Klugheit der von Tristan unterrichteten Isolde demonstrieren kann; zum anderen ist die kühl berechnende Überlegung zum Mord bei Isolde gerade unter psychologischen Gesichtspunkten, wie sie Wagner geltend macht, nicht ohne die Motivation aus blinder

400 Die Gestalt der jungen Isolde in Gottfrieds 'Tristan'. In: Euphorion 67 (1973) S. 52-59.

401 Wagner, L.c. S. 57.

Emotionalität durch ihre Minnebindung denkbar[402].

Die vergröbernde Verallgemeinerung seines psychoanalytischen Befundes bei Isolde schließlich, wonach es Gottfrieds Intention gewesen sei, geschlossene Charaktere darzustellen und wonach das allgemeine Urteil der Forschung, es sei der mittelalterlichen Literatur nicht auf von innen heraus entwickelte Charaktere angekommen, "nicht auf Gottfried und sein Epos anwendbar"[403] sei, scheint uns unzulässig. Wie wir in bezug auf Marke und Tristan schon hinreichend zeigten, wird sich ihr funktionales Rollenspiel - sei es aus stoffgeschichtlichen, didaktischen, handlungspragmatischen oder rhetorischen Zwängen schwerlich auf die Schnur einer angeblich von Gottfried intendierten psychologischen Charakterentwicklung reihen lassen, es sei denn, man unterlegt stets einen tiefenpsychologischen Raster.

An sich bedürfte der weitgehende Konsensus der Forschung, der die Figuren der höfischen Erzählliteratur weniger als psychologisierte Individuen denn als Träger von thematischen und strukturellen Funktionen begreift, keiner neuerlichen Bekräftigung[404], aber im Fall Gottfrieds - wie Wagners Beispiel wieder zeigt - haben der Reichtum des psychologischen Details, die auktorialen psychologischen Motivationen der Handlung und auch die strukturellen Besonderheiten der Figuren von Tristan und Marke gegenüber den sonstigen Gestalten der Artusdichtung die Interpreten verführt, psychologisierende Charakterbilder zu versuchen. Das Vorurteil einer psychologischen Kausalität zwischen Charakter, Situation und Handeln

---

402 Auch Gerhard Schindeles Interpretation, die zwischen Stoff und Adaption vergleicht, macht Wagners Kinderpsychologie in diesem Punkt zunichte: Das Zeichen des beschädigten Schwerts, das in der symbolischen Hermetik des alten volkssprachlichen Erzählens zur Wiedererkennung genügt hätte, wird durch die Sprach-, die Tantris-Analyse ergänzt: "Letternhaft setzt in der Rede sich der Name und damit die Erkenntnis durch." (Tristan. L.c. S. 71). Der epische Vorgang wird durch den 'poeta doctus' 'verwortet und vernamt' und nicht das Dingsymbol, sondern die Sprache muß in der Gegenwart sprachlich gebildeter Protagonisten den Beweis für Tristans Identität antreten.

403 Wagner: Die Gestalt der jungen Isolde. L.c. S. 59.

404 Vgl. die grundsätzliche Aufnahme des Problems in 4.2.2.1.

schob sich dadurch oft unbemerkt zwischen Interpreten und Text. Gerade auch im Fall Isoldes ist dann das von einem modernen Realismusbegriff her vorausgesetzte kontinuierliche, individuelle Wesensbild der Person nicht ohne Widersprüche darstellbar gewesen.

Eine von einem ganzheitlichen Personenbegriff aus urteilende Betrachtungsweise Isoldes hatte zwischen dem Minneexempel Isolde des Prologs, ihrer 'triuwen reinekeit', und der mordanzettelnden, lügenden und intrigierenden Isolde der Erzählung Brücken zu schlagen. Ein Stein des Anstoßes war dabei von jeher Isoldes Mordanschlag auf Brangäne. Es würde schwerfallen, die Drastik der Reaktion Isoldes zur Wahrung ihrer Existenz gegen eine potentielle Verräterin mit Hilfe der Informationen, die der Roman sonst über Isolde anbietet, als "wesensgemäß" darzustellen. Schindele sieht darum in der Brangäne-Episode auch geradezu einen methodischen Prüfstein der Figurenanalyse: "Das Vorurteil, welches Konsequenz und Kontinuität der Charaktere gewahrt wissen will, anstatt sie funktional zur jeweiligen Erzähleinheit zu sehen, kann sich kaum eindeutiger widerlegt finden"[405]. Geht man nun Isoldes Verhalten im Kontext der Episode nach, so scheint es aber auch nicht zu genügen, in der Gestaltung der Szene nur ein planmäßig eingesetztes erzählerisches Mittel zu sehen, um die Höhe des Einsatzes zu demonstrieren, mit dem Isolde ihre Liebe - genauer ihre 'ere' - zu verteidigen bereit ist[406], oder um mit dem Ausgang des Anschlags zu zeigen, daß Brangänes Treue "über jeden Zweifel erhaben"[407] ist. Letzteren Beweises bedarf das allwissende Publikum ohnehin nicht, und es würde ihm nicht als mangelnde Motivierung der späteren Loyalität Brangänes erschienen sein, hätte sich Isolde die "Probe" erspart. Die nur erzähltechnische Deutung kann also kaum den Umfang der vorliegenden Darstellungsproblematik erfassen.

---

405 Schindele: Tristan. L.c. S. 74.

406 Hollandt: Hauptgestalten. L.c. S. 124, Anm. 22.

407 Hollandt. L.c. S. 124.

Bei der Beurteilung der Szene ist zunächst vielmehr das Verhältnis zwischen Gottfrieds weitgehender Treue zur epischen Substanz und seinem eigenen Entwurf einer epischen Wirklichkeit in Rechnung zu stellen: Wie überbrückt er die Differenz zwischen der Struktur der übernommenen Motivik, hier dem Motiv von der untergeschobenen Braut[408], und den besonderen Motivierungen und Tendenzen seiner Erzählung?

Das Motiv von der untergeschobenen Braut in seiner besonderen Ausformung in der Tradition des Brangänestoffes[409] geht von der Vertretung der nicht mehr jungfräulichen Braut beim Beischlaf in der Hochzeitsnacht durch deren Dienerin aus, die ihrerseits nach der Substitution den Gatten für sich selbst beansprucht. Die sich stellende Machtfrage zwischen wahrer und falscher Braut entscheidet die Herrin durch Mord an der Dienerin.

In Gottfrieds Brangäne-Episode ist nur noch der Rahmen dieses Motivs erhalten; die inhaltliche Entwicklung der Fabel und ihre Motivationen haben sich entscheidend verändert: Weder beansprucht Brangäne Marke für sich, noch will Isolde sie als Nebenbuhlerin beseitigen lassen. Es geht Isolde allein um die Wahrung ihrer geheimen Liebe zu Tristan und um die mit ihrem möglichen Verrat durch eine sich dem König offenbarende Brangäne einhergehende Schande (vgl. 12701, 12711 f). Ihr Mordanschlag soll also nicht so sehr ihre Stellung als Markes Gattin retten, als vielmehr ihre 'ere' als die notwendige Bedingung ihrer heimlichen Liebe. In logischer Korrespondenz zur diesbezüglichen "Unschuld" Brangänes wird schließlich der Mordversuch auch scheitern und Brangänes Loyalität sichtbar machen.

---

408 Gisela Hollandt verweist auf dieses Motiv und auf die ihm gewidmete Studie von P. Arfert: Das Motiv von der untergeschobenen Braut in der internationalen Erzählungsliteratur. Diss. Rostock. Schwerin 1897. Allerdings erörtert sie nicht die spezifische Handhabung des Motivs durch Gottfried.

409 Arfert unterscheidet im wesentlichen zwischen der Motivgruppe mit der ehrgeizigen Dienerin, die die Braut vor der Hochzeit beseitigt, um den Herrn selbst heiraten zu können, und den Brangäneversionen, in denen die Braut die sie vertretende Dienerin töten muß, als diese ihre neue Position nicht wieder räumen will.

Die Kontrafaktur des alten Stoffes hat so im Raum der höfischen Literatur ein Thema an ihm hervorgekehrt, das im Zentrum von Gottfrieds Behandlung von Liebe und Gesellschaft steht: Die Bedeutung der Wahrung der 'ere', verstanden als die öffentliche Integrität, der gesellschaftliche Schein der Person. Oder aber umgekehrt: Die Bedeutung und Notwendigkeit der Geheimhaltung einer außerehelichen Minnebeziehung. Der Text macht das zureichend deutlich:

> sit nieman ir haelinc
> unde ir trügeliste
> niwan Brangaene wiste,
> enwaere si danne eine,
> so dörftes iemer cleine
> gesorgen umbe ir ere.
> si sorgete sere
> und vorhte harte starke,
> Brangaene ob si ze Marke
> dekeine liebe haete,
> daz si im kunt taete
> ir laster unde ir maere,
> als ez ergangen waere,
> diu sorchafte künigin
> diu tet an disen dingen schin,
> daz man laster unde spot
> mere vürhtet danne got:
> (...) 12696 ff

Es geht danach Isolde nicht unmittelbar um die Bewahrung Tristans, ihrer Minne oder ihrer Ehe, sondern sie fürchtet die Schande, die ihr durch die Öffentlichkeit droht[410]. Würde Brangäne den Schleier von Isoldes 'ere' beiseite schieben, bekäme das, was Quelle von Isoldes persönlicher Existenz ist, den Stempel des 'lasters'. Darum muß sich Isolde der potentiellen 'huote' Brangänes erwehren, denn Tristan und Isolde haben stets zwei Ansprüchen zu genügen: Ihrer höfischen 'ere' ebensosehr wie ihrer 'minne'. Der 'minne' müssen sie gehorchen; die 'ere' ermöglicht aber erst deren Praxis. Das

---

410 Ähnlich sind auch bereits Isoldes Befürchtungen während des Betrugsmanövers in der Hochzeitsnacht motiviert: Brangäne möchte vielleicht aus Spaß am 'bettespil' zu lange beim König bleiben und so sie alle 'ze spotte und ze schalle' (12628) werden lassen. Auch hier wird der Gesichtsverlust selbst angeführt, nicht etwa die sich aus der Entdeckung für die Beteiligten womöglich ergebenden praktischen und juristischen Konsequenzen.

Fehlen dieser 'ere' in der Waldlebenszene (16877) und die gewünschte und notwendige Rückkehr an den Hof bestätigen dieses Grundmuster der von Gottfried entworfenen epischen Welt, in der es keine Neutralität zwischen Minne und Gesellschaft gibt, in der 'ere' und Heimlichkeit der Minne notwendig aufeinander zugeordnet sind[411]. Die Minne Tristans und Isoldes ist so ihrem Wesen nach heimlich, konstituiert einen Bereich des Privaten und lebt unter dem Schutz des äußeren Anscheins. Die 'huote' aber, gegen die Gottfried in einem Exkurs so energisch polemisiert (17848 ff), versucht diesen zu durchbrechen. Wenn also Isolde Mörder dingt, so macht sie den Versuch, prophylaktisch die 'huote' auszuschalten, um das stets gefährdete Gleichgewicht zwischen 'ere' und 'minne' zu stabilisieren. Als aber die beargwöhnte Brangäne schließlich um der epischen Gerechtigkeit willen vor dem ungerechtfertigten Anschlag bewahrt bleibt und als loyale Mitverschworene rehabilitiert ist, wird sie in der Rolle der Botin und Wächterin zur eigentlichen Gegenspielerin der 'huote'. So ist das Fabelmotiv ganz in das Gefüge der Gottfriedschen 'minne/ere'-Spannung eingelassen.

Sieht man die Episode solcherart in die strukturellen Notwendigkeiten von Gottfrieds Minnewelt eingebettet, so wird die Unerheblichkeit der Frage nach Isoldes Moral[412] und nach

---

411 Die Interdependenz von 'minne' und 'ere' ist insbesondere von Friedrich Maurer als die Quelle des zu tragenden Leides der Liebenden herausgestellt worden (Leid. Studien zur Bedeutungs- und Problemgeschichte (...). Bern, München (2. Aufl.) 1961). Er sieht zuerst in der 'ere' als der "Achtung und Wertschätzung durch die Umwelt" die "unüberwindliche Schranke", in deren Grenzen sich die Minne leidvoll verwirklichen muß (L.c. S. 252).

412 Isoldes Mordversuch stellt nicht ihre 'ere' in Frage. Verstehen wir sie in diesem Zusammenhang nach dem bereits Ausgeführten als einen Maßstab höfischer Öffentlichkeit, der ihrem Träger gesellschaftliche Achtung garantiert, so wird sie weder durch heimliche Minne noch aber durch geheimen Mord erschüttert. "Es geht nicht um absolut ethisches Verhalten." (Friedrich Maurer: Die Ehre im Menschenbild der Dichtung um 1200. In: Geschichte. Deutung. Kritik. Literaturwissenschaftliche Beiträge zum 65. Geburtstag Werner Kohlschmidts. Bern 1969. S. 38). Vielmehr mißt sich Isoldes Handeln am Maßstab der erfolgreichen Wahrung des Scheins und damit der Koexistenz von Minne und Ansehen. Isolde handelt folgerichtig nach der von Gottfried angege-

den individualpsychologischen Hintergründen der Vorgänge vielleicht deutlich[413]. Nicht personales Handeln ist zu erwarten, sondern angemessenes Handeln innerhalb des definierten Spielraums einer besonderen epischen Welt[414]. Andernfalls würde man so tun, als sei das Artifizium des literarischen Prozesses das ureigenste Wirken und Wollen der epischen Personen und nicht die zweckgerichtete Konstruktion des Autors.

Es bleibt zu fragen, wodurch jener Spielraum des Handelns im Werk konstituiert wird. Sicher nicht aus dem Zusammenstoß von "personaler Wesenseigentümlichkeit der handelnden Gestalten" und von "schicksalhafter Begebenheit"[415], denn den Figuren

---

benen gesellschaftlichen Norm: 'daz man laster unde spot / mere vürhtet danne got' (12711 f). Also nicht die sich Gott verantwortende subjektive Ehre, sondern Ehre als Relationsbegriff der Gesellschaft ist Kriterium des Handelns und läßt so Isolde moralisch indifferent nach der Willkür der momentanen Evidenz handeln.

Das bedeutet nun aber auch, daß es sich episch nicht um einen Konflikt zwischen 'minne' und 'ere' handelt, so als ob der eine Wert mit dem anderen um den alleinigen Anspruch kämpfe, sondern es ist gerade für Gottfrieds Gesellschaftsbild bezeichnend, daß alles darum geht, die Koexistenz der beiden Werte zu ermöglichen. Nur auf dem Schiff, ehe das Trankwesen sich subjektiv endgültig durchsetzt, stellt Gottfried die Alternative von 'minne' und 'ere' (11741-788), aber schließlich läßt die unumstößliche Wirklichkeit der Minne keine andere Wahl mehr als entweder die Aufrechterhaltung der höfischen 'ere' um der 'minne' willen oder aber den Tod.

Davon unberührt bleibt die schillernde Verwendung des 'ere'-Begriffs überhaupt. Wenn es auch unter diesem Namen noch eine neue, subjektive Ehre der zweisamen Liebesgesellschaft gibt, so stellt doch die höfische, wie auch immer äußerliche, Gesellschaftsehre das eigentliche 'movens' für die Erzähldramatik dar, den Kernpunkt des Wirklichkeitsbildes. Friedrich Ohlys Unterscheidung einer "dichterisch ernstgenommenen" und einer "nur spielerisch ins Feld geführten höfisch-sozialen 'ere'" scheint mir daran vorbeizusehen, daß die gesamte Handlung des Romans seit dem Trank darin aufgeht, höfische 'ere' als Voraussetzung von sowohl Leben wie Liebe sich zu erhalten (Ohly (Rez.): Bindschedler. L.c. S. 129).

413 Eine psychologische Beurteilung müßte ohnehin jede Wesensänderung und abnormes Verhalten als Folge des Tranks einstufen und nicht an Isoldes vorausliegender Biographie messen.

414 Ähnlich spricht Eugène Vinaver mit Bezug auf Chrestien davon, daß alles, was die Figuren tun, sich nicht auf ihre "Realität", also nicht auf einen vorstellbaren Korpus persönlichkeitskonstituierender Merkmale, sondern auf Probleme, auf etwas außerhalb ihrer Personenhaftigkeit Liegendes bezieht (Rise of Romane. L.c. S. 30).

bleibt keine ethische Wahl oder Legitimation ihres Tuns, die Rückschlüsse auf ihr Wesen oder ihren Charakter zuließen. Es wäre beispielsweise verfehlt, von ihrem Umgang mit Brangäne im rechnerischen Kalkül in den folgenden Versen auf eine persönliche Kaltschnäuzigkeit Isoldes zu schließen:

> sit nieman ir haelinc
> unde ir trügeliste
> niwan Brangaene wiste,
> enwaere si danne eine,
> so dörftes iemer cleine
> gesorgen umbe ir ere. 12696 ff

Dies würde eine Darstellungsintention voraussetzen, die mit dem Sprechen und Denken der Figuren Charakterstudie betreiben wollte. Vielmehr ist Isoldes Reaktion der logisch-konsequenten Themenentwicklung auf der Folie eines Fabliaux-Topos unterworfen. Die abschließende Moral ('diu tet an disen dingen schin,/ daz man laster unde spot/ mere vürhtet danne got.' (12710 ff)) macht ihr Handeln zum exemplarischen Fall und entpersonalisiert ihr Vorgehen. Die Figur bewegt sich also nicht in einem eigengesetzlichen Zusammenhang des Historischen, sondern gewissermaßen in einer "Themasituation", die oft im handlungsfreien Textbereich, in Sentenz, Kommentar, Exkurs oder Monolog umrissen ist. Ein theoretisches Interesse an der Struktur des Konflikts, an der Entfaltung der Paradoxie oder speziell an der Möglichkeit der Existenz der Minne in der Gesellschaft führt Regie - nicht ein individualpsychologisches - und praktiziert eine zweck- und wirkungsgerichtete Disposition der Figuren, deren situative Prädikation - Isolde ist mal 'wis', mal 'tumb' - keinen Rückschluß auf "Charakter" zuläßt[416]. Wenn darüber hinaus das jeweilige Verhalten der Figuren punktuelle Motivierung durch psychologische Topik erfährt, so dient das zwar der erzählrhetorischen Wirksamkeit,

415 Hollandt: Hauptgestalten. L.c. S. 154.

416 Es gilt eben von dem bloß sprachlichen Realitätscharakter literarischer Figuren, was Walter Benjamin folgendermaßen ins Bild faßt:"Erdichtete Personen existieren nur in der Dichtung. Sie sind wie Gobelinsüjets in ihren Webgrund ins Ganze ihrer Dichtung so verwoben, daß sie als Einzelne aus ihr auf keine Weise können ausgehoben werden." (Ursprung des deutschen Trauerspiels. Revidierte Ausgabe besorgt von Rolf Tiedemann. Frankfurt 1963. S. 106).

der Wahrscheinlichmachung, führt aber nicht zum Kern des Darstellungsinteresses[417].

4.2.2. Exkurs: Zur Ästhetik der Figurendarstellung und der Ironie im höfischen Roman

4.2.2.1. Figur oder Charakter bei Chrétien

Bevor wir zur Gestaltung Isoldes in der Abschiedsszene kommen, wollen wir in Auseinandersetzung mit einer Studie zu Chrétien kurz grundsätzlich über die ästhetische Problematik der Figurendarstellung im höfischen Roman handeln, um das zu Gottfrieds Figuren Gesagte zu profilieren.

Sehen wir zunächst, was Eugène Vinaver zur Figurenbehandlung bei Chrétien ausführt: "Chrétien lets the characters enact a line of argument that happens to interest him, no matter what kind of characterization, real or unreal, may emerge as a result."[418] In dieser Bestimmung kommt das Interesse des höfischen Erzählers am Prozeduralen einer rhetorischen Themenbehandlung zum Ausdruck; der Charakter der sie tragenden Figuren an und für sich ist ohne Bedeutung: "The notion of 'portray-ing' people is as alien to his (Chrétien's) mind as the modern sense of perspective to the pictorial vison of his comtemporaries." Demgegenüber finden wir nun doch wieder ein naiv-mimetisches Verständnis der Figuren bei Peter Haidu in bezug auf die Monologe in Chrétiens 'Cligès' vor[420]. Er sieht die Monologe als

---

417 Auch die Figur Tristans unterscheidet sich von den Artushelden nicht durch ausgeprägte Individualität im neuzeitlichen Sinn, sondern durch eine funktionsbestimmte Typik, die deutlich kontrapunktisch zu ihrem späteren Minneschicksal angelegt ist, deren Attribute also thematisch bedingt sind: Der kluge, gebildete, listige, tapfere, unabhängige und mit alledem erfolgsgewohnte Tristan, der sich entfernt wie eine allegorische Gestaltung der 'superbia' ausnimmt, fällt in die Gefangenschaft der Minne, muß die leidvolle Dialektik von 'minne' und 'ere' aushalten, ohne daß er eine seiner Waffen erfolgreich dagegenstellen könnte

418 Rise of Romance. L.c. S. 30.

419 L.c. S. 30, Anm. 2

"expressions of particular characters in particular situations" und ihre Funktion daher im "character portrayal"[421] und meint, "that the monologue is structured according to a clear and vivid psychology."[422] Fenices Monolog bezeichnet er als "an extraordinary portrayal of a young girl's day-dreaming", "(which) verges on the stream-of-consciousness technique of modern novelists."[423] Damit wendet sich Haidu ausdrüclich gegen Auffassungen, die in den elaborierten, endlosen Monologen des 'Cligès' nur "cool, intellectually developed doctrine" und ein "display of rhetorical prowess"[424] sehen, damit gegen Urteile, die in der älteren Forschung pejorativen Charakter hatten, da man in der abstrakten Dialektik nur eine künstliche, langweilende Manier sah. So nimmt sich Haidus Psychologisierung der Monologe als eine Rettung vor ihren Verächtern aus, als eine Apologie, die jedoch nun nicht der historischen Eigenart und poetischen Wirkung der hochstilisierten Gebilde gerecht wird, sondern den verspäteten Versuch unternimmt, die bisher gerade vermißte empirisch-psychologische Wahrscheinlichkeit und Lebensnähe diesen Artefakten nachträglich einzubilden. Grundlage dazu ist eine sich auf ein Wort Jean Frappiers stützende objektivistische Sicht der Figuren: "(...) le langage precieux de Cligès est en somme moins celui de l'auteur que celui de ses personages."[425] Haidu konfrontiert entsprechend Autor (und mit ihm das literarische Publikum) und literarische Charaktere, die sich in ihrem Sprechen unmittelbar selbst darstellten, deren Sprachstil Ausdruck ihrer Persönlichkeit sei und deren oft widersinnige Gedankenakrobatik "the helpless

---

420 Aethetic Distance in Chrêtien de Troyes: Irony and Comedy in Cligès and Perceval. Genève 1968.

421 Haidu. L.c. S. 38.

422 Haidu. L.c. S. 39.

423 Haidu. L.c. S. 78.

424 Haidu: Aesthetic Distance. L.c. S. 38.

425 Le roman breton. Chrêtien de Troyes: Cligès. Paris 1951. S. 87 (zitiert nach Haidu. L.c. S. 104).

foolishness of deluded characters"[426] widerspiegele. Das alte Unbehagen an den Monologen, das Haidu übrigens emphatisch teilt ("as doctrine, they are unutterably tiresome"[427]), könne nur dadurch ertragen werden (!), daß Autor und Charaktere nicht identisch seien[428]. So kann Haidu zu dem Urteil kommen, daß die Figuren "our aesthetic sympathy without our moral approbation"[429] erhalten, daß wir also die literarische Mimesis ihrer Psychen ästhetisch rezipieren, nicht aber notwendig die so objektivierten Charaktere - etwa den des verworrenen Räsonneurs - moralisch billigen.

Solch ein Begriff von diesen Monologen als psychologisch-realistischer Abbildung höfischer Figuren, ihrer Denk- und Charakterstruktur, ist einem darstellungsästhetischen Objektivismus verhaftet, der nicht den Wirkungssinn dieser literarischen Veranstaltung, des kasuistischen Monologs, bedenkt. Es gibt schließlich kein objektives Sosein der Figuren, keine eigenmächtige Intentionalität, mit der sie uns gegenüberträten, sondern sie gehen auf im Text des Romans als einer intentionalen Handlung des Autors[430]. Diese hat es aber doch offensichtlich nicht mit kritischer Portraitierung einmaliger, abnormer Subjektivität qua Monolog zu tun, sondern im erörternden, problemorientierten Figurenmonolog offeriert der Erzähler die für die Epoche spezifischen Formen sprachlicher Objektivierung von Innerlichkeit in der alternativen Argumentation der Figur in bezug auf Minnehandlung und Minnetoptik, und mit diesen Demonstrationen dialektischer Scharfsichtigkeit stellt sich rhetorisches Pathos ein. Wenn wir nun im 'Cligès' - dem meistüberlieferten französischen Roman der Zeit - das Monologräsonnement in Qualität und Quantität gerade in den extremsten Aus-

---

426 Haidu. L.c. S. 86.

427 Haidu. L.c. S. 28.

428 Haidu. L.c. S. 47 f.

429 Haidu. L.c. S. 104.

430 Vgl. zu dieser Vorstellung: Lutz Huth: Dichterische Wahrheit als Thematisierung der Sprache in poetischer Kommunikation. Untersucht an der Funktion des Höfischen in Wolfram 'Parzival'. Hamburg 1972. S. 185.

maßen finden, so möchte man wohl annehmen, daß gerade diese literarische Form einem bestimmten Unterhaltungsbedürfnis der Epoche besonders entgegenkam. Die Frage, ob das Publikum sich dabei ganz dem "Pathos des Kalküls"[431] hingegeben hat oder ob die Wirkung der utrierten Räson parodistischer Art war, können wir zunächst auf sich beruhen lassen - die Verurteilung übertriebener Sophistik (z.B. durch Johannes von Salisbury im 'Metalogicus') geht im 12. Jahrhundert ja mit ihrer begeisterten, modischen Praktizierung einher.

Um es zusammenzufassen: Wenn Fenice im Monolog spricht, dann nicht, um uns die Psyche einer Minnedame des 12. Jahrhunderts realistisch abzubilden, sondern um uns mit dem Pathos einer topisch und dialektisch reich durchwirkten Deklamation zu unterhalten, die sich aus einem allgemeinen mittelalterlichen "horizon d'amour" speist. Wenn sich dabei der monologische Diskurs durchaus der präzisen kontextuellen Anbindung und der "occasional touches of realism in the description of character behaviour"[432] bedient, so begründet dies einen Rahmen epischer Wahrscheinlichkeit, in dem das rhetorische Feuerwerk der sophistischen Affizierung des Publikums statthaben kann.

Um die psychologistische Figurenobjektivierung Haidus abzuwehren, war unsere Argumentation etwas eingeschränkt. Genaugenommen liegt nämlich der Reiz des Figurenmonologs im höfischen Roman gerade in der Synthese bzw. Spannung von epischer Figur und dialektischer Debatte, im Zusammenstoß der Fiktion eines privaten Selbstgesprächs mit dessen Form, einem der peinlichen Strenge der 'ratio' unterworfenen Sprechen, das die Psyche in topischen Begründungsketten und im Kalkül von Sprache und Handlung verdinglicht. Figuren-Mimesis und rhetorische Rede als zwei Wirkungen der Darstellung mischen

---

431 Walter Jens spricht von der "Verschwisterung von Pathos und Kalkül" im Barock (Rhetorik. L.c. S. 437), eine Signatur, die mir auch auf literarische Sophistik des Mittelalters anwendbar scheint.

432 Vinaver: Rise of Romance. L.c. S. 30.

sich spannungsreich. Die sich den Gesetzen von historischer Topik und dialektischer 'ratiocinatio' ausliefernde Psyche der 'dramatis personae' schafft jene eigentümliche Spannung, die die Einlagerung der schulischen Kasuistik und der antik-mittelalterlichen Minnetopik in die epischen Stoffe volkssprachlicher Liebesmären mit sich gebracht hat. In der damit gegebenen Interferenz von poetischem Mythos und scholastischer Ratio scheint mir das hauptsächliche wirkungspoetische Potential solcher Romane wie des 'Cligès' oder des 'Tristan' für ihre Zeit gesteckt zu haben.

4.2.2.2. Distanzierung oder Affizierung durch Ironie

Das Verhältnis von Figur, Monolog und Publikum führt uns bei Haidu, der auch die Wirkung des Monologs behandelt, zwangsläufig auf ein anderes ästhetisches Problem, das uns im Rahmen unseres wirkungsästhetischen Ansatzes nicht nur mit ihm, sondern danach auch mit zwei neueren Gottfried-Monographien zur grundsätzlichen Auseinandersetzung zwingt, ehe wir endgültig aus dem Exkurs zu Isolde zurückkehren. Es geht um die Bestimmung und um die Wirkungsbeurteilung erzählerischer Ironie. Zur Wirkung der Monologe äußert Haidu einmal vorsichtig, daß sie im Mittelalter für das Publikum womöglich recht unterhaltsam waren[433], aber das Publikumsvergnügen sieht er dabei in einer durch ironische Distanz vermittelten Sympathie mit den Verirrungen der Figuren - und damit sind wir bei der ästhetischen Crux seines ganzen Unterfangens, bei der Gleichsetzung von Ironie und ästhetischer Distanz. Zwischen tropischer und dramatischer Ironie unterscheidend, leitet Haidu nur die erste aus Figuren der lateinischen Rhetorik her, die strukturelle oder dramatische Ironie aber schreibt er Chrétien als seine "individual rhetoric" zu, die er entweder selbst entwickelt oder von literarischen

433 Haidu: Aesthetic Distance. L.c. S. 48.

Vorbildern übernommen habe. Die dramatische Ironie, die sich aus dem ständigen, vom Autor dem Publikum angetragenen Mehrwissen gegenüber den Figuren speist, aus dem Informationsgefälle zwischen ahnungslosen Akteuren oder düpierten Räsonneuren und dem allwissenden Publikum: Sie würde jedoch in der rhetorischen Simulations- und Dissimulations-Ironie ihre theoretische Grundlage für ihre Beschreibung durchaus gefunden haben. Das eigentlich Problematische an Haidus Darstellung aber ist, daß er allen Formen der von ihm als ironisch bezeichneten Präsentation der Erzählung als wirkungspoetische Leistung eine Distanzierung des Publikums vom epischen Vorgang zuschreibt: "All the forms of irony and comedy used by Chrétien serve to inform the reader and to maintain him at a certain intellectual, emotional, and moral distance from the characters of his story."[434] Denn statt emotionale Identifikation hervorzurufen, sei "irony (...) a means of increasing the proportion of intellectual analysis."[435] Der Hörer könne sich nicht in den Illusionen der Figuren verfangen und behalte seine "aesthetic distance", weil er informierter als jene sei ("The reader never shares the ignorance which betrays the characters."[436]). Dies scheint uns eine Verwechslung von Ironie als einer Kategorie der Erfahrung und Erkenntnis mit Ironie als einem Instrument sprachlichen Handelns, im täglichen Gespräch so gut wie im mittelalterlichen Roman. Literarische Ironie beruht zwar gewissermaßen auf einem vorgängigen Akt ironischer Erkenntnis; diese aber, sprachlich gefaßt, gewinnt eine rezeptionsästhetische Funktion, eine Wirkungsintentionalität, die sich übrigens an Haidus eigener Prägung "dramatic irony" schon anzeigt: Nichts ist dramatischer, distanzmindernder und emotional fesselnder für den Hörer, als auf gleichem Niveau mit dem wissenden Autor/Erzähler dem Handeln und Sprechen der in ihrer Umsicht eingeschränkten Figuren zu folgen.

---

434 Haidu: Aesthetic Distance. L.c. S. 262.

435 Haidu. L.c. S. 262.

436 Haidu. L.c. S. 87.

Es ist die Situation des Dramas, das zur Emphase einlädt. Gerade aber auch der dialektische Irrgarten der Monologe mit ihrem 'sic et non', ihren Fragen und Antworten, ihren Paradoxen, ihren Rätseln und Lösungen teilen einen rhetorischen 'affectus' mit, der Haidus Vorstellung des "effaced spectator" auflöst. Wo sich in alledem Ironie mitteilt, versetzt diese den Hörer nicht in die Ruhe der Kontemplation, sondern mit ihr als einer "Waffe der Parteilichkeit"[437] vermag der Erzähler unsere Aufmerksamkeit zu gängeln und uns parteiliche Identifikation mit dem kritischen Affekt gegen das Ironisierte abzunötigen. So ist die Lektüre des 'Cligès' alles andere als distanziert-beschaulich; der rhetorisch-kasuistische Minneroman mit seinen verbalen und dramatischen Ironien entläßt nicht aus der engagierten Aufmerksamkeit.

Einen ähnlich fragwürdigen Umgang mit Ironie wie bei Haidu müssen wir auch bei Ruth Goldschmidt Kunzer feststellen[438]. Bedenklich stimmt zunächst, daß sie in ihrer umfangreichen, kaum einen Textabschnitt oder ein traditionelles Forschungsproblem unberührt lassenden Arbeit allem und jedem im 'Tristan' Gottfrieds mit ihrer "ironic perspective" beikommen will. Alles, was sich als Widerspruch, Differenz oder Bezüglichkeit zu erkennen gibt, wird von ihr als Ironie vereinnahmt. In den Diskrepanzen zwischen Handlung und Kommentar, zwischen Topos und Innovation, zwischen Anschein und Wirklichkeit, zwischen unterschiedlichen Darstellungsebenen und verschiedenen Darstellungsmitteln, im Wechsel der Figurenkonturen - also in schlechthin allem, was sich als Textspannung sichtbar machen läßt, glaubt sie einen "ironic contrast"[439] finden zu können. Ironie wird so zum Synonym für alles Mehrdeutige, Beziehungsreiche und Übertragene - ein Ansatz, der alles zu umgreifen vermag, aber es noch lange nicht begreiflich macht. Ihre Handhabung des Ironiebe-

---

437 Lausberg: Handbuch. L.c. § 582.

438 Ruth Goldschmidt Kunzer: The 'Tristan' of Gottfried von Straßburg. An Ironic Perspective. Berkeley, Los Angeles, London 1973.

439 Kunzer. L.c. S. 147.

griffs, der den 'Tristan' als ein "network of ambiguities"[440] zum schlechthin ironischen Werk macht, kann keine unterscheidende Kraft mehr beanspruchen und verliert sich selbst in jene Vieldeutigkeit, die sie mit ihm zu beschreiben vorgibt.

Das Verfahren der Verfasserin scheint uns daran zu kranken, daß sie die darstellungsästhetische Komponente der literarischen Ironie isoliert und die alles entscheidende wirkungsästhetische Seite ignoriert hat. Wir meinen damit folgendes: Literarische Ironie setzt die Ausrichtung eines Textes auf einen Rezipienten mit einem bestimmten Informationsstand voraus, der den in einer bestimmten Aussage oder Handlung intendierten Doppelsinn erkennen kann und so durch eine ironisch-kritische Beleuchtung des Hintergründigen im vordergründig Gegebenen affiziert wird. Ironie stellt so einen Appell an den Hörer dar, eine semantische Spannung wahrzunehmen und darin den Reiz einer kritischen Doppelsichtigkeit zu erfahren. Ruth Kunzer aber verfährt mit Ironie so, als ließe sie sich rein strukturell, gegenstandsbezogen, nur das semantische Verhältnis der Teile der epischen Welt betreffend, definieren. Ihr geht es um alle Widersprüche des Textes, die sie als ironische Wechselbelichtungen oft geradezu mechanisch und willkürlich nach dem Schema zu interpretieren scheint: Steht an einer Stelle a ein y und an der Stelle b ein y', so stellt y bzw. y' eine ironische Aussage dar, in der etwas anderes gesagt als gemeint ist, wie es - stupende Logik - die Differenz der Vergleichstellen ja beweist. Hier setzt sich nach wie vor stillschweigend das ganzheitsästhetische Grundverständnis durch, das Widersprüche grundsätzlich zu erklären und aufzulösen bemüht ist, hier nun nach dem folgenden Konzept: "The narrator's consistent use of irony does provide a coherent view of the poem."[441] Ob sich diese von der Verfasserin dargestellte "ironic balance" stets auf gezielte Ironien, auf bewußte Darstellung von Ambivalenzen, eines Gewebes von

---

440 Kunzer. L.c. S. 72.

441 Kunzer: Ironic Perspective. L.c. S. 196.

sich gegenseitig relativierenden Interdependenzen als Ausdruck ironischer Weltsicht stützen kann, wagen wir zu bezweifeln, halten wir doch viele der semantischen Spannungen für Folgen eines rhetorischen Partikularismus, für zwangsläufige Nebenprodukte einer Kette sich verselbständigender Argumentationen, die in ihren disparaten Einzelzügen nicht notwendig gezielt aufeinander Bezug nehmen oder gar ironische Wirkungen hervorrufen wollen.

Abgesehen davon, daß Ruth Kunzers Verfahren keine Kriterien darüber beibringen kann, welches der beiden Textelemente einer strukturellen Ironie eigentlich als ironisch und welches als eigentlich zu gelten habe, wird bei ihr das Ironische eben nur als werkimmanenter Bedeutungsbezug verstanden und die Frage übergangen, ob sich diese Ironien denn auch als Wirkungsleistungen der literarischen Äußerung in der Rezeption einstellen oder einzustellen vermögen. Eine Lokalisierung der Ironie im Dreieck von Autor, Werk und Publikum, die erst Antworten auf das "warum? wozu? gegen wen?" der angeblichen Ironie liefern könnte, wird kaum versucht, und darum bleibt bei der Verfasserin auch jene "incongruity between what is said and what is meant"[442], womit die Aussagestruktur der Ironie formal umschrieben ist, nur ein Maßstab der objektivistischen Vergleichung aller Textelemente auf ihre Widersprüche hin. Ein paar Beispiele: Übernimmt Gottfried ein biblisches oder antikisches Sprechmuster in seinen minneepischen Zusammenhang, so ist das auf Grund der Stilspannung zu den sprachlichen Konventionen des höfischen Romans sogleich ironisch. Ironisch ist es, wenn Isolde auf Grund des Trankgiftes Tristan ohne jede weitere Bemühung seinerseits zufällt. Gewiß, in beiden Fällen erkennen wir bedeutungsvolle und beziehungsreiche Gestaltungen, aber was leistet es, die Spannung zwischen Darstellung und formaler oder symbolischer Bezüglichkeit als Ironie zu etikettieren? Zur Mehlstreuszene heißt es, daß die "contradictory appearances" von Blut und Mehl "ironically cancel each other's evidence"[443]. Was ist

442 Kunzer: Ironic Perspective. L.c. S. 5.

443 Kunzer: L.c. S. 133.

hier ironisch? Die eine Erscheinung hebt die andere auf und umgekehrt, und Marke steht vor einem Paradox. Einen verhüllten Doppelsinn, eine Ironie, erfährt das Publikum nicht, sondern es kennt den Sachverhalt in seiner Eindeutigkeit. Demgegenüber ist Marke blind und reagiert sophistisch. Der poetische Effekt mag hier also komisch oder tragisch sein, aber gewiß nicht ironisch. Wo die "ironic perspective" wenig auszulassen gewillt ist, können Textbeugungen nicht ausbleiben: Ruth Kunzers Ansicht, Petitcreiu verweise mit "premonitory irony" auf die Instabilität von Tristans 'triuwe', der sich mit Minnesubstituten wie Petitcreiu und Isolde Weißhand begnüge, während Isolde in beiden Fällen fortfahre, sich dem Trennungsschmerz zu ergeben, verfehlt nach unserer Ansicht die literarischen Fakten: Weder vertreibt sich ja Tristan mit Petitcreiu die 'swaere' - er verdient ihn sich vielmehr mühsam, um ihn in fürsorglicher 'triuwe' Isolde schicken zu können (und das entspricht der Lebensmotorik der auf 'vröude' dringenden Liebenden, die sich nirgends tatenlos in ein Trennungsleid ergeben) - noch findet er bei Isolde Weißhand Trost und Ruhe, noch ist es über das Fragmentende hinaus zu erwarten. Die Autorin scheint hier eine gängige Ansicht der Forschung übernommen zu haben, der sie den Stempel der Ironie aufdrückt[444].

Ruth Kunzer unterscheidet zwar zwischen 'structural', 'substantial' oder 'dramatic irony' auf der einen Seite, auf die unsere bisherige Kritik auch im wesentlichen ausgerichtet war, und 'verbal irony' andererseits. Aber auch bei der

---

444 Es handelt sich hier um die Vorstellung vom instabilen, mit der 'triuwe' der Isolde nicht Schritt haltenden Charakter Tristans, um den "lapse from the constancy of perfect love of one of its foremost representatives, Tristan." (Kunzer. L.c. S. 193). Dieser psychologistischen Vorstellung sind wir in Kap. 4.1. entgegengetreten. Sie tut so, als könne man - um eine Formulierung Theodor W. Adornos zu gebrauchen - Tristan so für seine Gedanken zur Rechenschaft ziehen, als seien sie die Praxis unmittelbar, als sei das Wort, das tastend, experimentierend, mit der Möglichkeit des Irrtums spielend, sich bewegt, schon intolerabel gegenüber der Idee der 'triuwe'.

'verbal irony', die als ironisch-doppelsinniges Sprechen den eigentlichen sprachlich-stilistischen Ironiebegriff betreffen würde, bleibt sie in der darstellungsästhetischen Perspektive befangen, oder sie bedenkt z.B. eine so wirkungsvoll ironisch gestaltete Szene wie den Hinterhalt unter dem Ölbaum nur mit wenigen Sätzen und dem Begriff "dramatic irony", ohne das Wirkungspotential des verbalironischen Sprechgefüges für das Publikum zu analysieren.
Ihr Ansatz wird z.B. bei der Behandlung der rhetorischen Figur der 'praeteritio' deutlich, bei der ein Widerspruch zwischen erklärter Absicht und tatsächlicher Ausführung gestaltet ist[445] - vgl. bei Gottfried z.B. die Verse 4923-4964. Sie schreibt der 'praeteritio' zurecht Ironie zu, womit sie aber nur die Struktur des Widerspruchs dieser Sprechfigur diagnostiziert und diese in die Kette ihrer Kontrastironien einreiht, die letzten Endes die durchgehende "ironic mode"[446] von Gottfrieds Darstellung bestätigen und seiner Erfahrung "of the ambiguous structure of life in general"[447] Ausdruck verleihen sollen. Sie beachtet dabei nicht, daß solch eine auktoriale, ironisch strukturierte, publikumsgerichtete Figur zu einem bestimmten Zweck eingesetzt ist, daß er eine bestimmte rezeptionsästhetische Funktion erfüllen soll. In der 'praeteritio', wie sie Gottfried z.B. an der oben angegebenen Stelle einsetzt, zählt der Erzähler detailliert dasjenige auf, wovon nicht zu erzählen er gerade versprochen hat. Die Figur verfolgt also gewissermaßen eine taktische auktoriale Ironie, die dem Hörer unmerklich ein Gutteil dessen aufbürdet, wovon ihm Entlastung zugesagt war. Solche Ironie kann verschiedene Zwecke haben, z.B. einem aufkommenden 'taedium' an langen Beschreibungen psychologisch entgegenzuwirken, ohne auf die Darstellung ganz verzichten zu müssen. Erst wenn so der Verwendungszweck der Figur und

445 Vgl. bei Lausberg: Handbuch. L.c. §§ 882-886.

446 Kunzer: Ironic Perspective. L.c. S. 68.

447 Kunzer. L.c. S. 203.

die rhetorische Wirkungsleistung der Ironie bestimmt sind, also mit dem strukturell-semantischen der funktional-wirkungsbezogene Aspekt mitgesehen ist, läßt sich nach unserer Meinung sinnvoll von Ironie sprechen. Verzichtet man darauf, literarische Ironie als einen publikumsgerichteten Affektträger zu interpretieren, wird man wie Ruth Kunzer innerhalb eines nur darstellungs- und produktionsästhetischen Ansatzes nur zu einem strukturanalytischen Ironiebegriff kommen, der allgemein in den Textspannungen Formen der Mimesis der Ambivalenz der Welt ausmachen will. Dementsprechend gewinnt sie zwar den von ihr erkannten Ironien Auskunft ab über "the narrator's attitude to his hero"[448], zur Gesellschaft, zu Gott usw., aber sie macht nichts über deren ästhetische Funktion aus, über das Ironische als rhetorisch-literarische Technik der Gemütsreizung, von der her eben wiederum ihre Ironieninflation kritisch zu überprüfen wäre.

Ohne mit dem Gesagten Ruth Kunzers Arbeit im ganzen gerecht werden zu können[449], haben wir versucht, den methodologisch entscheidenden Punkt ihres Verfahrens kritisch gegen den wirkungsästhetischen Gesichtspunkt abzuheben. Interessant ist nun aber darüberhinaus, um an das zu Haidu Gesagte wieder anzuknüpfen, daß die Verfasserin genau wie jener in der auktorialen Ironie ein Mittel der Distanzierung vom Geschehen sieht. Die verschiedenen Formen des auktorialen Heraustretens aus der Erzählung schaffen nach ihrer Ansicht "aesthetic distance" und "moral detachment". In Sentenz, Kommentar oder Digression löse sich der Autor aus der Befangenheit in der Geschichte und stelle eine ironische Distanz zum Gegenstand her. Das scheint mir ein darstellungsästhetischer Trugschluß, so als vermittle das sich in der Darstellung abbildende Heraustreten des redenden Erzählers uns ebenfalls eine ästhetische

---

448 Kunzer. L.c. S. 70.

449 Sie bezeugt in anderen Zusammenhängen durchaus Verständnis für die affektische Leistung rhetorischer Prozesse. Sie gibt insbesondere eine rhetorische Gesamtanalyse des Prologs und seines "effort at persuasion". Von unseren grundsätzlichen Einwänden abgesehen ist die Arbeit reich an treffenden Beobachtungen und Interpretationen.

Distanzierung. Vielmehr erfährt das Publikum die ja meist hochrhetorische Apodiktik des Erzählerräsonnements als eine unter Umständen noch dringendere emotionale Affizierung als das Kontinuum der Geschehenserzählung. Insbesondere die unmittelbare Publikumsadresse konzentriert meinungslenkend alle Aufmerksamkeit auf sich und disponiert gezielt die affektive Einstellung des Publikums zur Geschichte, wobei die Wirkung ironischer Sprechweisen auch eine Rolle spielt. Die auktoriale, aus der Handlung heraustretende Stimme - mag man sie nun in ihrer Spannung zur Erzählwirklichkeit als Ironie einstufen oder nicht - entläßt das Publikum jedenfalls nicht auf einen neutralen Beobachterposten, sondern mobilisiert unsere kritische Parteilichkeit. Eine in einem auktorialen Kommentar sich mitteilende Ironie hat den Gegenstand ihrer Kritik eindeutig im Visier, und der Reiz des ironischen Widerspruchs lenkt die intellektuellen und emotionalen Kräfte des Rezipienten zwangsläufig auf diesen. Die Pose des "moral detachment" lebt nur in der literarischen Abbildung des Auseinandertretens von Geschichte und Erzähler, überträgt sich aber nicht auf die Erfahrungsweise des Publikums. Die Nichtunterscheidung von Darstellung und Wirkung verwischt die ästhetischen Zusammenhänge von Ironie, Distanz und Affekt.

Ohne das hiermit angeschnittene ästhetische Problem erschöpfend behandeln zu können, sei darauf hingewiesen, daß es letztlich um die Frage geht, ob wir es im Kommentar gewissermaßen mit einer von der epischen Fiktion separierbaren, unvermittelten Selbstdarstellung des Autors Gottfried zu tun haben, der dann in der Tat mit uns "detached" über die Fiktion räsonnieren würde (eine trotz ihrer poetologischen Naivität keineswegs seltene Vorstellung), oder ob wir es nicht vielmehr in den Kommentaren mit einem rhetorischen Instrument innerhalb der Erzählerfiktion zu tun haben, mit einem in den Haushalt der Fiktion integrierten Mittel der affektischen Profilierung der epischen Welt. Es mag daran liegen, daß solche Grundfragen des Literaturverständnisses oft nicht genügend abgeklärt sind, wenn wir, wie etwa bei Ruth Kunzer, gewissermaßen nur zweidimensionale Strukturbilder bedeutungsvoller Bezüglichkeiten, Ironie genannt, erhalten, die wenig zu tun haben mit der momentanen Evidenz des Werkes in Kopf und Herz des Rezipienten. Gottfried bedient sich zwar im Rahmen seines rhetorisch geprägten, wirkungsmächtigen Erzählens gar nicht selten der Ironie, aber dort, wo Gottfried die Ambivalenz der Erscheinungen darstellt, sollte man auch von Ambivalenz sprechen und nicht von Ironie.

Auch Ilse Clausen behandelt ausführlich die erzählerische Ironie Gottfrieds[450]. Anders als Ruth Kunzer schenkt sie der Dreieckskonstellation von Erzähler, Stoff und Publikum und damit dem rezeptionsästhetischen Gesichtspunkt durchaus Beachtung und bedenkt, daß letztlich alles Erzählen publikumsgerichtet ist. Sie stellt überdies Ironie als Wort- und als Gedankenfigur und als Waffe dialektischen Parteienkampfes in ihren rhetorischen Zusammenhang und spricht von der "aufmerksamkeitserregenden Tonlage", die die Ironiesignale den Aussagen verleihen[450a], also von ihrem Wirkungswert. Diese Ansätze werden aber schließlich wieder verdeckt von ihrer darstellungsästhetischen Befassung mit der "ironischen Erzählhaltung"[451] im 'Tristan', mit Ironie als einem Prinzip der Weltdarstellung, worin Gottfried sein Bewußtsein von der Relativität der Werte ausdrücke[452]. Ganz wie Ruth Kunzer löst sie die Widersprüche des Textes in strukturelle Ironien auf[453], die Ausdruck der antithetisch-ironischen Sehweise Gottfrieds

---

450 Der Erzähler in Gottfrieds 'Tristan'. L.c. S. 152-200.

450a Clausen. L.c. S. 180.

451 Clausen. L.c. S. 186.

452 Clausen. L.c. S. 184.- Vgl. auch S. 154: "Uns interessiert die Ironie nicht nur als sprachliche Figur (...), sondern als Ausdruck (...) einer bestimmten Weltanschauung (...)."

453 Die von ihr mit philologischer Akribie konstatierten ironischen Spannungsverhältnisse würden - will man ihnen überhaupt eine Signifikanz zuschreiben - bei der Rezeption ein phänomenales Gedächtnis voraussetzen. Vgl. z.B. die Ironie (!) der fast wörtlichen Übereinstimmung der Stellen 9025-27 und 16060-62 (Clausen. L.c. S. 189). Bezeichnenderweise spricht Ilse Clausen vorsichtig davon, daß Gottfried die Ironien nur "dem aufmerksamen Leser spürbar macht" (S.199), woraus wir schließen möchten, daß sie dem geselligen Hörer in einer mittelalterlichen Corona beim stückweisen Vortrag gänzlich entgangen sein müssen.

sein sollen. Ilse Clausen bleibt so auch im produktions- und darstellungsästhetischen Habitus der Textbetrachtung befangen und führt die Inhomogenität des Textes auf ein Einheits- und Weltbildprinzip zurück. Dies aber würde voraussetzen, daß wir den höfischen Roman in erster Linie als eine Abbildung der Innerlichkeit und des Erkenntnismodus eines bestimmten Subjekts begriffen, hier als das Portrait des Ironikers und Skeptikers Gottfried. Wir meinen dagegen, daß mittelalterliches Erzählen allererst eine sich den kulturellen, sozialhygienischen Bedürfnissen eines literarischen Publikums dienstbar machende Wirkungsform darstellt, also auf ein Publikum unterhaltend oder belehrend einwirken will, sei es mit Ironie, Komik oder pathetischem Ernst. Der ganzheitsästhetischen Perspektive absagend, meinen wir, daß der Begriff der ironischen Erzählhaltung in bezug auf den 'Tristan' verkennt, daß die zahllosen Widersprüche, Spannungen und Relativierungen vor allem Folge eines partikularistischen Erzählprogresses sind, in dem es dem Autor auf Zurichtung seiner erzählerischen Mittel und seiner Aussagen auf begrenzte, unmittelbare Wirkungen ankommt. Wo Kunzer und Clausen in einem Widerspruch substantielle Ironie als programmatischen Ausdruck des Autors von seinem Verhältnis zur Welt zu erkennen meinen, sehe ich oft rhetorisch motivierte Standpunktwechsel und Darstellungen, die an der erzählerischen Sinnfälligkeit, an der mikrostrukturellen Glaubwürdigkeit von Meinungen orientiert sind, wie wir das an verschiedenen Stellen dieser Arbeit vortragen.

Dort, wo Ilse Clausen dennoch von den rhetorischen Funktionen und Wirkungen der von Gottfried dem Erzähler anheimgegebenen Mittel handelt, finden wir auch bei ihr wieder die Gleichung von Ironie und Distanz: "Ironie impliziert immer Distanz, insofern als eine Sache von ihrer schwachen Seite her gesehen und kritisiert wird."[454] Das ist aber nur eine formale Beschreibung der Struktur der Zweideutigkeit einer Ironie, der in ihr dargestellten Distanz zwischen Gesagtem und Gemeintem. Über Ironie als eine literarische Wirkungsform

---

454 Clausen: Der Erzähler. L.c. S. 198.

ist aber damit noch nichts ausgemacht, ja man kann zugespitzt sagen, daß die hier gemeinte Distanzierung durch die Referenz einer uneigentlichen auf eine eigentliche Meinung gerade jenes Spannungsverhältnis bezeichnet, das als Wirkungsmoment in der Rezeption dem Publikum gerade alle Distanz raubt und einen gezielten kritischen Affekt auslöst! Clausen schreibt z.B. zur 'praeteritio': "Die Figur zeugt von großem Abstand des Dichters zu seinem Stoff und ebenso häufig zur allgemein üblichen Gestaltung."[455] Hier wird so getan, als benutze der Dichter eine rhetorische Figur, um sein inneres Verhältnis zu dem von ihm erzählten Stoff darzustellen. Die 'praeteritio' als ironische Figur erfüllt aber eine rezeptionslenkende, keine bedeutungsgestaltende Funktion; sie legt den Hörer herein, indem sie ihn mit der Behauptung besänftigt, etwas Langweilendes nicht erzählen zu wollen, um es dann, wenn auch nicht erzählerisch darzustellen, so doch wenigstens minutiös aufzuzählen. Es ist eins der vielen rhetorischen Verfahren im Roman, den Hörer 'attentus' und 'benevolens' zu machen, ihn mit kleinen affektischen Stimuli zügig und kontrolliert durch die Erzählung zu leiten. Die biographisch-objektivistische Sicht, die in einer solchen rhetorischen Figur Gottfrieds ernsthafte Demonstration seiner Unabhängigkeit gegenüber dem Stoff zu erkennen glaubt, verkennt die publikumsgerichteten Zwecke solchen Erzählinstrumentariums. Wenn Ilse Clausen der Distanzierung des Erzählers vom Stoff seine gleichzeitige Annäherung ans Publikum zugesellt, so bedeutet ja auch gerade dieses, die Perspektive des Hörers mitübernehmende, Kommentieren keine Distanzierung des Publikums vom Stoff, sondern eine nachdrückliche, rhetorische Gängelung der Urteilsreaktionen der Zuhörer. Die Erzählereinrede, das publikumszugewandte Räsonnieren ex cathedra bewirken gerade nicht eine kritische Haltung im Sinne kühler, distanzierter, selbständiger Abwägung, sondern im Gegenteil fördert sie mit der sinnlichen Sprechkunst des Erzählerkommentars einen affektischen Dezisionismus.

---

455 Clausen. L.c. S. 172.

Wir wollen mit dem Exkurs grob einen grundsätzlichen Unterschied in der Einschätzung der Erzählweise Gottfrieds bezeichnet haben, wobei wir uns auf den wirkungsästhetischen Charakter der rhetorischen Sprachkultur, wie sie für das Mittelalter bestimmend war, stützen und diese Perspektive den im Anschluß an die Ästhetik des 18. und 19. Jahrhunderts in unserer Interpretationskultur verfestigten - oft nicht bewußten - produktions- und darstellungsästhetischen Auffassungsweisen gegenüberstellen[456].

4.2.3. Die Abschiedsszene

4.2.3.0. Vorbemerkung

Die "Themasituation" des figuralen und auktorialen Sprechens in der hier nun zu behandelnden Abschiedsszene geht unmittelbar aus der Handlungsentwicklung hervor. Am Übergang aus der Stoffschicht der Tristanfabel im engeren Sinn zur Stoffschicht der Isolde Weißhand-Geschichte[457] werden darstellerische Probleme sichtbar, die sich aus der Spannung von epischem Gerüst und Minneideologie ergeben: Der mit Trank und Trankwirkung gegebene Begriff der Identität der Liebenden ('si wurden ein und einvalt,/ die zwei und zwivalt waren e;' 11716 f) wird durch den einschneidenden Handlungswechsel auf seine historische Probe gestellt.

Die Entdeckung im Obstgarten macht endgültig das Gleichgewicht zwischen heimlicher Liebe und öffentlicher 'ere' zunichte, gefährdet Tristans Leben, und er muß fliehen. Hatte sich das Minnegeschehen am Hof als ein durch die 'huote' akzentu-

---

456 Wir verweisen hier noch einmal analog zu Anm. 3) auf die methodologischen Anregungen, die wir besonders Hans Robert Jauß verdanken (Literaturgeschichte als Provokation. L.c.).

457 Die beiden Romanteile vor und nach der Trennung gehören "entwicklungsgeschichtlich nicht derselben Schicht (an) (...). Der zweite Teil zeigt unverkennbar den Charakter einer sekundären Erweiterung." (Haug: Struktur und Geschichte. L.c. S. 143).

ierter Wechsel von Liebe und Leid unter dem Bezugspunkt der 'ere' dargestellt, war also das Verhältnis der Liebenden zur Gesellschaft Problem, so wird ihnen beim Abschied ihr eigenes Verhältnis zueinander problematisch. Da Gottfried die Trankwirkung nicht wie etwa Eilhard oder Béroul[458] auf eine Zahl von Jahren begrenzt hat[459], muß der Konflikt zwischen der Logik der Trankminne und wechselnden epischen Motiven ausgehalten werden, um schließlich die Wahrscheinlichkeit des Erzählens überhaupt gegenüber einer zusammengestückten Fabelfolge zu wahren. Darum setzt Gottfried wohl auch der Trennung in Dialog, Monolog und Kommentar einen so aufwendigen minnetheoretischen Rahmen, in dem er die bisherige Begrifflichkeit der Minnethematik mit dialektischem Geschick auf die Situation der Trennung überträgt, wobei notwendigerweise der Identitätsbegriff im Mittelpunkt steht. Wie das geschieht und was Gottfried dem Hörer dabei intellektuell zumutet bzw. rhetorisch aufbürdet, wird nun zu untersuchen sein, wobei die bis dahin episch und axiomatisch entwickelten Minnevorstellungen kontrastierend herangezogen werden sollen.

---

458 Béroul begrenzt die Trankwirkung auf drei Jahre, und bei Eilhard erlaubt nach vier Jahren die nachlassende Wirkung eine ungefährliche Trennung. Vor dieser Frist droht bei Eilhard nach einer Woche Trennung der Tod, nach einem halben Tag bereits Krankheit. Solche inhaltliche Spezifizierung versagt sich die symbolisch-paradigmatische Erzählweise von Thomas und Gottfried.

459 Vgl. die Verse 12181 f: 'dazs unreloeset waren/ in allen ir jaren'. Sonst wird später über Dauer und Wirkung des Tranks nichts mehr gesagt. Bei der Trankbereitung wurde bereits die Spanne bis zum gemeinsamen Tod festgelegt: 'in was ein tot unde ein leben,/ ein triure, ein vröude samet gegeben' (11443 f). Daß der Trank später als episches Moment nicht mehr auftaucht, scheint seinen allegorisch-instrumentellen Charakter bei Gottfried anzudeuten: Mit der Allegorese des vermeintlichen Weins ('nein, ezn was niht mit wine,/ doch ez ime gelich waere:/ ez was diu wernde swaere,/ diu endelose herzenot,/ von der si beide lagen tot.' 11672 ff) wird in die Ebene der begrifflichen und epischen Entfaltung der Trankbedeutung eingeführt und der Trank als allegorisches Requisit zurückgelassen.

Dabei wird man gegenüber einer oft unkritisch geübten und ganzheitsästhetisch motivierten Rede von Gottfrieds Minnebegriff oder Minneideal Unterscheidungen vornehmen müssen, die den Zusammenhang von inhaltlicher Aussage und poetischer Funktion deutlich machen. Die Vorstellung vom 'Tristan' als der epischen Gestaltung einer Liebesidee sollte darum besser abgelöst werden durch die Unterscheidung zwischen der epischen Erinnerung einer fiktiv-literarischen Vergangenheit einerseits ('laudatio temporis acti') und dem auktorialen Engagement gegenüber der Gegenwart des Publikums andererseits als verschiedenen Bezugsfeldern der Minnedarstellung. Die Prologbegriffe 'lere' (189) und 'senfte' (75), die den alten Funktionsbestimmungen 'prodesse et delectare' nachfolgen, deuten - in umgekehrter Reihenfolge - auf diese beiden Schichten des literarischen Prozesses und ihren wirkungspoetischen Zusammenhang hin: Die Kurzweil der Geschichte der exemplarischen Ahnen aller Liebenden und der didaktische Anspruch solcher Minne gegenüber einer beklagenswerten Gegenwart (vgl. die Exkurse über 'minne' und 'huote'). Neben der Berücksichtigung des Relationsgefüges von Geschichte, Autor und Publikum wird man am Text selbst Darstellungsebenen unterscheiden müssen: Das besondere, schicksalhafte Minnewesen der Figuren in ihrer ungeborgenen Existenz zwischen 'ere' und 'minne', die allegorisch-utopischen Paradigmen der Grenzen der Minneverwirklichung (in der Petitcreiu - und in der Waldleben - Episode) und das didaktische Räsonnement des Erzählers. Daneben ist auf stilistische Unterschiede bei Aussagen über die Minne zu achten, auf eigentlichen oder metaphorischen Gebrauch der Begriffe, auf Modi wie Festlegung, Klage, Vorausdeutung oder Appell. Schließlich wird es sich empfehlen, bei einem Abriß der Minnethematik im 'Tristan' wenigstens drei zwar eng verzahnte, aber doch inhaltlich unterscheidbare Problembereiche im Auge zu behalten: Das Verhältnis von Liebe und Leid, das Verhältnis von Liebe und Ehre, die Identität der Liebenden in Liebe und Leid, in Leben und Tod.

Wenn so nicht nur der Literalsinn einzelner Textstellen miteinander verrechnet wird, sondern ihr poetologischer Stellenwert als Teil ihrer Bedeutung mit eingebracht wird, kann die Minnebehandlung in der Abschiedsszene mit der im übrigen Text sinnvoll in Beziehung gesetzt werden.

4.2.3.1. Schicksal und Verantwortung

Tristan begründet in der Baumgartenszene seine Flucht mit der Feststellung: 'er (Marke) wirbet unseren tot' (18265). Damit meint er die konkrete Gefahr einer Überführung und Verurteilung. Tristans Flucht vor diesem imminenten leiblichen Tod wird aber nur einen Aufschub des Scheiterns der Liebenden in der Welt bedeuten, wie es der Erzähler zuvor schon, metaphorisch vorausdeutend, zu wissen gab: 'daz obez, daz ime sin Eve bot,/ daz namer und az mit ir den tot.' (18163 f). Dieser 'tot' umfaßt in der Unbestimmtheit der Metapher sowohl den im Identitätsbegriff begründeten, von Gottfried aber nicht mehr dargestellten, gemeinsamen physischen Tod als auch den mit der Trennung verbundenen Tod im Herzen, jene 'totliche not' Tristans durch die 'vremede von Isote' (18422 ff)[460]. Dies werden die beiden langfristigen Konsequenzen aus der entdeckten 'gelegenheit' (18140) sein. Die postulierte Identität der Liebenden in Leben und Tod hat in der Tat mit dem epischen Ereignis der Trennung konsequent ein defektes Leben zur Folge, eine bloß leibliche Lebensfristung mit erstorbenem Herzen. Die sich so aus dem Zusammenstoß von Identitätsaxiom und epischer Handlung ergebende paradoxe Situation wird zum Angelpunkt des dialektischen Räsonnements der Episode werden.

Dieser Zusammenstoß hat zunächst darstellungsmäßige Ambiguitäten zur Folge. In seinen Abschiedsworten appelliert Tristan an Isolde, ihn nicht aus ihrem Herzen zu lassen - so wie sie auch nicht aus seinem kommen werde - und ihn eingedenk ihrer bisherigen 'luterlichen minne' nicht zu vergessen (18271-283). Diese Ermahnung übergeht das mit dem Trank ver-

---

460 Ebenso Isoldes Reaktion: 'Tristandes vremede was ir tot' (17853).

bundene Fatum der unauflöslichen Einheit der Liebenden und wendet sich an den subjektiven Willen Isoldes. Auch Isoldes Antwort, in der sie auf das Begehren Tristans eingeht, bezieht sich nicht auf ihr objektives Schicksal, sondern leitet die Versicherung für die Zukunft aus der Erfahrung der Vergangenheit ab: Zu lange seien sie schon einander tief verbunden gewesen, um überhaupt noch wissen zu können, was Vergessen bedeute (18288-293). Die gemeinsame Erfahrung von 'liebe und triuwe' in der Vergangenheit soll ihnen Verpflichtung für die Zukunft sein. Wenn sie Tristan mahnt, keiner anderen Frau ihre Stelle zu überlassen, beruft sie sich auf die gemeinsam erlittene Not, ihre vollkommene, gegenseitige Hingabe und den Schmerz der Trennung (18298-321).

Der Dialog Tristans und Isoldes stützt sich also in seinen Appellen auf die epische Fiktion eines zur Treue und Untreue gleichermaßen befähigten, selbstverantwortlichen Liebespaares. Der Determinismus der Trankwirkung und des Identitätsaxioms erfährt so eine auf der Fiktion der Willensfreiheit der Liebenden beruhende epische Auffüllung[461]. Indem Gottfried die Ideologie seines Minnebegriffs in das subjektive Befinden der sich Trennenden auflöst,

461 Eine verantwortliche Entscheidungsfähigkeit der Liebenden ging natürlich immer als episches Motiv neben der stets gegenwärtigen Minneverfallenheit einher, ja sie ist die notwendige Voraussetzung der epischen Entfaltung des Minnethemas überhaupt, denn durch das jeweilige Verhalten Tristans und Isoldes erhält die Minne den ihr möglichen Platz im sozialen Gefüge der dargestellten Welt und wird so die Existenzmöglichkeit dieser Minne handlungsmäßig interpretiert. Beispielsweise entscheidet sich Tristan an Bord des Schiffes zugunsten der Marke geschuldeten 'ere' und 'triuwe' und liefert dem König die Braut ab, statt mit ihr das Weite zu suchen (12507 ff). Die 'ere' als unverzichtbare Koordinate seines sozialen Gewissens grenzt so die Minne in das Heimlichkeit fordernde Dreiecksverhältnis mit Marke am Hof ein. Feudale Loyalität und unbedingte Minnebindung kreuzen sich auf engstem Raum und erhalten 'heinliche' und 'huote' als Sekundanten.

macht er allerdings auch erst in sinnvoller Weise das dramatisch appellierende und kasuistisch abwägende Sprechen in dieser Episode möglich und schafft sich den Spielraum für die Fiktion einer lebendigen, episch plausiblen Figurenpräsentation einerseits und für die ausgedehnte Demonstration der logischen und empirischen Dimensionen der postulierten Existenzeinheit von Tristan und Isolde angesichts der Trennung andererseits.

Das Nebeneinander von Determination und Verantwortung, von axiomatischer und epischer Schicht, des Wissens der Figuren um ihr besiegeltes Schicksal einerseits und des moralischen Appells an den Partner andererseits bildet eine eigentümlich unscharfe Verschränkung[462], die es offenläßt, wieweit entweder Brangänes Bericht der Trankgeschichte (12492 ff) oder die eigene Liebes- und Leiderfahrung das Bewußtsein der Liebenden von ihrer Lage im Hinblick auf die Trennung bestimmt. Nachdem z.B. Isolde auf Grund der bisherigen gemeinsamen Erfahrung der Minne für deren Bewahrung bis zum Tod plädiert hat ('wir suln die selben andaht/ billiche leiten uf den tot' 18326 f), stellt sie gleich darauf den Sinn ihrer ganzen Rede in Frage, ohne daß recht deutlich würde, aus welcher Quelle sie die plötzliche Gewißheit bezieht:

> herre, ez ist allez ane not,
> daz ich iuch alse verre mane:
> wart Isot ie mit Tristane
> ein herze unde ein triuwe,
> so ist ez iemer niuwe,
> so muoz ez iemer staete wern. 18328 ff

Indem Isolde das Nichtvergessen und die Liebestreue als gar nicht gefährdet ansieht, wird ihr moralischer Appell gegen-

---

462 Das Nebeneinander von Objektivität und Subjektivität läßt sich zugleich auch als die Verschränkung zweier topischer Register interpretieren: Die Topik von Herzenstausch und Herzenseinheit neben dem minnesängerischen Topos der 'triuwe', der Bewahrung um der Geliebten willen und umgekehrt (vgl. Reinmars 'stirbet si, sô bin ich tôt.' (MF 158, 27). Dagegen Walthers Parodie 'stirbe ab ich, sô ist si tôt.' (Lachmann 73, 16).

standslos[463]. Verantwortungsbewußtsein und Schicksalsbewußtsein stehen also in der erzählerischen Abfolge nebeneinander und spiegeln das Darstellungsproblem Gottfrieds, kategoriale und epische Gestaltung des Minnethemas zu integrieren.

---

463 Soweit die Abschiedsrede Appell ist, 'triuwe' und 'minne' zu wahren und sich niemandem außer Isolde zuzuwenden - und diesem Punkt des möglichen Partnerwechsels widmet sich Isolde mit einiger Ausführlichkeit -, hat sie vor allem strukturelle Funktion als Vorausdeutung auf die Isolde Weißhand-Episode: Tristan wird verboten, untreu zu werden, weil er untreu werden wird. Auf diese Antizipation hat auch W.T.H. Jackson hingewiesen (The Anatomy of Love. The 'Tristan of Gottfried von Strassburg. New York, London 1971. S. 208 f).

Der gehaltsästhetischen Interpretation Peter Wapnewskis können wir nicht folgen, der in Isoldes Abschiedsworten eine "Verinnerlichung, Nobilitierung" der Flucht hin zum "Abschied als einer der elementaren Situationen menschlichen Lebens" sieht (Tristans Abschied. L.c. S. 358 und 350). Isolde füge "die aufbrechende Zweiheit, die sich in der Flucht des Mannes offenbart, wieder zur Einheit" (L.c. S. 362). Darin komme die "Entmaterialisierung" (362) einer Flucht zum Ausdruck, die andernfalls "um der Rettung des Lebens willen alles unglaubwürdig (macht), was zuvor geschehen war." (358). Diese idealistische Verklärung Isoldes zusammen mit dem didaktischen Moralismus gegenüber der "feigen Flucht" Tristans (358) - eine Kritik, die aus dem Todesmystizismus Wagners bezogen scheint und die ausdrückliche Lebenszuwendung des Paares ignoriert - geht an dem unpersönlich-paradigmatischen Charakter der dialogischen Situationsanalyse und Zukunftsprojektion vorbei:
Die Darstellungsleistung geht in der kasuistischen Bewältigung der Trennungssituation im Hinblick auf das Minneschicksal weitgehend auf. Es erscheint dagegen ausgesprochen anachronistisch, Isoldes allmählicher Deduktion ihres Appells aus Prämissen gewissermaßen eine schöne Seele zu hinterlegen, die Tristan abgehe. Der Dialog ist vielmehr Kunstfigur, in der sich die besondere Leistung des höfischen Adapteurs vermittelt:
Die distinguierende Überformung der epischen Stoffe unter dem Anspruch rationalisierter Topik, nicht aber die psychologische Anlage von Charakteren als Träger von allgemeinen Existentialien. In Wapnewskis Formulierungen tönt etwas von der Urmutter durch, die alles eint, und dem Uradam, der sich entzweit, ein Tenor, der dem Gepräge von Gottfrieds Figurenreden in der Szene weitab liegt.

Als nun die Liebesbindung als solche nicht mehr in Frage steht, wendet sich Isolde schließlich konsequent dem Punkt zu, der in der Tat in den Bereich der subjektiven Anstrengung und Verantwortung Tristans fällt, der das eigentliche Problem der Trennung unter dem Schicksal der Identität ausmacht und der in einigen Abwandlungen den weiteren figuralen und auktorialen Diskurs in der Episode bestimmen wird:

> doch wil ich einer bete gern:
> swelch enden landes ir gevart,
> daz ir iuch, minen lip, bewart; 18334 ff
> (...)

Wenn die Einheit von Leben und Tod gilt, so hängt in der Tat ihr, Isoldes Leben, an Tristans Selbsterhaltung:

> wan swenne ich des verweiset bin,
> so bin ich, iuwer lip, da hin: 18337 f

Isolde schreitet nun die Dialektik des Verhältnisses voll aus und vergißt nicht ihre eigene, der Tristans spiegelgleiche Rolle:

> mir, iuwerm libe, dem wil ich
> durch iuwern willen, nicht durch mich,
> vliz unde schoene huote geben;
> wan iuwer lip und iuwer leben,
> daz weiz ich wol, daz lit an mir:
> ein lip, (und) ein leben daz sin wir.
> 18339 ff

Noch einmal wiederholt sie emphatisch diese letzte Diagnose ('Tristan und Isot, ir und ich,/ wir zwei sin iemer beide/ ein dinc ane underscheide.' (18352 ff)), um dann kaum merklich, aber signifikant für die erwähnte Mischung von theoretischer und epischer Schicht, den analysierten Begriff ihrer Daseinseinheit in einen epischen Vorgang aufzulösen:

> dirre kus sol ein insigel sin
> daz ich iuwer unde ir min
> beliben staete unz an den tot,
> niwan ein Tristan und ein Isot. 18355 f

Mit dem Kuß, mit dem Isolde trotz aller festgestellten unverbrüchlichen Einheit nun noch einmal die zukünftige 'staete' ihrer Zusammengehörigkeit besiegelt wissen will, führt die Redehandlung aus der zeitenthobenen Abstraktheit der Identitätsstruktur wieder in die epische Zeit zurück, vom absoluten Schicksal zum historischen Willen der Liebenden.

Der Identitätsbegriff, der an den zitierten Stellen der Abschiedsrede Isoldes so massiv und unzweideutig vorgetragen wird - allerdings hier inhaltlich zunächst nur auf den 'lip', das 'leben' bezogen (die Einheit in Liebe und Leid und im Tod kommt noch hinzu) -, und der, durch die Trennung sozusagen zu seiner epischen Krisis gebracht, dann seine Problematisierung erfährt, soll zunächst in seiner epischen und axiomatischen Darstellung vor der Trennung rekapituliert werden.

4.2.3.2. Der Identitätsbegriff

Der Prolog, oft als Vademekum des Romans mißverstanden, weist nur an einer Stelle in einem knappen, sprachgestischen Akkord auf den Identitätscharakter der Liebesbindung voraus:

> ein man ein wip, ein wip ein man,
> Tristan Isolt, Isolt Tristan. 129 f

Dies ist nicht zu verwundern, wenn man die rezeptionsästhetische Funktion einer solchen Romaneröffnung berücksichtigt: Der Prolog greift nur diejenigen Elemente der späteren Romanthematik auf, die seinen rhetorischen Funktionen dienlich sind, die also zwischen Erzähler, Erzählung und Publikum geeignete Brücken zu schlagen vermögen: Mit dem Begriff der rechten Liebe, den 'reinen triuwen', wie ihn die 'edelen herzen', die Liebe und Leid 'samet in eime herzen' tragen, verkörpern, schafft der Erzähler dem Publikum einen Identifikationsraum, in dem sich auch Tristan und Isolde als exemplarische Vertreter der 'triuwen reinekeit' bewegen. Aus dem Bereich der Minnethematik des Romans wird in der Tat nichts anderes im Prolog angesprochen als allein diese Ungeschiedenheit von 'wunne' und 'not' im Herzen des einzelnen 'senedaere' als Ausweis der rechten Minne. Weder das Bezugsverhältnis der Liebenden untereinander - von 129 f abgesehen - noch das zur Gesellschaft findet im Prolog Beachtung. Insofern hieße es allemal den Prolog überschätzen, wollte man in ihm bereits einen programmatischen Umriß der Minnethematik des Romans erkennen[464].

Eine erste Darstellung der wechselseitigen Doppelheit der einzelnen 'minnaere' gibt Gottfried bereits in der Riwalin-Blanscheflur-Geschichte:

> si haeten in ir sinnen
> beid eine liebe und eine ger:
> sus was er si und si was er,
> er was ir und si was sin;
> da Blanscheflur, da Riwalin,
> da Riwalin, da Blanscheflur,
> da beide, da leal amur. 1356 f

So liefern Tristans Eltern auch in bezug auf die Identität in der Liebe eine typologische Vorstufe zu Tristan und Isold, aber der Kernsatz 'sus was er si und si was er' zeugt in seinem Kontext noch nicht von jener ursachelosen, absoluten Unauflöslichkeit der gedoppelten Existenz in der späteren Trankminne, die eben das typologische Vorbild steigernd überwindet: Die Einheit wird noch phänomenal aus der Parallelität ihres Willens hergeleitet (1356 f), und die prinzipielle Zweiheit des Einzelnen wird sodann auch wieder in die Materialität eines wechselseitigen Besitzverhältnisses aufgelöst (1359), um sich schließlich in die den Identitätsgedanken nur noch schwach abbildende syntaktische Reihung 'da Blanscheflur, da Riwalin,/ da Riwalin, da Blanscheflur,/ da beide, da leal amur' aufzulösen. Eine eindrucksvolle epische Demonstration ihrer Liebes- und Lebensverkettung bietet Gottfried allerdings bei Riwalins Tod. Er verursacht den 'totlichen herzesmerzen'(1721). der Blanscheflurs Herz 'totliches leides vol'

---

464 Insofern ist Ilse Clausens Rede vom "Ideal des Prologs" allenfalls begrenzt gültig. Das Verständnis des Prologs aus seinen rhetorischen, seinen rezeptionsästhetischen Funktionen, wie es neuerdings von verschiedenen Seiten nachdrücklich vorgetragen wird - vgl. die Arbeiten von Brinkmann, Jaeger, Kunzer und Eifler im Literaturverzeichnis -, relativiert überdies gehaltsästhetische, unvermittelt ins Werk hinein transferierbare Prologinterpretationen von Grund auf. (Der Erzähler. L.c. S. 95).

macht (1723) und zu Stein werden läßt, da sein anderes Leben, Riwalin, in ihm erstorben ist. Von Blanscheflurs 'lebender minne' (1732) bleibt nur noch das 'lebeliche leit' (1733), das durch keinen 'trost zer triure' mehr ausgeglichen wird und nun mit voller Kraft ihr Leben angreift und zerstört: 'ir zunge, ir munt, ir herze, ir sin,/ daz was allez do da hin.' (1739 f) Die nun hoffnungslose 'sene' nach Riwalin zieht sie ins Grab nach[465], aber trotz allem bleibt, wie Eckhard Wilke gezeigt hat, zur Tristanminne die Differenz, daß Riwalin keinen Minnetod stirbt, daß ihre gemeinsame Liebe "den Tod nicht mit einzubeziehen (vermag)"[466] und Blanscheflur daher "eher aus Trauer über den Verlust eines Geliebten"[467] stirbt als in zwangshafter Erfüllung ihres Minnewesens.

Für Tristan und Isolde ist der Charakter ihrer Bindung bereits in der Wirkungsbestimmung des Tranks festgelegt:

> mit sweme sin ieman getranc,
> den muoser ane sinen danc
> vor allen dingen meinen
> und er da wider in einen:
> in was ein tot unde ein leben,
> ein triure, ein vröude samet gegeben. 11439 ff

Der inhaltliche Umfang der existentiellen Gemeinsamkeit der Trinkenden ist genau festgelegt: Die Einheit des Lebens verlangt konsequenterweise auch den gemeinsamen Tod; in einem identischen Leben haben die Liebenden darüberhinaus Freude oder Leid stets gemeinsam. An Tristan und Isolde erfüllt sich schließlich die Bestimmung des Tranks:

> si wurden ein und einvalt,
> die zwei und zwivalt waren e; 11716 f

---

465 Daß Blanscheflurs Tod darüberhinaus in dem beziehungsreichen Gefüge von Riwalins tödlicher Wunde, Tristans Zeugung, Geburt und Namengebung und künftigem Schicksal eine strukturelle Funktion erfüllt, geht neben der Anbindung des Todes an die Minne- und Identitätstopik einher.

466 Wilke: Minnetrank. L.c. S. 33.

467 Wilke: L.c. S. 34.

Der abstrakte Begriff der vollkommenen Einheit der zwei Personen wird anschließend veranschaulicht:

> si haeten beide ein herze:
> ir swaere was sin smerze,
> sin smerze was ir swaere;
> si waren beide einbaere
> an liebe unde an leide
> (...) 11727 ff

Wenn sie so e i n Herz teilen, das e i n Gefühl bewegt, wenn sein Leid darum immer zugleich auch das ihre sein muß, dann ist der Geliebte nicht der individuell Andere, sondern Teil der gemeinsamen Einheit:

> daz ietweder dem anderm was
> durchluter alse ein spiegelglas. 11725 ff

Wir wollen für das etwas rätselhaft erscheinende Bild eine Übertragung versuchen, die sowohl der semantischen Reichweite des Vokabulars gerecht als auch den kontextuellen Bestimmungen zur Einheit der zwei Personen logisch zugeordnet bleibt[468]: Jeder erschien dem andern so "rein" und "unvermischt"[469], als ein Teil ihrer - figural entzweiten - inneren Einheit, als sähe jeder im andern nur sein Spiegel-, sein "Ebenbild". Da jeder nur das ist, was sie gemeinsam sind, kann dieser sich in jenem erkennen als der, der er dem andern ist. Wir fassen also 'alse ein spiegelglas' nicht als einfache Qualitätsbestimmung zu 'durchluter' auf, sondern sehen den Bildbezug im Rahmen der vorausgehenden und nachfolgenden Identitätsvorstellungen ('si wurden ein und einvalt'; 'si haeten beide ein herze') als Ausdruck einer durch nichts getrübten gegenseitigen Ebenbildlichkeit. Der Geliebte, so könnte man knapp paraphrasieren, ist dem Geliebten so wenig ein Anderer, so sehr 'durchluter', so sehr unvermischt, wie sein eigenes Ebenbild, so als schaute er in

---

468 Hattos Übersetzung gibt präzise den Wortsinn wieder, behält damit aber die dem Original innewohnende bildliche Verschlüsselung bei: "Each was to the other as limpid as a mirror." (Tristan. L.c. S. 195).

469 In Anführungszeichen erscheinen die den Lemmata 'durchluter' bzw. 'spiegelglas' in Matthias Lexers mittelhochdeutschem Taschenwörterbuch zugeordneten Denotate.

ein 'spiegelglas'[470]. Dies ist die praktische Konsequenz des Identitätsschicksals, wobei das in dem Vergleich durchscheinende Narziß-Motiv ein bezeichnendes Licht auf den autistischen Charakter der von Gottfried angesprochenen Minnesubjektivität wirft[471].

Nach diesen ersten Bestimmungen der Einheit der Liebenden im Zusammenhang mit dem Trankgenuß wird das Thema erst wieder bei der ersten längeren Trennung von Tristan und Isolde problematisiert: Die Einheit der Liebenden erfährt in der Petitcreiu-Episode ihre erste epische Bewährungsprobe. Tristan schickt Isolde, 'siner vrouwen der künigin/ Petitcreiu daz hundelin,/ durch daz ir senede swaere/ al deste minner waere.' (15901 ff). Die uneigennützige, minnepsychologisch verständliche Geste Tristans stellt sich aber gewissermaßen als epischer Testfall quer zum Schicksal der Einheit des Paares in Liebe und Leid. Isolde wird es unternehmen, das durch Petitcreiu verursachte Ungleichgewicht ihrer Herzen wieder aufzuheben und so das Gesetz ihres gemeinsamen Schicksals episch zu manifestieren. Ihr Selbstgespräch angesichts der Wirkung der Hundeschelle erörtert die Situation:

---

470 Eine vergleichbare Verwendung von 'spiegelglas' im Sinne von Ebenbild wird man in den Versen 'diu reine Floraete,/ diu wibes ere ein spiegelglas/ und rehter güete ein gimme was' (1906 ff) sehen können, während in den beiden anderen Verwendungen (6613 und 11004) allerdings auf die materielle Qualität von 'spiegelglas' abgehoben ist: Sein Glanz, seine Helligkeit und Reinheit. In der oben behandelten Stelle wird man neben der funktionalen Qualität, der Spiegelung, gleichzeitig auch diese materiale Qualität, die Reinheit, mitdenken dürfen, denn der erkannte Geliebte ist natürlich 'durchluter', etwas Ideales.

471 Die Troubadourlyrik kennt das Bild des Spiegels der Augen (Leo Pollmann: Die Liebe in der hochmittelalterlichen Literatur Frankreichs, Frankfurt 1966. S. 130). Max Wehrli weist ohne Bezugnahme auf die 'spiegelglas'-Stelle auf die platonische Tradition des Spiegelmotivs hin, wonach der Geliebte im andern nur sich selbst erkennt (Tristan. L.c. S. 112), und er geht dabei auf die Weltlosigkeit eines so narzistisch-selbstverstrickten Minnegefühls ein.

'ohi ohi! und vröuwe ich mich,
wie tuon ich ungetriuwe so?
war umbe wirdich iemer vro
dekeine stunde und keine vrist,
die wile er durch mich truric ist,
der sine vröude und sin leben
durch mich ze triure hat gegeben?
wes mac ich mich gevröun ane in,
des triure unde des vröude ich bin?
war umbe erlache ich iemer,
sit daz sin herze niemer
dekein gemach gehaben kan,
min herze daz ensi dar an?
ern hat niht lebenes niuwan min:
solt ich ane in nu lebende sin
vro unde vröudebaere
und daz er truric waere?
nun welle got der guote,
daz ich in minem muote
iemer vröude ane in gehabe!' 16368 ff

Die Einheit des Paares in Liebe und Leid steht in Frage. Isolde räsonniert zunächst ethisch-voluntaristisch. Ihr Leidvergessen durch die Schelle betrachtet sie als 'untriuwe'; 'triuwe' wäre dann die Einhaltung des unisonen Akkords der Herzen in Freud oder Leid. 'Ern hat niht lebenes niuwan min' (16381): Diese Einsicht in ihr Liebesschicksal verwandelt Isolde in die subjektive, moralische Verpflichtung zum gemeinsamen Leid, zum Verzicht auf 'vröude ane in' (16387). So mischen sich auch hier allgemeine Trankbestimmung und handlungsbestimmende Subjektivität[472].

Die Gestalt des Monologs als einer Kette rhetorischer Fragen, die sich Isolde selbst vorlegt, deren implizite Antworten sie aber sehr wohl kennt und deren gemeinsamen Nenner sie in dem einzigen Aussagesatz der Rede ('ern hat niht lebenes niuwan min') festlegt, macht diese Begründung Isoldes für ihr Schellenabreißen zu einer fraglosen Identifikation mit ihrer objektiven Bestimmung: Sie bekräftigt - als moralisch urteilende Figur auftretend - handelnd

472 Letztere steht im Erzählerbericht im Vordergrund. Nach ihrem Selbstgespräch heißt es u.a.: 'sin wolte doch niht vro sin:/ diu getriuwe staete senedaerin,/ diu haete ir vröude unde ir leben/ sene unde Tristande ergeben.' (16399 ff).

und redend das, was ihnen beiden als Lebensidentität auferlegt ist. Die wirkungspoetische Leistung des Monologs besteht schließlich darin, daß sich die rhetorischen Fragen Isoldes an ein Publikum wenden - in der Fiktion der Selbstbefragung -, das, auf das Gleichheitspathos der Herzenseinheit der Liebenden eingestimmt, das rhetorisch verpackte Bekenntnis Isoldes zum gemeinsamen Leid im Schein der poetischen Mimesis als ihre persönliche Moralität erfährt[473].

Isoldes Schritt führt aus der irrealen Welt des Zauberhündchens, das in märchenhafter Weise vorübergehend ein Stück ihrer schicksalhaften Realität aufgehoben hatte[474], zurück in die Wirklichkeit ihrer Minne, die eine Dissoziierung ihrer Herzen in Freude oder Leid gar nicht erlauben kann[475]. Im Gesamtgefüge der Dichtung demonstriert diese Episode das Scheitern der problemlosen Freude des Einzelnen (so wie es wahrscheinlich auch der Versuch Tristans, bei Isolde Weißhand Trost zu finden, gezeigt haben würde); vergleichsweise dazu zeigt die Waldlebenepisode das Scheitern der problemlosen Freude des vereinten Paars. So wird das eine Mal die individuelle, das andere Mal die gesellschaftliche Grenze der Minne ausgeschritten. Petitcreiu- und Waldleben-Episode sind, so verstanden, allegorisch-zeichenhafte Explorationen des realen Spielraums der Tristan und Isolde

---

473 Werner Schröders Interpretation des Vorgangs bleibt in diesem Eindruck ganz befangen und nimmt den Darstellungsmodus für die Idee unmittelbar. (Das Hündchen Petitcreiu im 'Tristan' Gotfrids von Straßburg. In: Dialog. Festgabe für Josef Kunz. Hrsg. von Rainer Schönhaar. Berlin 1973. S. 32-42). Obgleich sich Schröder zunächst von älteren, moralisierenden Personeninterpretationen distanziert und den Gottfrieds "Minneideal demonstrierenden Aussagewert der Episode" (S. 41) darzustellen bemüht ist, wird seine Darstellung dennoch - unter der Hand - zu einer das Idealistisch-Vorbildliche suchenden ethischen Charakterinterpretation. Statt die Darstellungsleistung konsequent im paradigmatischen Charakter des Figurenverhaltens als der Erfüllung der Minnestruktur und damit im symbolischen Duktus der ganzen Episode aufzusuchen, rückt Schröder Tristan und Isoldes Handeln wieder ins Pantheon der sittlichen Kräfte heroischer Gestalten zurück. Schließlich will er sogar in der beiderseitigen "Ablehnung getrennter, egoistischer Freude" (S. 41) ein gegenüber der sonstigen bedenklichen allgemeinen Unmoral des Paares (!) notwendiges Zeichen

beherrschenden Minne, und ihr jeweiliger epischer Ausgang versinnbildlicht die Konzepte der Identität der Partner zum einen und die Interdependenz von 'minne' und 'ere' zum andern[476].

Während angesichts der weiträumigen und langfristigen Trennungen in der Petitcreiu-Episode und der Isolde Weißhand-Geschichte das Identitätsverhältnis selbst in Frage steht, geht es in der sonstigen Minnehandlung um den von der 'huote' erzwungenen Wechsel von Zusammensein und Trennung als Alternation von 'vröude' und 'not' für beide zugleich. Dabei wird zunächst nach Beginn der Liebe auf dem Schiff die vom Trank gestiftete Einheit in Leben und Tod aufs allerwörtlichste ausgelegt: Nur im tatsächlichen physischen Zusammensein, in der 'state' greifen sie ihr Leben; das Getrenntsein bringt sie in Todesnot[477]:

---

und "Beispiel (...) geistig-seelischer Kraft" (S. 37) sehen. Hier kommt noch einmal die wissenschaftsgeschichtlich lange Zeit vorherrschende Präjudizierung des Darstellungsinteresses literarischer Werke des Mittelalters zum Vorschein: Literatur als Darstellung ethisch verantwortlicher Subjekte, an deren Wertkonflikten sich Moral und Unmoral darstellen. Daß diese ideologische Frucht der deutschen Geistesgeschichte der Ästhetik des 'Tristan' nicht beizukommen vermag, sollte spätestens Gottfried Webers Monographie offenbar gemacht haben.

474 Der paradigmatisch-zeichenhafte Charakter der Schelle und ihrer Wirkung als einer gezielten epischen Probe aufs Identitätsaxiom wird deutlich, wenn der Erzähler berichtet, die Schelle habe nie mehr ihr Vermögen zurückgewonnen, den Kummer zu vertreiben. Ihre literarische Funktion als utopisches Requisit hat sie erfüllt; Isolde hat mit ihr das zerstört, was keine Alternative zur Minne der 'edelen herzen' sein konnte: 'sin was nie mere luthaft/ reht in ir tugende als e.' (16392 f). Was sich als Geschichte der Schelle in der epischen Zeit erstreckt und zudem in die Fiktion des historisch verbürgten Berichts verpackt ist ('man saget' 16394), führt exemplarisch die Überschreitung und Restituierung der Grenze der Identitätsminne vor und verweist mit der für immer zerstörten Schelle aus der epischen Schicht zur nicht aufhebbaren Einheit in Freude und Not in der axiomatischen Schicht.

475 Nun ist es gerade das seiner Schelle beraubte Hündchen in seiner unsagbaren Farbgestalt, das Isolde mit seinem Anblick dazu dient, 'ze niuwenne ir senede leit/ und ze liebe Tristande,/ derz ir durch liebe sande.' (16354 ff)

wir sterben von minnen
und erkunnen niht gewinnen
weder zit noch state dar zuo,
(...)
unser tot und unser leben
diu sint in iuwer hant gegeben. 12111 ff

Brangäne, die hier angesprochen ist, geht auf die dramatische Alternative von 'state' und Tod ein und will sich für ihr Überleben einsetzen:

e ich iuch laze sterben
ich wil iu guote state e lan,
swes ir wellet ane gan. 12134 ff

Brangäne geht es nicht um die Ermöglichung der Minne, sondern um die Bewahrung Tristan und Isoldes (12127 ff). Wenn Brangäne einmal zu sich selbst ('diz tranc ist iuwer beider tot' 11706) und einmal zu Tristan und Isolde ('und der tranc, der dar inne was,/ der ist iuwer beider tot' 12488 f) allein vom 'tot' spricht, so scheint darin nur ein unspezifisches Wähnen von Unglück und Verderben, die im Tod enden müssen, zum Ausdruck zu kommen. Das Wesen des Minnebereichs, das zweisame Leben der beiden als Existenzerfüllung in Leben und Tod, liegt außerhalb von Brangänes Gesichtsfeld[478]; sie sorgt sich allein um Entdeckung, 'laster' und Tod. Darum auch kann Tristan ihr finsteres Orakel ironisch-wortspielerisch auflösen:

'ez waere tot oder leben:
ez hat mir sanfte vergeben.
ine weiz, wie jener werden sol:
dirre tot der tuot mir wol. 12495 ff

---

476 Schon die allererste Liebeszeit auf dem Schiff stellte sich nicht als ungetrübtes Minneparadies dar: '(...) mit wunneclichem lebene/ und doch niht gar vergebene:/ in tet diu vorvorhte we.' (12393 ff). Die Antizipation der gesellschaftlichen Problematik ihrer Minne überschattet bereits ihr befristetes Wunschleben.

477 Die Differenz zwischen dem strengen, buchstäblichen Zusammenhang von Trennung und Sterben zu Beginn der Minne und dem getrennten, zumindest physischen Überleben im Isolde Weißhand-Teil erscheint wie ein nicht mehr motiviertes Relikt aus den Tristan-Fassungen mit zeitlich begrenzter Trankwirkung. Diese Inkonsequenz wird gerade von den Abschiedsräsonnements und Isoldes späterem Monolog überspielt.

478 Petrus W. Tax hat dies nachdrücklich dargelegt und Bran-

Während Brangäne Trankwirkung und Tod undialektisch ineins setzt, ist es für Tristan die gerade erfahrene 'state', die ihn vor dem Sterben bewahrt hat. Was immer Brangäne mit dem Todestrank meinen mochte: Für Tristan ist er Elixier.

Die zugespitzte Alternative 'state'/'sterben' wird im Verlauf der Handlung in die Horizontale der epischen Progression aufgelöst und stellt sich als periodischer Wechsel von 'vröude' und 'not' dar: Solange Tristan und Isolde sich immer neu die 'state' zur Liebe erringen, brauchen sie nicht vor Liebe zu sterben:

> si waren underwilen vro
> und underwilen ungemuot,
> (...)
> So Tristan und sin vrouwe Isot
> ir state zuo zir dingen
> niht kunden vollebringen,
> daz was ir not; sus unde so
> waren si trurec unde vro. 13020 ff

Und an anderer Stelle:

> sus was in aber ein wunschleben
> nach ir ungemüete geben,
> swie kurz ez wernde waere,
> ane iteniuwe swaere. 15043 ff

Ihr Leben am Hof ist so eine Kette gemeinsamer, wechselnder Herzenszustände. Das stets angestrebte Zusammensein der Liebenden einerseits und die 'senede not', wenn dieses verhindert wird, andererseits sind die hier episch relevante, handlungspraktische Konsequenz aus der Identitätsbestimmung des Tranks[479].

---

gäne der utilitären Ratio des höfischen Bereichs zugeordnet (Tristanroman. L.c. passim). Ähnlich G. Hollandt: Hauptgestalten. L.c. S. 44, Anm. 4.

479 Die unterschiedliche begriffliche Fassung der aus fehlender 'state' zu gewärtigenden Folgen haben wohl weniger dogmatisches als handlungspraktisches Gewicht. Wenn unmittelbar nach dem Trinken Tristan und Isolde gegenüber Brangäne 'sterben' und 'tot' als unmittelbare Gefahr beschwören, so kann das einerseits einer ersten emphatischen Darstellung der Minnegewalt überhaupt dienen,zum andern vermag es Brangänes Komplizenschaft ausreichend zu motivieren, die nicht um der Minne willen, sondern allein um des Lebens willen in das Laster einwilligt. Die epische Entfaltung des Lebens am Hof in der

Der Text gibt also zunächst mit dem Trank und den ersten Bestimmungen seiner Wirkung bei Tristan und Isolde den Begriff der Einheit der Personen, ihrer regelrechten Ebenbildlichkeit, aus dem die Einheit des Lebens und des Todes folgt. Die Einheit des Lebens ist dabei praktisch eine solche des Gefühls, das mit der 'state' 'wunne', mit der 'vremede' 'not' erfährt. Von diesem Befund des vorausliegenden Textes aus wollen wir die Betrachtung der Erörterung des Identitätsproblems in der Abschiedsszene wieder aufnehmen.

4.2.3.3. Die Paradoxie der Trennung

Nachdem Isolde in ihrer Abschiedsrede zunächst ihren Minnebund sowohl als Schicksal wie als Aufgabe dargestellt hat, führt sie die Logik des Einheitsgedankens weiter und präzisiert die Einheit ihrer beider Leben als Identität der Körper, so daß jeder von ihnen für den anderen unmittelbare leibliche Verantwortung trägt: 'ein lip, (und) ein leben daz sin wir' (18344). Variierend nimmt der Erzähler anschließend diese Vorstellung auf: 'sin lip, sin ander leben, Isot / beleip mit manegem leide:' (18362 f). Als er dann von Tristans nächsten Schritten, fern von Cornwall, berichtet, schiebt er eine kritische Analyse von Tristans Flucht ein:

> Tristan vloch arbeit unde leit
> und suochte leit und arbeit;   18419 f

Das eröffnende, chiastisch geformte und zunächst noch abstrakte Paradoxon wird im zweiten Schritt erläutert:

Sukzession der Zeit verlangt dann aber eine Minnedarstellung, in der die vorübergehende 'vremede' zwar 'not', nicht jedoch 'tot' im eigentlichen Sinn bedeutet. Wenn schließlich einmal im Zusammenhang mit dem 'huote'-Exkurs von Isolde gesagt wird: 'Tristandes vremede was ir tot' (17853), so ist das wohl als rhetorisch-metaphorische Verstärkung in einer Trennungssituation zu lesen, die 'we unde manege wirs dann e' genannt wird.

er vloch Marken unde den tot
und suohte totliche not,
diu in in dem herzen tote:
diu vremede von Isote. 18421 ff

Also waren 'arbeit' und 'arbeit', 'leit' und 'leit' durchaus nicht inhaltlich gleich: Er entrinnt dem physischen Tod und erleidet den Herzenstod. Aber die verbale Paradoxie wird wieder aufgenommen mit rhetorischen Fragen nach dem Sinn eines Handelns, bei dem Ausgangspunkt und Ziel identisch sind:

waz half, daz er den tot dort vloch
und hie dem tode mite zoch?
waz half, daz er der quale
entweich von Curnewale
und sime doch uf dem rucke lac
alle zit naht unde tac? 18425 ff

Nun wird die 'lip/leben'-Identität, wie sie Isolde beim Abschied entwickelt hatte, aufgenommen und mit der Trennungsnot, dem Herzenstod verquickt. Wo Isolde um die Bewahrung des 'lips' besorgt war, spürt Tristan nun die mit der Identität der Herzen einhergehende Todesqual des Getrenntseins:

dem wibe nerter daz leben
und was dem lebene vergeben
niuwan mit dem wibe. 18431 ff

Indem Tristan sein Leben rettete, rettete er das ihre, aber als Leben in der Ferne ist sie 'sin lebender tot':

ze lebene und ze libe
enwas niht lebendes sin tot
niwan sin beste leben, Isot:
sus twang in tot unde tot. 18434 ff

Mit der tautologischen Fügung 'tot unde tot' wird der Kreis hin zur Kontradiktion des Anfangs ('arbeit' und 'arbeit') geschlossen.

Die neunzehn Verse geben ein Stück rhetorischer Dialektik, die - der Logik des Sophismas gehorchend - mit der Fiktion der Substantialität der 'voces' operiert: Der gleiche 'sonus' täuscht Identität vor und erweckt den Eindruck eines tautologischen Verhaltens Tristans (arbeit/arbeit, leit/leit, tot/tode, quale/(quale)). Erst der Diskurs differenziert das

Bezeichnete, dabei aber immer noch neben den unterschiedenen 'sermones' Tautologie suggerierende 'voces' mitführend (tot/totliche not, leben/ lebene). So vermittelt der Erzähler wieder einmal das Pathos des Dilemmas im zeittypischen Medium der Wortsophistik und stellt dadurch Tristans Handlungsspielraum ins Licht paradoxer Absurdität[480].

In der Eröffnungszeile zu dieser Handlungserörterung, 'hie merket aventiure' (18418), bekundet sich möglicherweise darüberhinaus ein episches Programm, das Gottfrieds Erzählen in eine signifikante Spannung zum höfischen Roman seiner Zeitgenossen setzen würde: Der Inbegriff epischen Geschehens im Artusroman, die 'aventiure' als einer wundersamen Begebenheit, ist auf eine rhetorisch-dialektische Prozedur übertragen, die im sophistischen Kalkül in der Tat "wundersame", weil paradoxe, Linien zeichnet. Die Verwendung von 'aventiure' als arthurischem Requisit in ironisch-kontrafaktischer Absicht könnte hier Ausdruck von Gottfrieds verändertem Erzählinteresse sein, das in der verflüffenden Rätselhaftigkeit dialektischen Spektakels - und im theoretisch-didaktischen Kommentar schlechthin - die eigentliche 'aventiure' anbietet, der er in der Tat neben dem epischen Geschehen so viel Platz einräumt und die ihn zum ausgeprägten Scholastiker unter den mittelhochdeutschen Epikern macht[481]. Diese 'aventiure' der Dialektik

---

480 Wenn Johannes von Salisbury im Raum von Schule und Wissenschaft sich gegen die Vernebelung durch Trugschlüsse wendet ('Sophismata quae fallaciarum nube obducunt animos auditorum' (Metalogicus. P.L. 199. L.c. S. 849 C)), so wird im Rahmen der literarischen Figuren- und Problemdarstellung im Roman solche Behandlung zum spezifischen Mittel, auf pathetische Weise das Dilemmatische des Schicksalsweges des Liebespaares in der höfischen Welt darzustellen. Durch die dialektische Überformung des Redens in der Abschiedsszene beispielsweise vermag sich hier der unbestimmte Eindruck einzustellen, daß sich "Mystisches und Rhetorisches (...) untrennbar übersteigern." (Alois Wolf: Zur Frage des antiken Geistesgutes im 'Tristan' Gottfrieds von Straßburg. In: Innsbrucker Beitr. z. Kulturwissenschaft 4 (1956) S. 49).

481 Die 50 Belege von 'aventiure' im 'Tristan' lassen sich zu etwa gleichen Teilen in fünf Bedeutungsbereiche gliedern: a) Geschichte, Erzählung, Quelle; b) günstiges, glückliches Ereignis, Erlebnis oder Geschick; c) Zufall; d) gewagtes Unternehmen, Bewährung, Abenteuer; e) Selt-

wäre zugleich Spiegelbild und rhetorischer Ausdruck dessen, was Max Wehrli als "das wahre Abenteuer von Gottfrieds Roman"[482] versteht, jene Selbstverstrickung des Helden in das "irrationale Abenteuer der Seele"[483].

Nachdem der Erzähler Tristan ein Stück in die Fremde gefolgt ist, wendet er sich auch Isolde zu und analysiert ihre Situation nach der vollzogenen Trennung:

> Tristandes leben und sin tot,
> sin lebender tot, diu blunde Isot,
> der was we und ande. 18467 ff

S[illegible]ich ist die Identitätsproblematik wieder gegenwärtig; die Widersprüche aus der Differenz von Einheit und Trennung werden änigmatisch gefaßt und dann auf Isoldes Situation angewendet:

> des tages do si Tristande
> und sinem kiele nach sach,
> daz ir daz herze do niht brach,
> daz schuof daz, daz er lebende was.
> sin leben half ir, daz si genas; 18470 ff

Zwar verhindert so Tristans Überleben ihr Sterben, aber ohne seine Gegenwart ist es auch kein wirkliches Leben:

---

sames, Rätselhaftes, Wunderbares. Dies entspricht auch der Distribution der entsprechenden Übersetzungen Hattos (story; good fortune; chance; adventure; marvel). Nun ist der Begriff des Seltsam-Erstaunlichen, wie ihn die Belege der Gruppe e) beinhalten, auch meist in den Gruppen b), c) und d) konnotiert: "Zufall" und "günstiges Geschick", die der Mensch nicht zu kontrollieren vermag, rühren ebenso an den Bereich des Wunderbaren wie die 'aventiure' des ausziehenden Ritters in den Raum des Überraschenden und Unberechenbaren führt. Vom sekundären Begriff der 'aventiure' als literarischer Geschichte einmal abgesehen, ist Gottfrieds verschiedenem Gebrauch des Wortes das Moment des von außen fremd, eigenartig und unerwartet Entgegentretenden gemeinsam: Glück, Schicksal, Abenteuer, Wunder. In diesem Bedeutungshorizont steht auch jenes 'hie merket aventiure', mit dem die Erörterung des Rätselhaft-Paradoxen eingeleitet wird. "Note a strange thing here", übersetzt Hatto treffend (Tristan. L.c. S. 284). Die Logik des sich räsonnierend von der Erzählung abhebenden auktorialen Diskurses wird zur 'aventiure' - zur wundersamen Erfahrung - des Hörers oder Lesers des 'Tristan'.

482 Tristan. L.c. S. 109.

483 Tristan. L.c. S. 113.

sin mohte leben noch sterben
ane in niht erwerben. 18475 f

Die Identitätsdoktrin, die die Gemeinsamkeit des Lebens oder des Todes verlangt, wird durch die epische Realität desavouiert und überläßt die Protagonistin einer leblosen Existenz: Obwohl sie Zunge und Mund hat, schweigen sie doch:

dan was weder leben noch tot
und waren doch da beide. 18484 f

Insgesamt zeigt sich, mit welcher logischen Konsequenz Gottfried die epische Situation, in der sich Isolde nun befindet, aus den Prämissen der Minnedoktrin deduziert hat.

4.2.3.4. Isoldes Monolog (18491-18600)

Nach der auktorialen Analyse kommt Isolde im stillen Monolog ausführlich selbst zu Wort. Sie ignoriert darin zunächst ganz die Bedingungen der epischen Situation, berücksichtigt nicht die lebensrettende Notwendigkeit der Flucht Tristans und leitet aus ihrer Herzens- und Lebenseinheit Vorwürfe gegen seine eilige Flucht her. Aber nur durch die Isolierung eines einzelnen Gesichtspunktes aus der Dialektik der Gesamtverhältnisse kann Isolde Tristan so erst einmal fordernd zur Rede stellen. Sie weist darauf hin, daß er bei ihr sein Leben zurücklasse, übergeht aber, daß er damit zugleich dem Tod entflieht. Isolde mißt Tristans Flucht also nur an ihrer schicksalhaften Lebensidentität, deren Begriff sie noch einmal variationsreich entwickelt:

wan iuwer leben daz bin ich.
iht mere muget ir ane mich
iemer geleben keinen tac,
dan ich ane iuch geleben mac.
unser lip und unser leben
diu sint so sere in ein geweben,
so gar verstricket under in,
daz ir min leben vüeret hin
und lazet mir daz iuwer hie.
zwei leben diu enwurden nie
alsus gemischet under ein.
wir zwei wir tragen under uns zwein
tot unde leben ein ander an;
wan unser enwederez enkan
ze rehte sterben noch geleben,
ezn müeze ime daz ander geben. 18499 ff

Der abstrakt-mechanische Gebrauch der Vokabeln 'leben' und 'tot', der durch die Gewebsmetaphorik kaum inhaltlich bestimmter wird, scheint sich hier gleichzeitig auf die Verkettung sowohl der physischen wie der seelischen Existenz von Tristan und Isolde zu beziehen: 'iht mere muget ir ane mich/ iemer geleben keinen tac,/ dan ich ane iuch geleben mac.' (18500 ff). Das kann heißen: Wenn ich sterbe, stirbst du auch und umgekehrt. Oder aber: Wenn wir getrennt sind, hast du kein 'rehtes' Leben, denn dein Leben läßt du ja bei mir zurück und nimmst das meine mit dir. Die Bedeutungen von 'leben' als physischem Überleben und als gemeinsamem Leben vermischen sich in solchen Relationsformeln kaum trennbar und spiegeln die zwei Bezugsebenen: Zum einen das abstrakte Einheitspostulat (so lange der eine lebt, kann der andere nicht sterben), zum andern die epische Situation der Trennung (getrennt ist ihr Leben 'noch lebende noch rehte tot' (18516)).

Isolde wendet sich dann einem neuen identitätslogischen Gedanken zu: Wenn sie und Tristan 'ein lip unde ein leben' (18500) sind, dann müßte ihr jener in ihr zurückgebliebene Tristan Rat geben können, wie sie ihm in ihr und schließlich auch ihr selbst das Leben erhalten kann. Aber ihr Appell an ihr zweites Ich bleibt unbeantwortet. Und warum? Weil Isolde 'sinnelos' ist und nicht bedacht hat, daß Tristans 'zunge' und ihr eigener 'sin' gar nicht bei ihr sind, sondern draußen auf dem Meer bei Tristan. Gottfried läßt an dieser Stelle Isolde sich nicht weiter in diese spitzfindige Aufteilung der Organe verlieren, denn bei strenger Reziprozität müßte ja Isolde dann zumindest über ihre eigene 'zunge' und Tristans 'sin' verfügen können[484]. Gottfried kann das Schlußverfahren hier abbrechen, weil die Funktion der hypothetischen Gedankenwege Isoldes gerade nicht so sehr in

484 Streng genommen bescheinigt sich Isolde selbst die Unfähigkeit, den Monolog zu halten, denn sie ist 'sinnelos' und ihr 'sin' steht ihr gar nicht zur Verfügung. Man sieht, welche inneren Widersprüche mit der figuralen Präsentation der theoretischen Exegese des Epischen sich einstellen mögen, wollte man buchstäblich lesen.

vollständiger Konsequenz liegt als vielmehr bloß in deren Anschein, mit dem sich das Pathos von Isoldes gestufter Ratlosigkeit im dialektischen Irrgarten der Identität einstellt und das gleich anschließend wieder sich in einer Kette von affektischen Fragen Isoldes angesichts all der Trennungen, Vertauschungen und Doppelungen vermittelt:

> wa mag ich mich nu vinden?
> wa mag ich mich nu suochen, wa?
> nu bin ich hie und bin ouch da
> und enbin doch weder da noch hie.
> wer wart ouch sus verirret ie?
> wer wart ie sus zerteilet me? 18532 ff

So beschäftigt sie sich mit der Paradoxie ihrer gleichzeitigen Existenz an zwei weit voneinander entfernten Orten, die sich aus dem Dogma der Einheit und dem Pragma der Trennung logisch ergibt. Und obwohl sie an zwei Orten zugleich ist, findet sie doch an keinem Leben oder Tod: Ihr Herz ist ohne Tristan tot (18443); ohne ihn aber kann sie auch nicht sterben (18545 f)[485].

Schließlich relativiert Isolde ihre ratlose Klage, die sich im Tenor des Vorwurfs an Tristan gerichtet hatte: 'Weiz got diz rede ich ane not' (18554). Aus der Reziprozität ihrer Bindung folgt nämlich, daß Tristan keine geringere Not erduldet als sie auch. Dann schlägt Isoldes Rede einen merkwürdigen, die Identitätstopik verlassenden Weg ein: In mehrfacher Umschreibung gibt sie ohne Angabe irgendwelcher Gründe ihrer Meinung Ausdruck, daß Tristans Kummer womöglich noch größer als der ihre sei (18558-566). Der Zweck dieser durch nichts begründeten und aus dem bisherigen Rahmen fallenden Annahme entpuppt sich beim Weiterlesen als rhetorische Profilierung der nachfolgenden Behauptung. Nachdem nämlich Isolde Tristan wortreich die größere Quantität ihres gemeinsamen Leides konzediert hat, mißt sie sich in apodiktischer Kürze die höhere Qualität, den begründeteren Anspruch auf Kummer zu:

---

485 In Isoldes Worten 'ich stürbe gerne, möhte ich' (18545) ist natürlich noch kein Vorklang des Wagnerschen Todesmystizismus zu sehen; sie sind nicht einmal als ernstzunehmende Wunschvorstellung zu lesen; sie unterstreichen

'und claget er niht billich als ich.' (18568)[486] Die Begründung ihrer Behauptung führt Isolde zu einer logischen Simplifizierung der dialektischen Verwerfungen von Doktrin und Handlung:

> wan min leben daz lit an ime;
> da wider so lit an mir sin tot:
> durch daz so claget er ane not. 18572 ff

Die Argumentation unterschlägt die an anderen Stellen entwickelten Wechselbeziehungen, etwa die Tatsache, daß ja auch Tristan sein Leben bei Isolde zurücklassen mußte. Wie leicht die Dialektik der wechselseitigen Identität aus der Bahn geworfen wird, zeigt dann auch die gleich darauf folgende Sentenz und die ihr zuarbeitende Argumentation:

> wan weizgot swer ze sinem vromen
> mit sines vriundes schaden wil komen,
> der treit im cleine minne. 18589 ff

Isolde weiß sehr genau, daß Tristans Rückkehr seinen Tod bedeuten würde und damit zugleich ihren eigenen. Diese Wechselwirkung ist unter dem Diktat der Sentenz aufgehoben, und es geht um den einseitigen Vorteil des einen auf Kosten des andern: Isolde gibt sich als die großmütig Opfernde, die lieber die 'not' seiner Abwesenheit erträgt, als daß Tristan Schaden erwüchse. Daß ihr aus seiner Gegenwart ein realer Vorteil entstünde, das ist die unterschobene Fiktion, die durch die Argumentationsentwicklung ermöglicht wurde. Insgesamt zeigt sich, daß die sophistische Verkürzung die erzähltechnische Funktion hat, zu einer handlungspragmatischen Besinnung zu führen, wie sie Isolde schon ähnlich beim Abschied formuliert hatte: Tristan wird die Aufgabe zugemessen, seinen 'lip' und seine 'ere' um ihretwillen zu retten. Was immer sie auch leiden und entbehren müsse - und

---

vielmehr als personalisierte Emphase die dialektisch analysierte Paralyse zwischen Leben und Tod, so daß sinngemäß übersetzt werden sollte: Ich kann nicht einmal sterben!

486 Hattos Übertragung hält den Umschlag in die Antithese gut fest: "Yet he does not mourn with good cause like me!" (Tristan. L.c. S. 286).

zwar, wie gesagt, mit größerer Berechtigung als Tristan –, so soll er sich dennoch in die sichere Ferne begeben:

> ich wil mich gerne twingen
> an allen minen dingen,
> daz ich min unde sin entwese,
> durch daz er mir und ime genese. 18597 ff

Diese Wendung zur Handlungspragmatik ist zugleich mehr, nämlich eine Rückkehr aus der Spekulation zu der Isolde und ihrer Liebesbestimmung angemessenen Norm, so daß, wie Ilse Nolting-Hauff zum höfischen Monolog ausführt, "der Monolog, statt das Abnorme psychologisch zu zergliedern, die im Vorgang der Reflexion selbst gegebene Bewegung zur Norm hin in exemplarischer Weise (vorführt)(...), und daß darin seine eigentliche Aufgabe sich erschöpft, daß die Reflexion in ihm also Selbstzweck wird (...)."[487] Der Monolog ist also nicht als verläßlicher Baustein der Meinung der Dichtung zu werten, sondern in ihm löst sich der Diskurs aus der Realität des Epischen, um im Durchgang durch die Fiktionen des Denkens, die als rhetorische Unterhaltungsmittel das Vorgängige durchsetzen, schließlich zur Fiktion der Handlung zurückzuführen.

In dem, was die räsonnierende Minnedame in den durch Revokationen abgebrochenen und mit verkürzten Schlüssen operierenden Argumentationen vorträgt, werden wir nun schwerlich den Ausdruck einer Individualpsychologie, eines Charakterbildes erkennen können, wenngleich sich in der epischen Darstellung zugegebenermaßen die Fiktion einer Mimesis der verwirrten Seele angesichts existentieller Paradoxien und deren szenisches Pathos mitteilt[488]. Entscheidend aber ist, daß das Sprechen im Monolog Isoldes sich als rhetorisch-dialektischer Prozeß zwischen den Kräften von Mythos und Ratio ausnimmt, daß die epischen Elemente durch das strenge Kalkül einer in der Identitätsvorstellung verankerten Logik

---

487 Liebeskasuistik. L.c. S. 66.

488 Karl Bertau führt zu dem "scholastisch anmutenden Beweis für die Unauflöslichkeit ihrer beider Liebe" aus, es sei "in Wahrheit der Dichter, der hier deduziert. Er hat die epische Autonomie seiner Figur beiseite gedrängt (...)". Bertau verweist damit auf die Stilebene

gefiltert sind[489], um schließlich wieder zur handlungspragmatischen "Norm" hinzuführen. Hier im Monolog wie beim Abschiednehmen und im Erzählerbericht macht sich das kasuistische Interesse dieses Erzählens geltend, das die Handlung in abstrakte Relationen auflöst und damit dialektische Figuren beschreibt.

So wird sich die literarische Leistung der Abschiedsszene insgesamt dahin bestimmen lassen, daß Gottfried Elemente der traditionellen Liebestopik - etwa den Herzenstausch, den Liebe-Leid-Zusammenhang, ja vielleicht das biblische "ein Fleisch"[490] - einer spekulativen Dialektik unterworfen hat, die das Metaphorische der Bilder beim Wort nimmt, qua 'ratio' eine spezifisch mittelalterliche Entmythologisierung vornimmt, die die 'voces' ungeachtet ihrer Verweisungen schematisch-abstrakt miteinander in Beziehung setzt und so dem Epischen jene dilemmatischen Strukturen abgewinnt, die mit ihrem pathetischen Reizwert erst Tristan und Isoldes Geschick jene gewissermaßen sprachverwobene tragische Dignität geben. Die kritische Erkenntnis, daß diese intellektuelle Pathetik weitgehend auf den Sand einer sophistischen Wortdialektik gebaut ist, wird in der Rezeption des Romans vom rhetorischen Glanz der Darstellung verwischt, der partikulare Stringenz in den Schein einer geschlossenen Kette überführt.

---

der "rhetorischen Kunstsprache des Dichters", die die gesellschaftliche Rede und damit die Figuren überfordere (alle Stellen: Deutsche Literatur. L.c. S. 928). Die Mimesis ist also in keinem Fall eine realistische. Bertau bleibt über diesen Befund hinaus die Frage nach Hintergrund und Funktion solcher Darstellung schuldig, womit erst ihre poetische Legitimation verstehbar würde.

489 Bertau spricht vom "Identitätsontologismus der Liebenden" (Deutsche Literatur. L.c. S. 928).

490 Vgl. den Hinweis Peter Wapnewskis auf 1. Mos. 2, 24 und Matth. 19,5 und jenes 'duo in carne una' (Abschied. L.c. S. 351 f, Anm. 42).

4.2.3.5. Exkurs: Blanscheflurs Monolog (982-1076)

Isoldes Monolog nach der Trennung und Tristans Monolog am Ende des Fragments haben erkennen lassen, wie dies für Gottfried der Ort ist, in einer facettenartigen Inspektion einer Frage im logisierenden Diskurs nachzugehen und dabei einen Weg zwischen sophistischer Fiktion und bruchloser Handlungsanbindung zu steuern. Schon Blanscheflur bedient sich der monologischen analytischen Reflexion, um zum Begriff ihrer Situation zu kommen. Welchen literarischen Selbstwert diese Form der Figurendarstellung haben mochte[491] - in der szenischen Unmittelbarkeit des vom Vortragenden dargestellten Räsonneurs - wird nebenbei daran erkennbar, daß der Erzähler durchaus das Resultat der monologischen Selbstfindung vorwegzunehmen pflegt (vgl. zu Blanscheflur vv. 725-732 und 767-770).

Blanscheflur geht in ihrem Monolog ihre Situation systematisch an: Sie hat einen Mann angeschaut und davon ist ihr Herz krank geworden. Aber sie hat schon viele Männer angesehen, ohne daß davon ihr 'muot' betrübt wurde. Warum also? Blanscheflur erwägt verschiedene Möglichkeiten und beurteilt sie: Entweder es ist ihm angeboren, daß er jede Frau, die ihn anschaut, unglücklich macht (dann ist er 'unnütze lebende ein man' 1001), oder aber er wendet eine

---

491 Wir wissen um die strukturelle Bedeutung der Vorgeschichte von Tristans Eltern und deren beziehungsreiche Wiederholung und Übersteigerung in der Hauptgeschichte. Am schrittweisen Nacheinander der Rezeption der Erzählung gemessen interessieren aber ebensosehr auch die unmittelbaren Qualitäten eines Erzählens, das sich in ebensolcher Breite episch entfaltet wie die Hauptgeschichte. Die kunstvoll-spannende Szenendarstellung, die Mono- und Dialoge Riwalins und Blanscheflurs haben ihren literarischen Eigenwert, der sich unabhängig von den symbolischen Verweisstrukturen in jedem Augenblick der Rezitation und Rezeption verwirklicht. Die Riwalin-Blanscheflur-Geschichte ist daher kein instrumentelles Anhängsel, sondern erfüllt ganz wie die Hauptgeschichte die wirkungspoetischen Funktionen eines mittelalterlichen, rhetorisierten Erzählens.

'zouberlist' an (dann 'waere er maneges bezzer tot' 1006). Dann folgt die für das fiktiv-theoretische Räsonnement im Monolog charakteristische Zurücknahme[492] ('waz wize ich aber dem guoten man?/ er ist hie lihte unschuldic an.' 1017 f), und Blanscheflur erwägt, wieweit ihre Verwirrung in ihr selbst begründet liegt: Das Lob Riwalins sei wohl der Zauber gewesen, 'da von ich/ min selber sus vergezzen han' (1040 f). Schließlich stößt sie dann zur eigentlichen Ursache ihrer 'herzeclage' vor, der Minne, die sich in ihrer Sehnsucht nach Riwalin bezeugt. So stellt sich der Monolog als das schrittweise Setzen und Eliminieren von erfundenen Möglichkeiten dar, bis die der Fabel gemäße und darum handlungsbestimmende schließlich erkannt wird, bis Erfahrung und Bewußtsein bei Blanscheflur zur Deckung gekommen sind.

Riwalins Selbstfindung wird nicht im Monolog, sondern im Erzählerbericht nachgezeichnet. Dabei werden seine tatsächlichen, wechselnden psychischen Zustände dargestellt: Aus Blanscheflurs Gebärden schließt er auf ihre Liebe zu ihm; dieses Wissen weckt auch seine Liebe zu ihr, aber er zweifelt zunächst noch, ob ihr Seufzen nun Liebe oder Haß bedeutet. Schließlich ist er sich ihrer Liebe sicher. Er erfährt, daß Liebe Leid bedeutet. Als er sich nämlich detailliert ihres Aussehens erinnert, kommt erst die 'rehte minne' und bringt 'senediu sorge' und ein 'niuwes leben'. Gegenüber dieser Darstellung von Symptomen und psychischen Entwicklungen wird die Gattungseigentümlichkeit des Minnemonologs Blanscheflurs als einer Kunstfigur deutlich, in der sich das Sprechen vom Boden der Erzählwirklichkeit abhebt und das spekulative Räsonnieren betreibt. Das Ergebnis beider Darstellungsformen ist inhaltlich gleich: Einsicht in die 'senede not' des eigenen Herzens. Wenn wir nach der erzählerischen Wirkung beider Darstellungsformen

---

492 K.-H. Schirmer führt entsprechend zum höfischen Konfliktmonolog aus: "Sofern in solchen Monologen zwei verschiedene Verhaltensmöglichkeiten erörtert werden, ist die Kontrastposition nur als sozusagen theoretische Alternative dargelegt, die es zu überwinden gilt." (Rhetorisches im Kreuzlied Albrechts von Johannsdorf. In: Mediaevalia Litteraria. Festschrift für Helmut de Boor. München 1971. S. 248, Anm. 73).

fragen - vom belebenden Wechsel der Darstellungsebenen ganz abgesehen -, so steht der Riwalin-Teil gewiß dem Monolog nicht an Eindringlichkeit nach. Z.B. variiert Gottfried in 40 Versen (875-914) den einen Gedanken, daß Riwalin zwischen 'trost und zwivel' hin und her geworfen ist. Diese variierende 'dilatatio' macht einmal exemplarisch deutlich, daß die abschätzige Leistungsbestimmung der mittelalterlichen 'amplificatio' als bloßer Aufschwellung weitgehend ein Mißverständnis ist. In diesem Beispiel bringt die Gestalt den Gehalt in nachdrücklicher Weise 'qua amplificatio' zu seiner sinnlichen Anschauung: Das schematische, binäre Konzept einer ohne andere Alternative zwischen Hoffnung und Furcht hin und her wandernden Seele wird gerade durch die unermüdliche Wiederholung des Dilemmas in reich variiertem Figurenschmuck sinnlich erfahrbar als die quälende Paralyse Riwalins, die es ist. Die Ausdehnung des Gleichartigen ist hier nicht ermüdend, sondern die fortschreitende Variation ohne inhaltliche Entwicklung gibt der lähmenden Auswegslosigkeit jene Steigerung, die die Affekte fesselt.

So steht hier das emotionale Pathos der erzählerischen Mimesis der Seelenbewegungen Riwalins neben dem intellektuellen Pathos des unvermittelten spekulativen Figurensprechens. Beides macht das Dichten zu einer Gemütserregungskunst, die dem Publikum das Erzählen selbst in der Rezeption zum Abenteuer seines Herzens macht, wobei es weniger auf ideologisch fixierbare Allgemeinbestimmungen und Resultate ankommt, sondern die rhetorische Kontrolle der Publikumsaffekte im Wechsel der Darstellungsstrategien macht das Nacheinander des epischen Weges zum Abenteuer des Zuhörens, eines Weges, der als Umweg durch das Widerspiel der Meinungen hindurch offensichtlich erst recht eigentlich seinen literarischen Zweck erfüllt.

5. Funktion, Wirkung und Wahrheit des partikularistischen, rhetorisierten Romans

5.0. Vorbemerkung

Nach der Darstellung des rhetorischen Partikularismus des Romans an Hand der Figurendarstellung ziehen wir abschließend die Ebene der auktorialen Rede heran, um einerseits deren Wirkungsstruktur exemplarisch zu untersuchen, und um andererseits aber unmittelbare Zugänge zum poetologischen Selbstverständnis des Autors zu finden. Damit sehen wir uns vor die Aufgabe gestellt, Praxis und Theorie Gottfrieds in einen historisch plausiblen Zusammenhang zu stellen.

5.1. Der Minneexkurs (12183-12357)

5.1.1. Die Wirkungsstruktur des Minneexkurses

Mit einer seiner charakteristischen Strophen mit identischem Kreuzreim führt Gottfried in seinen sogenannten Minneexkurs ein:

Ein langiu rede von minnen
diu swaeret höfschen sinnen:
kurz rede von guoten minnen
diu guotet guoten sinnen. 12183 ff

In ihr stellen sich in außerordentlicher Komprimierung mehrere Elemente exordialer Topik ein, die einen rhetorisch eleganten und gewinnenden Übergang aus der noch nicht abgeschlossenen Darstellung der ersten Liebesnacht Tristans und Isoldes in eine theoretisierende Digression abzusichern haben. Wenn wir diese Elemente nach den rhetorischen Erfordernissen des Prologs vornehmen - 'benevolum, docilem, attentum parare'[493] -, so macht Gottfried sein Publikum 'benevolum',

493 Lausberg: Handbuch. L.c. § 266.

indem er es lobt - also 'ab auditorum persona' verfährt[494] - und darüberhinaus "das Lob des Publikums (...) mit der verhandelten Sache in Zusammenhang"[495] bringt: Er unterstellt ihm 'höfsche und guote sinne', die, von der getadelten langen Rede belastet, an der in Aussicht gestellten kurzen Rede sich aber erfreuen werden. Zusätzlich unterstützt er das 'benevolum' nach der Suchformel 'ab adversariorum nostrorum'[496], indem er das eigene Vorhaben, versehen mit Eigenlob - 'guote minne' vs. 'minne' -, also 'a causa'[497], von der literarischen Praxis langer Minnereden absetzt[498]. Das 'docilem parare' erfüllt Gottfried durch die knappe Ankündigung des Themas ('von guoten minnen')[499]. 'Attentio' schließlich kann er erwarten, weil er sein Publikum ausdrücklich vor dem 'taedium' einer langen Rede bewahren will und stattdessen 'brevitas' verspricht[500], eine durch die Kürze des Proömiums selbst glaubthaft gemachte Versicherung[501]. Darüber hinaus wird die Wichtigkeit des Vorhabens für das Publikum hervorgehoben (diu guotet guoten sinnen') und damit die Aufmerksamkeit über das 'tua res agitur'[502] angesprochen. Diese exordiale Feinstruktur ist gleichzeitig in die von den mittelalterlichen Poetiken empfohlene Eröffnung durch eine - hier zweigliedrige - 'sententia' verpackt[503].

---

494 Lausberg. L.c. §§ 274, 277.

495 Lausberg: Handbuch. L.c. § 277,α.

496 Lausberg: L.c. §§ 274, 276.

497 Lausberg: L.c. §§ 274, 278.

498 Wenngleich die Opposition von langer und kurzer Rede und ihrer negativen bzw. positiven Wirkung in sich genügend Gewicht hat, besonders unter dem exordialen Gesichtspunkt der Abwendung eines 'taediums', so hat der Gedanke hier wohl durchaus auch einen literarhistorischen Hintergrund: Gottfrieds Minnerede ist in der Tat kürzer als diejenigen Veldekes, diejenigen Chrétiens im 'Cligés' oder als diejenigen, die als Minnedispute oder Minnereden literarisch selbständig auftreten. Womöglich haben wir es also mit einer gezielten Absetzung von deren ermüdend stereotypen Aufschwellungen zu tun, wie wir sie auch im Minneräsonnement am Ende von Thomas' 'Tristan' finden, und die Gottfried hier mit der Plastik seiner Metaphorik und der inhaltlich zügig progredierenden Erörterung sichtlich konzentriert.

Es zeigt sich, daß in einer so kurzen Über- und Einleitung, die das Verlassen der Geschichte und das Abwandern in den Exkurs zu vertreten hat, sich durchaus eine vielfältige Berücksichtigung der "Gegenstandvertretbarkeit" und der "Publikumsansprechbarkeit"[504] abbildet, also sehr kontrolliert rezeptionsbezogen gesprochen wird[505].

Der Exkurs selbst bedient sich nun im Vergleich zur Erzählung einer grundsätzlich verschiedenen Redehaltung. Er verläßt die epische Vergangenheit und spricht aus der Gegenwart und Gegenwärtigkeit des Autors/Erzählers/Rezitators über die Gegenwart zur Gegenwart der Hörer. Zwar aus dem zuvor Erzählten entfaltet (12194-199) und zu ihm zurückführend (12358-363), gründet er doch ganz in der Unmittelbarkeit seines Publikumsbezugs, ist Klagerede und "Bußpredigt"[506].'Laudatio temporis acti' und 'vituperatio temporis

---

499 Lausberg: L.c. § 272.

500 Lausberg: L.c. § 271,ß.

501 Lausberg: L.c. § 271,ß.

502 Lausberg: L.c. § 271,γ.

503 Vgl. Geoffroi de Vinsauf: Poetria Nova. Vv. 126-202 (In: Faral: Les Arts Poétiques. L.c. S. 201-203).

504 Lausberg: Handbuch. L.c. § 271,γ.

505 Daß es sich letzten Endes um eine rhetorische 'captatio' handelt, ist daraus ersichtlich, daß Gottfried sein Versprechen offenbar gar nicht streng einhält: Ist denn eine Minneklage, als die sich der Exkurs herausstellen wird, eine 'rede von guoten minnen'? Allenfalls in dem Sinn - und hier scheint sich der wirkungsästhetische Sinn des Erzählens anzudeuten -, daß in der Klage eine affektive Identifikation mit dem Vorgetragenen hergestellt wird, daß Erbauung und Rührung bezeugen, daß 'guot' von 'minnen' geredet wurde.

506 de Boor: Literaturgeschichte. L.c. S. 134. Er spricht mit Bezug auf diesen Exkurs von der "Bußpredigt der Minne".

praesentis' sind das topische Gerüst, aus dem das Klagepathos und der didaktische Anspruch erwachsen. Wenn wir von der ironisch angelegten auktorialen Beglaubigung des Befindens der Liebenden ('sanfte in ir muote'), die den Exkurs an die Erzählung anbindet, absehen (12187-199), so stellt sich der Ablauf der Rede als ein zweimaliger Durchgang nach folgendem Muster dar: Erinnerte Liebe vergangener Zeiten stimmt uns freudig und läßt uns trachten, es ihr gleichzutun, aber wir vermögen es nicht; wir behandeln die Liebe falsch und treten die 'triuwe' mit Füßen. Die Rede ist also als Minneklage zugleich Zeitklage, und sie zielt, mit allen Mitteln der Pathoswirkung ausgestattet - similitudo, exclamatio, proverbium, fictio persona, interrogatio - auf die unmittelbare Affizierung des Publikums. Der Gesamttenor ist resignativ: Zwar zeigt Gottfried die Ideale der 'herzeliebe' auf, aber er kann in der Gegenwart kein Beispiel 'rehter triuwe' erkennen. Dabei schließt er sich als der Prediger im Plural des 'wir' konsequent in die Reihe der 'valschen minnaere' ein. Festzuhalten ist also, daß die Rede nicht Vorstellung des "Ideals" und Aufforderung zu seiner Verwirklichung ist, also nicht Appell, 'exhortatio' oder Mahnpredigt, sondern vielmehr das Gattungsgesetz der Klage erfüllt: Der Gegenwartskritik ist das Bild des 'staeten vriundes muot' nur im Potentialis gegenübergestellt, gewissermaßen als "resignative Utopie"[507]. Aus der konjunktivischen Nennung des Wünschenswerten, wie es die ganze Rede praktiziert, und wie es am Ende noch einmal zusammengefaßt ist (ohi was der benaeme / seneder sorge und herzenot' 12356 f), wechselt der Erzähler in den Indikativ des Erzählpräteritums und kehrt zu den wahren Liebenden der Vergangenheit zurück (12358 ff), aus der verdorbenen Wirklichkeit in die epische Idealität derjenigen, die sich in der Nacht auf dem Schiff 'benamen ouch ir leide /

---

507 Bertau: Deutsche Literatur. L.c. S. 957. Bertau spricht von der durch Resignation gezeichneten Utopie des Glücks in der Waldlebenszene.

unde ir triure ein ander vil' (12360 f)[508]. Die Einbettung des Exkurses zwischen dem Zusammentreffen in der Nacht und der Beschäftigung mit dem, 'swes gelieben gelanget' (12366), ist also wohlmotiviert als Gegenüberstellung einer Gegenwart, die nur Laster und Leid aus der Minne gewinnt, und einem Stück vorbildlicher Minnevergangenheit.

---

508 An diesem Übergang zeigt sich, daß man nicht pauschal vom Minne-Ideal der Exkurse gegenüber dem Scheitern der Tristanminne in der Handlung sprechen kann, wie dies Lore Peiffer gerade auch mit Bezug auf diesen Minneexkurs tut (Exkurse. L.c. S. 212 f). In dem gleich nachfolgenden kurzen Exkurs in den Versen 12379 ff wird ja gerade die minnegerechte Praxis von Tristan und Isolde herausgestrichen gegenüber jenen, die sich 'helen' und so an sich selbst zum Dieb ihrer Liebe werden, ganz wie jene Zeitgenossen, die der Minneexkurs beklagt hat. Lore Peiffers schematische Gegenüberstellung der drei großen Minneexkurse (12183 ff, 16923 ff, 17858 ff), die nach ihrer Ansicht die "Minne als ein höchst bewußtes Ideal darstellen" (S. 212), und der scheiternden Minne der Handlung, zusammen mit ihren Folgerungen, scheint uns in vielerlei Hinsicht fragwürdig. Weder scheint es uns "die Eigenschaft des Exkurses, durch Reflexion Distanz zu schaffen" (S. 212), noch ist seine Leistung in erster Linie auf die Darstellung eines Minneideals gerichtet: Die pathoshaltige Klagerede des Minneexkurses will und kann nicht einen "rationalen Ausgleich" (S. 212), ein "rationales Gegengewicht" (S. 213) zur "Irrationalität" der Handlungsminne schaffen, sondern sie ist gerade aufrüttelnder Affektträger, der die Geschichtsfiktion verläßt und dem Hörer seine eigene, desolate Lage in Sachen Minne klagend vor Augen führt. Das sogenannte Minneideal ist nur der aus der Tristanminne geborgte Goldgrund, vor dem sich die gegenwartsgerichtete Bußpredigt erhebt. Lore Peiffers Schema von der rationalen Exkursminne und der irrationalen Handlungsminne, das u.E. dem Text weder unmittelbar inhaltlich noch seiner Ästhetik gerecht wird, beruht auf ihrer werkimmanenten, darstellungsästhetischen Ausrichtung: Sie fragt allein nach der erzähltechnischen und der thematischen Leistung der Exkurse im Hinblick auf die Handlung. Sie geht das Werk also als ein absolutes Gefüge an, dessen Struktur ganz auf sich selbst bezogen bleibt und die sich objektiv observieren läßt. So bleiben Funktion und literarische Leistung der Exkurse werkimmanent bestimmt, als hätten sie allein die Aufgabe, eine literarische Homöostase im Werk herzustellen. "Rational" und "irrational" sind darum bei ihr auch nicht Wirkungsbegriffe, sondern mit der "distanzierenden Leistung der Exkurse" (S. 212) meint sie die Art ihres Minnebegriffs, eines angeblich weniger irrationalen, ethisch gefärbten Minneideals, das ein Gegengewicht zur irrationalen, unbeherrschbaren Gewalt der Minne in der

Wenngleich wir es bei der Einlage mit der topischen Struktur einer Minneklage zu tun haben - also mit der Eigengesetzlichkeit einer bestimmten Sprechgattung -, die schematisch idealen Begriff und schlechte Wirklichkeit, vorbildliche Vergangenheit und scheiternde Gegenwart affektiv gegenüberstellt, so bietet sich der Exkurs dennoch als präziser Kommentar zum Handlungsvorgang an, und wir können ein prinzipielles Urteil zu einem Teilaspekt der Minne festhalten. Zwar werden sich die Verschlüsselungen in Metaphern und allegorischen Szenerien (insgesondere 12290 ff) nicht eindeutig auf bestimmte historische Praxis hin auflösen lassen[509] - die Bildketten wechseln z.B. zwischen der Unterscheidung einer wahren und falschen Minne einerseits und einer einzigen, aber nur nicht richtig ausgeübten Minne andererseits -, zumal die tropischen Amplifikationen sich vor allem als aufrüttelnde Steigerung der 'admonitio' darstellen, aber im ganzen geht es um den Vorwurf, daß

---

epischen Handlung bilde (S. 212). Solch eine strukturalistische Gehaltsästhetik, die überdies inhaltlich sehr anfechtbar ist, verkennt die grundsätzliche Wirkungsintentionalität literarischer Rede, den Schritt für Schritt extrovertierten, rezeptionsbezogenen Charakter der literarischen Äußerung. Peiffers werkumspannende Systematik, mit fragwürdigen Vorentscheidungen über das Minnewesen im 'Tristan' angefüllt, verstellt die einfache literarische Erfahrung, daß, völlig konträr zu ihrer Entgegensetzung von rationalem Ideal und irrationaler (d.h. bei ihr: nicht-idealer) Handlungsminne, der Minneexkurs als betroffen machende, resignative Zeitklage eingebettet ist in das selige Minneerleben des jungen Paares in der epischen Handlung: Die Handlung also bildet für den epischen Augenblick das Ideal ab, und der Exkurs nimmt dies zum Anlaß, über den Verlust solcher 'triuwe' in der Gegenwart zu klagen. Diese Anmerkung kann nur andeuten, nach welchen methodischen und sachlichen Verwerfungen die Dinge bei Lore Peiffer schließlich auf den Kopf gestellt erscheinen. Grundsätzlich ist für das Verhältnis Exkurs - Handlung gegenüber Peiffer festzuhalten, daß es sich um zweierlei Sprechweisen handelt: Die eine geht in der Fiktionsdarstellung auf, die andere wendet sich dem Hörer zu. Die Frage nach der thematischen Integration von Exkurs und Handlung ist darum gewissermaßen falsch gestellt, da wir es mit zwei sich inhaltlich zwar berührenden, aber kategorial verschiedenen Redehaltungen zu tun haben, die unterschiedliche Zwecke erfüllen: Fiktionsdarstellung und Autor-Publikumsgespräch. Diese unterschiedliche ästhetische Dimension der Darstellungsebenen schließt eine direkte Verrechnung miteinander, wie Lore Peiffer sie praktiziert, aus.

in der Gegenwart Minne nur in 'misselinge und ungeschiht' (12265) endet, 'daz wir unserre clage / so selten liebez ende geben!' (12314 f). Tristan und Isolde dagegen lassen der 'arbeit' die 'senfte' folgen. Diese Botschaft ist klar und eindeutig[510] und wird in dem kleinen Exkurs über die 'schame' (12380-387) im Anschluß an das geschilderte Geben und Nehmen von Tristan und Isolde noch inhaltlich bestimmter gemacht: Liebende, die sich aus 'schame' die Liebe vorenthalten, bestehlen sich selbst[511].

Der Minneexkurs bleibt in seiner speziellen Form und Wirkungsfunktion - das sei im Hinblick auf die im vorigen Kapitel behandelten Minneaspekte gesagt - jedoch ein Stück Minnetheorie für sich und fände beispielsweise im Rahmen der Trennungs- und Identitätsthematik keinen Anknüpfungspunkt. Er lebt, in einen bestimmten Kontext eingebettet, aus seiner unmittelbaren, publikumsbezogenen Wirkung. Dies gilt im Prinzip auch für den 'huote'-Exkurs, der, ungleich vielgestaltiger, sich schließlich allerdings gegenüber dem Handlungskontext verselbständigt. Im Zusammenhang mit ihm wollen wir, ehe wir wieder an Hand des Minneexkurses in Gottfrieds Literaturbegriff einleiten, den erzählrhetorisch begründeten "Minnepartikularismus" im 'Tristan', wie er sich schon bei einigen Darstellungen abgezeichnet hat, in einem Exkurs zusammenfassend bewerten.

---

509 Man möchte in den vv. 12311-315 leicht eine Kritik an den Normen, die der Minnesang Reinmarscher Prägung setzte, heraushören, aber womöglich ebensogut an der Praxis des Instituts der Ehe im Mittelalter. Vgl. dazu Wehrli: Das Abenteuer. L.c. S. 257 f.

510 Man sollte festhalten, daß zwar zwischen Exkurs und Handlung (und ferner dem 'schame'-Exkurs) hier ein Plädoyer für die 'vröude' zwischen Liebenden geführt ist - dies vor dem Hintergrund der Klage über die, die es mit der Minne niemals soweit bringen. Aber das grundsätzliche Axiom des Prologs von der Identität von Liebe und Leid in rechter Minne bleibt davon unberührt und die Invektive gegen jene Welt, die nur 'in vröuden welle sweben' (53) im Recht. Demgegenüber geht es im Erzählen und Kommentieren um die Entfaltung und den Wechsel der Momente in der Erstreckung der Zeit.

511 In diesem Exkurs haben wir übrigens wieder die Sprechweise des neutral-sententiösen Kommentars und nicht die Redner und Publikum unmittelbar im 'wir' betreffende konkret-historische Philippika.

5.1.2. Exkurs: Die Minnebehandlung im rhetorisierten Roman Gottfrieds

Die verschiedenen Minnebilder, die in großen und kleinen Exkursen und Sentenzen zur Sprache kommen, zeigen zur Genüge, daß auch das auktoriale Kommentieren in sich so diskontinuierlich-partikularistisch ist wie andere Gestaltungsebenen auch. Lore Peiffer hat mit ihren Exkursanalysen die "breite Skale an Möglichkeiten der Minneverwirklichung"[512] hinreichend dargestellt und es erübrigt sich, hier im vollen Umfang das komplexe Gefüge verschiedener Minnepraxis und verschiedenster Minnekommentare, das sich jeder einfachen Harmonisierung widersetzt, noch einmal darzustellen[513]. Es kommt uns vielmehr auf die Beurteilung der Ursachen und Funktionen eines solchen thematischen Partikularismus an.

Wenn wir gleich einmal beim Minne- und beim 'huote'-Exkurs den unterschiedlichen Minnebildern nachgehen, finden wir die besonderen Inhalte in verschiedenen topischen Sprechhaltungen verankert: Der resignativen Klage im Minneexkurs, der die 'triuwe' des epischen Paars nur noch als Erinnerung, nicht als Möglichkeit der eigenen Gegenwart darstellt, steht die optimistische Didaxe am Ende des 'huote'-Exkurses gegenüber, die dem 'der suohte, alse er solde' (18111), auch heute noch ein 'paradis' in Aussicht stellt, das nicht hinter der 'minne' Tristans und Isoldes zurückstünde[514]. Klagerede hier und Epideiktik und Didaxe der Minne dort: Das sind zwei Arten, literarisch über Minne zu reden, und Gottfried hat, gewiß

---

512 Peiffer: Exkurse. L.c. S. 183.

513 W.T.H. Jackson hat die "anatomy of love" als das epische Anliegen des Romans herausgestellt und mit der schrittweisen "study of the nature of love" Gottfrieds den Partikularismus der Minnebehandlung erhellt (Jackson: Anatomy. L.c. S. 190). Er sieht den Schwerpunkt des Darstellungsinteresses ganz bei der Analyse der Liebe, für die der epische Stoff nur Material der Erörterung ist. Diese Unterordnung des Stoffs unter die abschnittweise Theoretisierung hat zur Folge, daß - wie Jackson richtig sieht - "words, phrases, descriptions, incidents, characters, even the characters of the lovers themselves shift meaning according to context and reaction (...)." (S. 270).

der intellektuellen Note des literarischen Geschmacks eines gebildeten Publikums entsprechend, die Handlung mit solcher unterschiedlichen Oratorik des Erzählers - mit mehr oder weniger genauer kontextueller Anbindung - durchsetzt, mit einem Reden, das stets in der Schwebe zwischen selbstgenügsamem Essayismus und handlungserläuternder oder -begründender Funktion ist. Die Disparität der einzelnen Elemente des verstreuten Minneräsonnements - das haben die neueren Gottfried-Studien immer mehr verdeutlicht - läßt sich nicht dadurch aufheben, daß man sie als kontributive oder als kontrastive Elemente auf eine angenommene Gottfriedsche Grundhaltung hin gegeneinander aufrechnet. Sie sind nicht gezielte Bausteine einer zusammenhängenden ideologischen Struktur. Mit dieser Einsicht kann auch der Blick frei werden für das punktuell Unterhaltsam-Didaktische der Exkurse, für ihre rezeptionsästhetische Qualität als selbständige Einheiten. Dabei sollte man allerdings den Exkursen nicht nur, wie Lore Peiffer dies tut, im streng erzähltechnischen Sinn als Gliederungsmitteln des Romans die Lockerung des epischen Gefüges und die Regulierung der Erzählspannung zuschreiben, sondern die eigene, rhetorisch-affektische Leistung dieser Einreden herausstellen.

Gerhard Schindele schreibt: "Von der Leid-Freude-Dialektik abgesehen, die mit der von Tod und Leben einhergeht, wirken die übrigen Erscheinungsformen der Minne, welche sich um die Trankszene gruppieren, vom spezifischen Gehalt des Stoffes weder entschieden geprägt noch inspiriert"[515]. Diese einzelne Beobachtung kann die Verhältnisse der Minnebehandlung Gottfrieds generell charakterisieren. Was im Prolog programmatisch als ideeller Rahmen der Erzählung vorgestellt und mit dem Trank in die Handlung eingebracht ist und dann die Liebesgeschichte Tristans und Isoldes weitgehend steuert, die Liebe-Leid- und die Identitätsdialektik: Sie sind zwar der entschei-

---

514 Es ist unschwer zu sehen, wie hier eine kultur- und sozialgeschichtliche Verabsolutierung der einen oder anderen Exkurshaltung in die Irre führen kann, eine biographisch-historische ohnehin.

515 Schindele: Tristan. L.c. S. 64.

dende, nicht aber der ausschließliche Bezugspunkt der epischen Minnedarstellung, und sie setzen sich keineswegs immer konsequent in der epischen Praxis durch. Vielmehr reichert Gottfried darüber hinaus sein Kommentieren, je nach dem epischen Anlaß oder auch diesen übersteigend, mit einem breiten, nicht immer widerspruchsfreien, minnetheoretischen und minnedidaktischen Spektrum an.

Im 'huote'-Exkurs (17858-18114) verbindet sich beispielsweise eine Polemik gegen die charakterverderbende 'huote' mit einer allgemeinen Minnetugendlehre und mit der Darstellung eines Frauenideals. Zunächst wird mit einer Psychologie der 'huote' die seelische Lage Tristans und Isoldes charakterisiert (17817-857); bald aber schlägt mit dem eigentlichen Exkurs die Darstellung, gegenwartsbezogen und publikumszugewandt, in minnepsychologisch begründete Didaxe um. Aus einer Psychologie der Frau wird ihre angemessene Behandlung abgeleitet (17859-966) und schließlich das Bild einer souveränen, dem Ideal der 'maze' folgenden Minnedame entworfen (17967-18086).

Wir wollen die Unterschiede beachten: Die Minneprogrammatik des Prologs und der Trankszene wird dort begründungslos und autoritativ vorgetragen, die Liebe-Leid-Dialektik ursachelos als Wesen wahrer Minne hingestellt. Das Dogma erweist sich erst im Nachhinein an der Geschichte Tristans und Isoldes als Kondition der Minne in der Welt, wird vom Ganzen des Epischen eingelöst. Im 'huote'-Exkurs aber finden wir stattdessen ein Minneräsonnement, das ständig um Legitimation bemüht ist: Minnepsychologie wird entwickelt und schließlich gar weltgeschichtlich abgeleitet: Von Eva ist die Art. Spezielles und allgemeines Argument wechseln miteinander, um das auktoriale Urteil in der Sache zu begründen. Inhaltlich steht nicht das Wesen der Minne zur Debatte, sondern der frauenpsychologisch unkluge Gebrauch der 'huote' sowie die Position der Frau in der Gesellschaft schlechthin. Ist die 'huote' zwar ein unmittelbarer materieller Grund für die Leidminne der Liebenden und an dieser Stelle Anlaß des Exkurses, so ist dieser insgesamt jedoch nicht erklärungsmächtig für die Handlung des Romans, sondern entwirft gegenwarts- und gesellschaftsbezogen eine hausbackene Minnetugendlehre auf der Grundlage eines utopisch-idealen Bildes der Souveränität einer Frau, die zwischen 'ere' und 'lip' den Weg der 'maze' verfolgt, sofern die 'huote' sie unbehelligt läßt. Indem so im Exkurs die 'huote' als Widersacher der 'maze' der Frau dargestellt ist, die 'huote' in der Handlung aber andererseits gerade die Struktur der Leidminne episch ins Bild setzt, wird die Minnerealität der Handlung ebenso wie die Programmatik des Prologs in diesem Exkurs transzendiert und eine Utopie umschrieben, die die Leidstruktur aufheben würde, ja, sie wird im direkten Publikumsappell sogar als gegenwärtige Verwirklichungsmöglichkeit in Aussicht gestellt (18088-114).

Welches sind die Bezugsfelder dieser nicht integrierbaren Sprechweisen von Minne? Im 'huote'-Exkurs wie in mancherlei kleineren Kommentaren bewegt sich Gottfried publikumsgerichtet im Rahmen zeitgenössischer literarischer Minnekasuistik; er psychologisiert, allegorisiert, rät und warnt, verfährt rhetorisch-argumentativ - d.h. er sucht eine 'communis opinio' als Autoritätsrückhalt auf, um die Didaxe abzusichern -, und er trägt, ähnlich wie mit der Grottenallegorese, einen Tugendbegriff der Minne vor, der "von der spezifischen Trankminne unberührt scheint (...)"[516]. Der 'huote'-Exkurs wie der "epische Exkurs" der Waldleben-Episode[517] stellen gewissermaßen theoretisch-didaktische Beurlaubungen vom Bann der tragisch-dialektischen Struktur des epischen Mythos und einen Tribut an den zeitgenössischen ethischen Rationalismus höfischer Minnebehandlung dar[518]: Die Handlungsminne wird auf einen höfischen

516 Schindele: Tristan. L.c. S. 64.

517 Die Waldlebenszene ist eins der Beispiele, die zeigen können, daß Lore Peiffers Beschränkung auf auktoriale Exkurse als den Bereich des Kommentars im Gegensatz zur epischen Handlung eine unfruchtbare Verengung des Blickfeldes bedeutet, denn ihre Eingrenzung stellt beispielsweise Monologe, Dialoge und gewisse abgesonderte Darstellungsteile wie die Waldlebenszene und insbesondere die Grottenallegorese als "Handlung" dem theoretischen Exkurs entgegen, wiewohl diese Teile gleichfalls die räsonnierende Aufbereitung des epischen Stoffs betreiben. Lore Peiffers Polarisierung von Exkurs und Handlung erscheint uns darum formalistisch; die Auseinandersetzung zwischen Mythos und Ratio bildet sich in den verschiedensten Darstellungsebenen ab.

518 Nicht umsonst wurde das Waldleben u.a. als "utopische Idylle", "utopisches Intermezzo" oder als "Utopie der Minnegrotte" bezeichnet.

Kanon der Minnevorbildlichkeit hin transzendiert. Es ist die Eigenart dieser Darstellung auf zwei Ebenen, daß nicht etwa, wie Lore Peiffer meint, die Minne der Handlung gegenüber einer Minne des Exkursideals scheitert[519], sondern die Handlung erfüllt die Struktur einer unauflöslichen Liebe in einer widrigen Welt, stellt die Liebe-Leid-Dialektik 'edeler senedaere' dar, wie die Geschichte sie von alters her von Dido, Biblis, Phyllis und Canacea bis hin zu Tristan und Isolde kennt, demgegenüber die Minnedidaxe der Exkurse zusätzlich konventionelle Minnetopik im rationalen, rhetorisch-meinungsbildenden Diskurs aufgreift. Diese Darstellungsspannung wird man an die Auseinandersetzung zwischen Mythos und Ratio bei der höfisch-scholastischen Adaption eines vernakularen Stoffes anbinden dürfen, womit die beiden literarischen Energien unterschieden sind, die sich im Roman gewissermaßen aneinander abarbeiten und dabei u.a. das komplexe Minnespektrum entstehen lassen. Der alte Stoff, seine scholastische Anverwandlung und seine höfische Auszierung gehen in- und gegeneinander[520], wobei – wie insbesondere Gerhard Schindele gezeigt hat[521] – alte epische Handlungsstruktur sich durchaus auch gegen ihre höfische Adaption behauptet[522].

---

519 Vgl. bereits unsere Ausführungen auf S. 205 f, Anm. 508.

520 Nach Hugo Kuhn handelt es sich bei diesem literarhistorischen Vorgang darum, daß "an sozusagen 'mythisch'-ungedeutet präsenten Stoffen mittelalterliche Werte-Diskussionen 'ausgelegt'" werden (Tristan, Nibelungenlied, Artusstruktur.- München 1973. S. 35 (= Sitzungsber. d. Bayr. Akad. d. Wiss. Phil.-Hist. Kl., Jg. 1973, H. 5). Nach Eugène Vinaver geht es um eine "discovery of meaning" am epischen Stoff, der dazu einer "thematic mode of reading" unterworfen wird, die dem Mythos seinen Begriff abgewinnt. (Rise of Romance. L.c. Passim).

521 Schindele: Tristan. L.c. Passim.- Schindele arbeitet insbesondere die vorbegriffliche Dialektik des Stoffes heraus, wie sie z.B. in der Königin von Irland angelegt ist, aus deren Hand Gift und Salbe zugleich kommen und deren Trank Liebe und Leid zugleich zeitigt.

522 Dieser Befund kann nach Eugène Vinaver für den höfischen Roman generell gelten: "The 'conte' asserts itself in the face of, and despite, the 'conjointure', as something with a certain validity in the poet's eyes, no matter how many incoherences may result from it." (Rise of Romance. L.c. S. 50).

Das im Gottfriedschen 'Tristan' beschworene Minnewesen stellt sich gegenüber der erzählten Geschichte in ihrer zeitlichen, irreversiblen Sukzession als ein abstrakter Begriff dar, in dem die zufällige Empirie stillgelegt ist. Diese Ideologisierung des Epischen erscheint historisch gewissermaßen als Ausdruck der mythischen Sinnsuche eines rationalen Zeitalters, als ein auf die Minne gerichtetes säkularisiertes religiöses Bedürfnis, und sie ist eingebettet in die Darstellungsformen eines Jahrhunderts, dem die Logik zum Maß der Dinge wurde, das in systematischen Begriffen und Schlußverfahren Urteile über die allgemeine Kondition des Menschen aufsuchte. Der irrationale epische Mythos wollte darum gewissermaßen bewiesen sein - ein paradoxer Sachverhalt, wenn man unter dem Mythischen das Unvordenkliche versteht, aber ein für die Epoche höchst charakteristischer[523]. Der höfische Dichter aber greift nun bei diesem Versuch, eine minnetheoretische Sinnstiftung gegenüber dem hermetischen Mythos zu betreiben, nicht zu demonstrativen, sondern zu topologischen Syllogismen, zum Epicheirem[524], d.h. er geht von nur wahrscheinlichen Prämissen aus, von Sentenzen, die auf einen allgemeinen Konsensus zurückzuführen sind und eine urbane Anverwandlung des Fabulösen ins Rational-Pragmatische höfischer Denkart garantieren. Die Rationalität, mit der der Adapteur das Mythisch-Mimetische kontrolliert, ist also topisch, traditionsvermittelt, einer 'opinio communis' verbunden; sie ist also nicht eigentlich entlarvende, sondern vielmehr sinnzutragende Rationalität. So wie die scholastische Theologie die Mysterien nicht decouvriert, sondern mit den Instrumenten der Logik konsolidiert, so werden die poetischen Mythen in den Haushalt des zeitgenössischen menschlichen Erfahrungswissens eingebracht. So wird das Epische etwa in der vertrauten Sentenz resümiert oder aber aus dieser entwickelt. In solchem

---

523 Gerade das Sujet zwanghaft-irrationaler Passion, der liebesblinden Verstrickung, mußte die mittelalterliche formale Rationalität herausfordern, das Unbegreifliche auf den Begriff zu bringen.

524 Quintilian: Inst. Orat. V, 14, 14.

"rationalen" Erzählen wird die Fabel begreiflich und gewinnt ihren Platz im Gefüge gegenwärtiger Lebenswelt, literarisch-kultureller Vorgaben und didaktischer Ideale. An Gemeinplätzen steht Gottfried nun aber eine vielfarbige Palette zur Verfügung, und so wie der Syllogismus nicht schon an und für sich seine Konklusion beweist, sondern nur aus einer korrekten Beziehung seiner Teile untereinander besteht, so führen die jeweils gewählten Prämissen mit ihrem aphoristisch-arbiträren Charakter bei ihrer punktuellen Integration in den epischen Prozeß aber jenen Partikularismus des Meinungsgefüges herauf, der dem Roman eigen ist[525].

Was im Besonderen die Minneprogrammatik des Prologs betrifft, so hat sich Gottfried in ein kaum lösbares Darstellungsproblem verstrickt. Er ordnet einem Folklore-Mythos eine abstrakt-paradoxe Ideologie zu und versucht diese nun in dessen vorgegebenem epischen Raum als Handlung darzustellen, ohne einerseits die Fabel gänzlich aufzulösen und ohne anderseits die Kriterien der Logik und der Wahrscheinlichkeit ganz zu verlassen. Die mit dem Trank und dem Ethos der 'edelen herzen' verbundene Minnenatur als handlungsbestimmendes Dogma muß sich mit den Vorgaben der epischen Fabel arrangieren, muß erzählpragmatisch sich rhetorischer Retuschen bedienen, um interessant und plausibel zugleich zu bleiben. Dabei wird die paradoxe Weltinterpretation, die Gottfried stellenweise so engagiert vorträgt, immer wieder von den materiellen Dimensionen des Epischen aufgefangen, und es kommt zu Kompromissen. Es ist leicht zu sehen, daß mit solchen

---

525 An einer selten aufschlußreichen Stelle des in seine Fortsetzung des 'Tristan' einleitenden Nekrologs auf Gottfried scheint Heinrich von Freiberg diese Sachverhalte schlagartig zu erhellen: 'dise materien er hât / gesprenzet in so lihte wat, (...)' (vv. 23 f) mit 'sprüchen guldin' (v. 29). Das bedeutet wohl: Er hat uns die alte Geschichte glaubwürdig erhellt. Im Licht dieser Verse nehmen sich Heinrichs voraufgehende Worte fast schon als Programm eines sentenziösen Partikularismus aus, als ob - um das Bild zu erweitern - der Dichter mit den herausgeschnittenen 'flores' das amorphe Feld des Mythos in die Ordnung eines vielfarbigen, reichen Gestecks verwandele: '(...) der so mangen snit / spêhen unde rîchen / (...) / ûz blüendem sinne hât gesniten,/ (...)' (vv. 16 ff). (Heinrich von Freiberg: Tristan. Hrsg. von Reihold Bechstein.- Leipzig 1877).

Anpassungsversuchen sich das Minnekonzept von Stelle zu Stelle verzerren kann, und daß eine vollständige Synchronisierung von Dogma und epischer Handlung nicht möglich ist. Dieses Darstellungsproblem - irreführend meist nur als existentielles Problem Gottfrieds und seiner Zeit behandelt - hat die Forschung immer wieder konsterniert und jene Überbau-Konstrukte entstehen lassen, die ein Ganzes fassen wollten. Uns scheint es vielmehr, daß Gottfried das sich mit der höfisch-scholastischen Adaption ergebende Darstellungsproblem auf einer ganz anderen Ebene als der der Ideologie und ihrer Stimmigkeit im Werkganzen erfolgreich aufzulösen versucht hat, nämlich auf der Ebene des unmittelbaren Erzählprogresses, indem er den aus der Mythos-Ratio-Konfrontation resultierenden Partikularismus rhetorisch überspielt hat, indem er Abschnitt für Abschnitt die glanzvolle Illusion einer plausiblen, interessanten und identifikationsmächtigen Geschichte zu erreichen versucht hat und indem er dazu dauernd die rationale Verständigung über den Lauf der 'schibe' (7161, 14470), also die punktuelle Aufklärung der Irrationalität des Epischen betreibt.

Das Darstellungsproblem hat verschiedene Aspekte. Der Begriff der Minne, ihr abstraktes Gesetz und die epische Konkretisierung dieses Gesetzes sind zweierlei, und doch stehen sie sprachlich nebeneinander oder ineinander verschränkt. Ein Beispiel gibt die Trankszene, in der man nach dem Genuß des Tranks eigentlich - an seiner Wirkungsbestimmung gemessen - auch handlungsmäßig die sofortige und absolute Liebesbindung Tristans und Isoldes erwarten möchte, aber das trankbestimmte Schicksal wird erst dann episch real, nachdem auf der Ebene psychologischer Minnetopik das Einsetzen der Liebe, das Bewußtsein der Figuren von ihr und deren Bekenntnis zu ihr dargestellt sind[526]. Nicht die Urgewalt des

---

526 Zunächst gibt der Erzählerbericht den objektiven Befund:

> Nu daz diu maget unde der man,
> Isot unde Tristan,
> den tranc getrunken beide, sa
> was ouch der werlde unmuoze da,
> Minne, aller herzen lagaerin,

Tranks unmittelbar führt Isolde und Tristan zusammen, sondern es bringt u.a. die Zerbrechlichkeit jungfräulicher Schamhaftigkeit Isolde schließlich dahin, ihre Zuneigung Tristan zu offenbaren ('scham unde maget (...)' 11831-835). So ist Isoldes Minne episch unter das Diktat einer minnepsychologi-

---

und sleich zir beider herzen in.
e sis ie wurden gewar,
do stiez sir sigevanen dar
und zoch si beide in ir gewalt:
si wurden ein und einvalt,
die zwei und zwivalt waren e; 11707 ff

Sie sind völlig in der Gewalt der Minne, die sie ganz und gar eins sein läßt. Das ist die objektive Bestimmung des Tranks, den die Erzählung ja in der Tat einlösen wird. Hierauf folgt nun aber die Darstellung des Gewahrwerdens und Bewältigens der Trankwirkung bei jedem der beiden Liebenden. Bei Tristan treten sich - personifiziert - Minne und Triuwe gegenüber, aber wie sehr Tristan auch seine Tugenden gegen die neue Macht zu motivieren sucht: Minne und Isot haben sein Herz völlig eingenommen. Isolde, die merkt, daß all ihre Gedanken im Leim der zauberischen Minne stecken, versucht, sich daraus zu befreien, aber wohin sie sich auch wendet, überall tritt ihr die Minne entgegen und hält sie fest. Was sie auch denken mochte, stets kamen darin Minne und Tristan vor.

Nachdem die subjektive Erfahrung der Unausweichlichkeit der Minne dargestellt ist, ist das Zueinanderkommen, die Überwindung der Scham vorgestellt. Minne und Scham liefern sich im Herzen Isoldes einen Kampf, den die Minne gewinnt, weil es, wie es alle Welt weiß, 'scham unde maget' nicht allzulange gegen die Minne aushalten. Schließlich befördern Tristan und Isolde gegenseitiges Gefallen, also die allmähliche subjektive Akzeptierung der Minneverfallenheit, durch wechselnde Blicke, ein Vorgang, der der Eigendynamik der Minne entspricht, wie es der sentenziöse Exkurs 'deist liebe reht, deist minnen e' (11858 ff) und der nachfolgende identisch reimende Vierzeiler (11871 ff) als 'communis opinio' bestätigen.

Wenn also die Folgen des Tranks zunächst als abstraktes Ergebnis vorgetragen wurden, so folgte dem eine schrittweise, figureninnerliche Entfaltung des Phänomens, Minne als historisch progredierendes Erlebnis von Tristan und Isolde dargestellt. Diese Gegenüberstellung ist exemplarisch nötig, damit das Nebeneinander solcher unterschiedlicher Vollzüge, die die gleiche Sache betreffen, beachtet bleibt. Dies darum, weil bei der Tendenz der Darstellungsebenen zur Verselbständigung gegeneinander die Gefahr besteht, daß solchermaßen prinzipiell Diskontinuierliches in falsch verstandenem Harmonisierungsstreben gegeneinander aufgerechnet wird.

schen Sentenz gestellt. Die alte Stoffstruktur samt Gottfrieds ideologischer Überhöhung erfährt so mikrostrukturell minne-topische Auffüllungen, die erst den Raum schaffen für epische Dichte, für plausible Darstellung und für die unterhaltsamen und didaktischen Akzente. Die Spannung zwischen Stoff und Begriff, zwischen Mythos und Ratio, die gewissermaßen durch die Puffer einer partikularen epischen Vielfarbigkeit im Gleichgewicht gehalten wird[527], ist interessanterweise nicht nur in der Analyse als Darstellungsproblem des Autors erkennbar, sondern ist auch ins Werk hinein als persönliches Problem der Protagonisten gespiegelt. Bei Thomas räsonniert Tristan in der Fremde über seine ferne Isolde folgendermaßen: Am besten trenne ich mich von ihr, denn sie sucht ja ihre Lust bei Marke, wovon ich nichts habe (Ratio). Aber wie kann ich mich von ihr trennen, wo ich so fest an sie gebunden bin, ja, wie kann sie sich selbst überhaupt geändert haben, die ebenso gebunden ist (Mythos)[528]. Tristan stellt so im Monolog die zwei Seelen in seiner Brust dar, die zugleich die beiden Darstellungskräfte des Romans sind, bei Thomas wie bei Gottfried: das unabänderliche Schicksal und der rationale Umgang mit der epischen Empirie. Die Zweigleisigkeit wird insgesamt an jene scholastische Tendenz zur rationalen Exegese der Überlieferungen, an den im Kalkül sich bewegenden Verstand, dem alles gedeutet sein will, anzubinden sein: Der Autor verfährt gegenüber der hermetischen Positivität des epischen Stoffes gewissermaßen ideologiekritisch-entmythologisierend und sucht die Motivationen der Handlungen auf, nachdem er allerdings zuvor - darin liegt die Dialektik der Adaption - den Stoff sozusagen "ideologiesupponierend" mit seinem dialektischen Minnebegriff als Ganzes vereinnahmt hat. Er rückt das einzelne epische Element in einen kausalen, psychologischen Zusammenhang und bewirkt damit jene Dissoziierung der Teile, der Meinungen und der Ebenen, die den partikularistischen Minneroman Gottfrieds auszeichnet[529].

527 Dazu gehören z.B. die Verkleidungen einer personifizierten Minne nach verschiedenen Funktionen als Jägerin, Kriegsherrin, Ärztin oder Versöhnerin.

528 Hatto: Tristan. L.c. S. 301 f.

529 Auf die Frage nach der poetischen Wahrheit, die sich mit dieser Anverwandlung des Mythos zwangsläufig stellt, kom-

Gerhard Schindele hat schon auf die Tatsache aufmerksam gemacht, daß sich mit dem theoretischen Programm der Identität von Liebe und Leid, von Liebendem und Geliebtem ein Darstellungswiderspruch im Verhältnis zu der in der zeitlichen Sukzession ablaufenden epischen Wirklichkeit einstellt[530]. Die auf den Begriff gebrachte existentielle Kondition der Tristanminne, das paradoxe Ineins der Gegensätze, "ereignet sich in der Sprache"[531] und wird nur beim Hörer in der Rezeption aktualisiert, muß aber in der epischen Handlung notwendig in alternierende Phasen dissoziiert erscheinen, also auch zwangsläufig die Qualität des Paradoxen verlieren. Im Gegensatz zu der tatsächlichen empirischen Simultaneität der Gegensätze von Leuchten und Abnehmen der brennenden Kerze - ein Bild, womit Hartmann von Aue den 'media vita in morte sumus' - Topos erläutert[532] - kann die Ungeschiedenheit von Liebe und Leid, können Gottfrieds sprachliche Verklammerungen des Gegensätzlichen nur als begrifflich-symbolische Konstruktionen verstanden werden, die nicht die Wirklichkeit abbilden, sondern deren Struktur interpretieren. In der epischen Erzählung jedoch werden 'wunne' und 'not' gesondert erfahren, aber - darauf insistiert das Dogma - es sind nur zeitliche Emanationen des dialektischen Schicksalsgrundes. Was der Begriff also zusammenbindet, vermag das epische Erzählen nur als ein Neben- und Nacheinander abzubilden. Die kategoriale Differenz der Darstellungsebenen ist also auch in dieser Hinsicht zu beachten:

---

men wir noch zurück. Es wäre in diesem Zusammenhang einmal zu bedenken, ob der Eilhardsche 'Tristan' nicht darum über den zeitgenössischen Erfolg Gottfrieds hinaus über Jahrhunderte die wirkungsmächtigere Fassung darstellte, weil er die symbolische Unmittelbarkeit der Tristanfabel stärker konserviert hat und nicht die analytische Zersplitterung des Gottfriedschen 'Tristan' aufweist. Es mag sich um die breitenwirksamere Ästhetik der märchenhaften Sage im Gegensatz zu einer Ästhetik des zerredeten Mythos handeln.

530 Schindele: Tristan. L.c. S. 32 f.

531 Schindele: L.c. S. 99.

532 Hartmann von Aue: Der arme Heinrich. Vv. 101-104.

Die zeitlose Simultaneität im Begriff steht neben der Entfaltung der Momente in der epischen Zeit[533]. Im Pathos der Begriffsdialektik bauen sich dabei rhetorische Spannungen auf, die dann in den Wechselfällen der Episodik episch ausgetragen werden.

Diese Skizze wahrscheinlicher Zusammenhänge zwischen der Romanform und ihrer Genese, zwischen den Darstellungsproblemen der höfisch-scholastischen Adaption und der Façon der Intellektualität im 12.-13. Jahrhundert, zwischen Minneprogrammatik, Minnepsychologie und epischer Realität konnte und wollte in diesem Exkurs nur eine die besonderen Inhalte übergehende Strukturbeschreibung sein, wie überhaupt eine umfassende gehaltsästhetische Würdigung des Romans außerhalb des Rahmens dieser Arbeit liegt. Die historische Sinnfrage, die Frage, wie Gottfried den Roman ideologisch gerichtet und gewichtet habe, die Frage, was im partikularistischen Erzählen schließlich als zuverlässige Botschaft des Dichters durchschlage, die Fragen also nach dem Gehalt und seinem geistesgeschichtlichen Horizont, die die Gottfriedforschung von jeher bewegten, mußten ausgespart bleiben. Dennoch soll nach unseren bisherigen Befunden eine gewisse Eingrenzung in dieser Hinsicht versucht sein.

Gottfried macht es uns durch seinen Partikularismen schwer, seine Darstellungsintention als auf einen bestimmten Wertgehalt gerichtet zu sehen. Er wird darum nicht in der Rolle des Richters gegenüber den Teilen seiner epischen Welt mit Konsequenz greifbar. Liegt das Entscheidende bei der Minneprogrammatik des Prologs, beim Trankschicksal, bei den paradiesischen Eskapismus-Phantomen Petitcreiu und Grotte, bei

---

533 Episch stellt sich dieses Verhältnis von Begriff und Entfaltung u.a. als der Wechsel von Zufall und Kausalität dar (vgl. die entsprechenden Ausführungen von Walter Haug: 'aventiure' in Gottfrieds von Straßburg Tristan. In: FS für Hans Eggers zum 65. Geb. Hrsg. von Herbert Backes. Tübingen 1972. S. 102). Das Schicksal der Liebenden kommt im Trank zufällig, 'von aventiure', aber ausgehalten werden muß es in den Koordinaten einer rational-kausalen Empirie. Der Folge kausal-linearer Handlungsdarstellung ist der Zufall als letzte Ursache komplementär.

der Leidstruktur der Minne in der höfischen 'ere'-Welt oder beim Tugendbegriff der Minne? Kommt es auf die 'süeze sur' an oder auf die 'süeze' allein? Die Antwort ist darum nicht einfach, weil Gottfried diesen verschiedenen Schichten und Gehalten seiner Erzählung scheinbar eine gleichermaßen positive Kontur gibt. Die hymnische Beschreibung des Paradieses des Waldlebens steht neben den Bekenntnissen zur Dialektik des 'lieben leides'. Idealisierende und desillusionierende Darstellungen wechseln einander ab. Letzten Endes scheinen wir wieder auf die erzählerische Eigenmächtigkeit der Einheiten von Darstellungsschichten und Darstellungssegmenten verwiesen, die mit einer Tendenz zur epischen Autarkie geschlossen-prägnante rhetorische Bilder geben, aber insgesamt ein Geflecht arbiträrer Positionen darstellen. Wir meinen aber, daß der solcherart rhetorisierte Mythos dennoch eine Grundlinie aufweist, die sich gegen alle Diversifikation durchsetzt, die alle Didaxe, Psychologie und Utopie hinter sich läßt: Es ist der Gottfried vom zeitgenössischen und Chrêtienschen Artusroman so markant unterscheidende "Realismus", der sich darin ausdrückt, daß die epische Handlung letzten Endes immer wieder darauf besteht, daß die Kondition der Minne in dieser Welt die unlösbare Verbindung von 'liep unde leit' sei. Von der militant vorgetragenen, dialektischen Minneprogrammatik des Prologs bis zu Tristans Zweifeln am Fragmentende beansprucht ein gewissermaßen beschädigtes Ideal Geltung, eine sich erst in der Dialektik der Gegensätze erfüllende Minne. Der Hingabe an eine imperfektible 'conditio humana amantium' wird als "Ideal" episch und axiomatisch gehuldigt[534], und die epischen Fiktionen einer 'süeze' ohne 'sur' erscheinen nur als utopischer Horizont, der der Verfassung der Minne in der Welt aufleuchtet. Damit konvergiert Gottfried im Bereich der

534 Darum werden u.E. die Gewichte verschoben, wenn man, wie Lore Peiffer, die Minnedarstellung ständig mit moralischem Akzent unter dem Gesichtspunkt von Ideal (Exkurse) und verfehltem Ideal (Handlung) katalogisiert.

Minne unverkennbar mit dem "Realismus" des christlichen Menschenbildes. Die Lage der wahrhaft Liebenden in der Welt ist analog der Situierung des Christen in der Heilsordnung. Gottfried hat den traurigen Stoff von der gesellschaftlich gestörten und in den Tod mündenden Liebe mit den Kategorien neutestamentlicher Paradoxie, mit den Ausdrucksformen der 'discors concordia' aufgefaßt, und er hat so in einem besonderen säkularen Bereich die irdische Imperfektibilität des Menschlichen dargestellt[535]. Danach gilt bei Gottfried letzten Endes das, was Alkuin von der Liebe in dieser Welt gesagt hat: "Was die Seele in ihr sucht - Glück und Ewigkeit - enthält sie gar nicht"[536]. Der Mythos des Tristan ist so von einem mittelalterlich-christlichen Dichter letztlich nach orthodox-christlichen Schemen "begriffen" worden. Daneben stehen die Heilsbilder der Minne als im Leben uneinlösbare Visionen. Minnedidaktik und Minnepsychologie des Romans aber betreffen nur die moralische, nicht die ontologische Dimension der Minne. Wir meinen also, ohne in den Streit über strukturelle oder substantielle Analogien zum Christlichen oder Häretischen eintreten zu wollen, daß der sich episch durchsetzende christliche Realismus[537] einer "Liebe als Leid" nicht ohne christliche Anthropologie zu denken ist[538], so wie

---

535 Wie bereits Alois Wolf dargestellt hat, konnotiert gerade die Verbindung 'süeze/sur' um 1200 christlichen Gehalt (Tristan-Studien. Untersuchungen zum Minnegedanken im 'Tristan' Gottfrieds von Straßburg. Diss. (masch.) Innsbruck 1953. S. 118). Die 'süeze' der Welt ist im Hinblick aufs Jenseits 'sur', so daß das Oxymoron 'bittere süeze' zum theologischen Topos werden konnte, den Gottfried auf seinen innerweltlichen Zusammenhang übertragen hat.

536 Rosario Assunto: Die Theorie des Schönen im Mittelalter. Köln 1963. S. 140.

537 Deutlich wird diese Grundtendenz Gottfrieds, wenn man die "Tristan-Lösung" im 'Cligés' von Chrétien danebenhält. Dort wird mit kühlem Rationalismus das anstehende Dilemma "vernünftig" aufgelöst, und die Paradoxie kommt nur als Hürde zu einer pragmatisch zu ordnenden Welt vor. Gottfried hat das Pathos der tragischen Fabel bewahrt und in die Strukturen christlichen Seinsverständnisses eingelagert. Chrêtien aber kalkuliert in offenbar parodistischer Wendung gegen den Stoff ein Handlungsgerüst, das die dilemmatische Leidminne aufhebt.

die Sprache nicht ohne Bibel und Patristik. Dieser allgemeinere Zusammenhang zwischen Geistesgeschichte und Literatur, in diesem Fall die grundsätzliche Einbettung der Struktur der epischen Wirklichkeit in das Schema christlichen Weltverständnisses, scheint uns entscheidender als der sich auf verschiedene Einzelstellen stützende Streit über Gottfrieds Vertretung orthodoxer oder häretischer Strömungen, über mögliche aktuelle Quellen oder Präferenzen Gottfrieds und über verbale Anleihen und deren ideologische Bedeutung[539].

Aus unserer Überzeugung, daß die höfische 'ere' im 'Tristan' als Kontrapunkt der Minne episches Paradigma für die prinzipielle 'conditio defecta' eines christlich verstandenen Diesseits fungiert und nicht - oder nur vordergründig - Gegenstand einer historischen Sozialkritik ist[540], die mit der Zerbrechung von falschem gesellschaftlichem Schein die Morgenröte paradiesischer Minne in Aussicht stellt, können wir im 'Tristan' auch nicht einen Roman der "erotischen Emanzipation"[541] oder einer neuen, absoluten Subjektivität sehen - dies bleibt im utopischen Horizont in einer sich vom Grundstrom der epischen Handlung abhebenden schwelgerischen Panegyrik. Gottfried hat nicht eine ganz und gar neue Minneideologie geschaffen, sondern er hat das alte Wissen um die Leidverfallenheit der Liebe, die neben ihm die Liebesdichtung des Mittelalters in der einen oder anderen Form durchtränkt, in

538 Hugo Kuhn spricht an einer Stelle von einer 'säkularisierten christlichen Leidheiligung' bei Gottfried.

539 Ähnliches hat neuerdings Wiebke Freytag ausgeführt, die "strukturelle Gleichheit der Paradoxien bei Gottfried und im christlichen Denken" (S. 176) sieht und die Dialektik der epischen Welt im 'Tristan' analog der "Struktur der christlichen Wertewelt des Neuen Testaments" (S. 243) konzipiert findet (Oxymoron. L.c.). Vgl. auch S. 239 zur Orthodoxie Gottfrieds.

540 Gottfried leugnet nirgends den notwendigen Zusammenhang von 'minne' und 'ere'; nirgends wird ein von der Rücksicht auf die Gesellschaft freies Liebesideal als verwirklichungsmöglich dargestellt. Wenn Gottfried gegen die 'huote' polemisiert, dann nicht, um einer Willkür der Liebe freie Bahn zu schaffen, sondern um, wie es der Exkurs ausführt, die Verantwortung für 'ere' und 'lip' in die Hände der Frau zu legen. Entsprechend sieht Ruth Kunzer gerade im Leben am Hof mit seinen Hindernissen,

eine intellektuell dramatisierte, hochrhetorische Form gefaßt. Dabei sind ihm die Tristanfabel und mit ihr die höfische Gesellschaft als konkrete Quelle des Liebesleides episches Material für den Roman als einer Parabel dieses Grundsachverhalts, den Max Wehrli folgendermaßen charakterisiert hat: "Und doch lebt der Roman gerade aus dem Hindernis, lebt die sentimentale Liebe aus der Trauer, daß sie auf Erden nicht erfüllbar ist"[542]. Diese Minne der 'edelen herzen' und das Minneleben Tristans und Isoldes einerseits und der paradoxe Status der Gotteskinder auf Erden, die nicht Engel und nicht Teufel sind und doch an beidem zugleich teilhaben, andererseits scheinen uns aber aufeinander zu verweisen. Der in Analogie zur christlichen Seinsdialektik begriffene Mythos des Tristan-Isolde-Schicksals setzt sich als das Wirklichkeitsmächtige im Roman durch[543] und läßt demgegenüber alle topischen Auffüllungen, rhetorischen Didaxen und Minneverklärungen als arbiträre Elemente von lokalen rhetorischen Wirkungsstrukturen erscheinen, die mit ihrer partikularen, opinionierenden Stoffbehandlung das moralische und intellektuelle Interesse des Publikums zu binden verstehen und dem Erzählen sein rhetorisches Gepräge geben. In diesem Sinne mag man das Wirklichkeitsmächtige in der epischen Welt Gottfrieds von dem Wirkungsmächtigen seines epischen Vortrags unterscheiden.

---

in einer "discreet love at court" das wirkliche Wunschleben (s. 190), das irdische Maximum der Liebe, denn "perfection in love, the narrator implies, is more than humans can bear" (S. 191) (Ironic Perspective. L.c.).

541 So im Titel eines Aufsatzes von Werner Betz (vgl. im Literaturverzeichnis).

542 Tristan. L.c. S. 114.

543 Gottfried und Wolfram sind im Christlichen gar nicht so weit auseinander, wenn uns im 'Tristan' durch die epische Handlung bedeutet wird, daß die vollkommenste höfische Bildung nicht vor der 'conditio defecta' bewahrt, daß gewissermaßen die Erbsünde gegen den Anspruch der 'moraliteit' ihren Platz behauptet. Erst der Tod kann die paradoxe Einheit des Widerstrebenden in Harmonie überführen. Hier und jetzt sind Tristan und Isolde der Minne leidvoll verfallen.

5.1.3. Die Literaturfunktion nach dem Minneexkurs

Das inhaltlich Entscheidende des Minneexkurses, dessen Behandlung wir im Anschluß an Abschnitt 5.1.1. wieder aufnehmen, und das ihn und die umgebende Erzählung programmatisch Übersteigende aber liegt jenseits der Alternativen von 'valschheit' und 'triuwe' in der Minne: Wenn es feststeht, daß Gottfried und sein Publikum in bezug auf die Minne ihr 'leben / ane liep und ane guot' (12316 f) vertun, so bleibt doch ein anderes:

> nu git uns doch daz guoten muot,
> daz uns ze nihte bestat.
> swaz ieman schoener maere hat
> von vriuntlichen dingen,
> swaz wir mit rede vür bringen
> von den, die wilent waren
> vor manegen hundert jaren,
> daz tuot uns in dem herzen wol
> und sin der selben state so vol,
> daz lützel ieman waere
> getriuwe unde gewaere
> und wider den vriunt ane akust,
> ern möhte sus getane lust
> von sin selbes sachen
> in sinem herzen machen; 12318 ff

Der Akzent liegt auf dem Potentialis von 'möhte' (12330), der nicht eingelöst werden kann, da die 'triuwe' fehlt. So bleibt nur die Literatur als eine in sich zweckhafte Vermittlung zwischen Ideal und Wirklichkeit, als eine Stärkung des Gemüts: Die 'laudatio temporis acti' als 'medicina mentis'[544]. Etwas Vorgestelltes, Erinnertes, ja Fiktives, etwas also, 'daz uns ze nihte bestat' (12319), gibt uns 'guoten muot'[545].

---

544 Vgl. Borinski: Antike in Poetik und Kunsttheorie. L.c. S. 111: "Der Begriff der Poesie als einer 'medicina animi' ('medicina mentis') ist antik."

545 Die Vorstellung von der Funktion der literarisch vermittelten Vergangenheit als genußvoller, wohltuender Ersatz eigener Erfahrung und Praxis ist im Mittelalter nicht ganz ungewöhnlich. Hartmann von Aue gibt im 'Iwein' eine ironische Variante des Topos (vv. 48-58): Er, der Erzähler, würde gerne über die Diskrepanz zwischen glorreicher Vergangenheit und mangelhafter Gegenwart klagen,

Ein Beispiel dieser Wirkung stellt der Erzähler bereits in der Selbstbeschreibung zu Beginn des Minneexkurses dar:

> ich han von in zwein vil gedaht
> und gedenke hiute und alle tage.
> swenne ich liebe und senede clage
> vür miniu ougen breite
> und ir gelegenheite
> in minem herzen ahte,
> so wahsent mine trahte
> und muot, min hergeselle,
> als er in diu wolken welle. 12200 ff

Die Geschichte der edlen Liebenden erregt seine Gefühle und beflügelt ihn; aber dabei bleibt es nicht, weil das vorgestellte Ideal drängt, ins eigene Leben übersetzt zu werden. Hier jedoch setzt der resignative Konjunktiv ein, der das Los der Gegenwärtigen beklagt:

> swenne ich bedenke sunder
> daz wunder und daz wunder,
> daz man an liebe vünde,
> der ez gesuochen künde;
> waz vröude an liebe laege,
> der ir mit triuwen pflaege:
> so wirt min herze sa zestunt
> groezer danne Setmunt
> und erbarmet mich diu minne
> von allem minem sinne,
> daz meistic alle, die der lebent,
> an minnen hangent unde clebent
> und ir doch nieman rehte tuot: 12209 ff

---

aber die Gegenwart habe darin ihren Vorteil, daß das Erzählen von früheren Zeiten ihnen jetzt 'so rehte wol wesen sol' (57), so daß er sich gar nicht in die Unmittelbarkeit vergangener Herrlichkeit zurückwünsche, habe er doch hier und jetzt an ihrer literarischen Vergegenwärtigung sein Behagen. Bei Hartmann entfällt der Gedanke des Vorbildes und der Imitation, wie ihn Gottfrieds Minneexkurs kennt, und er stellt angesichts einer vergleichsweise ungenügenden Gegenwart das Erzählen von glanzvoller Vergangenheit als vollen Ersatz der Wirklichkeit hin, wobei allerdings der ironisch leichte Ton anzeigt, daß es mehr ein Gedankenspiel als ein literarästhetisches Programm sein soll. Jedenfalls liefert dieser Gedanke innerhalb des Iweinprologs dem Publikum einen versöhnlichen Trost und eine Motivation zum Zuhören ('benevolum parare'), womit Hartmann zugleich augenzwinkernd auf den Wert des eigenen literarischen Unterfangens hinweist, wie schon Chrétien, der in seinem 'Yvain'-Prolog resümiert hatte, daß ein toter, aber vollkommener Ritter mehr wert sei als ein lebendiger Schurke,

Die Nachfolge aber bleibt so Utopie.

Bleiben wir bei jener dem Minneexkurs inhärenten Funktionsbestimmung der Dichtung, die nicht nur an dieser Stelle angesprochen ist. Im Prolog, als Vorrede auch eine direkte Publikumsansprache, die genau wie der Minneexkurs die Elemente der Vergangenheitsverklärung, der Gegenwartskritik und der Dichtungstheorie aufweist, haben wir ein erstes Pendant zum Vergleich.

5.1.4. Die Literaturfunktionen nach dem Prolog

Im Prolog bestimmt Gottfried zunächst seine literarische Unternehmung als Palliativum für diejenigen, die - wie er - Liebe als Einheit von Freude und Schmerz erleben: Den 'edelen herzen', die 'nahe gende swaere' im Herzen tragen, will er mit seinem 'maere' durch 'kurzwile' und 'hage' ihre 'not' 'ze halber senfte' bringen, diese also nicht aus der Welt schaffen, sondern sie - weil unverzichtbar zur Essenz der Liebe gehörend - nur 'geringen'.[546] Daß Dichtung diese Funktion zu erfüllen vermag, demonstriert Gottfried in eigenwilliger Verkehrung eines ovidianischen

---

und daß man darum den Erzählungen aus der Vergangenheit Aufmerksamkeit schenken solle. So ist nach Chrétien, Hartmann und Gottfried "als praxisüberlegene Realität (...) die Fiktion der bessere Teil der gegenwärtigen Lebenswelt" (Bertau: Deutsche Literatur. L.c. S. 713).

546 Vgl. die vv. 45-47.- In der rezeptionsästhetischen Bestimmung einer 'halben senfte' für 'edele herzen' spiegelt Gottfried exakt die Dialektik von Liebe und Leid: Was als Einheit von Leben und Tod postuliert, was als Wechsel von 'wunne' und 'not' dargestellt ist, bildet sich als korrespondierendes Gefühlsquantum im Gemüt der Rezipienten ab. So paßt Gottfried die allgemeinere Hartmannsche Bestimmung, sein Erzählen wolle 'swaere stunde (...) senfter machen' (Der arme Heinrich, vv. 10 f), in den programmatischen Horizont seines 'Tristan' ein. Der Topos von der 'senfte', die eine 'guote rede' zu bewirken vermag, von der psychagogischen Wirkung aufs Gemüt, begründet in einer Vielzahl mittelalterlicher Werke den Vortrag. Literatur als 'medicina animi' kraft 'süezer worte' und 'wiser sinne': Das ist immer wieder ausdrücklicher Zweck des Erzählens, der bei Gottfried jene programmatische, quantitative Korrektur erfährt.

'remedii amoris'[547]: Während Ovid die Liebesdichtung ausdrücklich als ablenkenden Zeitvertreib ausschließt[548], entwickelt Gottfried gegenüber dem 'amor' Ovids den Begriff des für seine Leidminne spezifischen Remediums: Eine Beschäftigung der Gedanken 'entsorget sorgehaften muot, / daz ist ze herzesorgen guot' (79 f), aber die Art der 'unmuoze' darf nicht reiner Liebe zuwiderlaufen:

> ein senelichez maere
> daz tribe ein senedaere
> mit herzen und mit munde
> und senfte so die stunde. 97 ff

Wo es Ovid um das Vergessen und die Überwindung einer bestimmten, widrigen Leidenschaft geht, muß die literarische Vergegenwärtigung ein Gift sein; wo jedoch die Minne als untrennbare dialektische Einheit von Liebe und Leid verstanden und angenommen ist, es also nicht um Abbruch geht, muß das Erzählen von ihr im Minneroman willkommene Steigerung bedeuten:

> diz leit ist liebes alse vol,
> daz übel daz tuot so herzewol,
> daz es kein edele herze enbirt,
> sit ez hie von geherzet wirt. 115 f

Sich auf die Autorität der eigenen Erfahrung berufend (119 f), stellt Gottfried so eine Rezeptionstheorie vor, die als Quelle der 'senfte' die Begegnung mit der literarischen Objektivierung der eigenen Minneerfahrung propagiert. Literatur soll also nicht als ovidsches "Heilmittel" von einer Krankheit kurieren, sondern wird eher als Rauschgift vorgestellt, das die Erfahrung des 'süezen leides' noch steigert. Nicht Ablenkung durch die literarische Darstellung, sondern Identifikation mit ihr. So scheint 'senfte' Ergebnis einer Steigerung und Läuterung der Affekte im Durchgang durch die Vergegenwärtigung ihrer Mimesis zu sein, bzw. Entlastung von der eigenen Innerlichkeit durch ihre Objektivierung an der vorgestellten literarischen Welt zu bedeuten. Das scheint der poetologisch-

---

547 Vgl. unsere Behandlung dieser Ovidadaption in anderem Zusammenhang auf den Seiten 111 ff.

548 Rem. Amor. 757 f.

anthropologische Kern dieser in der zeitgenössischen Epik wohl unerhörten Funktionsbestimmung des Erzählens zu sein, die entfernt einer Mischung aus platonischer Wiedererkennungs- und aristotelischer Katharsislehre zu gleichen scheint[549].

Während die Dichtungswirkung innerhalb des behandelten zweiten Prologabschnitts (41-130) ganz aus dem Begriff der Minne der 'edelen herzen' entwickelt und auf diese zugeschnitten wurde, nehmen die Leistungsbestimmungen von Gottfrieds 'lesen' des 'maere' im letzten Teil des Prologs (131-240) einen anderen Charakter an. War zunächst ein bestimmtes Auditorium postuliert worden, bei dem die Erzählung eine genau umrissene affektische Wirkung auslösen würde, so begründet Gottfried nun sein Erzählen allgemeiner: Er schreibt ihm - es ist 'innecliche guot' (173) - allgemeine moralische Wirkungen zu. Die verschiedensten Tugenden, insbesondere aber 'triuwe' und 'liebe', werden geweckt und gesteigert. Dieses Bild von der Dichtung als einer allgemeinen Schule der Tugend (174-186) endet in einem didaktischen Diktum, das nun jedermann betrifft und zu einer Zeitklage überleitet, die all jene meint, die eben noch keine 'edelen minnaere' sind:

> liebe ist ein also saelic dinc,
> ein also saeleclich gerinc,
> daz nieman ane ir lere
> noch tugende hat noch ere. 187 ff

Seine Liebesdichtung leistet nun diese Lehre der Liebe, ohne die es keine Tugend gibt. Das ist etwas ganz anderes als zuvor im Prolog und auch etwas anderes als die Ergötzung und Erbauung, die das 'maere', folgt man dem Minneexkurs, den 'valschen minnaeren' der Gegenwart vorübergehend gibt.

---

549 Der Roman wird de facto mehr und anderes als die in Aussicht gestellte Wiedererkennung eigener Erfahrungen anbieten; hier im Prolog bleibt die Absichtserklärung ihrem rhetorischen Zweck verhaftet, einen attraktiv-elitären Identifikationsraum aufzubauen, und zwar für jeden, der zuhört.

Ist die Liebe nun also 'radix omnium bonorum', so muß sich die im Prolog nachfolgende Minneklage (191 ff) alle die vornehmen, die sich nicht um 'lûterliche herzeger' bemühen. Anders als im Minneexkurs wird nicht die falsche Praxis der Minne beklagt, sondern die mangelnde Bereitschaft, überhaupt einmal Minne als Einheit von Liebe und Leid zu wagen. Denen, die sich vom 'ungemach' abhalten lassen, stellt nun Gottfried in hochrhetorischen Definitionen das Wesen der Minne vor (204-210), für das Tristan und Isolde das Exempel abgeben. Weil sie 'herzewunne' und 'senedez clagen' zusammen im Herzen trugen, lebt ihre Geschichte als Vorbild fort, schenkt 'saelde' und 'liep', 'triuwe' und 'ere' und ist der 'werlde zu 'guote', ist schließlich aller 'edelen herzen brot' schlechthin. Solange also das historische Paar bei den Lebenden die Tugenden der Minne befördert, solange bleiben Tristan und Isolde in der Geschichte lebendig[550].

---

550 Wollte man in den Zeilen 230-240 einen blasphemisch-ketzerischen Umgang mit der Eucharistie sehen, würde man nicht nur den Mangel an schlüssiger Analogie sowie den im ganzen unproblematischen Umgang mit dem 'mundus ecclesiae' in dieser Epoche verkennen (vgl. dazu den letzten Abschnitt dieser Anmerkung), sondern auch das rhetorische Prinzip dieser Stelle unberücksichtigt lassen. Zwar wird das hier anklingende eucharistische Speisewunder als ein eindrucksvoll-verblüffendes Vergleichsschema im Hintergrund mitrezipiert werden, aber diese latente 'similitudo' ist damit gerade ein diesen Schlußakkord des Prologs pathetisch steigerndes Mittel. In der rigorosen Doppelstrophe, die in acht Versen mit den Reimwörtern 'brot' und 'tot' auskommt, und die überdies mit Binnen-Klangfiguren, die ganz vom Widerspiel der Wörter 'leben', 'brot' und 'tot' bestimmt sind, überladen ist, wird man von einer haarspalterischen Gehaltsinterpretation absehen müssen, erfüllen die beiden Strophen ihrer Gestalt nach doch offensichtlich den Zweck, in einer musikalisch-pathetischen Komprimierung vor dem Einsatz des 'maere' noch einmal die 'attentum'-Bereitschaft aufs Höchste zu steigern und darin den wirkungspoetischen Kerngedanken des Prologs zu wiederholen: Das 'maere', das ich euch vortrage, ist euer, der lebenden 'minnaere' Labsal. Das Spiel mit der zweifachen Bezüglichkeit der 'voces' 'leben' und 'tot' sowohl zur Vergangenheit Tristans und Isoldes wie zur Gegenwart der Zuhörer erweckt überdies den Eindruck einer rätselhaft-dilemmatischen und

Wir sehen, daß die auktorialen Reden mit ihrem Preis der Minne und der Tugenden, ihrem Tadel der Zeit und der gegenwärtigen Menschen, ihrem Lob- und Klagepathos, daß diese bei aller Stilisierung diejenigen Stellen sind, die im Vortrag eine unmittelbare Beziehung zwischen Erzähler und Publikum konstituieren, aus der ein Begründungszusammenhang erwächst, eine Legitimation und Leistungsbestimmung des Erzählens sich ableitet. Die sich dabei an den verschiedenen Stellen ergeben-

---

darum bedeutenden Sache, die Interesse verdient. Im Sinne dieser Gesamteinschätzung stellt sich die Stelle im wesentlichen als kunstvolle Amplifikation eines einzelnen Grundgedankens, also als Geflecht semantischer Tautologien dar, deren "Klangredundanzen (...) den Sinn der Wörter (abreiben)" (Bertau: Deutsche Literatur. L.c. S. 930). Ein solch "abstraktes Klanggewebe (...), unter dessen Netz der konkrete Sinn der Wörter zu verschatten droht" (Bertau: L.c. S. 932), ist nicht gezielt auf metaphysische Bedeutsamkeit und Programmatik angelegt, sondern die Sprachgebung bietet, indem sie gewissermaßen die Stagnation des Arguments durch Formintensität kompensiert, eine stufenweise, periphrastische Ausdruckssteigerung, die das Erzähler-Protagonisten-Hörer-Verhältnis vor dem Beginn der eigentlichen Erzählung noch einmal in einen dialektisch-pathetischen Rahmen kleidet und den Wert der Erzählung für 'edele herzen' in einem Schlußkappell an die Affekte der Hörer, speziell an das 'tua res agitur', vereindringlichen will.

Zur Frage des Blasphemischen im Roman wäre prinzipiell zu bedenken, ob nicht nur eine mangelnde historische Relativierung unseres Erfahrungshorizonts zum Urteil der Ketzerei führen kann. Wo eine bestimmte Begriffswelt unmittelbar lebendig und legitimiert ist und darum auch reflexionslos in Gebrauch ist, ist auch deren metaphorische Verwendung unproblematisch, ist die Ironie einer Übertragung nicht anstößig. Ein benales Beispiel: Wenn wir den ernstesten Grundsatz unseres Rechtslebens, daß alle Menschen vor dem Gesetz gleich sind, in einem parodistischen Zusammenhang verwenden und davon sprechen, daß alle Säufer vor dem grünen Röhrchen der Verkehrskontrolle gleich sind, so werden wir darin keine Ketzerei gegen jenes säkulare Sakrament sehen wollen. Man kann sich auf diese Weise vielleicht den selbstverständlichen Umgang des Mittelalters mit sakramentaler Sprache klarmachen, der solche metaphorischen Transfers wie in den Schlußstrophen des Prologs erlaubt, ohne daß die in Anspruch genommene Instanz in Frage gestell würde. Erst ein distanziert-antiquarisches Verhältnis zur Vergangenheit, daß moralistische Maßstäbe anlegt, führt hier zum Begriff der blasphemischen Verdrehung, wo es sich historisch um eine positiv-bekräftigende Analogie handelt.

den unterschiedlichen Inhalte, die sich nicht unbedingt ausschließen, sondern zu einem vielgestaltigen Funktionsbegriff der Dichtung zusammenschließen, sind weitgehend auf die verschiedenartige Einbettung in bestimmte topische Muster und Kontexte zurückzuführen. So führt Gottfried im Prolog zunächst eine sehr genaue und ideologisch entscheidende Auseinandersetzung mit Ovids 'amor'-Begriff und mit seiner 'remedia'-Topik, aus der sich dann jener besondere Wirkungsbegriff der Liebesdichtung für 'edele herzen' ergibt: 'Halbe senfte' aus dem Vergnügen, das eigene Liebe-Leid-Schicksal gesteigert zu erleben in der Identifikation mit den 'edelen senedaeren' eines 'süezen maere'. Später im Prolog greift Gottfried auf das sonst in der höfischen Dichtung übliche Begründungsschema zurück: Das Erzählen von Tugend bewirkt Tugend[551]. Im Minneexkurs mit seiner Klagetopik von der verdorbenen Minnewelt beschränkt er sich dann darauf, die Dichtung als folgelosen Herzensbalsam einzustufen, der uns durch ein schönes Bild, mit dem wir nichts mehr gemein haben, erfreut. An diesen drei Funktionsbestimmungen des Erzählens bezeugt sich auf einer ganz

---

551 Man sollte hier jedoch beachten, daß Gottfrieds Formulierungen nicht auf einen verdinglichten didaktischen Tugendgehalt des 'maere' zielen, der, als Maxime der Dichtung entnommen, die Tugend beförderte, sondern der Vortrag des 'maere' selbst, die Aufnahme der traurig-schön-wahren Geschichte soll unmittelbar Tugendregungen bewirken, d.h. die sinnlich-geistige Natur der Sprache erreicht die sinnlich-geistige Empfänglichkeit des Zuhörers unmittelbar und erfüllt ihn mit der dargestellten Wertwelt. Die Verse 167-186 machen deutlich, daß in dieser unmittelbaren sinnlichen Affizierung zum Guten der Wert des Vortrags und Hörens liegt. Insbesondere wenn man die Verse 'wan swa man hoeret oder list,/ daz von so reinen triuwen ist, (...)' (177 f) nicht auf die 'triuwe' der dargestellten Minne bezieht, sondern darin Gottfrieds verhülltes Lob der eigenen literarischen Leistung sieht, so kommt an der Stelle ein Dichtungsbegriff zum Ausdruck, der sein einziges und entscheidendes Wertkriterium aus der unmittelbaren Wirkung auf den 'muot' bezieht. Nicht objektive, am Text zu prüfende, darstellungsästhetische Kriterien kommen in Betracht, sondern umgekehrt hat - das bekräftigen auch mancherlei andere poetologische Äußerungen bei Gottfried - das Werk dann die vollendete Form, wenn es am nachhaltigsten begeistert.

anderen Ebene wiederum das diskontinuierliche, fallweise Darstellen. Mit den drei Funktionen werden auch dreierlei Rezipientenrollen projiziert: Die 'edelen herzen' zunächst, später im Prolog 'allez, daz der lebet' (193) und im Minneexkurs schließlich 'wir'. Ein- und demselben, identifikationsmächtigen Publikum werden in den verschiedenen auktorialen Adressen verschiedene Rollen unterstellt, die "impliziten Leser" (Wolfgang Iser) sichtbar gemacht. So sollen sie sich als 'edelez herze' im Minneideal des Prologs und in den Protagonisten wiedererkennen, aber als 'valsche minnaere' sollen sie sich nur noch an der 'tugent' der Erzählung erfreuen[552].

So stellt sich der 'Tristan', auch in diesem besonderen, die wirkungspoetischen Aussagen Gottfrieds betreffenden Punkt, in seiner partikularistischen Struktur dar. Die Sprechformen verschiedener topischer Register fügen sich zusammen, ohne sich gegenseitig zu bestätigen, aber auch ohne sich eigentlich zu stören; sie haben verschiedene Reichweiten und Ausrichtungen, sie erfüllen sich in ihrem jeweiligen Kontext und sie manifestieren damit die offene Struktur dieses Erzählens. Die Vorstellung verschiedener Literaturfunktionen macht nun aber letzten Endes auch deutlich, daß sie keine unumstößlichen

---

552 Solche Rollenvorgaben erfüllen meist, insbesondere hier im Prolog, rhetorische, affektlenkende Funktionen. Die zuletzt wieder von Günter Eifler erwogene Ansicht (Publikumsbeeinflussung. L.c.), bei den 'edelen herzen' des Prologs handele es sich nicht um eine historisch bestimmte Gruppe und damit auch nicht um ein biographisch zu verstehendes Bekenntnis Gottfrieds zu einer gruppenspezifischen Ideologie, sondern vielmehr um ein der rhetorischen Struktur des Prologs zuzuordnendes Identifikationsmuster für alle Hörer - das Muster der qualitativen Selektion des Publikums -, das dann übrigens in kaum einem Prolog der Erzählliteratur des 13. Jahrhunderts mehr fehlt (vgl. die systematische Übersicht bei Peter Kobbe: Funktion und Gestalt des Prologs in der mhd. nachklassischen Epik des 13. Jahrhunderts. In: DVjs 43 (1969) S. 443-457), trifft angesichts der wechselnd disponierten Hörerrolle im Gesamttext und angesichts der wirkungsbestimmten Organisation des Erzählens schlechthin, insbesondere in den rezeptionslenkenden Erzählerreden, sicherlich das Richtige. Vor und neben Eifler ist die Auffassung von den 'edelen herzen' als einer fiktiven Projektion des erwünschten Publikums als einer 'captatio' des tatsächlichen Publikums in der einen oder anderen Modifikation bei folgenden Autoren zu finden: Finster, Jackson, Jaeger, Jauch, Kunzer (vgl. im Literaturverzeichnis).

ästhetischen Offenbarungen darstellen, sondern daß sie in rhetorischer Funktion stehen, daß sie 'attentum'-Signale sind, die verschiedene, eindrucksvolle Motivationen zum Zuhören für verschiedene Interessen anbieten. Dem Generalprinzip der mittelalterlichen Poetiken folgend - 'multiplicatio et variatio' - vervielfacht und variiert Gottfried auch die wirkungsästhetische Begründung des Erzählens.

5.2. Wirkungsästhetik und Rhetorik

5.2.1. Gottfrieds wirkungsästhetischer Stilbegriff

Wenn wir von den allgemeinen Literaturfunktionen nach dem Prolog und dem Minneexkurs einmal absehen, so finden sich bei Gottfried noch mancherlei Äußerungen über die tatsächlichen, über die geforderten oder über die zu vermeidenden Wirkungen von Dichtung[553] - oder auch von Musik. Die gebrauchten Begriffe und Bilder verweisen auf eine allgemeine 'delectatio' des Ohrs und des Herzens, der Sinne und der Gedanken, auf eine unspezifische Hochgestimmtheit. Nicht

---

553 Die bei Gottfried verstreuten Wirkungs- und Funktionsbestimmungen finden sich in ihrer Substanz in komprimierter Form auch in dem erhaltenen Epilog von Thomas' 'Tristan' wieder (Fgt. Sneyd 2, vv. 820-839): Der Erzähler versichert dort, die Geschichte ganz nach der Wahrheit für alle Arten von Liebenden und für alle, die sie hören, in Versen gedichtet zu haben, um ein Beispiel zu geben (essample) und um die Liebenden zu erfreuen (plaisir), damit sie sich einiges davon zum Vorbild nehmen können (choses ... recorder), und damit die Dichtung ihnen großen Trost angesichts der Schmerzen und Wechselfälle der Liebe gibt (grant confort). Dem Erzählen werden also auch von Thomas schon sowohl moralisch-erbauliche Funktionen wie auch linderndерquickende Wirkungen zugeschrieben. Dabei ist wie bei Gottfried als Grundlage dieser seelischen Tröstung die Relation zwischen der Schönheit des Textes und dem daraus zu ziehenden Vergnügen festgehalten: '(...) ai fait / Pur l'estoire embelir, / Que as amanz deive plaisir (...)' (831 ff).

didaktische Handlungsanweisung oder spezielle Tugendbewirkung wird von der Kunst gefordert, sondern sie soll die angenehmen Affekte wecken, soll 'vröude' (4620), 'herzelust' (4680), 'lachen' (4682), 'vriuntlichen muot' (4770), 'inniclich gedanc' (4771) und 'süezen muot' (8307) im Gefolge haben. Sie soll nicht 'verdriezen' (16923), nicht 'belangen' (8901), nicht 'unlidic' und nicht 'unsenfte' sein (7953), den Ohren nicht 'missehagen' und dem Herzen nicht 'widersten' (7948 f), sondern dem Gemüt 'behagen' (4598), 'lieben' (4633) und 'sanfte tuon' (4769). Die Zitate sind teils aus dem Literaturkatalog, teils aus der Wirkungsbeschreibung des Redens und Musizierens[554] in der Handlung, teils aus Bemerkungen Gottfrieds zum eigenen Erzählen; sie konvergieren insgesamt etwa mit dem, was im Minneexkurs gesagt ist : 'schoene maere' gibt 'guoten muot' und 'tuot (...) in dem herzen wol' (12318 ff). Meist wird an diesen Stellen der Doppelaspekt von Ausdruck und Wirkung berücksichtigt: Ein stilistisches Kunst-'aptum' muß erfüllt sein ('und schone an disem maere ste' 4599), ehe die Erzählung gefallen kann ('iu geliche und iu behage' 4598), womit dann auch das Publikums-'aptum' erfüllt ist. 'Cristallin' (4629) und 'lussam' (4693) müssen 'worte' und 'sinne' sein, damit sie 'herzelust' hervorrufen können. Die 'süezen noten' (3517) sind es, wovon Tristans 'muot begunde im uf gan' (3520). So bewegt sich die Begrifflichkeit in einer eigentümlichen Schwebe zwischen der Beschreibung ästhetisch-sinnlicher Textqualitäten und den seelisch-sinnlichen Gestimmtheiten, die sie beim Rezipienten hervorrufen sollen. Bemerkenswert ist dabei, daß gegenüber den materiellen, die Mittel betreffenden Stilcharakterisierungen jene poetologischen Äußerungen Gottfrieds überwiegen, die die psychagogische Leistung des Stils betreffen. Wo von poetischem oder musikalischem Vortrag die Rede ist, wird diese Gemütsbefrie-

---

554 Auf die Austauschbarkeit von Dichtung und Musik, die wir hier praktizieren, werden wir später zurückkommen.

digung als die Kulturfunktion des Stils bedacht, ohne daß immer auch die dazu erforderliche materielle Qualität des Stils genauer bezeichnet würde. Wo es dennoch geschieht, bleiben die Mittel, die die stilästhetische Norm erfüllen sollen, in Gottfrieds Bildersprache verhüllt:

> (...)
> siniu wort ensin vil wol getwagen,
> sin rede ensi ebene unde sleht,
> ob ieman schone und ufreht
> mit ebenen sinnen dar getrabe,
> daz er dar über iht besnabe. 4660 ff
>
> (...)
> siniu wort diu sweiment alse der ar.
> 4722
>
> (...)
> ge miner rede als ebene mitę,
> daz ich ir an iegelichem trite
> rume und reine ir straze
> noch an ir straze enlaze
> dekeiner slahte stoubelin,
> ezn müeze dan gescheiden sin,
> und daz si niuwan ufe cle
> unde uf liehten bluomen ge;
> (...) 4915 ff

Solche Bilder und die ihnen zuzuordnenden Stilwertbegriffe wie 'luter', 'lussam', 'spaehe', 'süez', 'sleht' und die Kolorierungsterminologie stellen Gottfried, wie das an der übereinstimmenden Bild- und Wortwahl schon verschiedentlich, insbesondere von Sawicki[555], gezeigt wurde, in den Raum der mittelalterlichen Poetiken, deren Ästhetik eines klaren, eleganten, treffenden und gefälligen Ausdrucks, eines auf das 'dilucide dicere' ('luter' und 'sleht') und auf 'suavitas' ('süez' und 'lussam') abgestellten Schönheitsstils eine Stilharmonie umschreibt, die das Gemüt erquicken soll. Damit kehren wir zur psychagogischen Zielsetzung zurück, die in den Poetiken wie bei Gottfried als Maßstab für den Charakter des Stils erscheint. Stilausdruck und Stilwirkung sind unter rezeptionsästhetischem Gesichtspunkt einander zugeordnet:

---

555 Sawicki: Poetik. L.c. Passim.

wie luter und wie reine
siniu cristallinen wortelin
beidiu sint und iemer müezen sin!
si koment den man mit siten an,
si tuont sich nahen zuo dem man
und liebent rehtem muote. 4627 ff

Oft ist es gar die spezielle Qualität der Gefühlsbeeinflussung durch den Stil allein, die zur Sprache kommt und das Urteil über den Wert der Dichtung fällt:

dan gat niht guotes muotes van,
dan lit niht herzelustes an:
ir rede ist niht also gevar,
daz edele herze iht lache dar. 4679 ff

in edelen oren lutet baz
ein wort, daz schone gezimt,
(...) 7942 f

dem süezete diu rede den muot
reht alse des meien tou die bluot:
si haeten alle muot da van. 8307 ff

Die sinnlich-gemütsbezogene Leistung als Maßstab des Stils ist offensichtlich. Auf diese hin hat er seine Mittel auszurichten. Der Akkord zwischen der Sinnensprache der Poesie und der Empfindsamkeit der Herzen konstituiert die ästhetische Qualität. Der Begriff einer Literatur als Gemütsregungskunst stellt sich ein.

Die bisher aufgeführten Belege Gottfrieds deuten nun aber nur auf eine bestimmte Art der Gefühlsbeeinflussung: Es geht um die sanften, angenehmen Affekte, um ein 'sedare' und 'mitigare', um - rhetorisch gesprochen - den Bereich des Ethos[557]. Die Psychagogie des 'bene dicere' geht hier aufs Gefallen, Behagen und auf die angenehme Belebung des moralischen Gefühls[558]. Diese Qualität des Stils ist von den Epigonen des 13. Jahrhunderts wiederholt wortreich gepriesen

---

557 Zu den beiden rhetorischen Affektstufen 'Ethos' und 'Pathos' vgl. Quintilian: Inst. Orat. VI, 2, 8 ff.

558 Auch in jenen Prologversen, wo von den Tugenden, die durch das 'guote lesen' des Autors bei den Zuhörern befördert werden sollen, die Rede ist, geht es um eine literarische Psychagogie, die nicht Tugend unmittelbar verschafft oder nur didaktisch postuliert, sondern den den Hörer emotional disponiert, die Tugenden, die

worden und ist auch in unserer Epoche oft als Stileindruck festgehalten worden[559], der sich in seinem Ausdrucks- und Wirkungspotential mit den Begriffen 'senfte' und 'hage' zusammenfassen läßt.

Dieser Eindruck, der insgesondere an Stellen "lyrischen Rühmens"[560], wie bei der Naturschilderung des Waldlebens etwa, sich vermittelt, zusammen mit der poetologischen Terminologie Gottfrieds, die weitgehend wieder aus den Poetiken entlehnt ist, läßt sich leicht mit einer "Bernhardisch inspirierte(n) 'Empfindsamkeit' Gotfrids"[561] assoziieren, scheint eine auf 'tranquilitas', auf befriedigte, stille Sinne zielende Literaturtherapie anzuzeigen[562] und eine Art Konsolationsliteratur stoischen Gepräges nahezulegen. All dies, zum ästhetischen Programm des Erzählens verabsolutiert, würde jedoch vom 'Tristan' ein einseitiges und darum falsches Bild ergeben, denn für die poetisch-rhetorische

---

das 'maere' vorstellt, zu pflegen. Das Lesen als seelische Affizierung, als Erregung der Tugendliebe, wird durch die kausative Verwendung von 'lieben' im Sinne von "beliebt machen", "lieben machen" recht deutlich gemacht (179, 183). Ob aus der Stimulanz des moralischen Gefühls praktische Tugend wird, liegt außerhalb der ästhetischen Dimension des Erzählens, die ja nur den Spielraum zwischen dem Werk und dem Hier und Jetzt des empfänglichen Gemüts umfaßt.- Bei Gottfried haben wir also gerade nicht ein so forsch-utilitäres Literaturverständnis wie z.B. in Konrads von Würzburg 'Herzmaere': 'er minnet iemer deste baz / swer von minnen etewaz / hoeret sagen oder lesen' (19 ff). Hier bekundet sich die im Spätmittelalter zunehmende handfeste didaktische Funktion der Dichtung mit ihrer praktischen Moralität, während Gottfried, gegenüber der gegenwärtigen Wirklichkeit resignativ, auf der Ebene des Ästhetischen die Tugendempfindsamkeit der Hörer anrührt.

559 Vgl. stellvertretend für viele ähnliche Charakterisierungen jene von Helen Adolf: "silky, soft, sensuous, gently hypnotizing" (Personality in Medieval Poetry an Fiction. In: DVjs 44 (1970) S. 17).

560 Gruenter: 'wunneclichez tal'. L.c. S. 397.

561 Gruenter: L.c. S. 396.

562 Es stellt sich hier das historische Problem der Zusammenhänge zwischen der religiösen Gefühlskultur der Epoche und den Programmen poetischer Psychagogie im Mittelalter und zu ihrem wahrscheinlichen gemeinsamen Bezugspunkt, der Affektenlehre der Rhetorik.

Praxis mittelalterlichen Verserzählens gilt gleichermaßen, "daß die Macht der Rede die Affekte zu erregen wie zu beschwichtigen vermag"[563]. Das Pathos, der kräftige Reiz des Intellekts, die Erzählspannungen und die parteiischen Affekte: All dies, wovon Gottfrieds Erzählen entscheidend geprägt ist, fände in einer Ästhetik der Gefühlsbesänftigung keinen Platz. Damit ist zunächst gesagt, daß die stilbezogenen, wirkungspoetischen Aussagen Gottfrieds nicht ausreichen, die Praxis seines Erzählens in rhetorisch-stilistischer Hinsicht im ganzen zu erfassen, da sie offenbar nur eine Ästhetik des Stils ansprechen, nicht aber die inventorische Kunst der rhetorischen Stoffadaption Gottfrieds.

Die Erzählfiktion selbst bietet ja Beispiele für die kräftig erregenden Wirkungen von Rede und Musik, die dem Gemüt nicht unmittelbar 'sanfte tuon': Wo von einem traurigschicksalhaften Geschehen erzählt wird, wie bei Ruals Bericht von Blanscheflur, stellen sich bei den Zuhörern heftige Affekte ein: 'ouch begunde von dem maere/ den anderen allen / ir ougen über wallen.' (4218 ff). Auch Marke '(...) giengez also starke / mit jamer in sin herze,/ daz ime der herzesmerze/ mit trehenen uz den ougen vloz / und ime wange unde wat begoz.' (4222 ff) Nicht weniger vermag die Musik die Seele zu bewegen, so daß sie all ihrer Gelassenheit beraubt ist: 'do begunde er so suoze doenen /(....)/ daz maneger stuont unde saz,/ der sin selbes namen vergaz: / da begunden herze und oren / tumben unde toren / und uz ir rehte wanken;' (3588 ff). Diese epischen Beispiele der bewegend-erschütternden Macht der Rede und der Musik, die Gottfried zweifellos in seinem epischen Vortrag selbst auch einsetzt: Sie haben keinen Ort in jenen wirkungsästhetischen Stilbegriffen Gottfrieds. Jene sich nur auf die Relation von Sprachqualität und Seelenharmonie beziehenden Äußerungen haben also nur einen begrenzten Stellenwert für eine Ästhetik des 'Tristan'.

---

563 Rudolf Kassel: Untersuchungen zur griechischen und römischen Konsolationsliteratur. München 1958. S. 47.

5.2.2. Der Zusammenhang von Schmuck und Psychagogie

Die oben dargestellte allgemeine Verbindung von Stil- und Wirkungskritik, wie sie sich bei Gottfried und in den Poetiken findet, wollen wir nun aber nach ihren historischen Zusammenhängen erläutern.

Im Literaturkatalog, der die meisten stilästhetischen Äußerungen enthält, praktiziert Gottfried Literaturkritik. Diese war in der mittelalterlichen Bildung in der Disziplin der Grammatik zu Hause, die erst 'recte loquendi scientia' sein kann, wenn sie das normschaffende Vorbild der 'auctores' in der 'scientia interpretandi poetas atque historicos' oder, wie Quintilian sie nennt, in der 'ennaratio poetarum' herangezogen hat. Insofern als jene Autoritäten nur das technisch richtige und elokutionell gelungene Schreiben verbürgten, war Literaturkritik Sprach- und Stilkritik. Die Gehalte fielen innerhalb der 'grammatica' nicht ins Gewicht - das zeigt die Heranziehung der antik-heidnischen Schriftsteller im kirchlichen Schulbetrieb. Die Tradition einer inhaltsbezogenen Literaturkritik fehlt und wird durch die institutionelle, moralisch-weltanschauliche Kritik der Kirche ersetzt. So wie die Grammatik und schließlich die normgebenden Poetiken des Mittelalters selbst nur Formkriterien der sprachlichen Produktion angeben, so gibt es analog auch nur eine Formkritik. Aus dieser bildungsgeschichtlichen Lage heraus ist auch Gottfrieds literarische Kritik wie die seiner Nachfolger Stilkritik. Vorgänger und Zeitgenossen werden, ganz wie in der Schulgrammatik, innerhalb der vernakularen Literatur zu Paradigmen sprachlich-stilistischer 'imitatio' erkoren oder, wenn ihre sprachliche 'virtus' zu wünschen übrig läßt, heftig kritisiert ('bickelworte'!).

Diese Stilkritik aber - das zeigt Gottfried, das zeigen die Poetiken - berücksichtigte entschieden die Gefühlswirkungen der Sprache als Kriterium ihrer Schönheit: Ein ästhetisches, an der Empfänglichkeit der Sinne orientiertes Ideal wurde vorgestellt.

Wie aber kommt es dazu? Für eine literarische Welt wie die mittelalterliche, die so sehr aus dem rhetorisch-poetischen Sprach- und Kommunikationsverständnis der Antike lebte, ist die Hinsicht auf die sinnlichen Bewirkungen der entscheidende Faktor der sprachlichen Gestaltung. Das ist lange auf Grund darstellungsästhetisch-objektivistischer Betrachtungsweisen übersehen worden und hat, wie wir noch zeigen wollen, zu folgenschweren Fehleinschätzungen der Leistungen des Sprachstils geführt. Die mittelalterlichen Poetiken, die im Grunde nur auf die 'elocutio' reduzierte Amplifikationsrhetoriken darstellen, haben zwangsläufig mit der Palette der rhetorischen Schmuckmittel auch deren Gemütserregungsfunktion ererbt. Dieser Grundpfeiler der Rhetorik, die Affizierung durch den 'ornatus'[564], ist in die Poetiken übergegangen und erscheint, wie wir sahen, noch in Gottfrieds volkssprachlicher Literaturkritik gespiegelt. Das Ineins von Schmuck und Psychagogie, wie es in der Rhetorik gedacht ist, wird zum stilästhetischen Kriterium mittelalterlicher Poesie und konstituiert einen allgemeinen Zusammenhang von Sprache und Gefühlskultur.

Gustav Ehrismann sprach noch von der rhetorischen Schmükkung im mittelhochdeutschen Versroman als einer Art, "die auf das Gefühl, auf Erhebung des Gemüts, auf Erweckung von Rührung und Bewunderung berechnet ist (...)"[565], und als einer "Stimmungsverstärkung des Inhalts"[566], und er war sich damit noch des affektischen Sinns geschmückter Rede bewußt. Ein halbes Jahrhundert später aber kann man zum 'Tristan' lesen: "Alle rhetorischen Figuren dienen in irgendeiner Weise dem Schmuck und haben keinen absoluten Nutzeffekt. Die Fabel bleibt auch ohne sie bestehen"[567]. Diese Behauptung, die in mancherlei Varianten in der Forschung begegnet, beleuchtet überscharf das methodisch folgenschwere Vergessen der wirkungsästhetischen Dimension allen sprachlichen Schmuckes und

---

564 Vgl. dazu z.B. Quintilian: Inst. Orat. VI, 2.

565 Ehrismann: Studien. L.c. S. 61.

566 Ehrismann: L.c. S. 60.

567 Clausen: Der Erzähler. L.c. S. 113.

das blinde Insistieren auf den darstellungsästhetischen Zwekken (bzw., wie im obigen Zitat, auf der Zwecklosigkeit) dieser literarischen Mittel[568]. Diese Einstellung hat dort, wo rhetorischer Schmuck gehäuft auftritt, diesen als selbstgenügsames, artistisches Spiel, als Schnörkel und Manier, als funktionslose Zier eingestuft. Gottfried liebe "Klang und Widerklang ja auch um ihrer selbst willen", heißt es einmal bezeichnend bei Wolfgang Monecke[569]. Die Überfunktion des Stils wird als funktionsfreie Sprachentelechie vom Innern des Werkes abgesondert. Klaus Dockhorn, der in anderen historischen Zusammenhängen das Vergessen des rhetorischen Schmucksinns behandelt, schreibt: "Der Begriff 'Schmuck' stellt eines der ungelösten Probleme der Geschichte dar, weil er offenbar in der Bestimmung einer reizvollen Auszierung, eines Akzidenz der Substanz der Rede nicht aufgeht. Es liegt in ihm die ältere Bedeutung von 'Zurüstung' und 'Einrichtung' mit dem Ziel der Wirkung zugrunde, die nicht nur als angenehm, sondern als hinreißend empfunden werden soll (...). Der Redeschmuck dient also der Affekterzeugung und ist in diesem Sinne kein Akzidenz der sachlichen Überredung, sondern ihr innerlich"[570]. Wo dies Prinzip der Gefühlserregungskunst aber nicht mehr verstanden wird, sucht man dem Schmuck eine neue Zweckbestimmung zuzuschreiben: Dort, wo er offensichtlich keine unmittelbare Darstellungsfunktion mehr erfüllt, nicht mehr die Mimesis trägt und darum "keinen absoluten Nutzeffekt" mehr habe (s.o.), sucht man ihm einen Sinn aus sich selbst zuzuschreiben. Hatte sich beispielsweise Friedrich Vogt noch darauf beschränkt, bei hochrhetorischen Stellen bloß eine "Bereicherung der Form, nicht (...) ein dem Sinn dienendes Mittel" zu sehen[571] – so als gäbe es eine Form an sich ohne eine werkbezogene Leistung –, so veranlaßt nach Ilse Clausen die "Spielhaltung" Gottfrieds diesen dazu, rhetorische Figuren in eine "spielerische Formgebung" einzuordnen[572], so als sei

568 Die Rhetorik ist immer wieder von einem verabsolutierten Mimesisbegriff der Dichtung aus dem Blickfeld gedrängt worden. Neben den Kriterien Abbildung, Nachahmung, Vergegenwärtigung war der Aspekt der Sinnfälligmachung im Gefühlsbereich des Rezipienten vergessen worden.

"Spiel" schon ein Zweck an sich und neben der Erzählung, als habe die Sprache dort eine Spiel-Existenz "für sich". Aber diese angeblichen Sprachspiele setzen sich letztlich aus definierten rhetorischen Figuren zusammen, deren Leistung dahin geht, eine Sache zu kolorieren, sie kraft der Sinnenwirkung des Schmucks ins rechte Licht zu rücken, ihr also Eingang über die Affekte zu verschaffen[573]. Die Vergegenständlichung der rhetorischen Schmucksprache zu selbstzweckenden Spielgefügen übersieht, daß diese poetische Sprache kein hermetisches Sein hat, in dem sich "Spiel" nur darstellte, sondern sie erfüllt sich als Medium der literarischen Darstellung erst in dem, was sie als Erfahrung der Rezipienten sein wird, denn "der Wert, der einem Text zukommt, ist nicht reine Entelechie, sondern eine Antwort des Lesers oder Hörers"[574]. Diese allgemeine wirkungsästhetische Einsicht in die Seinsweise von Literatur ist tief der rezeptionspsychologisch begründeten Rhetorik mit ihren psychagogisch-kathartischen Funktionen verbunden. Es geht also nicht an, Schmuck und Darstellung zu tren-

---

569 Wolfgang Monecke: Studien zur epischen Technik Konrads von Würzburg. Das Erzählprinzip der 'wildekeit'. Stuttgart 1968. S. 15.

570 Dockhorn: Rez. Gadamar. L.c. S. 182.

571 Friedrich Vogt: Geschichte der mittelhochdeutschen Literatur I. Berlin, Leipzig 1922. S. 355.

572 Clausen: Der Erzähler. L.c. S. 113.

573 Symptomatisch für Ilse Clausens Sicht der Stilfrage ist ihre Korrelierung von Spiel und Distanz in diesem Zusammenhang: Rhetorischer Schmuck als mimesisenthobener Sprachnarzismus wird nach ihrer Darstellung zum Gegenstand distanzierter Betrachtung. Tatsächlich aber ergreift der Schmuck mit seinen über die Norm schlichter Rede hinausgreifenden Mitteln das Gefühl. Einem Spiel im Bereich der Sprache zuzuschauen, schafft nicht Distanz zwischen Beobachter und Spiel, sondern nimmt sie. Vgl. in diesem Zusammenhang auch die Feststellung von Ilse Nolting-Hauff: "Das Ideal der höfischen Kasuistik heißt Bewußtheit, Überwindung der affektischen Impulse, 'Distanz'." (Liebeskasuistik. L.c. S. 11). Gerade das ist zu bezweifeln. Zwar bewegt sich die höfische Kasuistik in logischen Bahnen, aber sie debattiert dabei mit allen Mitteln rednerischen Schmucks, und darum ist 'Distanz' das Letzte, das sich dem Hörer mitteilt, denn der 'ornatus' "ist nicht ein den Intellekt ergötzender Schmuck, sondern bewegende und hinreißende Sinnfälligmachung und Vergegenwärtigung, Erlebnis." (Dockhorn: Rez. Lausberg. L.c. S. 190).

nen, denn die 'oratio ornata' reguliert mit ihrer affektischen Struktur die Innerlichkeit des Publikums in bezug auf die Sache; die 'copia verborum' zielt auf sinnliche Vereindringlichung, das rhetorische Wortspiel gilt dem Affekt. Daher sind nicht 'Mimesis' und nicht 'autonome Form' die Schlüssel zu den manieristischen Steigerungen des Stils, sondern diese wurzeln in den Gefühlslenkungstechniken rhetorischen Sprechens.

Im Gefolge einer unterschlagenen Wirkungsästhetik haben sich in der Forschung eine Reihe von Mißverständnissen eingestellt. Es hat verschiedentlich Versuche gegeben, Gottfrieds Sprachumgang als Ausdruck eines Bewußtseins von den Grenzen der Sprache, als ein Sprachringen darzustellen[575]. Solche existentiell-erkenntnistheoretischen Deutungen gingen von den eindringlichen Periphrasen, den Wortumkreisungen, den Paradoxien aus, deren Leistung in einer Annäherung an den eigentlichen Begriff und zugleich in der Darstellung des eigenen Bwußtseins von der Bedingtheit des sprachlichen Ausdrucksvermögens gesehen wurde. Die Häufung und Wucherung des Ausdrucks wurde sprachmystisch als Versuch interpretiert, zum Unaussprechlichen vorzudringen und insgesamt geistesgeschichtlich an die Nahtstelle zwischen Realismus und Nominalismus gelegt[576].

---

574 Jaques Dubois u.a.:Allgemeine Rhetorik. Übers. u. hrsg. von Armin Schütz. München 1974. S. 242.

575 Vgl. z.B.: "Die Sprache will aus dem Bereich des Sagbaren ausbrechen, durch Häufung, durch Türmung über sich selbst hinausgelangen zu dem, was unaussprechlich ist." (Monecke: Studien. L.c. S. 9). Wiebke Freytag interpretiert Gottfrieds Oxymorongebrauch u.a. als Mittel, dem "Gegenstand in der Annäherung gerecht zu werden". (Oxymoron. L.c. S. 11).

576 Oft wird aber auch das Gegenteil, der Umschlag des Sprachspiels in die Zersetzung der Semantik, konstatiert: "(...) daß er durch seine Kunstfertigkeit dazu verleitet wird, sich so in die Sprache zu versteigern, daß der Gegenstand, weit davon entfernt, durch seine Worte erhellt zu werden, in dem Wortspiel auf- oder verlorengeht." (Michael S. Batts: Die Problematik der Tristandichtung Gottfrieds von Straßburg. In: Doitsu Bungaku 30 (1963) S. 13).

Mir scheint in solchen Versuchen der klassische methodische Fehler gemacht worden zu sein, den Darstellungsausdruck im Roman mit einer geistesgeschichtlich geprägten Innerlichkeit des Autors gleichsetzen zu wollen. Es ist dies der Trugschluß einer Produktionsästhetik, die ignoriert, daß der mittelalterliche Autor seine sprachlichen Mittel auf ihre Wirkung hin aussucht, daß also etwa das Oxymoron nicht die Sprachnot Gottfrieds "ausdrücken", sondern mit dem Pathos des Paradoxen die Gemüter in die affektive Dimension des 'maere', etwa in die leidvolle Paradoxie des Schicksals von Tristan und Isolde "einstimmen" soll. Das rationale Konstrukt des Oxymorons, in dem ein logischer Widerspruch kraft der Logik der Syntax als wahr behauptet wird, wo das Irrationale im Gewand der Rationalität erscheint, stürzt den Rezipienten durch die Spannung zwischen behaupteter und erfahrbarer Wirklichkeit in eine pathoshaltige Affektation, denn "die Sinnspannung setzt sich gegen alle Sinnaufhebung im einzelnen durch"[577] und wird als Dilemma gefühlsmäßig aufgenommen. Auch Gottfrieds Begriffsspiel, seine Paronomasien und seine Wortdialektik sind Affektträger und nicht Indizien eines angeblichen Sprachpessimismus[57]
Die reiche Amplifikation des Ausdrucks - grundlegendes Prinzip der mittelalterlichen Poetiken - ist nicht der Versuch, durch zunehmende Variation und Differenzierung zur Wahrheit vorzustoßen, sondern die Form eines Stilwillens, der mit mächtigen Streitkräften mächtige Eindrücke bewirken will, der mit dem Kreisen um den Begriff eine intellektuell-sinnliche Begeisterung anstrebt. Auch in der von Gottfried häufig gebrauchten 'annominatio', der Variation stammverwandter Wörter, ist der Hauptzweck nicht eine erhellende semantische Differenzierung; vielmehr werden mit ihr gerade Unschärferelationen im Gefüge von Laut und Sinn zur Ansicht gebracht und durch überraschende Rekurrenzen von fast identischen Lautkörpern werden affektische Wirkungen ausgelöst. Die 'annominatio' ist so ein künstlich-rhetorisches Verwirrspiel, das intellektuelles Pathos vermitteln und nicht Sprachsinnsuche abbilden will. Auch das Änig-

---

577 Hans-Peter Bayerndörfer: Poetik als sprachtheoretisches Problem. Tübingen 1967. S. 219.

578 Vgl. Lausberg: Handbuch. L.c. S. 323, Anm. 1: Paronomasien gelten als "intellektueller Aufmerksamkeitserreger". Es ist eine Figur, die nach Quintilian 'aures et animos excitat' (Inst. Orat. IX, 3, 66).

matische der Vierzeiler, die semantische Auflösung des Worts "als Glied von Kleinornamenten"[579] schlechthin: Sie sind nicht Ausdruck eines Verstummens vor der Unbestimmtheit der Wörter, sondern gewissermaßen "Pathosformeln"[580].

Schauen wir uns ein Beispiel im 'Tristan' an: Eine der für Gottfried so charakteristischen Stellen, wo er die epische Situation mit dem Auge des Wortdialektikers erfaßt und deren Paradoxie hervorkehrt, indem er sich - ganz abstrakt-sophistisch - den Wörtern anheimgibt, haben wir an dem Punkt, als Tristan nach Ruals Ankunft an Markes Hof die Geschichte seiner Herkunft erfahren hat. Dort teilt sich das Staunen Tristans über eine anscheinend absurde Konstellation affektisch den Hörern mit:

> ich bin, alse ich han vernomen,
> ze wunderlichen maeren komen;
> ich hoere minen vater sagen,
> min vater der si lange erslagen.
> hie mite verzihet er sich min;
> sus muoz ich ane vater sin,
> zweiter vetere, die ich gewunnen han.
> a vater unde vaterwan,
> wie sit ir mir alsus benomen!
> an den ich jach, mir waere komen
> ein vater, an dem selben man
> da verliusich zwene veter an:
> in unde den ich nie gesach. 4365 ff

Tristan stellt nur das ins Wort 'vater' gebannte Kalkül der Situation vor. In Wirklichkeit hört er deshalb nicht auf, Rual wie einen Vater zu lieben und wiedergeliebt zu werden. Die Paradoxie der zwei Väter aber ist ein Mittel der erzählerischen Gefühlserregungskunst Gottfrieds, eines seiner 'incitamenta intellectus'. Gerade das Sophistische, das formal gesehen eine kühl-intellektuelle Berechnung darstellt, wirkt pathetisch, weil das Überraschende, das Unglaubliche durch logische Manipulation als wahr erscheint. Das Publikum weiß längst, wie es mit den Verwandtschaftsverhältnissen Tristands bestellt ist, und dieser weiß nun ebenfalls Bescheid.

---

579 Kibelka: 'der ware meister'. L.c. S. 221.

580 Ein von Ernst Robert Curtius verwandter Begriff (Europäische Literatur. L.c. S. 209).

Darum leistet das Räsonnieren Tristans keinen Beitrag zum epischen Progress, aber es beteiligt und interessiert das Publikum affektiv an der schicksalhaften Situation, in der sich Tristan befindet, durch das verwirrende Klangspiel der 'vater'/'veter'-Responsionen.

5.2.3. Exkurs: Musik und Poesie

Bevor wir auf die Bedeutung der allgemeinen rhetorischen Wirkungen weiter zu sprechen kommen, sei eine besondere historische Dimension des wirkungsästhetischen Stilbegriffs Gottfrieds umrissen. Gottfrieds Äußerungen, wonach die Eleganz, die Lauterkeit und Zierlichkeit der Sprache, ihre harmonische Fügung von 'wort' und 'sin' das empfängliche Herz auf dem Weg über die Ohren angenehm enthusiasmieren soll, sind Umschreibungen, die offensichtlich ganz auf die 'venustas' des Verses als vollkommene Bindung von Klang und Sinn zielen, auf Glätte und Makellosigkeit des Ausdrucks, auf Rhythmus und Reim, letztlich wohl auf reine Musikalität als vollkommenes 'aptum' von 'res' und 'verba'. Bekanntlich spielt die Musik im 'Tristan' eine hervorragende Rolle, ja sie dominiert in einer solchen Weise alle anderen Fähigkeiten und Künste der Menschen, spielt so sehr in die Minnegeschichte hinein, daß man kaum umhin kann, darin gewissermaßen ein ästhetisches Programm zu vermuten[581]. Die antike Einheit von Musik und Poesie, um die das Mittelalter aus der augustinisch-boethianischen Tradition bis hin zu Dante weiß, wird dabei zu berücksichtigen sein. Zweierlei ist zunächst zu unterscheiden: Musik als Zahlenordnung der Töne und Musik als Wurzel der Affektenlehre.

Die Antike verstand die Musik in ihrer geregelten Ordnung der Materie der Klänge als Abbild des Weltgefüges;

---

581 Bei Alanus ab Insulis, der gerade in ästhetischer Hinsicht als Vorbild oder zumindest Geistesverwandter Gottfrieds in Erwägung gezogen wurde, steht interessanterweise die 'musica' ganz im Vordergrund der 'septem artes'.

ihre Harmonie und die der Sphären wurde von Pythagoras ineins gedacht[582]. Im Mittelalter ist sie eine der Zahlenkünste des Quadriviums und gilt, wie Max Wehrli ausführt, "als Wissenschaft des Nomos, des Weltgesetzes (musica mundana). Die musica humana ist als Spiegelung dieser Weltharmonie ein auf Zahlenverhältnissen beruhendes System von Maß und Ordnung"[583]. Als "laut-gewordene Zahlenordnung"[584] ist sie sinnliche Vergegenwärtigung eines 'ordo' nach Maß und Zahl. Auf diese metaphysische Dimension scheint auch die Wirkung der Musik im 'Tristan' hinzudeuten. Wo Musik erklingt, wirkt sie beseligend, hinreißend und schließlich gar menschliches Fassungsvermögen übersteigend ('da begunden herze und oren / tumben unde toren / und uz ir rehte wanken;' 3593 ff), und sie scheint in der Tat Abglanz einer 'harmonia mundi' und damit seelisch-sinnliche Annäherung an eine absolute Schönheit[585]. Der Anspruch der proportionierten Harmonie, wie ihn die Musik als arithmetische Wissenschaft verkörpert, scheint auch in die poetische Harmoniebegrifflichkeit Gottfrieds und in seine poetische Praxis eingegangen zu sein[586]. Seine Klangsymmetrien, das Gewebe der Responsionen, seine Kunst des End- und Binnenreims, die schwerelose Rhythmik des Verses: All das scheint zunächst auf diese Maßästhetik der Musik im antik-mittelalterlichen Verstand zu deuten, nach der sich Süßigkeit und Klarheit untrennbar verbinden und auf die 'musica coelis' verweisen[587].

---

582 Vgl. Quintilian: Inst. Orat. L.c. I,10,12: , (...) mundum ipsum ratione esse conpositum, quam postea sit lyra imitata, (...)'.

583 Wehrli: Tristan. L.c. S. 117.

584 Wehrli: Das Abenteuer. L.c. S. 258.

585 Die eingühlungsreichen, etnhusiastischen Beschreibungen Louise Gnaedingers von Gottfrieds Sprache als "einem in sich geschlossenen Kosmos, einen sich selbst zum Klingen bringenden herrlich tönenden Kristallhimmel" helfen allerdings wenig, die Zusammenhänge von Musik und poetischem Stil aufzuklären (Musik und Minne im 'Tristan' Gotfrids von Straßburg. Düsseldorf 1967. S. 5).

586 Bezeichnenderweise wird Dante die Poesie als 'fictio rhetorica musicaque posita', als in Musik gesetzte rhetorische Erfindung definieren, und d.h. als eine in die Ordnung von Vers und Metrum und Klangfiguren gesetzte Sprache. Vgl. Finster: Prolog. L.c. S. 61.

Die hier vorgenommene Analogisierung hat womöglich aber nur begrenzte Gültigkeit, denn, wie Rosario Assunto ausführt[588], gerade in Gottfrieds Epoche entfernen sich die Poetiken (Matthäus von Vendome, Gaufredus von Vinsauf) von der mathematischen Grundlage der Poesie und von ihrer Verwandtschaft mit der Maßästhetik der Musik, und Alanus ab Insulis folgt ihnen in der Bestimmung, daß der Vers nicht durch die Zahl, sondern durch die Eleganz des Ausdrucks seine Qualität gewinnt. Diese Eleganz aber liegt in der Vielfalt, in der reichen 'amplificatio': "Die Poesie ist schön, insofern sie eine Rede ist, die in ihrer Form durch das Prädikat der 'multiplicatio et variatio universorum' bestimmt ist"[589].

Was nun tatsächlich die materiellen Eigenschaften eines Stils sein sollen, wie ihn Gottfrieds Begriffe im Hinblick auf die Leistungen seiner Kollegen im Literaturkatalog zu bestimmen versuchen[590] und auf welches ästhetische Ideal seine eigene Anstrengung sich letzten Endes bezieht, sei dahingestellt; der knappe Aufriß des 'ordo'-Aspekts des Zusammenhangs von Musik und Poesie kann nur auf die hier in bezug auf Gottfried und die mittelalterliche Poetik und Ästhetik noch harrenden Aufgaben verweisen. Die zweite, die wirkungsästhetische Dimension der Musik ist in unserem Zusammenhang von größerem Interesse.

Als psychagogische Künste treffen sich Musik und Rhetorik in der Leistung des 'adfectus movere'. Darum ist für den Redner auch "die Kenntnis der musikalischen Gesetzmäßigkeit und Ordnung, die zur Erregung und Besänftigung der Gefühlsre-

---

587 In der Waldlebenszene z.B. verbinden sich kaum trennbar die Klangeuphorien der Schilderungen, das Tönen und Klingen des Naturinventars und das Musizieren der Liebenden in der Grotte. Musik als Formgestalt des Verses, als epischer Gegenstand und als Medium der Minne gehen ineinander und rücken die Liebe qua Musik in eine metaphysische Dimension.

588 Die Theorie des Schönen. L.c. S. 95 f.

589 L.c. S. 96.

590 Nach wie vor fehlt eben sicheres, materielles Verständnis der poetischen Begrifflichkeit Gottfrieds, nicht zuletzt deshalb, weil "die Leitwörter nicht ohne weiteres in die Begrifflichkeit lateinischer Dichtungslehren zurückzuübersetzen sind." (Kibelka: 'der ware meister'. L.c. S.226)

gungen von größter Wichtigkeit ist"[591], nötig. Darum kann wiederum Roger Bacon die Wirkung des rhetorischen 'ornatus' als 'musicus' bezeichnen[592]. Diejenige Sprache, die sich durch ihre Wirkung auf den 'muot' als Kunstschönheit manifestiert, mißt sich am Maßstab der Musik. Darum nur kann sich Gottfried so nachdrücklich der Bildverbindung von Musik und Schönheit bei der Schilderung Isoldes bedienen[593]: Sie singt sich durch Augen und Ohren in die Herzen. Zum einen 'offenliche' mit ihrem Musizieren und ihrem Gesang 'durch der oren künicriche' (8120) und zum andern mit dem 'tougenliche(n) sanc / ir wunderlichiu schoene,/ diu mit ir muotgedoene / verholne unde tougen / durch diu venster der ougen / in vil manic edele herze sleich (...)' (8122 ff). Diese Musik auf zwei Ebenen aber ist ein 'zouber', der die Empfindungen alsbald ergreift und fesselt: Die Klänge der Musik und die "Klänge der Schönheit" bewegen über die Sinne das Gemüt. In der synästhetischen Prägung 'muotgedoene' zeigt sich an, wie die seelisch-körperliche Einheit Isoldes ('muot') die sich in ihren Teilen über die Ohren und über die Augen insgesamt als Klang vermittelt ('gedoene'), sich in der Dimension der Musik, durch das 'gedoene' im 'muot' der Betrachter, als Schönheit ausweist. Über die Klang-'wunne' der 'oren' und der 'ougen' erfährt die Seele vom Schönen.

Wo wir auf poetische Sinnlichkeit nach dem Gesetz der Musik stoßen, führt sie stets jene Gemütswirkungen mit sich, die das Herz gefangen nehmen. So wie Gottfried der 'nahtegal' Reinmar 'Orphees zunge' zuschreibt, 'diu alle doene kunde' (4790 f), so schlägt, wie Orpheus die Tiere, die musikalische Poesie die Seelen über ihre Affekte in Bann. Diese alte psychagogische Konzeption der Kunst, aus der antiken Einheit von Musik und Poesie herrührend, ist bei Gottfried offensichtlich lebendig gegenwärtig und gibt seinem Klangstil

---

591 Quintilian: Inst. Orat. I,10,31: ('(...) cognitionem Rationis, quae ad movendos leniendosque adfestus plurimum valet.')

592 Nach McKeon: Rhetoric. L.c. S. 25.

593 8112-8131.

wie seiner Musikmetaphorik ihren ästhetischen Hintergrund.

> sin zunge, diu die harpfen treit,
> diu hat zwo volle saelekeit:
> daz sint diu wort, daz ist der sin:
> diu zwei diu harpfent under in
> ir maere in vremedem prise. 4705 ff

Die Harfenmusik der Zunge geht als die geordnete Sinnenwirkung schließlich aus dem Ineinander von 'res' und 'verba' als Instanz des Schönen hervor. Was immer 'wort' und 'sin' und ihre Varianten präzise meinen, so geht es letzten Endes stets um eine Harmonie, in der offenbar die Zweiheit von Geist und Materie, von Sinn und Laut in der Ordnung der Musik aufgehoben ist und in der dem Geist-Körper-Wesen des Menschen die Objektivität des Schönen sinnlich erfahrbar wird. Diese Dimension aber erreicht die poetische Rede der Dichtung mit den Mitteln des rhetorischen 'ornatus', wie ihn für das Mittelalter die Poetiken des 12. und 13. Jahrhunderts aufbereitet haben und der als auf die Empfindsamkeit der Seele abgestimmte Sprachmusik dem poetischen Gegenstand über die Affekte Eingang beim Hörer verschaffen soll.

5.2.4. Erzählrhetorische Wirkungen

Wir wollen von den poetologischen Bemerkungen Gottfrieds zur Dichtungsfunktion und zur Stilästhetik zum ganzen Umfang des tatsächlich Wirkungsmächtig-Rhetorischen im 'Tristan' übergehen, also von den "angesagten Gebrauchsfunktionen"[594] und den elokutionellen 'aptum'-Begriffen im Werk zu den beobachtbaren Mitteln der Gemütslenkung und ihren absehbaren Leistungen; neben der allgemeinen Klang-'venustas' des Verses durch Wortfiguren und Tropen steht Gottfrieds Gebrauch der ganzen Breite des rhetorischen Instrumentariums in literarischem Kontext. Dies schließt entsprechend die ganze Breite der Affekte ein, und Gottfrieds

---

594 Kobbe: Prolog. L.c. S. 426.- Diese stellen letzten Endes auch wieder nur rhetorische Motivationen zum interessierten Zuhören dar.

Text unternimmt so gleichermaßen "durch Erregung oder Besänftigung der Leidenschaften die Gemütsverfassung der Hörer (zu) bestimmen"[595], wie es Ziel aller rhetorischen Einflußnahme ist.

Um diese gesamtrhetorische Dimension weiß auch die mittelalterliche Poetik und ordnet darum beispielsweise pathoshaltigen Gegenständen pathoshaltige Figuren zu: 'materiae vero quae tractatur ex ira vel indignatione vel dolore vel amore vel odio vel insania, haec sunt necessaria: repetitio, articulus, exclamatio, conduplicatio, dubitatio, subjectio.'[596] Daß dies kein leeres Formspiel blieb, sondern daß dem emotionalen Ausdruck entsprechende Wirkungen in der zeitgenössischen Rezeption korrespondierten, das bezeugen nicht nur die Reaktionen des höfischen Publikums auf Tristans Musik- und Redevortrag innerhalb der literarischen Fiktion, sondern auch zeitgenössische, literarkritische Bemerkungen, sofern sie sich über die Stil- und Sprachqualität hinaus zum Gesamtwert einer Dichtung äußern. Aus der zweiten Hälfte des 12. Jahrhunderts berichtet Pierre de Blois von der zu Tränen rührenden Wirkung 'in tragoediis et aliis carminibus poetarum, in joculatorum cantilensis', zu denen er die Dichtungen 'de Arturo et Gangano et Tristano' zählt, bei denen die Hörer den heftigsten Affekten ausgesetzt sind: '(...) concutiuntur ad compassionem audientum corda et usque ad lacrymas compunguntur. Qui ergo de fabulae recitatione ad misericordiam commoveris (...).'[597] Nach Werner Schwarz zeigen die mittelalterlichen Zeugnisse, daß die "Emotionen der Dichtung sich auf das Publikum übertragen, das mit den 'dramatis personae' sympathisiert. Es kann mit ihnen fühlen und denken und an ihrem Geschick teilnehmen"[598].

---

595 Quintilian: Inst. Orat. III,4,15: '(...) concitandis componendisve adfectibus animos audientium fingere.' (Der deutsche Text hier und im weiteren jeweils nach: M.F. Quintilianus: Ausbildung des Redners. Zwölf Bücher. Hrsg. und übersetzt von Helmut Rahn. Teil I.II.- Darmstadt 1972. 1975).

596 Geoffroi de Vinsauf: Summa de coloribus rhetoricis. In: Faral: Les Arts Poétiques. L.c. S. 325.

597 Alle Zitate nach Auerbach: Literatursprache. L.c. S. 231.

598 Werner Schwarz: Studien zu Gottfrieds 'Tristan'. In:

Gottfrieds stilästhetische Einlassungen haben mit diesen Wirkungen sichtlich nichts gemein, die in weiterreichenden erzählrhetorischen Leistungen gründen, deren Maßstab ein Wort Augustins zur Rhetorik umreißen kann: 'vis verborum valet tantum quantum movere audientem potest.' Der rhetorisch-psychagogische Impetus der Darstellungsweise Gottfrieds läßt insgesamt keinen Zweifel, daß dieser Zusammenhang - wenn auch nicht im Werk theoretisch reflektiert - in Gottfrieds Poetik praktisch ernstgenommen ist.

Es kann an diesem Punkt nicht mehr unsere Aufgabe sein, systematisch alle inventorischen und elokutionellen Mittel der Affektregulierung im 'Tristan' darzustellen; vieles ist ja im Verlauf der Arbeit schon angesprochen und an Beispielen dargestellt worden[599]. Wir greifen nur noch einiges exempla-

---

Festschrift für Ingeborg Schröbler zum 65. Geb. Tübingen 1973. S. 219. Vgl. auch das bei Schwarz zitierte Wort eines Henricus Septimellensis aus der zweiten Hälfte des 12. Jahrhunderts: 'quis ille Tristanus qui me tristia plura tulit?' (S. 219, A. 7).

599 Dem aufmerksamen Leser des 'Tristan' wird es nicht schwer fallen, Beispiele für sämtliche 'lumina sententiarum atque verborum', die Glanzlichter der Rede, zu finden, wie sie Cicero in 'De Oratore' einmal zusammenhängend aufführt (III, 52, 201 ff). Wir wollen die umfangreiche Stelle, die Quintilian in seine 'Institutio Oratoria' aufgenommen hat (IX, 1, 26-36), einmal stellenweise nach der Quintilian-Übersetzung Helmut Rahns (L.c.) zitieren, da seine Eindeutschung der Figurenbegriffe auch dem "rhetorischen Laien" leicht diejenigen Tristan-Stellen ins Gedächtnis rufen kann, an denen sich der Dichter solcher 'lumina' bedient hat: "'Bei der zusammenhängenden Rede aber gilt es, (...) noch gleichsam Lichteffekte der Gedanken und der Worte zu setzen und über die ganze Rede zu verteilen. Denn sowohl das Verweilen bei einem Gegenstand macht starken Eindruck wie auch die deutliche Darlegung und das gleichsam Vor-Augen-Stellen, wie wenn wir die Dinge miterlebten (...). Umgekehrt wirkt oft der treffende Ausdruck und die Kennzeichnung, die mehr bedeuten will als man sagt, sowie die klar abgemessene Kürze und Verkleinerung (...) und das Abschweifen vom Thema, wonach man, wenn es seinen entspannenden Zweck erfüllt hat, in passender und harmonischer Weise die Rückkehr zum Thema finden muß; ferner die Ankündigung dessen, worüber man sprechen will, und das Absetzen von dem, was man besprochen hat, sowie die Rückkehr zum Vorhaben, die Wiederaufnahme und die

risch heraus, um die wirkungsästhetische Dimension der rhetorischen Textdramaturgie im 'Tristan' besonders dort zu veranschaulichen, wo noch grundsätzliche Mißverständnisse zu bestehen scheinen.

---

passende Schlußfolgerung; sodann die Übersteigerung und Überbietung des Wahren um der Steigerung oder Verminderung willen sowie die Frage und hierzu gehörend die scheinbare Erkundung und Darlegung der eigenen Meinung; sodann (...) die Verstellung, wenn man etwas anderes sagt, als man meint (...); ferner das ratlose Zweifeln, dann weiter die Aufteilung, dann weiter die Selbstberichtung, sei es vor oder nach dem, was wir sagen, oder wenn man etwas von sich selbst zurückweist. Auch die Vorkehrung gehört zu dem, was man als Angreifer verwendet, und das Abwälzen auf einen anderen; sodann das Sich-Mitteilen, das gleichsam eine Beratung mit denen, vor denen man spricht, darstellt; auch ist die Nachbildung von Charakteren und Lebensformen, sei es mit, sei es ohne bestimmte Personen, eine kostbare Schmuckform der Rede, wohl vor allem geeignet, die Herzen zu gewinnen, ja oft auch, sie zu packen; sodann die erdichtete Einführung von Personen, wohl gar das durchschlagendste Glanzlicht beim Steigern; weiter die Ausmalung, die Irreführung, das Ins-Lächerliche-Ziehen, die Vorwegnahme der Argumente, sodann die zwei Mittel, die am stärksten Eindruck machen: Gleichnis und Beispiel; weiter Verteilung, Unterbrechung, Gegenüberstellung, Verschweigen und Empfehlung; weiter die freimütige und sogar die recht ungezügelte Äußerung zur Steigerung, das Zürnen, das Schimpfen, das Versprechen, Abbitten, Beschwören, das kurze Abbiegen vom eigentlichen Ziel (...), das Reinwaschen, Gewinnen, Verletzen, Wünschen und Verfluchen. (...) sowohl die Wortverdoppelung hat zuweilen praktisches Gewicht, sonst ihren eigenen Reiz, wie es auch der Fall ist, wenn ein Wort ein wenig geändert oder umgebogen wird, wenn das gleiche Wort bald öfters am Anfang, bald am Schluß wiederholt wird, wenn auf die gleichen Worte ein Losdrängen und Einkreisen, Anreihen und Höherrükken erfolgt, wenn bei der öfteren Verwendung des gleichen Wortes eine bestimmte Absetzung und Weiterführung des Wortes erfolgt, und wenn sich Worte finden, die ähnlich enden oder ähnliche Kasus haben oder sich in gleicher Silbenzahl oder in völliger Ähnlichkeit entsprechen. Es gibt auch noch die Aufstufung, die Vertauschung, das geordnete Wortüberspringen, die Entgegenstellung, das Verbindungslose, das Ausbiegen, den Selbsttadel, den Ausruf, die Verkürzung, die Verwendung eines Wortes in vielen Kasus, die Wechselbeziehung zwischen einzelnen Wortreihen, die Beifügung des Grundes zu einer Angabe und ebenso bei verschiedenen Angaben der jeweils beigegebene Grund; die Anheim-

Gottfrieds Erzähldramaturgie läßt erkennen, daß er bemüht ist, innerhalb der Kunstform des höfischen Romans mit klassischen Mitteln der Rhetorik Aufmerksamkeit, Interesse und Wohlgefallen zu gewinnen, um dem 'maere' Durchschlagskraft bei den Hörern zu verschaffen. 'Movere', 'docere' und 'delectare' sind die Wege dorthin. Gottfried kennt diese rhetorischen Affizierungsmöglichkeiten und setzt sie ein, um sein Erzählen spannend, interessant und glaubhaft zu machen. Aus der Fülle der Wort- und Gedankenfiguren, die in ihrem Wechsel eine immer wiederkehrende Provokation der Sinne und der Vorstellungskraft bedeuten und das 'attentum parare' stets wieder erneuern, greifen wir einiges heraus: Paradoxa und Oxymora, Sentenzen und Paronomasien, 'sermocinatio' und 'subjectio', 'regressio' und 'praeparatio', 'dubitatio' und 'correctio', die 'descriptio' mit ihrer affektiven 'laus/vituperatio'-Funktion, redundante Detaillierung (oft als graphische Mimesis komplexer Begriffe wie in 'wort unde wort' statt 'manic wort') neben raffender Begrifflichkeit und lapidarer Kürze als wechselnde Affizierung durch 'voluptas' und 'brevitas': Diese und andere Verfahren sorgen für eine affektbetonte Vereindringlichung und für eine Regulierung der Erzählerspannung. Als sinnlich-gedankliche Aufmerksamkeitssignale stellen sie Lenkungstechniken für die Rezeptionshaltung des Publikums dar. Schauen wir uns einige näher an.

---

stellung, ferner wieder eine andere Zweifelsform, dann das Überraschende, die Aufzählung, eine andere Art von Berichtigung, das Spezifizieren, das Wort-Gedränge, das Abbrechen, das Bild, das Sich-Selbst-Antworten, das Wort-Ersetzen, das Aufgliedern, das Anreihen, die Rückbeziehung, die Abschweifung und die Umschreibung. Dies ist es nämlich etwa, (...) was durch Gedanken und Wort-Gestaltungen den Glanz der Rede ausmacht.'" (IX, 1, 26-36). (Rahns Begriffskursive sind aus Platzgründen nicht gesperrt worden). Man kann zu dieser Zusammenstellung präzisierend sagen, daß es im Tristan-Roman Gottfrieds in erster Linie die mimetischen Mittel der Rhetorik sind - die an sich ja keine mimetische Kunst ist -, die Verwendung finden: sermocinatio (Dialog und Monolog), descriptio, evidentia, fictio persona. Es sind Mittel, die vor allem dem epideiktischen Genus der Rhetorik zukommen, das ja unmittelbar der Poesie verschwistert ist. Vgl. dazu später Abschnitt 5.3.3.

Auf verschiedenen Wegen kann dem Hörer 'brevitas' in Aussicht gestellt[600] oder tatsächlich geboten werden, um so einem 'fastidium' entgegenzuwirken und die 'attentio' zu erneuern[601]. Wir haben bereits von der 'praeteritio' gesprochen[602]. Ilse Clausen urteilt über sie u.a.: "Wir sahen schon bei der 'praeteritio', daß er (Gottfried) lange Beschreibungen (...) nicht liebt (...)."[603] Damit interpretiert sie die Verwendung der Figur biographisch-produktionsästhetisch[604]. Es ergibt sich aber nicht nur aus dem generellen Mittelcharakter der rhetorischen Figur im Hinblick auf eine bestimmte Affektlenkung[605], daß diese Beurteilung die Erzählsemantik einer solchen Form verfehlt, sondern das Werk selbst widerlegt mit vielen ornamental amplifizierten, epideiktischen Beschreibungen an anderen Stellen[606] den kurzen Schluß von einer lokaltaktischen (und nur vorgeblichen) Darstellungsverweigerung auf eine poetische Gesamthaltung Gottfrieds. Das Verfahren der 'praeteritio' oder Paralipse beruht, wie schon ausgeführt, auf der mehr oder weniger umfangreichen Nennung dessen – in der Regel in einer 'percursio', einer stichwortartigen Aufzählung –, wovon man zuvor zu schweigen versprochen hatte.

---

600 Nach Quintilian soll 'apud fatigatos' die Aufmerksamkeit durch eine 'spe brevitatis' wiedergewonnen werden (Inst. Orat. IV, 1, 48).

601 Über die bloß in Aussicht gestellte Kürze urteilt Quintilian: "Es ist auch nicht unnütz, wenn man zum Zuhören anreizen will, daß die Meinung besteht, wir würden uns nicht lange mit der Sache aufhalten und auch nicht über Dinge sprechen, die außerhalb des Rechtsfalls liegen. Aufnahmebereit macht zweifellos schon die so erzielte Aufmerksamkeit, (...)." (Ausbildung. L.c. IV, 1, 34).

602 Vgl. S. 169 f und 173 f.

603 Clausen: Der Erzähler. L.c. S. 193.

604 In ähnlicher Weise verfehlt auch Sawicki den Funktionssinn der 'occupatio', der Absage, etwas Abgedroschenes darzustellen, wenn er sie als Zeichen dichterischer Souveränität beurteilt: Die 'occupatio' sei Gottfried "ein Mittel, seine dichterische Freiheit zu behaupten" (Poetik. L.c. S. 137). Die Souveränität ist vielmehr eine rhetorische, die bei den Hörern den Eindruck zu erwecken versteht, der Autor befasse sich nur mit interessanten und bedeutenden Gegenständen.

Die 'praeteritio' in den vv. 4923-4964 wurde schon angeführt.- Als Tristan nach seiner Ankunft in Cornwall zum zweitenmal den Hirschbast vornehmen soll, gesteht der Erzähler die Überflüssigkeit einer nochmaligen Schilderung der Prozedur:

> nu waene ich wol und dunket mich,
> daz ez undurften waere,
> ob ich iu zwir ein maere
> nach ein ander vür leite. 3466 ff

Aber er unterläßt es daraufhin dennoch nicht, gerafft die Stationen des Basts zu nennen (3470-74).- Als Morold sich zum Kampf mit Tristan rüstet, lehnt der Erzähler es ab, seine Talente an die Beschreibung Morlots zu vergeuden:

> mit des gewaefene wil ich
> noch mit siner sterke
> mines herzen merke
> noch mines sinnes spitze sehe
> mit nahe merkender spehe
> niht stumpfen noch lesten,
> (...) 6502 ff

Dennoch fährt er fort, Morolds Qualitäten aufzuzählen:

> diu zal von ime ist manicvalt,
> daz er an muote, an groeze, an craft
> ze vollekomener ritterschaft
> daz lob in allen richen truoc. 6510 ff

Wieder behauptet der Erzähler ein Ende der Befassung mit Morold:

> hie si des lobes von ime genuoc. 6514

Und doch folgen noch sechs Verse Heldenlob:

> ich weiz wol, daz er kunde
> do unde zaller stunde
> ze kampfe und ouch ze vehte
> nach ritteres rehte
> sinem libe vil wol mite gan.
> er haetes e so vil getan. 6515 ff

---

605 Auch die Erzählerfigur ist schließlich gewissermaßen ein rhetorischer Charakter, ist Medium der Rezeptionslenkung und nicht mit einer Emanation der Verfasserinnerlichkeit gleichzusetzen.

606 Vgl. u.a. Tristans Kleidungsbeschreibung in den Versen 2533-62.

Als später Tristan zum Kampf gerüstet und sein Waffenrock angelegt wird, will sich der Erzähler eine ausführliche Schilderung versagen:

> wan daz aber ichz niht lengen wil;
> der rede der würde alze vil,
> ob ich ez allez wolte
> ergründen, alse ich solte. 6565 ff

Aber die 'brevitas'-Ansage erweist sich sogleich als 'attentum'-Signal für den Vortrag und die Aufnahme des entscheidenden Gesichtspunkts, unter dem der Waffenrock aufzufassen ist:

> und sult ir doch wol wissen daz:
> der man gezam dem rocke baz
> und truoc in lobes und eren an
> vil mere danne der roc den man;
> swie guot, swie lobebaere
> der wafenroc doch waere,
> er was doch siner werdekeit,
> der in do haet an geleit,
> kume und kumecliche wert. 6569 ff

Nicht anders auch präpariert der Erzähler die Aufmerksamkeit für seine allegorische Einkleidung der Genossen Tristans:

> Swer mich nu vraget umbe ir cleit
> (...)
> des bin ich kurze bedaht,
> dem sage ich, als daz maere giht. 4555 ff

Aber die durch die vorgebliche Kürze geweckte Aufmerksamkeit trifft auf eine detaillierte Kleiderallegorie.- Auch Gottfrieds fast siebzigversige Behandlung der Minnesänger im Literaturkatalog leitet der Erzähler, nachdem der Lobpreis der Epiker schon einigen Umfang angenommen hatte, mit einer Absage ein:

> Der nahtegalen der ist vil,
> von den ich nu niht sprechen wil:
> sin hoerent niht ze dirre schar. 4751 ff

Aber dem so beruhigten Leser wird dennoch sogleich ein Minimalprogramm zugemutet ('durch daz sprich ich niht anders dar,/ wan daz ich iemer sprechen sol:' 4754 f), das sich aber unter der Hand zu einem Umfang ausweitet, der der Behandlung Hartmanns und des 'vindaere wilder maere' zusammengenommen gleichkommt[607].

Neben der 'praeteritio' als nicht eingehaltener 'brevitas'-Ansage gibt es noch eine Reihe von Formen, bei denen zu beachten ist, daß es sich nicht um substantielle, etwa poetologische Aussagen Gottfrieds handelt, sondern um Appelle an die Aufmerksamkeit der Hörer, um dem Erzählen ein kontinuierliches Interesse zu sichern. Dabei ist besonders jede Art von Erzählerkommentar zu berücksichtigen, der stets die Unmittelbarkeit und Authentizität des Vortrags vergegenwärtigt und das Publikum affektisch beteiligt.

Hierher gehören auch verschiedene Formen der ausdrücklichen Rücksichtnahme des Erzählers auf den Hörer, dem jeder Überdruß erspart bleiben soll. Der Erzähler weigert sich wiederholt, über Leid und Tod längere Klagen anzustimmen oder von Schmerz und Trauer ausführlich zu berichten[608]:

> daz ich nu vil von ungehabe
> und von ir jamer sagete,
> waz iegelicher clagete,
> waz solte daz? es waere unnot. 1694 ff

Aber selbst bei diesem Thema wird die Abwendung vom Schmerzlichen schließlich zu einer 'praeteritio'. Die emphatische Apostrophe '(...) wie do ir herzen waere,/ got herre, daz solt du bewarn,/ daz wir daz iemer ervarn!' (1716 ff) wird alsbald von einer recht eindringlichen Darstellung des in stummem, tödlichem Schmerz versteinerten Herzens von Blanscheflur eingeholt (1723-50). Man beachte nun andererseits wieder im Gegensatz zur erklärten Zwecklosigkeit und Lästigkeit des Klagens an anderer Stelle die Aufforderung zur Klage:

> ir jamer unde ir ungemach
> beclage ein ieclich saelec man; 1774 f
> (...)

607 Insgesamt sind die angesagten Unterlassungen insofern rhetorisch, als die Weglassung als solche ja nicht existiert; erst der ausdrückliche Hinweis auf das Übergangene macht es zum Gegenstand der Aufmerksamkeit.

608 Vgl. zusätzlich die Stellen 1675 ff, 1703 ff, 5867 und 7195 ff.

Jedesmal haben wir es mit partikularistisch-kontextuellen, affektheischenden Publikumskontakten zu tun, deren inhaltliche Unverträglichkeit miteinander ohne Bedeutung ist[609].

Die Rücksichtnahme gegenüber dem Publikum, die letzten Endes die 'benevolentia' sichern soll, kennt die Rhetorik speziell in der Form der Aposiopese[610], einer - oft motivierten - Gedankenauslassung:

> nun sol ich aber noch enwil
> iuwer oren niht beswaeren
> mit zerbermeclichen maeren,
> wan ez den oren missehaget,
> swa man von clage ze vil gesaget;
> und ist vil lützel iht so guot,
> ezn swache, ders ze vil getuot.
> von diu so lazen langez clagen
> und vlizen uns, wie wir gesagen
> umb daz verweisete kint,
> von dem diu maere erhaben sint. 1854 ff

An der Überleitung zur Jugendgeschichte Tristans in den letzten Versen wird deutlich, daß durch die weitläufig und sententiös begründete Auslassungsabsicht im Grunde nur eine Erzählzäsur markiert wird, um die Aufmerksamkeit qua ersparter 'swaere' gesammelt auf den neuen Gegenstand zu lenken[611].

Eine ausführlich begründete, "publikumsrespektierende Aposiopese"[612], mit der der Erzähler durch die Vermeidung unangenehmer Äußerungen und damit durch die Wahrung des sprachlich-sozialen 'aptum' Gefallen sucht, findet sich anläßlich der Wundheilung Tristans (7935-54). Der Erzähler führt dort weitschweifig aus, warum er seinen Hörern Pharmakologisches vorenthält ('rede, diu niht des hoves si' 7954) und schmeichelt damit dem Geschmack seiner Hörer und seiner eigenen Dis-

---

609 Auch Ottmar Carls bemerkt die Unverbindlichkeit programmatisch scheinender Klageverweigerung. Zu den Versen 7196-7201 schreibt er: "Die Umgestaltungen sind jedoch kaum ausreichend mit Gottfrieds ästhetischem Empfinden begründet. Bei dieser Erklärung wäre es unverständlich, daß der Dichter bei ähnlichen Szenen ausführlicher über das Leid und die Klagen berichtet." (Die Auffassung der Wahrheit im 'Tristan' Gottfrieds von Straßburg. In: ZfdPh 93 (1974) S. 27). Diese Beobachtung, die in vielen

kretion[613]. In der Tat resümiert er den Heilungsvorgang 'kurzliche' in vier Versen und kann der Aufmerksamkeit für das anschließend dargestellte Lehrer-Schüler-Verhältnis von Tristan und Isolde gewiß sein.

Der rücksichtsvollen, sich legitimierenden Auslassung steht andererseits auch die dezidierte Absage an ein Publikums-'aptum' an anderer Stelle gegenüber:

> Ob iu nu lieb ist vernomen
> umb dirre herren willekomen,
> ich sage iu, alse ich han vernomen,
> wie si da waren willekomen. 5177 ff

Solche ist nicht weniger affektisch als eine angekündigte Auslassung und unterstreicht gerade durch die Priorität der Willkommensdarstellung gegenüber dem Hörerinteresse die Bedeutung der nachfolgenden Schilderung. In der Tat leitet die Strophe in eine symbolisch-bedeutsame Szene ein: Rual geht als erster vom Schiff, als es in Parmenien anlegt, wendet sich an Land um und simuliert von da an den untertänigen Empfang des Landesherrn durch seinen Statthalter Rual, als der er aus der Rolle des Vaters in die des Vasallen zurückkehrt.

Die Beteuerungen, etwas nicht sagen zu wollen, nicht sagen zu dürfen, oder andererseits etwas sagen zu müssen, ungeachtet des Urteils dritter, bedeuten also zunächst eine Unterbrechung des Erzählflusses, eine Hinwendung zum Publikum und eine authentizitätsverstärkende Rechtfertigung des Erzählens, aber sie annoncieren zugleich auch ein autoritatives ästhetisches Normbewußtsein, das den Hörer einzunehmen vermag. Es sind Angebote affektiver Identifikation mit dem dezidierten Erzählerurteil, wobei der negative Affekt gegen das Auszulassende wie die Neugier auf das angeblich Unverzichtbare das Interesse vorwärts tragen. Ohne diesen rhetori-

---

Varianten im 'Tristan' gemacht werden kann, bedarf zu ihrer Erklärung allerdings eines rhetorischen Gesamtverständnisses des Erzählens.

610 Lausberg: Handbuch. L.c. § 888,2.

schen Wirkungszusammenhang wäre es überflüssig, anzusagen, daß man etwas nicht zu sagen beabsichtigt, bzw. daß man etwas anderes auf jeden Fall sagen muß[614].

Halten wir hier zunächst fest: In diesen auktorialen Verfahren[615] läßt sich die Absicht einer rezeptionspsychologischen Konditionierung für ein unterhaltsam-spannendes Zuhören erkennen. Dabei können durchaus entgegengesetzte Strategien an verschiedenen Orten zur Wachhaltung der Aufmerksamkeit führen, worin sich zugleich die Unverbindlichkeit des semantischen Gehalts der Verfahren zeigt. Das ist letzten Endes im Simulationscharakter der verwendeten affektischen Figuren begründet[616], die Einstellungen induzieren, nicht aber Feststellungen treffen sollen.

---

611 Insofern handelt es sich hier um die besondere Form der 'transitio'-Aposiopese (Lausberg: Handbuch. L.c. § 888, 2b).

612 Lausberg: L.c. § 888,2b.

613 Mit seiner Diskretion biedert sich der Erzähler ironisch in Aposiopesen an, die Erotisches spielerisch andeuten wie in den Versen 13432 ff und 18212 ff.

614 Es besteht leicht die Gefahr, aus einer Weigerung, etwas Bestimmtes darzustellen, unmittelbar eine Herabsetzung einer solchen Darstellung oder ihres Inhalts zu folgern, so als schließe etwa Gottfrieds Verzicht, den 'buhurt' nach Tristans Schwertleite zu schildern ('(...)/ daz suln die garzune sagen;/ die hulfen ez zesamene tragen./ ine mag ir buhurdieren/ niht allez becroieren,/(...)' 5059 ff), bereits eine generelle Absage an die 'descriptio' von Kämpfen und höfischem Gepränge ein. Der Roman widerlegt das zur Genüge (vgl. z.B. die Pferd-'descriptio' in den Versen 6659-82). Die ironische Trivialisierung der Schwertleitvergnügungen der Genossen Tristans hebt vielmehr ab gegen die nachfolgende Befassung mit 'leit und linge' Tristans, mit seinem 'verborgen ungemach', die mehr Aufmerksamkeit verdient als das Lanzenstechen der frischgebackenen Ritter, ist also strukturell begründet.

615 Dazu gehört bei Gottfried nicht zuletzt auch die Vorausdeutung ('praeparatio', 'praemunitio'). Mit ihr durchbricht der Erzähler die Hermetik des Chronologischen und versorgt das Publikum mit einem Vorwissen, das seine Rezeptionshaltung beeinflußt. Es ist ein Mittel der literarischen Rhetorik, die Spannung in der 'narratio' zu erhöhen.

Nun ist das 'brevitas'-Signal auf Grund einer vorgetäuschten oder tatsächlichen Auslassung die Ausnahme von der Regel und wirkt als Unterbrechung des Erzählflusses aufmerksamkeitsfördernd. Auf der anderen Seite vermag aber gerade auch die Fülle, die Ausführlichkeit und selbst ein redundantes Erzählen nachhaltig die Sinne der Hörer zu fesseln, all das, was das schmuckvolle Amplifikationswesen mittelalterlicher Dichtung ausmacht. Wenn es nach Xenja von Ertzdorff die Aufgabe des höfischen Romans ist, "die Aufmerksamkeit des Hörers von Anfang bis Ende zu fesseln"[617], so ist es im 'Tristan' gerade der wohldosierte Wechsel von 'brevitas' und 'amplificatio', der dieses Ziel entscheidend befördert. Die schmuckvolle Breitenamplifizierung und das genaue Auserzählen zielen auf die 'voluptas' des Publikums, während die auktorialen, erzähltaktischen Eingriffe und lapidare Raffungen das Hörerinteresse immer neu motivieren und Überdruß verhindern helfen. So ist beides Teil des Wirkungsgefüges.

Die genußvolle Fülle als affektischer Erzählmodus hat verschiedene Gesichter im 'Tristan'. Wiederholt begegnet uns das geradezu Umständliche, das gewissenhafte chronologische Auserzählen eines Vorgangs oder der Darstellung von Menschen und Dingen und damit eine Anlage des Erzählens um des Erzählens willen. Das wird besonders dort auffällig, wo wir, das Publikum, durchaus über die Tatbestände bereits voll informiert sind, wo nun aber dennoch, statt eines knappen Berichts, dieses Publikumswissen in der allmählichen Darstellung des Handelns und Sprechens der Personen noch einmal abgebildet wird. Es entsteht dort der Eindruck eines dokumentarischen Realismus, der nichts rafft oder umstellt. Als z.B. Rual am Hof Markes ankommt, werden schrittweise die Reaktionen des Hofes und Markes auf den fremden Gast geschildert, bis schließlich Rual

---

616 Vgl. Quintilian: Inst. Orat. IX, 2, 26: 'Quae vero sunt augendis adfectibus accomodatae figurae, constant maxime simulatione.'

617 Rudolf von Ems. Untersuchungen zum höfischen Roman im 13. Jahrhundert. München 1967. S. 16.

seine Geschichte erzählt und schließlich seine wahre Identität offenlegt. Hätte sich Rual sogleich vorgestellt als der, der er ist, und kurz die Situation aufgeklärt, wäre der Abschnitt um einige hundert Verse kürzer (3859-4332). Stattdessen wird das Geschehen dargestellt, "als ob es sich vor den Augen des Publikums abspielte"[618] und damit ein Verfahren benutzt, das die Rhetorik 'evidentia' nennt[619] und mit dem der Erzähler "sich und sein Publikum in die Lage des Augenzeugen"[620] versetzt. Solches sich an die Grenzen chronologischer Augenzeugenschaft haltendes detaillierendes Erzählen als Weg zu höchster 'versimilitudo' gehört gleichermaßen der Rhetorik wie der Poetik an.

Als Marjodo nachts aufwacht und nach Tristan sucht und seiner Spur im Schnee folgt (15511-619), bleibt das Erzählen im Gesichtskreis Marjodos befangen, obgleich wir im voraus wissen, was er schließlich entdecken wird. Seine Aktionen und Überlegungen werden minutiös und dadurch spannungsreich dargestellt. Auch Vorgänge wie Isoldes allmähliches Gewahrwerden, daß Tantris Tristan ist, erfahren jene extensive Vergegenwärtigung, durch die die Duration des Vorgangs in der detaillierten sprachlichen Darstellung nachgebildet erscheint.- Die Demonstration von Tristans Waidkünsten bei Markes Jägern ist in eine Vorgangsbeschreibung gefaßt, die durch Detailfülle, durch ihren Gesprächscharakter und durch das didaktische Agieren Tristans ein Höchstmaß an Klarheit und Wahrscheinlichkeit vermittelt[621]; was aber 'perspicuus' und 'probabilis' ist, nähert sich der Evidenz des Augenscheins, und was durch die Detaillierung sprachlich über das Notwendige hinausschießt, kann als 'ornatus' gelten[622] und ist affekthaltig. Bei der Darstellung von Markes Maifest, bei der wir eine "lebhaft-detaillierte Schilderung eines rahmenmäßigen Gesamt-

---

618 Lausberg: Handbuch. L.c. § 334.

619 Lausberg: L.c. § 810-819.

620 Lausberg: L.c. § 810.

621 Lausberg: L.c. § 810, S. 401.

622 Lausberg: L.c. § 810, S. 401.

gegenstandes durch Aufzählung (...) sinnfälliger Einzelheiten"[623] haben, wirkt "die durch die Detailfülle erreichte Konkretheit"[624] realistisch und darum affektisch. Der Gebrauch von Ortsadverbien in Verbindung mit Demonstrativpronomen unterstreicht noch den Eindruck vergegenwärtigter Augenzeugenschaft[625]: 'dise lagen under siden da,/ jene under bluomen anderswa; (...)' (595 f)[626]. Insgesamt geht es bei der rhetorischen 'evidentia' um ein mimetisches Verfahren der Poesie, um ein "Unmittelbar-vor-Augen-Stellen", das dann vorliegt, "wenn ein Vorgang nicht als geschehen angegeben, sondern so, wie er geschehen ist, vorgeführt wird, und nicht im ganzen, sondern in seinen Abschnitten."[627] Im 'Tristan' sind es neben den Gesprächsszenen nicht zuletzt Kampfschilderungen, bei denen die Darstellung gewissermaßen filmisch die Abläufe vor Augen führt. Gerade in einer so märchenhaften Episode wie bei Tristans Kampf mit dem Riesen Urgan vermögen die grotesken Details der Auseinandersetzung und die sorgfältige Motivation der allmählichen Überlegenheit Tristans die Wahrscheinlichkeit zu verbürgen. Gottfrieds blendende Handhabung des Zwiegesprächs zur Unterstützung dramatischer Abläufe nähert sein Erzählen stellenweise der unmittelbareren Realitätsillusion des Schaustücks an, so daß Heinz Scharschuch nicht ganz zu Unrecht meint: "Seine Dichtung ist in erster Linie szenische Dichtung dramatischer Natur."[628] Erinnern wir uns z.B. der Truchseßepisode, der Bettgespräche, aber auch der Überlistung Gandins durch Tristan, der Szene zwischen Brangäne und den Schächern: All dies spannungsvoll-unmittelbare Vorgangs- und Gesprächsdetaillierungen. Dieses Erzählen als "fingierte Augenzeugenschaft"[629],

---

623 Lausberg: L.c. § 810.

624 Lausberg: L.c. § 812, Anm. 1.

625 Vgl. Lausberg: L.c. § 815.

626 Vgl. auch 'dise/jene' in den vv. 617-620.

627 Quintilianus: Ausbildung: L.c. IX, 2, 40 ('(...) cum res non gesta indicatur, sed ut sit gesta ostenditur, nec universa, sed per partis.')

als zentrales Verfahren einer rhetorisch wirkungsvollen poetischen Mimesis, begegnet im 'Tristan' allerorten: Sei es die 'descriptio' des Auftritts, der Ausstaffierung und der Ausstrahlung der beiden Isolden am irischen Hof (10885-11020) oder das dramatische Geschehen im Garten unter dem Ölbaum.

Das, was wir an Erzählformen zusammengefaßt haben unter dem Begriff der 'evidentia' als einer plastischen Vergegenwärtigung, die das Auge ebensosehr wie das Ohr zufriedenstellt und die Vorstellungskraft vollkommen einnimmt ('adfectus non aliter, quam si rebus ipsis intersimus, sequentur')[630], dieser Zug Gottfriedscher Darstellungsweise ist nicht unbemerkt geblieben. Ingrid Hahn spricht vom "gegenwartsintensiven Erzählstil"[631] Gottfrieds und dem durchgehenden Stilzug der "Bindung an das Einzelne und Gegenwärtige"[632]. Bestimmter noch ist Walter Johannes Schröder der visuellen Plastik mancher Erzählabschnitte nachgegangen und spricht von Gottfrieds Anstrengung, "den Hörer oder Leser von vornherein präzise ins Bild zu setzen."[633] Er stellt das Schaustückhafte in Szenen wie dem Moroltkampf heraus: "Der Hörer sitzt wie vor einer Bühne und kann jede Einzelheit verfolgen."[634] Schröder führt das auf eine "ganz an der Lebenswirklichkeit orientiert(e)"[635], auf die Sache gerichtete Begrifflichkeit zurück, die den allegorischen Habitus Hartmannscher und Wolf-

---

628 Scharschuch: Stilmittel. L.c. S. 125.

629 Lausberg: Handbuch. L.c. § 811.

630 Quintilian: Inst. Orat. VI, 2, 32.

631 Hahn: Raum und Landschaft. L.c. S. 82.

632 Hahn: L.c. S. 82.

633 W.J. Schröder: Bemerkungen zur Sprache. L.c. S. 49.

634 Schröder: L.c. S. 49 f.

635 Schröder: L.c. S. 51.

ramscher Sprache abgestreift und zeichenhafte Motive der Handlung ins Realistische gewandt habe. Der Plausibilität des Situationszusammenhangs werde Vorrang vor der Bedeutungshaltigkeit des Wortes gegeben. Ohne in diesem Zusammenhang die weitergehende literatur- und geistesgeschichtliche Deutung dieser Sprech- und Darstellungsweise durch Schröder erörternd aufnehmen zu können, wollen wir jedenfalls festhalten, daß die zu Recht stellenweise beobachtete visuelle Präzision ihrer Leistung und Wirkung nach dem affektischen Vergegenwärtigungsverfahren der 'evidentia' zu entsprechen scheint, das durch die ihm eigenen Faktoren der Plausibilität und Klarheit jene gesteigerte Realitätsillusion heraufführt, die unausgesetztes Beteiligtsein beim Publikum bewirkt. Damit kommt in Gottfrieds Roman ein Verfahren zur Anwendung, das von jeher für die Poetik der Mimesis von großer Bedeutung war[636]. Man sollte nun nicht vergessen, daß dieser Darstellungsmodus nur eines der rhetorischen Erzählverfahren Gottfrieds darstellt und keineswegs zu einer stilistischen Grundhaltung verallgemeinert werden kann. Er verwendet ebenso virtuos ornamental-abstrakte, lyrische Sequenzen, die den Gegenstandsbezug und damit die Augenscheinlichkeit weitgehend auflösen[637], ganz abgesehen vom allegorischen und kommentierenden Sprechen.

---

636 Es ist auch an den Figurenmonolog, das stille Zwiegespräch der Zweifler etwa, zu denken. Die unmittelbare Vergegenwärtigung der Gedanken der Figuren ist gerade eine der spezifischen Leistungen des psychologisierenden höfischen Minneromans; als Augenzeugenschaft eines – zwar rhetorisch formalisierten – "stream-of-consciousness" ist es eines der wirkungsvollsten Pathosmittel höfischer Erzählkunst.

637 Von der Leistung dieser Stilschicht sagt Alois Wolf: "Vom Klang her wird jeder Widerstand, den das Auge leisten könnte oder müßte, systematisch zermürbt." (Zu Gottfrieds literarischer Technik. In: Sprachkunst als Weltgestaltung. Festschrift f. Herbert Seidler. Salzburg-München 1966. S. 406). Aber auch diese Seite darf nicht unziemlich verallgemeinert werden, denn in aller Regel treffen wir jenes für seinen Stil charakteristische "Zusammengehen dialektischer Begrifflichkeit mit ungemeiner Sinnlichkeit des Wortes" (Jost Trier: Gotfrid von Straßburg. In: Die Welt als Geschichte 7 (1941) S. 73) an, die Einbettung der räsonnierenden Diskurse in den Klangschmuck, wodurch eine

Um die Sinne durch Ausführlichkeit zu vergnügen, hält die Poetik des Mittelalters neben der angesprochenen szenischen Plastik augenscheinlicher Vergegenwärtigung andere Mittel bereit, um ihrem Ideal schmuckvoller Fülle durch Amplifikation zu dienen. Es wären Figuren wie die Periphrase, die 'denominatio', 'congeries' oder 'varitatio' zu nennen, die für 'delectatio'-erregende Erweiterung sorgen. Betrachten wir exemplarisch noch eine Darstellungseigenart, die Gottfried praktiziert, nämlich das zweimalige Darstellen der gleichen Sache.

Auf einer Jagd entdeckt Markes Jäger die Minnegrotte und sieht durch das Fenster Tristan und Isolde. Alles, was der Jäger im Verlauf seiner Pirsch erlebt und vor Augen sieht, wird uns ausführlich berichtet. Als der Jäger zurück bei Marke ist, heißt es nicht etwa: 'Er berichtete ihm alles, was er gesehen hatte'. Vielmehr folgt ein teils stichischer Frage-Antwort-Dialog zwischen Marke und dem Jäger, in dem der Hörer noch einmal all das explizit dargestellt findet, was er gerade erst erfahren hat. Die Information ist redundant; die Leistung scheint daher in einer gewissen realistisch-dokumentarischen Vollständigkeit zu liegen, die sich mit der behandelten 'evidentia' verbindet. Diese Tendenz zum vollständigen Auserzählen von Handlungsvorgängen beobachten wir gerade bei solchen Reden und Gesprächen unter Protagonisten, die dem Publikum keine neue Information bieten, aber ihm die Illusion der Unmittelbarkeit, des Authentischen antragen. So sind wir dabei, als Rual in wörtlicher Rede Marke und dem Hof die Geschichte vom Geschick Riwalins und Blanscheflurs erzählt (4171-4212), die wir ja kennen. Anschließend geht der Erzähler dazu über, in einer Kette von Modalsätzen aufzuführen, was Rual weiter von Tristans Jugend erzählte (4233-4261), nach dem Schema:

---

widerstandslos-affirmative Rezeption des Erzählens befördert wird. Gerhard Schindele hat sich sehr treffend gegen die Alternative von Begrifflichkeit und Musikalität bei Gottfried ausgesprochen und auf die in der Rhetorik bedachte Einheit von intellektueller und gemüthafter Leistung der Sprache hingewiesen: "Die stets gerühmte Transparenz und Musikalität der Gottfriedschen Sprache resultiert nicht aus der Balance zwischen den Momenten begriff-

'und seite dem gesinde ... wie er ... wie sie ... warumbe er ...'. Zwar eine Stufe entfernt von der unmittelbaren Gesprächsabbildung, ist doch der Gestus der Vollständigkeit beibehalten: Keine Station der Geschichte Tristans bleibt unerwähnt. Die verminderte Authentizität in dieser indirekten Form wird durch eine andere Publikumswirkung wohl wettgemacht: Einem Hörer, der sich in der vorausliegenden Rezeption Kenntnisse zu eigen gemacht hat, wird das stichwortartige Aufrufen der Teile durch den Erzähler (vgl. auch z.B. 11367-379) eine genußvolle Selbstbestätigung sein, zumal die raffend-andeutende Sprechweise des Erzählers eine ebenbürtige Informiertheit von Erzähler und Publikum gegenüber den Unwissenden im Roman fingiert. Der demonstrative Verzicht auf summarische Hinweise, auf stark abstrahierende Berichtformen einerseits und das vorgangs- und sachgebundene Auserzählen des Redundanten, die Explizität im Nebensächlichen wie die partikularistische Verselbständigung von Erzählteilen andererseits: Diese Eigentümlichkeiten deuten auf eine Erzählintention, wie sie Wolfgang Monecke für den höfischen Roman des 13. Jahrhunderts folgendermaßen bestimmt hat: "Vollständigkeit ist Schönheit - so will es höfischer Geschmack."[638] Diese Vollständigkeit als sprachlich-materieller Detaillierung ohne Rücksicht auf eine Informationsökonomie des Romans wird zur Ostentation des Erzählens und dient der 'voluptas' des Publikums.

Wir haben Beispiele 'attentus'-machender 'brevitas' (-Fingierung) und 'iucundus'-machender 'amplificatio' herausgegriffen, um Wege erzählrhetorischer Hörerbeeinflussung darzutun. Aber Aufmerksamkeit, Ergriffenheit und Vergnügen sind

licher, sachgerechter Konturierung und entgrenzender, stimmungshafter Verklanglichung; vielmehr konstituiert die rhetorisch technische Organisation des Sprachmaterials dessen Musikalisierung ebenso, ja in einem Zug wie dessen logische Strukturierung." (Tristan. L.c. S. 83f).

638 Monecke: Studien. L.c. S. 108.

nur Zustände der Gemütserregung und beinhalten selbst noch nicht die finalen Zwecke der sprachlichen Anstrengung. In der Gerichts- und Beratungsrede sind jene die Grundlage dafür, eine 'persuasio' zu erreichen, den Richter oder ein Publikum von der Wahrheit der eigenen Darstellung zu überzeugen und zu einer Entscheidung oder Handlung zu bewegen. Die Verwendung der gleichen Mittel im höfischen Roman stellt uns vor die Frage, was in literarischem Kontext aus dem Endziel der Rhetorik, der Persuasion, und was aus der Aufgabe, das Vorgetragene als wahr oder wahrscheinlich glaubhaft zu machen, wird. Es ist die Frage nach der Wahrheit der Dichtung, nach dem Zusammenhang von Form, Zweck und Verbindlichkeit des Erzählens. Wir werden uns daher abschließend mit der Rolle der rhetorischen Wirkungsstruktur des 'Tristan' für Form und Sinn der Dichtung zu beschäftigen haben.

5.3. Wahrheit und Rhetorik

Über den Fragenkreis der durch die mittelalterlichen Poeten mit ihren zahlreichen Quellenberufungen und Wahrheitsbeteuerungen selbst problematisierten historischen bzw. poetischen Wahrheit ihrer Werke ist in bezug auf die mittelhochdeutsche Epik schon oft gehandelt worden[639]. Die historische Entwicklung von der frühhöfischen Bindung an den Wahrheitswert der Quellen zur offenbar ironischen Kyotfiktion Wolframs hat eine vielfarbige Diskussion entstehen lassen, die sich von Autor zu Autor und Werk zu Werk über-

---

639 Vgl. zuletzt u.a. die Studien: Xenja von Ertzdorff: Die Wahrheit der höfischen Romane des Mittelalters. In: ZfdPh 86 (1967) S. 375-389.- Walter Falk: Wolframs Kyot und die Bedeutung der 'Quelle' im Mittelalter. In: Literaturwiss. Jahrbuch im Auftrag der Görres-Ges. N.F. 9 (1968) S. 1-63.- Huth: Dichterische Wahrheit. L.c.- Carls: Die Auffassung der Wahrheit. L.c.

dies etwas anders ausnimmt. Wir können uns hier nicht umfassend auf sie einlassen, sondern wollen das Problem in bezug auf den 'Tristan' aus dem Begriff rhetorisierter Dichtkunst zu verstehen suchen und dazu auf unseren bisherigen Ergebnissen aufbauen.

5.3.1. Legitimationsformen des Erzählens

Richten wir die Frage nach der Wahrheit des Romans zunächst an den beiden Dimensionen des Erzählens Gottfrieds aus, die wir besonders herausgestellt haben: dem Partikularismus der Darstellung und der Wirkungsleistung der rhetorischen Gestaltung. Beides schließt sich zusammen und scheint Wahrheit, die sich unter rezeptionsästhetischem Gesichtspunkt als Glaubwürdigkeit darstellt, zu einer Funktion der partikularen rhetorischen Überzeugungskraft zu machen[640]. In diesem Sinne würde der Roman auf einer "rhetorischen Wahrheit" aufbauen, die sich als zu erreichende Überzeugungsleistung der Sprache und nicht als objektive, aus der Quelle oder allein aus der Symbolstruktur der Erzählung ableitbare Wahrheit darstellt. Der Anspruch des höfischen Romans, aus imaginären Fabeln, denen die Legitimatät der historischen oder ontologischen Wahrheit zunächst fehlt[641], eine Dichtung zu gestalten, wird von den Poeten ernstgenommen. Zur Konstituierung und Absicherung ihrer poetischen Wahrheit wie zur Adaptionsaufgabe schlechthin bedienen sie sich aber offensichtlich des Repertoires der Rhetorik. Die Wahrscheinlichmachung des Erzählten gegenüber einem den 'res fictae' skeptisch begegnenden Publikum und die Transformierung unwahrer, weil erfundener Stoffe in wahrheitshaltige Dichtung nimmt viele verschiedene Wege.

---

640 Vgl. einen Aphorismus Hermann Hesses: "Wahr ist an einer Geschichte immer nur das, was der Zuhörer glaubt." (H. Hesse: Lektüre für Minuten. Frankfurt 1971. S. 131.)

641 Vgl. Carls: Die Auffassung der Wahrheit. L.c. S. 14: "Die Artusstoffe können ihren Wahrheitsanspruch nicht aus der Geschichte ableiten und keine historische Autorität beanspruchen."

Wir erwähnten schon die Bestätigung der Handlung durch Sentenzen, also durch den Rückgriff auf eine autoritätshaltige, die 'communis opinio' widerspiegelnde Sprechebene[642]. 'Auctoritas' nennt Quintilian die Figur, die sich allgemeiner Weisheitssprüche als Beweismittel bedient[643]. Sie wie die 'sententia' oder das 'proverbium' verstärken als sprichwörtliche Normen der Gemeinschaft die Akzeptabilität des Dargestellten. Die Verwendung gemeinschaftlich verbürgter Weisheitssätze spricht die geselligen Gemütskräfte an und läßt die Darstellung im Lichte dessen glaubwürdig erscheinen, was immer schon wahr gewesen ist. Die erzählte Handlung oder der Kommentar erfährt durch diese prognostizierenden oder resümierenden Sprichwörter paradigmatischen Charakter[644]:

> do wart diu warheit wol schin
> des sprichwortes, daz da giht,
> daz schulde ligen und vulen niht. 5456 ff

Auf solche Weise bringt Gottfried - und darauf kommt es entscheidend an - gegenüber der bloßen 'fictio' die Dimension der Wahrheit ein, weist der lügenhaften 'fabula' gewissermaßen allegorischen Sinn zu[645]. Dabei ist es unerheblich, daß die Allgemeinurteile der Sentenzen innerhalb des Werkes auch

---

642 Vgl. S. 212.

643 Quintilian: Inst. Orat. V, 11, 36-44.

644 Vgl. zusätzlich folgende Beispiele: 12279-81, 16472 ff, 17801-03, 18041-44. Carls, l.c., hat darauf hingewiesen, daß das Sprichwort nicht allein in rhetorischer Funktion steht, sondern auch den didaktischen Grundzug der Dichtung betrifft, so daß durch sie der Stoff in gewisser Weise zum Exempel von tatsächlichen oder fingierten Allgemeinerfahrungen reduziert wird (S. 21).

645 Mit Bezug auf das barocke Drama hat Walter Benjamin davon gesprochen, daß nicht anders als im Emblem dort "die Sentenz (...) das Szenenbild als seine Unterschrift für allegorisch" erklärt (Ursprung des deutschen Trauerspiels. L.c. S. 220). Im Grundsatz nicht anders wird der geistige Sinn, die poetische Wahrheit 'sub narratione fabulosa' des höfischen Romans u.a. durch die Sentenz ausgewiesen und das Erzählte schließlich als Metapher der Didaxe erfahrbar.

konträre Behauptungen vertreten. Das gehört zum aphoristischen Wesen menschlicher Urteile im ethisch-sozialen Bereich. Aber die Apodiktik der kurzen, einprägsamen und reizvollen Sentenz[646] verbürgt im jeweiligen Kontext Autorität und sichert die partikulare Glaubwürdigkeit[647].

Als Rual und Tristan am Hof Markes wieder vereint sind, und voll Liebe und Achtung miteinander umgehen, erörtert der Erzähler den fingierten Publikumszweifel, ob Alter und Jugend denn harmonieren können, denn als Regel gelte:

> (...)
> alter unde jugent
> selten gehellent einer tugent
> und jugent daz guot unruochet,
> da ez daz alter suochet,
> (...) 4509 ff

Der Erzähler weist nach ('diz prüeve ich schiere sunder lüge' 4522), daß in diesem Fall die Idealität der literarischen Figuren den an der durchschnittlichen Lebenserfahrung orientierten 'sensus omnium' Lügen straft. Nicht die Sentenz beglaubigt mehr die Fiktion, sondern die Fiktion des Vorbildlichen setzt hier die Sentenz außer Kraft. Dies kann nun nicht bedeuten, daß die Wahrheitsqualität des Erzählens an dieser Stelle gemindert würde - im Gegenteil: Durch die reich amplifizierte 'laudatio' des vorbildlichen Paares 'prüevet' der Erzähler das Ideale als die Wahrheit seiner Geschichte[648],

---

646 Quintilian: Inst. Orat. XII, 10, 48: '(...) brevitate magis haerunt et delectatione persuadent.'

647 Partikular ist sie, da im geeigneten Kontext ja schließlich gleichermaßen plausibel rednerisch demonstriert werden kann, daß der Mensch von Grund auf gut bzw. von Grund auf böse ist.

648 Gerade das Vorbildliche ist ja übrigens das, was die Kritiker der lügenhaft-erfundenen Heldengeschichten wie z.B. Thomasin von Zerclaere die Gattung teilweise rehabilitieren läßt. Er rät in seinem 'welhischen gast' vor allem Kindern: 'der tiefe sinne niht verstên kan,/ der sol die âventiure lesen' (1108). Neben der Lüge ist dort nämlich auch die Wahrheit:

> die âventiure sint gekleit
> dicke mit lüge harte schône:

wie ja überhaupt "im Rühmen als solchem (...) eine hypothetische Wahrheitsversicherung"[649] liegt. Die Sentenz kann Lügen gestraft werden, denn "dem Rühmenden muß gerade des Unglaubliche als Affirmation dienen."[650] Wenn die Autorisierung der Handlung durch die Sentenz und die Sentenzwiderlegung durch die Handlung also gleichermaßen Beglaubigungsleistungen beinhalten, so verweist das auf ein noch öfters anzutreffendes Merkmal des rhetorisierten Erzählens, daß nämlich unterschiedliche, ja entgegengesetzte Strategien der Gewinnung, Reklamierung und Demonstration von Wahrheit zum Zuge kommen und in unterschiedlichen Kontexten letzten Endes ähnlich persuasive Wirkungen erzielen[651].

Während die Sentenz oder der sentenziöse auktoriale Kommentar sich unmittelbar dessen bedient, was für das Publikum 'in rebus humanis' bereits Geltung beansprucht, gilt es auch alle die erzählerischen Verfahren zu bedenken, die mittelbar

---

diu lüge ist ir gezierde krône.
ich schilt die âventiure niht,
swie uns ze liegen geschiht
von der âventiure rât,
wan si bezeichenunge hât
der zuht unde der wârheit:
daz wâr man mit lüge kleit. 1118 ff

649 Monecke: Studien. L.c. S. 131.

650 Monecke: Studien. L.c. S. 131.- Die Selbstevidenz der epideiktischen Rühmung als Wahrheitsinstanz wird auch in einer Bemerkung im 'Moriz von Craun' erkennbar: 'diu rede ist wâr unt niht gelogen,/ swie ich ez niht beziugen mac.' (1128 f). Die Beteuerung folgt einer detaillierten, phantastischen Bettbeschreibung, die natürlich als solche "erfunden" ist, die aber so, wie er im rühmenden Sprechen das Bett vor Augen führt, wahr ist; die poetische Malerei schafft eigene, ideale Wirklichkeit und bedarf keiner historischen Beglaubigung.

651 So führen, wie schon erwähnt, gleichermaßen die geschmückte 'descriptio' wie die 'descriptio'-Verweigerung ('occupatio') zur 'attentio', erstere durch 'voluptas', letztere durch 'brevitas'.

einen Plausibilitätszuwachs zu erreichen suchen, die durch affektische Authentizitätssignale, wie sie die Rhetorik bereitstellt, die Disposition des Publikums aufbauen wollen, das Vorgetragene als wahrscheinlich und glaubwürdig aufzunehmen. Dies scheint die Voraussetzung, schließlich die 'ware meine', die poetische Wahrheit auch des Imaginären als solche erkennen zu können. Betrachten wir dazu zuerst genauer, wie der Erzähler zwischen Überlieferung und Adaption vermittelt, um die poetische Wahrheit seines Erzählens zu legitimieren.

Als Tristan mit einer Hundertschaft auf Brautwerbungsfahrt zieht, flicht der Erzähler ein:

Si lesent an Tristande,
daz ein swalwe zIrlande
von Curnewale kaeme,
ein vrouwen har da naeme
zir buwe und zir geniste
(ine weiz, wa siz da wiste)
und vuorte daz wider über se.
genistet ie kein swalwe me
mit solchem ungemache,
so vil so si busache
bi ir in dem lande vant,
dazs über mer in vremediu lant
nach ir bugeraete streich?
weiz got, hie spellet sich der leich,
hie lispet das maere.
ouch ist ez alwaere,
swer saget, daz Tristan uf daz mer
nach wane schiffete mit her
und ensolte des niht nemen war,
wie langer vüere oder war,
und enwiste ouch niht wen suochen.
waz rach er an den buochen,
der diz hiez schriben unde lesen?
ja waerens alle samet gewesen,
der künic, ders uz sande,
sin rat von dem lande,
die boten gouche unde soten,
waerens also gewesen boten. 8601 ff

Der Erzähler begibt sich in die Rolle des kritischen Adapteurs, der seinen Hörern an einem Beispiel nachweist, was er schon im Prolog festgestellt hatte:

> und ist ir doch niht vil gewesen
> die von im rehte haben gelesen. 133f

Einen Topos des strophischen Prologs wieder aufnehmend, hatte er den Vielen aber auch konzediert:

> binamen si taten ez in guot:
> und swaz der man in guot getuot,
> daz ist ouch guot und wol getan. 143 ff

Diese herablassende Nachsicht zeigt der Erzähler nun nicht mehr:

> waz rach er an den buochen,
> der diz hiez schriben unde lesen? 8622 ff

Unzweideutig macht er klar, daß er sich hier allein die 'rihte und die warheit' (156), wie sie Thomas überliefert hat, angelegen sein läßt. 'Min lesen', so hatte der Erzähler verkündet, ist 'sere guot' (167, 172). Die Schwalbengeschichte gibt ihm Gelegenheit, dies einmal quellenkritisch zu erweisen. Es muß nun überraschen, mit welcher arroganten Rationalität der Erzähler die folkloristisch-mythischen Symbole von der Schwalbe, die die schicksalhaft vorbestimmte Wahl Isoldes ins Werk setzt, und von dem ziellosen und dennoch richtig ankommenden Schiff auf ihren baren Wirklichkeitsgehalt reduziert und das Märchenhafte der Lächerlichkeit preisgibt.

Halten wir uns aber sogleich vor Augen, daß die Zurückweisung des empirisch Unwahrscheinlichen eine rhetorische Pose ist und nicht programmatisch einen allgemeinen literarischen Realismus Gottfrieds begründet. Der punktuellen Überlieferungskorrektur stehen genügend Beispiele märchenhaft-unwahrscheinlicher Fabulierung gegenüber. Es wird hier, wie Karl Bertau richtig erkannt hat, eine historisch-kritische Haltung nur als Haltung dokumentiert, um durch solches "Schalten mit imaginärer Historizität" bei den Hörern "den Anschein zu erwecken, die 'res fictae' seien 'res gestae'", ein Verfahren, das offenbar zur Kunst gehöre[652]. In der Tat gehört diese Einlassung des Erzählers zur rhetorischen Kunst im Roman und erfüllt den Modus einer 'refutatio'[653], die als einer der 'modi tractandi' aus den 'praeexercitamina' Priscians wichtiges Übungsmuster der Schulen war. Als "der Versuch der Widerlegung eines von der Tradition überlieferten und (...) anerkannten historischen oder mythologischen Faktums"[654] nimmt die 'refutatio' den "parteiischen Standpunkt der aufklärerischen Traditionsfeinde"[655] ein. Gottfried benutzt dazu in diesem Fall Argumente 'ab incredibili'[656]: Es sei kaum wahrscheinlich, daß eine kornische Schwalbe ihr Nestmaterial Halm um Halm aus Irland hole und es sei einfältig, zu glauben, daß Tristan sich ziellos Wind und Wellen überlassen habe. Der quellenkritische Exkurs in der Form der 'refutatio' einer nicht plausiblen Überlieferung erweist sich im Kontext des ganzen Romans als einer der rhetorischen Kunstgriffe, dem Publikum zu suggerieren, daß er, Gottfried, wahrheitsgemäßer und glaubwürdiger erzähle als einige seiner Gewährsleute. Die intellektuell reizvolle, ironisch gehandhabte rationale Entlarvung des Mythischen stellt eine affektive Einflußnahme auf das Publikum dar, die Vertrauen in die Wahrheit von Gottfrieds 'lesen' mobilisieren soll. Gottfried konnte natürlich nicht das Mythisch-Märchenhafte seines episodischen Stoffs vollends in einen Handlungszusammenhang auflösen, der aller empirischen Erfahrung standhielte, aber er konnte von Zeit zu Zeit sich als Erzähler den Anschein geben, daß er nicht blind der Überlieferung folgt, sondern daß er kritisch Unglaubwürdiges von Wahrem trennt.

---

652 Bertau: Deutsche Literatur. L.c. S. 921.

653 Lausberg: Handbuch. L.c. §§ 1122-1125.

654 Lausberg: L.c. § 1122.

655 Lausberg: L.c. § 1122.

656 Lausberg: L.c. § 1123.

Das gilt auch für folgende Stelle:

> wan solte ich alle sine tat,
> die man von ime geschriben hat,
> rechen al besunder,
> des maeres würde ein wunder.
> die fabelen, die hier under sint,
> die sol ich werfen an den wint:
> mir ist doch mit der warheit
> ein michel arbeit uf geleit. 18459 ff

Die Opposition von 'fabel' und 'warheit' spiegelt die antik-mittelalterliche Einschätzung der 'fabula' und der 'fictio poetica' gegenüber der 'historia' wider. Es heißt von der 'fabula' in der im Mittelalter weit verbreiteten Herennius-Rhetorik: 'fabula est quae neque veras neque verisimilis continet res.' (I, 8,13). Mit dem, was weder wahr noch wahrscheinlich ist, kann sich der Erzähler nicht abgeben, geht es ihm doch um die 'warheit'. Er weist die Stoffhuberei mit hinzugedichteten Geschichten von sich und stellt sich als der geplagte, unbestechliche Adapteur hin, wiewohl er sich andernorts durchaus der 'fabelen' zur poetischen Darstellung bedient.

Durch solche Demonstrationen seiner Unbestechlichkeit baut der Erzähler beim Publikum eine affektische Disposition auf, seinem Erzählen grundsätzlich vertrauensvoll zu begegnen[657].

---

657 In Thomas' 'Tristan' haben wir einen längeren Exkurs des Erzählers, in dem auch die Quellen- und Wahrheitsfrage behandelt wird. Er führt dort aus (Fgt. Douce 835 ff. Vgl. Hatto: Tristan. L.c. S. 338), viele hätten von Tristan ganz unterschiedlich erzählt und er kenne sehr wohl, was jeder von ihnen vorgetragen und niedergeschrieben habe. Während er sich in der Regel nur an eine Quelle halte und nur erzähle, was notwendig ist, sei an dieser Stelle der Erzählung Vorsicht geboten, denn offensichtlich halte sich keiner der Erzähler an Breri, "who knew all the deeds and stories of all the kings and all the counts that had lived in Britain." (Hatto. L.c. S. 338). Der Erzähler rekapituliert, was üblicherweise von Caerdin und dem Zwerg erzählt wurde und stellt fest, von sich in der dritten Person sprechend: "Thomas declines to accept this and is ready to prove that it could not have been the case." (S. 338). Dies tut er dann auch und folgert:

Nun ist es wichtig zu beachten, daß solche Quellenkritik nicht immer willkürlich plaziert ist, um allein die genannte rhetorische Funktion zu erfüllen, sondern sie hat einen inhaltlich-strukturellen Anlaß, hat praktischen Bezug zur spezifischen Adaptionsleistung Gottfrieds, wie sie ein Ver-

---

"Such narrators have strayed from the story and departed from the truth, and if they are unwilling to admit it, I have no mind to wrangle with them - let them hold to theirs and I to mine. The tale will bear me out." (S. 338). Charakteristisch für den höfischen Erzähler erscheint hier die Mischung aus allgemeiner Quellenberufung, aus der Berufung auf den Geschichtsschreiber, den Annalisten, und aus dem eigenen, rationalen Urteil im Einzelfall, das sich an das Mögliche und Beweisbare hält. Es wird daran deutlich, daß es im höfischen Roman keine Instanz objektiver Wahrheitsverbürgung gibt, sondern daß sie letztlich von der Konsistenz der Darstellung, der Logik der Zusammenhänge und der Persuasivität des Erzählens lebt. Darum stellt Thomas die Versionen seiner Vorgänger wie Gottfried nicht ganz und gar in Abrede, sondern vertraut darauf, daß seine Geschichte sich als glaubwürdiger durchsetzen wird, daß seine 'ratio' das Wahrscheinliche gegen die bloße 'auctoritas' der Quellen durchsetzen kann: 'La raison se pruvera ben.' (Fgt. Douce v. 884. Vgl. Hatto: "The tale will bear me out.").

In Chrêtiens 'Cligés' wird die Mythosdestruktion und die Rationalisierung der literarischen Motive noch weiter als bei Gottfried oder Thomas getrieben und wird geradezu zur intellektuellen Manier des Romans. Lebenspraktische und logische Überlegungen bestimmen die Behandlung tradierter literarischer Topen und führen schließlich statt zu Gottfrieds dilemmatischer Minne insgesamt zu einem domestizierten 'prudenter amare'. Das Mythische wird in ein rational geordnetes Gefüge überführt und metaphorisches Sprechen durch seinen baren Sachgehalt persifliert. So wird z.B. das Motiv des Herzenstauschs ad absurdum geführt (2822 ff): Zwei Herzen könnten gar nicht zugleich in einem Körper sein - anatomisch gesehen. Anschließend erklärt der Erzähler aufwendig, daß die Redeweise vom Herzenstausch nur eine spirituelle Einheit meine, eine Identität des Willens Liebender. Gottfried dagegen nutzt das literarische Motiv für seine ideologischen Zwecke voll aus und entfaltet die intellektuelle Pathetik seiner Dialektik. Vgl. auch die parodistische Behandlung des Herzenstauschs in Chrêtiens 'Yvain' und Hartmanns 'Iwein.'

gleich der Tristan-Traditionen ausweisen kann. Gottfried kann die Wahl von Markes Braut nicht dem Zufall, dem mythischen Geschick, dem Schwalbenflug überlassen, denn bei ihm schlägt bereits der Hofrat Isolde als Braut vor - und zwar in der Absicht, Tristan zu verderben -, und Marke entscheidet sich auch für sie - in der Hoffnung, daß eine Heirat mit dieser gar nicht zustande kommen kann. Die 'refutatio' geht also unmittelbar aus der rationaleren Motivation des ganzen politischen Zusammenhangs hervor: Niemand anders als die schöne Isolde im feindlichen Irland kann in den Augen der Barone Tristan als Brautwerber scheitern lassen, und niemand als sie erscheint Marke so unerreichbar. Nicht das Frauenhaar und nicht die Winde führen Marke und Isolde aufeinander zu, sondern das politische Kalkül der Figuren. Darum kann sich Gottfried so überlegen von der herkömmlichen Fiktion lösen und durch die Schwalbenironisierung zugleich die Wahrheitseinbildung verstärken[658].

Auch die folgende Quellenkritik hat neben ihrer rhetorischen Funktion einen inhaltlichen Hintergrund:

> Tristan sin neve der brahte iesa
> beidiu liht unde win.
> der künec tranc und die künigin.
> ouch sagent genuoge maere,
> daz ez des trances waere,
> von dem Tristan unde Isot
> gevielen in ir herzenot.
> nein des trankes was nime,
> Brangaene warf in in den se. 12648 ff

Obgleich der Hörer früher bereits erfahren hat, daß Brangäne die Flasche entsetzt ins Meer geschleudert hatte, unterstreicht Gottfried dies hier noch einmal, um gegenüber anderen Versionen zu bedeuten, daß Marke jedenfalls nichts von dem Trank der Liebe erhalten hat - noch Hiudan. Diese Korrek-

---

658 Ottmar Carls Behandlung der Schwalbenkritik bleibt vordergründig, da er nicht beachtet, daß es sich um eine inhaltlich bedingte singuläre Entmythologisierung handelt und nicht um eine generelle Kritik des Märchenhaften. (Die Auffassung der Wahrheit. L.c. S. 28).

tur wird aus der Programmatik der Minnebehandlung verständlich, repräsentiert doch der Trank die hehre Passion und die Identität des Paares, während Marke demgegenüber zum Beispiel ehrloser Begierde wird. Nur so war das Ethos der Paarliebe im Gegensatz zu einer gleichförmigen Triebverstrickung aller drei Figuren darstellbar.

Die Selbstlegitimierung gegenüber der Überlieferung wurzelt also in der Tat in einer neuen Konzeption, einem neuen Liebesbegriff und einer ratioideren, motivationsbeflisseneren Behandlung des Menschen und der Welt. Das neue Erzählen wird aber nicht seiner Selbstevidenz überlassen, sondern im Exkurs wird eben in der affektischen 'refutatio' die Quelle bloßgestellt und die Wahrheit der eigenen Version demonstriert. So gehen die vorgezeigte Adaptionsleistung und die Herstellung einer wirksamen Wahrheitsfiktion Hand in Hand.

Die Auseinandersetzung mit der Überlieferung und ihrer Wahrheit wird insbesondere dort entscheidend, wo der Erzähler aus der epischen Mimesis in die allegorisch-deutende Überhöhung des Stoffes überwechselt, wo Gottfrieds spezifische Exegese des Stoffes gegenüber anderen Versionen sich zur Schau stellt. Anläßlich des Morold-Kampfes macht Gottfried unzweideutig klar, daß nicht dasjenige wahr ist, was jedermann über die Geschichte weiß oder auch tatsächlich in dem 'maere' vorkommt:

> Nu hoere ich al die werlde jehen
> und stat ouch an dem maere,
> daz diz ein einwic waere,
> und ist ir aller jehe dar an,
> hien waeren niuwan zwene man. 6866 ff

Vielmehr allein das, was er in seiner Darstellung plausibel machen kann:

> ich prüevez aber an dirre zit,
> daz ez ein offener strit
> von zwein ganzen rotten was;
> (...) 6871 ff

Daß hier solche Differenz zur überlieferten Geschichte entstehen kann, liegt daran, daß Gottfried den empirischen Raum der Handlung verläßt und in einen allegorischen Rahmen hinüberwechselt. Durch den Wechsel der Ebenen erhält seine Wahrheitserörterung zugleich ironisches Gepräge, da er fingiert, Gleiches aneinander zu messen. Zunächst ruft er durch die sonderbare Ankündigung von 'zwein ganzen rotten' Verwunderung und Neugier hervor. Dann spielt er mit dem Paradox - nach mittelalterlichem Literaturverständnis ist es das zunächst -, daß er eine Wahrheit verspricht, die nicht aus der 'auctoritas' der Quelle kommt:

> swie ich doch daz nie gelas
> an Tristandes maere,
> ich machez doch warbaere: 6874 ff

Zunächst stützt er sich noch auf die historische Verbürgung der heldenepischen Hyperbole vom unbezwingbaren Morolt:

> Morolt, als uns diu warheit
> ie hat gesaget und hiute seit,
> der haete vier manne craft,
> diz was vier manne ritterschaft;
> (...) 6877 ff

Dann aber interpretiert der Erzähler auch Tristan, von dem solches nicht bekannt ist, als vierfachen Kämpfer: 'got', 'reht', 'willeger muot' und Tristan selbst bilden die zweite Rotte[659]. Der Erzähler tritt dabei als unumschränkter 'creator mundi poetici' selbstbewußt hervor und verläßt den Raum des geschichtlich Tradierten:

> die viere und jene viere
> uz den gebilde ich schiere
> zwo ganze rotte oder ahte man,
> (...) 6889 ff

659 Wurde einst der Sieg des gerechten Schwachen gegen den tyrannischen Riesen wohl begründungslos vorgetragen - als Paradigma des in aller Folklore gegenwärtigen David-Goliath-Mythos -, so erklärt der höfische didaktische Rationalist den Mythos durch die Konfrontation physischer und moralischer Kräfte in der Personifikationsallegorie im Rahmen christlich-höfischer Wertvorstellungen.- Vgl. im übrigen zum Bau des allegorischen Rahmens die Studie

Dabei versäumt er nicht, ironisch eine Bescheidenheits-Litotes anzufügen, die die Evidenz der einfachen Kalkulation ironisch verstärkt: '(...) als übel als ich doch bilden kan.' (6892). Damit läßt es Gottfried noch nicht sein Bewenden haben; indem er seinen Nachweis in ein Zwiegespräch mit dem Publikum hineinträgt[660], macht er diesem nachdrücklich klar, was poetische Wahrheit ist:

> E duhte iuch, daz diz maere
> gar ungevüege waere,
> daz uf zwein orsen zwei her
> iemer möhten komen ze wer:
> nu habt irz vür war vernomen,
> daz hie zesamene waeren komen
> under einem helme ieweder sit
> vier ritter oder vier ritter strit;
> (...) 6893 ff

Die Wahrheit liegt also nicht in der biederen Wirklichkeitsvorstellung des Publikums, sondern in dem, was die logische Vorstellungskraft des Dichters in einer Personifikationsallegorie zwingend erwiesen hat, ja schlechthin in dem, was das Publikum, so insinuiert der Erzähler, als Wahrheit vernommen hat ('vür war vernomen')[661]. Der vorgestellte Wahrheitsanspruch ist ein rednerischer: 'Prüeven' und 'warbaeren' sind die Stichworte, die eine erzählerische Haltung bezeichnen, von der Wolfgang Monecke in bezug auf Konrad von Würzburg gesagt hat: "Erzählen heißt also, eine Geschichte 'mit rede bewaeren', sie als wahr dartun durch den Vortrag, erprobend, demonstrierend, erweisend berich-

---

von Blake Lee Spahr: Tristan versus Morolt: Allegory against Reality? In: Festschrift Helen Adolf. New York 1968. S. 72-85.

660 Es handelt sich um das Verfahren der 'subiectio' (vgl. Lausberg: Handbuch. L.c. §§ 771-775), das Gottfried häufig zur affektischen Beteiligung des Publikums verwendet.

661 Im weiteren Verlauf des Kampfes zwischen Tristan und Morolt, der zunächst für Tristan nicht erfolgreich zu verlaufen scheint, präsentiert sich der Erzähler in der Pose der erzählerischen Hilflosigkeit ('dubitatio'), wundert sich, wo 'Tristandes stritgesellen' bleiben

ten."[662] Dies ist offenbar die Haltung, die dem Selbstverständnis des höfischen Adaptionsromans entspricht. Wirnt von Gravenberg sagt zu Beginn seines 'Wigalois':

> nu wil ich iu ein maere
> sagen, als ez mir ist geseit.
> zeiner ganzen warheit
> triuwe ich ez niht bringen;
> (...) Ben. 131 ff

Die Wahrheit, von der er spricht, ist offensichtlich nicht an die Quelle oder an den Stoff, seinen Ausgangspunkt, gebunden, sondern an die Kunst, den Stoff 'war' darzustellen. Der 'tihtaer' bittet dann um Nachsicht, 'wan ditz ist sin erstez werc' (Ben. 140). Er hat noch keine Übung, Sprache und Gedanken so wirkungsvoll zu verbinden, daß er eine ganz und gar glaubwürdige Darstellung geben kann. Hier wie bei Gottfried und bei anderen Erzählern des 13. Jahrhunderts scheint in der auktorialen Selbstdarstellung wie im rhetorisierten Erzählen selbst ein Wahrheitsverständnis hervorzutreten, das im überzeugungsmächtigen Vortrag wurzelt. Wir kommen darauf zurück.

Betrachten wir zunächst weitere Legitimierungen des Erzählens. Bei der Zurüstung der Gesellen Tristans zur Schwertleite verkündet der Erzähler dem Publikum:

> Swer mich nu vraget umbe ir cleit
> und umbe ir cleider richeit,
> wie diu zesamene wurden bracht,
> des bin ich kurze bedacht,
> dem sage ich, als daz maere giht.
> sage ich im anders iht,
> so widertribe er mich dar an
> und sage er selbe baz da van: 4555 ff

---

und mahnt, daß sie rasch kommen müßten, wenn es nicht zu spät sein soll (6980 ff). Der Wechsel von der herablassenden Aufklärung des Publikums über die wahre Konstitution Tristans als vierfachem Recken zur distanzierten Haltung ahnungslosen Ausgeliefertseins an den Zufall des Geschehens bzw. die Unkenntnis über den Einsatz der Mannschaft gibt ein Beispiel von der Art und Weise, wie Gottfried den Erzähler in raschem Wechsel unterschiedlich fingiert und so das Interesse durch wechselnde Perspektiven und wechselnde affektische Impulse vom Erzähler lebendig erhält.

662 Monecke: Studien. L.c. S. 105.

Provokativ lenkt der Erzähler das Interesse auf eine kurze, authentische und angeblich unübertreffbare Schilderung der Kleider[663]. Sie ist in der Tat kurz und die "Tugendkleider" sind als solche nicht zu übertreffen ('hoher muot', 'volles guot', 'bescheidenheit', 'höfischer sin'), und was die Wahrheit betrifft, so hat der Erzähler die Hörer mit der bedeutungsvollen Abweichung von der gegenständlichen Kleidungsbeschreibung überrascht und mit dem 'acutum' solcher 'translatio' eingenommen[664]. Als dann der Erzähler auch Tristan zurüsten soll, geht es schon gar nicht mehr um das 'maere', um den Rückhalt bei der überlieferten Wahrheit, sondern um eine gegenstands- und publikumsangemessene Darstellung:

> wie gevahe ich nu min sprechen an,
> (...)
> daz man ez gerne verneme
> und an dem maere wol gezeme? 4591 ff

Wir wissen, was an exzeptionellen Digressionen daraufhin alles folgt: Unfähigkeitsbeteuerungen[665], Literaturkatalog,

---

663 Er unterstellt dem Publikum eine Kritik- und Konkurrenzfähigkeit, die dieses natürlich nicht besitzt, aber es wird die Offenheit, mit der sich der Erzähler der Kontrolle auszusetzen bereit zeigt, gefühlsmäßig mit gesteigertem Vertrauen beantworten.

664 Dabei wollen wir nicht verkennen, daß solche demonstrative Hervorkehrung der inneren Werte gegenüber der materiellen Ausrüstung als gezielte Absetzung von der prunkvollen Oberflächen-'descriptio' höfischer Literatur eine Bedeutung hat und Teil der geistesgeschichtlich bedeutsamen Hinwendung zur Welt des Innern ist, die im 'Tristan' programmatische Bedeutung gewinnt.

665 Die ironische Handhabung der Unfähigkeitsbeteuerungen vor und nach dem Literaturkatalog (4604 ff und 4826 ff) zeigt, daß wir es bei Gottfried nicht mehr mit der Topik christlicher Demut zu tun haben. Auch der Gesamthabitus von Gottfrieds Erzählen würde das ausschließen. Ungleich kirchlich geprägter Dichtung, wo das Unfähigkeitsbekenntnis im objektiven Zusammenhang von Autor, Werk und Gott einen ontologischen Sinn besitzt, findet im 'Tristan' ein rhetorisches Spiel mit dem Publikum statt, wobei jene Beteuerungen, so wie andere topische Elemente auch, rezeptionsästhetische Funktionen wahrnehmen. Die Verse 'mir ist von worten genomen / enmitten uz

Musenanruf, 'praeteritio' zur Beschreibung ritterlicher Ausstaffierung. Schließlich ist es soweit und der Erzähler will Tristan zurüsten:

> mag ich die volge von iu han,
> so ist min wan also getan,
> und weiz daz wol: 4965 ff

Die auktoriale Verfügungsgewalt über die Fiktion erreicht ihren Höhepunkt: Nicht das 'maere' und nicht die Wahrheit legitimieren mehr, sondern, um die Verse zu paraphrasieren, der Konsens des Publikums mit dem, was der Autor als wahrscheinlich annimmt - und dessen er sich obendrein sicher ist! Diese insinuierende Überantwortung des Erzählens in die Hände der Hörer[666] wird anschließend noch fortgesetzt:

> so bevelhen wir in vieren
> unsern vriunt Tristanden.
> (...)
> bereiten uns den werden man
> (...) 4978 ff

Das Publikum als "Miterzähler" macht natürlich allen Zweifel an der Glaubwürdigkeit des Erzählten illusorisch[667].

---

dem munde / daz selbe, daz ich kunde' (4856 ff) haben - abgesehen von dem Paradox des Sprechens über das Nichtsprechenkönnen - im unmittelbaren Zusammenhang eine Spannungs-, eine Überleitungs-, ja insbesondere eine Rechtfertigungsfunktion für das Kommende, stellen vor ein Rätsel (was nun und wie weiter?) und beteiligen das Publikum affektiv an der Bewältigung des Fortkommens. Sein Verstummen legitimiert den Erzähler dazu, etwas zu tun, was er im Vollbesitz seiner Kräfte nicht hätte tun können: Er sendet ein Gebet zum Elicon um Hilfe.- Diese wie auch die Unfähigkeitsbeteuerung vor dem Literaturkatalog dient also dazu, in bisher nicht geübte Erzählinhalte einzuführen und dazu vorweg Anteilnahme, Aufmerksamkeit und Interesse des Publikums zu gewinnen, einen Rahmen für die bedeutungsvollen Quellenabweichungen zu schaffen.

666 Vgl. auch: 'er nam den valt unde den val/ under den vüezen alse vil,/ als iuwer iegelicher wil.' (10914 ff).

667 Wahrheit als Publikumsfunktion wird auch dort eingeführt, wo der Erzähler nur einer kleinen Gruppe Urteilskompetenz zuspricht und damit der Überzahl des Publikums suggeriert, auch das Unwahrscheinliche sei

Solche Anheimstellung exponiert zugleich ironisch den Fiktionscharakter der Dichtung. Wolfram hat dieses Spiel mit dem Publikum, der Fiktion und der Wahrheit in den lapidaren Vers gefaßt: 'Gebiet ir, sô ist ez wâr' (Parz. 59,27). Mit dem Schein einer kollektiven Produktion wird ironisch zum Konsens mit dem erzählerischen Urteil eingeladen.

Indem der Erzähler sich selbst ebenso wie das Publikum zu Instanzen der Wahrheit des Erzählens erklärt, indem er im fingierten Kontakt mit den Hörern das Erzählen problematisiert, zeigt er demonstrativ den Artefakt vor und schafft Einsicht in den relativen Wahrheitsbegriff der Fiktion, in eine Wahrheit, die erst hergestellt werden muß. Aber gerade durch diese ironische Fraternisierung mit dem Publikum gegenüber einer zu konstituierenden Welt in der Sprache erreicht er affektiv auch die Gefolgschaft zur 'waren meine', jene Schritt für Schritt unmittelbar beteiligte Zuhörerschaft, die sich nicht nur von den Affirmativen rhetorischer Vergegenwärtigung epischer Welt einnehmen läßt, sondern gerade auch in der Erzählproblematisierung Authentizität erfährt.

Einen anderen Modus der Vermittlung der Erfahrung der Wahrheit haben wir in der analytischen Bewältigung epischer Änigmata durch den Erzähler. Dort verbürgt die Form der Problemlösung selbst Wahrheit; die Evidenz der Darstellung spricht für sich selbst. Wo Verbindlichkeit nicht mehr durch den Stoff gegeben scheint und Einverständnis mit der Fiktion erst gewonnen werden muß, löst der Erzähler Elemente des Stoffs in analytische Raster auf, etwa nach dem Schema "Rätsel - Lösung", wodurch ein irrational-arbiträres Stoffelement in einer rational-deiktischen Form präsentiert wird,

---

wahr, da die 'selecti' es ja - angeblich - bestätigen könnten. Das trifft etwa auf die Behandlung der 'edelen herzen' im Prolog zu oder auf die Behauptung des Erzählers im Prolog zum "Herzog Ernst", nur wer selbst im Krieg gewesen sei, könne die Wahrheit seiner Schilderung der Kämpfe beurteilen. Es handelt sich um eine Beglaubigungstechnik, bei der der Erzähler fingiert, das sachverständige Publikum könne die Darstellung beglaubigen und sie dürfe darum generell geglaubt werden.

in der es im höfisch-scholastischen Raum als wahr rezipiert werden kann. So wird etwa das Wesen von Tristans Existenz zunächst im Klangschleier der folgenden Strophe verhüllt:

> Truoc ieman lebender staete leit
> bi staeteclicher saelekeit,
> so truoc Tristan ie staete leit
> bi staeteclicher saelekeit,
> (...) 5069 ff

Der Erzähler fährt fort mit den Worten 'als ich ez iu bescheiden wil' (5073) und legt das dialektische Ineinander ausführlich auseinander. Dieses immer wieder anzutreffende Wechselspiel von Mystifikation und Illumination ist ein hervorragender Zug im Erzählen Gottfrieds und reicht bis in die unscheinbarere Spielart der 'regressio'[668]. Zahlreich sind die 'beide' und 'zweierhande'-Konstruktionen, in denen zunächst zwei Begriffe abstrakt zusammengebunden sind, um anschließend auseinandergelegt zu werden[669]. Auch der verhüllenden Setzung eines überraschenden Kontrasts - in sich ein die Erzählspannung immer wieder neu aufladendes 'attentum'-Signal - folgt die penible Exegese:

> Hie mite bevalch Gurmun zehant
> Isolde hant von hande
> ir vinde Tristande.
> ir vinde spriche ich umbe daz:
> si was im dannoch gehaz. 11398 ff

Diese ostentativ gehandhabte Analytik gegenüber dem eigenen Vortrag[670] scheint der "disjunktiv verfahrende(n) Methode scholastischer Kasuistik"[671] verbunden, ja diese scheint den distinguierenden Duktus dieses Erzählens schlechthin

---

668 Lausberg: Handbuch. L.c. §§ 798 f. Vgl. im 'Tristan' beispielsweise die vv. 1331-40, wo ein zweigliedriger Ausdruck im Sinne der 'regressio' eine "nachträgliche, detaillierend-verdeutlichende Wiederaufnahme (...) jedes einzelnen Gliedes" erfährt (L.c. § 798).

669 Vgl. z.B. 14932 ff und 15316 ff.

670 Vgl. einige Beispiele: 13749 ff, 15534 ff, 16325 ff, 17512 ff.

geprägt zu haben[672]. Das allmähliche Konkretisieren des Abstrakten in den Bahnen logischer Auseinanderlegung macht Wahrheit zu einem Prozeß der Erfahrung für das Publikum, welches sich nicht der Hermetik von Resultaten, sondern einer kontrollierbaren Auseinandersetzung gegenübergestellt sieht, deren Wahrheitsgehalt sich aus der Evidenz der Darstellung selbst legitimiert. Die logische Detaillierung schafft überdies intellektuelle 'delectatio' und erfüllt somit das rhetorische Ideal genußvoller Argumentation[673].

Um eine "Rätsellösung" gegenüber einem fingiert skeptischen Publikum geht es auch bei den Legitimationsversuchen des Erzählers in der Waldlebenepisode:

> Genuoge nimet hier under
> virwitze unde wunder
> und habent mit vrage groze not,
> wie sich Tristan unde Isot,
> die zwene geverten
> in dirre wüeste ernerten.
> des wil ich si berihten,
> ir virwitze beslihten: 16807 ff

---

671 Hanspeter Brode: Untersuchungen zum Sprach- und Werkstil des 'Jüngeren Titurel' von Albrecht von Scharfenberg. Phil. Diss. Freiburg 1966. S. 33.

672 Wolfgang Monecke sieht in der distinguierenden Entfaltung des Komplexen ein grundlegendes Erzählmomentum des höfischen Romans im 13. Jahrhundert, da gerade erst "durch Herstellung von 'unterscheide' (...) Erzählung entbunden und voranbewegt" werde (Studien. L.c. S. 161).

673 Das Prinzip der räsonnierenden Aufklärung des Rätselhaft-Paradoxen schlägt sich bei Gottfried auch in den ganz und gar mimetischen Teilen nieder. Der Dialog-im-Monolog der räsonnierenden Zweifler und Liebenden bedient sich der minutiösen, logisierenden Selbstanalyse. Das Pathos der unmittelbaren Figurenvergegenwärtigung wird hier nicht etwa durch Larmoyanz gestützt, sondern gerade durch die Stringenz der argumentativen Selbstaufklärung. So ist es auch hier die vorgezeigte Brillanz der Analyse des Verworrenen, die einen rhetorischen 'affectus ad fidem' vermittelt.

Gottfrieds Gestaltung der Episode hat - das ist in vielen Einzelstudien herausgearbeitet worden - durch und durch symbolisch-allegorischen Charakter. Andererseits ist sie aber nahtlos in die übrige Handlungsdarstellung eingelassen, so daß es nötig wird, epische Mimesis und epische Mimesis in allegorischer Funktion erkennbar zu unterscheiden. Eine auktoriale Einlassung wie die obige leistet eben dies: Sie fingiert die Ernährungsfrage als Problem des Publikums und kann die Aufklärung folgen lassen. So ist das bedeutungsvolle, ins Wesen der Minne verweisende Speisewunder gehörig angekündigt, herausgehoben und in seiner Uneigentlichkeit angedeutet, d.h. es geht nicht im Strom der sonstigen Wirklichkeitsfiktion unter. Nach der ausgiebigen Darstellung der Lebensweise des Paares im Wald kommt der Erzähler noch einmal auf die Skepsis des Publikums zurück:

> Nu tribent aber genuoge
> ir maere und ir unvuoge,
> des ich doch niht gevolgen wil:
> si jehent, ze sus getanem spil
> da gehoere ouch ander spise zuo.
> dan weiz ich rehte, weder ez tuo.
> ez dunket mich genuoc hier an.
> ist aber anders ieman,
> der bezzeren liprat
> an disem lebene erkunnet hat,
> der jehe, als erz erkenne;
> (...) 16909 ff

Er greift also noch einmal die nichtallegorische Lesart seines Berichts auf, läßt die Frage, ob sie wirklich keine andere Nahrung brauchten, offen und überantworte sie dem Publikum: Wer bessere Nahrung (als die Minne) kenne, weise sie vor! Ihm jedenfalls, der von ihr schon gelebt, habe sie ausgereicht:

> ich treib ouch eteswenne
> alsus getane lebesite:
> do duhtes mich genuoc dermite. 16920 ff

In solchem fingierten Zwiegespräch macht er in ironischem Ton klar, daß die Szene nicht epische Mimesis unmittelbar, sondern Allegorie der Totalität der Minne ist, daß die Wahrheit nicht an der Empirie, sondern an der Meinung der Bilder gemessen werden muß. Diese aber geht auf eine Welt des Innern, in der keine materielle Nahrung nötig ist. Genaugenommen sind diese Kommentare zum Speisewunder keine unmittelbare Wahrheitsverbürgung, sondern der Erzähler behauptet damit nur den allegorischen Charakter der Szene, kennzeichnet nachdrücklich den O r t der Wahrheit, will keinen Zweifel am tieferen Sinn der materiellen Nahrungslosigkeit lassen.

Eine gerade in der Waldlebenszene auffallende weitere Form der Legitimierung ist die 'adtestatio rei visae' durch den Erzähler, die behauptete Augenzeugenschaft bzw. die Berufung auf eigene Erfahrung, wofür wir in den gerade zitierten Versen 16920 ff schon ein Beispiel hatten. Die 'adtestatio' ist ein "zur Verstärkung des Pathos, der Anteilnahme des Lesers empfohlener Topos"[674], den Gottfried an verschiedenen Stellen des Werkes einsetzt[675], insbesondere aber mehrfach in die metaphorische Welt seiner Grottenlandschaft eingelassen hat:

> Diz weiz ich wol, wan ich was da.
> ich han ouch in der wilde
> dem vogele unde dem wilde,
> dem hirze unde dem tiere
> über manege waltriviere
> gevolget unde nach gezogen
> und aber die stunde also betrogen,
> daz ich den bast noch nie gesach.
> min arbeit und min ungemach
> daz was ane aventiure
> ich vant an der fossiure
> den haft und sach die vallen;
> ich bin ze der cristallen
> ouch under stunden geweten;
> ich han den reien getreten

---

674 Arbusow: Colores Rhetorici. L.c. S. 121.- Vgl. Kunzer: Ironic Perspective. L.c. S. 24 zur 'adtestatio': "(...) to increase the pathos of his argument."

675 Vgl. unter anderem den Prolog und die vv. 12187-12221.

dicke dar und ofte dan:
in geruowet aber nie dar an.
und aber den esterich da bi,
swie herte marmelin er si,
den han ich so mit triten zebert:
haet in diu grüene niht ernert,
an der sin meistiu tugent lit,
von der er wahset alle zit,
man spurte wol dar inne
diu waren spor der minne.
ouch han ich an die liehten want
miner ougen weide vil gewant
und han mich oben an daz goz,
an daz gewelbe und an daz sloz
mit blicken vil gevlizzen,
miner ougen vil verslizzen
an der gezierde dar obe,
diu so gestirnet ist mit lobe.
diu sunnebernde vensterlin,
diu habent mir in daz herze min
ir gleste dicke gesant:
ich han die fossiure erkant.
sit minen eilif jaren ie
und enkam ze Curnewale nie. 17100 ff

Der letzte Vers markiert deutlich die Selbstallegorisierung des Erzählers[676], verweist auf die Uneigentlichkeit der 'adtestatio', die sich in das sinnbildliche Sprechen des ganzen Abschnitts einfügt: Er hat die Minnehöhle 'erkennt', aber nicht gesehen. Die demonstrative Plazierung des erzählerischen Ichs in die allegorische Szenerie weist zugleich diese endgültig als solche aus, nämlich als in Raum und Handlung abgebildetes Minneverständnis und setzt sie unübersehbar von der historischen Eigentlichkeit der sonstigen Fabel ab. Die Erzählerallegorik der zitierten Stelle benutzt nun Gottfried aber offensichtlich dazu, den Wirklichkeitsgehalt des vorgestellten Minneparadieses (und - allegorice -

---

676 Wir schließen uns hier den Ausführungen von Karl Bertau zur Erzählerallegorisierung innerhalb der "imaginären Historizität und Allegorie der Minnegrotte" an (Deutsche Literatur. L.c. S. 920 f): "Offenbar hat alles einen uneigentlich-anderen Sinn - auch das Leben des Dichters selbst mit seiner Erfahrung unterliegt der Transposition ins Allegorische." (L.c. S. 921).

des Minnebegriffs) kritisch zu interpretieren. Im Klartext verkündet dieser fingierte Erfahrungsbericht: Ich kenne mich in der Liebe aus, aber Liebe, wie sie in der Grotte und ihrer Umgebung ansichtig wird, jenes absolute Glück, liegt letzten Endes jenseits meiner (und schließlich auch eurer) Anstrengungen und Möglichkeiten. Die Resignation des Selbstzeugnisses ('in geruowete aber nie dar an' (17116) und anderes) weist den Gehalt des allegorischen Bildes 'ab auctoritate poetae' als insgesamt utopisch aus[677]. Die Verabsolutierung der 'vröude' im Waldleben - wenn man einmal von den signifikanten Ausnahmen des 'ere'-Mangels (16877) und der Lektüre tragischer Liebesmären absieht - macht diese Liebe weltlos, im Wortsinne "u-topisch", und der Erzähler als Mensch dieser Welt kann diese Stelle nicht erreichen, einen Raum, der allein durch die künstliche, nicht dauerhafte Isolierung der Liebe vom Leid und damit von der Welt entstand, einen Raum, der ein verwirklichungsfernes Minneideal abbildet. Die Distanzierung des Erzählers von der Utopie des Grottenlebens geht nun aber aus der Spannung zwischen dem fingierten biographischen Anspruch[678] und

---

677 Karl Bertau sieht in der allegorischen Darstellung "der Vision des Glücks (...) eine Feier der Resignation" (Deutsche Literatur. L.c. S. 956), und es ist dabei gerade der auktoriale Kommentar, der durch die allegorisch angelegte 'adtestatio' "die Inhaltslosigkeit eines befreiten Lebens, das aus den Formen der Unfreiheit heraus imaginiert wird" (S. 956), entschieden deutlich macht.

678 Ruth Kunzer hat zu Recht einmal die nicht selten anzutreffende naiv-biographische Lesart einer solchen Stelle zurückgewiesen, die auf die Annahme gegründet sei, "that these passages are true, biographical, confessional statements" (Ironic Perspective. L.c. S. 176). Sie führt dann zur Stelle 17100 ff aus: "The narrator's claim not to have reached his goal in love is a literary topos used for heightening the pathos of unhappy love. In his fictitious confession he presents the life of the lovers in the cave as an ideal of perfect love not readily accessible." (S. 76). Bei einem auktorialen 'testimonium' wie diesem ist die Frage, ob die Beteuerungen ('wan ich waz da' usw.) glaubhaft seien oder

der irrealen Begriffsszenerie hervor. Im Medium der affektischen Erzählerbeteuerung erhält die programmatische Wertung der Grottenminne und ihre Unterscheidung von der histo-

---

nicht, ob sie wahr oder erfunden, ob sie bekenntnishaft oder ironisch verwandt seien, im Grunde falsch gestellt, weil so von vornherein nach der Subjektivität des Dichters gefragt wird, die aus methodologischen Gründen zunächst gar nicht Gegenstand der Textanalyse sein kann. Greifbar ist nur die Selbstdarstellung des Erzählers als Zeugen als eines besonders wirkungsvollen affektischen Mittels, einer Sache hohe Glaubwürdigkeit zu verschaffen. Die Setzung bestimmt sich aus der rhetorischen Dramaturgie und bezieht ihre Wirkung aus dem Unmittelbarkeitserlebnis der mit dem Erzähler personalisierten Beteuerung eigener Erfahrung, denn die Rezeption verfährt ja gleichsam naturalistisch. Das soll nun keineswegs bedeuten, daß wir es nur mit einer rhetorischen Giftmischerei ohne existentiellen Bezug zur Person des Dichters zu tun hätten. Dann wäre der Roman mit seiner leidenschaftlichen und singulären Programmatik nicht zustande gekommen; selbstredend schrieb ein Mann, der in der Sache engagiert war. Insofern ist die inhaltliche Intention der 'adtestatio' als gezielte Interpretation des Minnewesens in die Anschauungen Gottfrieds zurückgebunden, nicht aber an seine äußere Biographie. Bertaus Beurteilung der Erzählerallegorie als Chiffre und Code für biographische Realität kann den Zusammenhang in etwa treffen: Es gibt keinen unmittelbaren, materiellen Bezug, wohl aber einen intellektuellen. Es gilt darum darauf zu insistieren, daß die allegorische Erzähler-'adtestatio' streng funktional einem wirkungsmächtigen rhetorischen Schema der Beglaubigung folgt und dabei hier Allegorieinterpretation betreibt. Das Kurzschließen zwischen Gottfried und dem Erzählerhervortreten ist auch an solch "bekenntnishaften" Stellen allemal irrig, was sich durch Stellenvergleiche demonstrieren läßt: Zu Beginn des Minneexkurses "bekennt" der Erzähler:

> Swie lützel ich in minen tagen
> des lieben leides habe getragen,
> des senften herzesmerzen,
> (...) 12187 ff

Die Identifikation des Erzählers mit den Protagonisten und den 'edelen herzen' im Prolog und die zitierte große 'adtestatio' im Waldleben belehren uns eines anderen. Die bekenntnishafte Minneexkurseröffnung hat eben, wie die auktoriale Stimme andernorts, eine spezifische rhetorische Funktion: Gottfried bedient sich hier einer taktischen Litotes, die aber bald vom selbstgewissen Vermuten des Erzählers eingeholt und aufgehoben wird: 'mir

rischen Lage der Liebenden in der höfischen Welt, die letzten Endes auch die von Publikum und Erzähler ist, jenen Nachdruck, wie er aus der Unmittelbarkeit der fingierten Bekenntnishaltung des Erzählers möglich wird. So haben wir es auch hier wie in der 'sermocinatio' oder der 'evidentia' mit dem "realistischen Schein als Instrument rhetorischer Meisterschaft"[679] zu tun, dem hier die Aufgabe zufällt, die Beurteilung der allegorischen Welt durch den allegorisierten Erzähler als wahr zu erweisen.

---

wisaget doch min muot,/ des ich im wol gelouben sol,/ (...)' (12192 f). Was das Publikum ohnehin aus eigener Lebenserfahrung oder gemäß minnepsychologischer Topik als wahrscheinliche Folge annehmen muß ('den zwein gelieben waere wol/ und sanfte in ir muote' 12194 f), das entzieht der Erzähler der eigenen Erfahrung und überstellt es seiner Klugheit. Rhetorisch bedeutet das einen Autoritätszuwachs für den Erzähler, denn die Hörer hatten Gelegenheit, aus eigener Kompetenz festzustellen, daß der Erzähler einen 'muot' besitzt, dem er 'wol gelouben' darf.- Es gilt also zu beachten, daß das Erzählerhervortreten zunächst Stil- und Wirkungsphänomen ist und nur mittelbar eine dichterische Auffassung kundgibt. Wenn der Autor in den rhetorischen Erzählerrollen nicht monologisch seine Innerlichkeit zum Besten gibt, so täuscht auch die Vermutung, in den "Bekenntnissen" zeige sich ein mystisch-subjektivistischer Zug. Zwar verwendet Gottfried mystisches Sprach- und Gedankengut, das die Welt des Innern, die er in seinem Roman angeht, aufschließt und seinem Minnebegriff die besondere spirituelle Kontur gibt, aber was das Erzählersprechen betrifft, so haben wir es mit einer Dramaturgie zu tun, die wir besser in die Nähe der Technik des Marktschreiers und Schaubudenansagers rücken, der sich bei seinen Übertreibungen stets auf persönliche Erfahrungen beruft und damit das Publikum ins Staunen - oder Schmunzeln - versetzt, je nachdem, wieweit es der rhetorischen Komödie anheimfällt oder die Aufschneiderei lachend durchschaut.- Vgl. auch bei Lutz Huth (Dichterische Wahrheit, L.c. S. 155-159), der sich in prinzipieller Weise mit der nicht aufrechtzuerhaltenden Betrachtungsweise der "Bekenntnisse" als unmittelbarer Zeugnisse der Person des Dichters auseinandergesetzt hat.

679 Bertau: Deutsche Literatur. L.c. S. 775.

Die Selbstinszenierung des Erzählers zur Vertrauenswerbung und als Wahrheitsausweis kann statt der Beteuerung des besseren Wissens und der Fabelkorrektur auch das beteuerte Nichtwissen des Erzählers beinhalten[680]:

> nun weiz ich, wie si des vergaz,
> daz si die tür offen lie
> und si wider slafen gie. 13508 ff

Der Erzähler gesteht schlicht seine Unkenntnis - und insinuiert damit die sichere Gewißheit dessen, was er ansonsten zu berichten weiß[681]. Im 'Iwein' Hartmanns weigert sich der Erzähler, Iweins Kampf mit Askalon zu beschreiben (1029 ff), da ja niemand dabeigewesen sei, um den Bericht zu verbürgen: Der eine habe sein Leben gelassen, der Sieger aber sei zu "höfisch", als daß er mit seiner Tapferkeit so sehr geprahlt hätte, daß man den Kampf nach Hieb und Stich zu rekapitulieren vermöchte. Wäre allgemein gültig, was Hartmann hier als Kriterium seiner literarischen Recherche vorgibt, wäre keines seiner Werke zustande gekommen. Es ist eben nicht anders als bei Gottfried eines der - augenzwinkernden - rhetorischen Arrangements, das hier Hartmann einer ausführlichen Kampfschilderung entbindet, ihm Gelegenheit gibt, Iwein zu schmeicheln und das ihn in der Rolle des fast pedantisch quellenkritischen und darum glaubwürdigen Erzählers zeigt.

Kommen wir schließlich zu den für den höfischen Roman so charakteristischen Quellenberufungen und Wahrheitsbeteuerun-

---

680 Die Verneinung der Selbsterfahrung - wiederum rhetorischer Kunstgriff - kann ebenfalls die Glaubwürdigkeit steigern. Im 'Gregorius' Hartmanns stellt sich eine Unfähigkeitsbeteuerung als verneinte 'adtestatio' dar: Der Erzähler gibt vor, weder 'reht liep noch grozez herzeleit' (791) zu kennen und darum nicht so gut davon erzählen zu können wie der, 'der ir ist gewon' (794). Damit fingiert der Erzähler Gewissenhaftigkeit und Zuverlässigkeit für all das, was er - erfahrungsgesichert - nun tatsächlich erzählt (vgl. die etwas abweichende Behandlung dieser Stelle durch Karl Bertau: Deutsche Literatur. L.c. S. 632).

681 Der Unwissenheitstopos an dieser Stelle mag zugleich andeuten wollen, daß die der Nachlässigkeit folgende,

gen, die neben Quellenkritik, erklärter Unkenntnis, logischem Schlußfolgern und 'waenen', Fiktionshinweisen und anderen Zeichen der Auseinandersetzung mit dem Stoff ihren Platz als Legitimationsformen beanspruchen. Der Prolog des 'Tristan' spricht von der Anstrengung, die rechte Version nach Maßgabe des Thomas von Britannien zu finden, und über das Werk verstreut finden wir dann eine Vielzahl jener knappen Quellenberufungen von der Art 'als uns daz ware maere saget' (2763). Bemerkenswert ist daran, daß diese Berufungen auf die Vorlage besonders an den Stellen eingeflochten sind, wo die Geschichte keine so rational-kausale Grundlage mehr hat, wo märchenhafter Stoff behandelt oder wo in allegorisch-deutender Weise gesprochen wird, wo es also - für den Hörer erkennbar - der Natur der Sache gar nicht um Wahrheit im Sinne verbürgter Faktizität gehen oder es sich auch nur um Wahrscheinlichkeit handeln kann. Hier, im Bereich des nicht mehr rational Begründbaren, wird die Quelle als solche zur einzigen und notwendigen Legitimation des Erzählten. So heißt es z.B. 'also man an der geste list' (8942), als von der Lage der Heimstatt des Drachen in Irland berichtet wird ('daz maere saget unde giht/ von einem serpande' 8902 f). Als der Erzähler den Zwerg Melot mit seiner angeblich ('also man giht' 14241) obskurantistischen Astrologie einführt, beruft er sich aber sogleich auf das, was die wahre Quelle von ihm berichtet, derzufolge von der Aura des Magiers nur Verschlagenheit übrig bleibt:

> ine wil aber nihtes von im jehen,
> wan alse ichz von dem buoche nim.
> nun vinde ich aber niht von im
> an dem waren maere,
> wan daz ez kündic waere,
> (...) 14244 ff

Auch bei dem Wunderhündchen Petitcreiu sichert sich der Erzähler durch Quellenverweise ab ('daz was gefeinet, horte ich sagen' 15806), insbesondere als es um dessen Bedürfnis-

---

unheilvolle Entdeckung in der irrationalen Dimension des schicksalhaften Zufalls wurzelt und keinen rationalen, vom Erzähler supponierten Grund beanspruchen kann.

losigkeit geht:

ouch enaz ez noch entranc niht,
als daz maere von im giht. 15889 f

'Als uns diu ware istorje seit': So wird die Erzählung von Tristans Kampf mit dem Riesen Urgan eingeleitet (15915), und die Beteuerung wird bei einem besonders grotesken Detail noch einmal wiederholt:

wan der verserete man
der haete, als uns daz maere seit,
sine verlorne hant geleit
uf einen tisch in sinem sal
(...) 16100 ff

Bei der Beschreibung der weltfern-spirituellen Anlage der Minnegrotte bleibt die Beteuerung nicht aus: 'ouch saget uns diz maere' (16703) und 'und seiten ouch die maere' (16721). Auch im Kommentarbereich spielt die Berufung eine Rolle. So wird das sentenziöse Resümee über den Schaden, den die 'huote' im Herzen einer Frau anzurichten vermag, mit einer für die Epoche charakteristischen Identifikation von Buch und Wahrheit beschlossen: 'Deist war, wan daz han ich gelesen' (17896).

Von den Quellenberufungen Gottfrieds wird man insgesamt sagen können, daß in der Regel dasjenige gegen die Ansprüche der Ratio und der Wahrscheinlichkeit durch den Quellenverweis gedeckt wird, was zufällig, märchenhaft, fabulös ist, das aber aus strukturellen oder symbolischen Gründen gewissermaßen als mythischer Rest die Erzählung mit zu tragen hat. Als Tristan mit den Pilgern die Straße nach Tintagel entlanggeht, heißt es:

sines oeheimes hunde,
Markes von Curnewale,
die haeten zuo dem male,
als uns daz ware maere saget,
ein zitegen hirz gejaget
zuo der straze nahen.
da liez er sich ergahen
und stuont alda ze bile: 2760 ff

Der Zufall des Zusammentreffens, der die epische Ordnung der Zusammenhänge herstellt, wird quellenmäßig legitimiert[682]. Das an sich Unwahrscheinlich wird als Teil von Tristans Lebensplan gegen die Wirklichkeit in Schutz genommen. Quellenberufungen stellen sich also gewissermaßen in reziprokem Verhältnis zur Wahrscheinlichkeit der Handlung ein und scheinen auf die funktionale Bedeutung dieser Teile für die 'warheit' der epischen Zusammenhänge demonstrativ hinweisen zu wollen. Angesichts der Vielzahl der Zeichen auktorialer Souveränität, der vorgezeigten Eingriffe in die Motiv- und Handlungsgestaltung, der Gesten des Verfügens über die Geschichte und ihre Bedeutung, liegt aber auch der Verdacht nahe, bei den Quellenberufungen handele es sich nur um rhetorische Scharmützel, nur um ironisch weitergeführte epische Konvention. Im Grunde sind sie aber eine weitere Spielart dieses Verfügens über die Geschichte: Hier wird nicht rationalisierend der Stoff adaptiert, sondern je nach Bedarf und Notwendigkeit wird das irrationale Wesen der Fabel stückweise voll in ihr Recht gesetzt[683]. In der für den höfischen Roman dieser Zeit so charakteristischen Symbiose dieser zwei geradezu entgegengesetzten Legitimationsformen liegt ein besonderer historischer Reiz[684]. Fragt man allerdings nach der in-

---

682 Es ist anzunehmen, daß solches auch der Fall gewesen sein würde, hätte Gottfried z.B. Anlaß gehabt, das Motiv der Schwalbe mit dem Frauenhaar beizubehalten. Bezeichnenderweise heißt es bei Eilhart von Oberge, der das Motiv gebraucht: 'wan ez ist war' (Eilhart von Oberge. Hrsg. von Franz Lichtenstein. Straßburg 1877. V. 1385).

683 Eugène Vinaver hat das Gefüge von 'conte' und 'conjointure' im höfischen Roman, auf das wir bei Gottfried durch die Quellenberufungen hingewiesen sind, treffend für den höfischen Roman beschrieben: Der mittelalterliche Romanschriftsteller, "being both a 'conteor' and a learned man well versed in the art of rhetorical adaption, maintains quite naturally the incoherent fragments of a 'conte', or isolated traditional themes, while cultivating at a higher level a coherent courtly or chivalric narrative." (Rise of Romance. L.c. S. 42). Er ist darum auch be-

haltlichen Verbindlichkeit der Quellenberufungen, so wird man darin nicht naive Verweise auf eine bestimmte Vorlage sehen dürfen, sondern sie fungieren als rhetorischer Gestus, der die Wahrheit des Erzählten im übertragenen Sinn ungeachtet der Unwahrscheinlichkeit der Vorgänge behauptet. Gottfried legitimiert das Fabulöse nicht, weil es so geschrieben steht, sondern weil es als Teil seiner epischen Welt Geltung hat und haben soll. Man wird darum bei den Quellenberufungen und ihrer Plazierung beim offensichtlich Beglaubigungsbedürftigen auch nicht von "Lügensignalen" sprechen können, wie sie die Komödie kennt, denn die Tendenz ist bei Gottfried nicht ironisch, sondern auf den allegorischen Ernstsinn des Fiktiven gerichtet.

Wenn man es recht betrachtet, stellen die Quellenberufungen Gottfrieds selbst eine allegorische Sprechweise dar, denn die Beteuerung der quellenmäßigen Historizität des Berichteten wird in einem Zug als Fiktion durchschaut und als Beglaubigung der 'meine' erfahren. Was vordergründig als Bekräftigung der Faktizität des Erzählten erscheint, fungiert auf einer allegorischen Ebene als Beteuerung seines Wahrheitsgehalts für die Dichtung[685]. Wie bei der Kleider-

---

reit "to leave the legendary motif in its amorphous state, without any pretence at coherence, as long as they can combine with a rationally planned composition which they claim as their own." (S. 49) Diese Beschreibung der Struktur des Adaptionsromans wird durch Gottfrieds 'Tristan' aufs Beste bestätigt. Mythos und Ratio, wie wir die beiden Schichten gekennzeichnet haben, greifen ineinander, um zusammen den Sinn der Geschichte zu konstituieren.

684 Die Quellenverbürgung allein reichte in höfischer Zeit bei den nichthistorischen Stoffen nicht mehr aus, sondern die rationale Motivierung der Handlung durch den Adapteur trat hinzu. Es ist das geistesgeschichtliche Signum dieser epischen Form, daß rationales Erzählen und Quellenberufung nebeneinander stehen. Erst im tschechischen 'Tristan' des 14. Jahrhunderts durchsetzt der Motivierungseifer das Werk ganz und gar und reduziert das Erzählen auf logisch-pragmatische Evidenz.

685 Vgl. die im Ansatz ähnlichen Gedanken von Lutz Huth (Dichterische Wahrheit. L.c. Teil III, Kap. II,3 passim).

'descriptio' und anderem wird auch hier eine konventionelle literarische Form, die Quellenberufung, in ihrem eigentlichen Sinn durch Allegorisierung aufgehoben. Quellentreue als Metapher der Wahrheit des Romans: Das ist in der Tat eines der Zeichen einer "autonom werdenden Kunst"[686], die literarische Sprechformen enthistorisiert und in ein Verweisungssprechen einbindet.

Betrachten wir auch einige Wahrheitsbeteuerungen. Teils bleiben sie allgemein und sind offenbar arbiträr plaziert[687], teils versichert der Erzähler persönliche Gewißheit und begründet sie anschließend. Von Floraete heißt es beim Empfang Tristans in Parmenien:

> ich weiz wol, dazs ir geste
> niht eine mit dem munde enpfie;
> wan swa daz wort von munde gie,
> da gie der süeze wille ie vor. 5240 ff

Als Tristan wieder nach Cornwall zurückkehrt und sein Land Rual zu Lehen läßt, beteuert der Erzähler, daß Rual mehr als alle anderen darunter litt: 'ich weiz ez warez alse den tot' (5833). In beiden Fällen wird etwas zusätzlich beglaubigt, was aus dem dargestellten Wesen der Figuren und aus den allgemeinen Umständen als das zu Erwartende, das Wahrscheinliche hervorgeht und was der hyperbolischen Stilisierung des treuen Vasallenpaares entspricht, was also kontextuell nicht etwa unglaubwürdig ist. Die Beteuerungen wird man daher als affektische Verstärkung der inhaltlichen Klimax in beiden Fällen beurteilen müssen, ebenso wie an der folgenden Stelle, wo zur inneren 'figiure' Tristans, die die herrliche 'uzere faiture' der Rüstung noch übertrifft, mit der Beteuerung eingeleitet wird: 'ich weiz ez warez alse den tac' (6642). Die laudative Epideixis der Figuren - hier unter Verwendung der 'gradatio'- erfährt so noch eine auktoriale Steigerung. Als der Erzähler den Hörern auseinanderlegt, wie Zorn in der Liebe, wie Zorn ohne Haß

---

686 Huth: Dichterische Wahrheit. L.c. S. 285.

687 Vgl. z.B. 5945.

möglich ist, heißt es: 'binamen da bin ich sicher an' (13037).

Bei den Wahrheitsbeteuerungen, den Gewißheitserklärungen des Erzählers geht es offenkundig um die Affirmation von Interpretationsleistungen des Erzählers: Er enthüllt uns mehr als an der Oberfläche zu sehen ist (Floraete, Rual, Tristan), und er erklärt uns den scheinbaren Widerspruch ('zorn ane haz'), und er beglaubigt anschließend diese Exegesen der Fabel. Wie die Quellenberufungen zielen die Wahrheitsbeteuerungen also auf die Sinnebene der Dichtung; nicht die Erfindung, sondern ihre Bedeutung wird im wesentlichen rhetorisch bekräftigt.

5.3.2. Wahrheit als Aufgabe der höfischen Fiktionsadaption

Die Reihe der erzählerischen Symptome für die Tatsache, daß Wahrheit als dauerndes Problem der volkssprachlichen Adaptionsdichtung fiktiver Stoffe auch bei Gottfried als Widerstand des Erzählens in die Darstellung eingegangen ist, ließe sich fortführen. Versuchen wir, Allgemeines festzuhalten: Gottfried scheint dem Problem, wie es sich ihm stellte, im Werk einen Spiegel gesetzt zu haben. Als die Pilger Tristan nach seinem Woher und Wohin fragen, heißt es:

> Tristan der was vil wol bedaht
> und sinnesam von sinen tagen,
> er begunde in vremediu maere sagen: 2692 ff

Sie ist in der Tat 'vremde', denn er erzählt nicht, was historisch wahr ist, was er sicher weiß, sondern er erfindet eine Lügengeschichte: Er stamme aus diesem Land, sei von einer Jagdgesellschaft abgekommen und habe sich verirrt, sei schließlich vom Pferd gestürzt und wisse nun nicht, wo er sei und wohin er sich wenden solle. Die "Adaption" seiner Biographie, dem Wortsinn nach frei erfunden, ist dennoch wahr, denn sie entspricht zum einen seiner eigentlichen, verborgenen Herkunft als Neffe Markes und nimmt zum andern den Zufall des Zusammentreffens mit Markes Jagdgesellschaft vorweg[688]. Zugleich ist sie unmittelbar wahr, denn sie ist ausführlich und plausibel "erfunden" und gibt den Pilgern keinen Anlaß, daran zu zweifeln. Sie ist also sowohl rhetorisch wie allegorisch wahr, sie ist wahrscheinlich und bedeutsam. Tristan hat es also unternommen, nicht die Faktizität seiner Situation, sondern deren wesenhafte Bedeutung gegenüber der Vergangenheit und Zukunft darzustellen, also den allegorischen Sinn seiner augenblicklichen Lage in der Fremde. Der Vorgang wiederholt sich. Als die Jäger Markes mit Tristan nach dem 'bast' nach Tintagel reiten, wollen sie etwas über den sonderbaren Waidmeister erfahren:

> diz nam in sine trahte
> der sinnesame Tristan.
> vil sinnecliche er aber began
> sin aventiure vinden.
> sin rede diun was kinden
> niht gelich noch sus noch so. 3090 ff

Wiederum trägt Tristan eine fiktive Geschichte vor, die Elemente seiner Biographie mit Erfundenem zu einer schlüssigen Folge verbindet (und dabei die staunenerregende Verbindung von Kaufmannssohn und Wunderkind vorstellt). Bezeichnend ist, daß Tristan sich nicht auf seine Ehrlichkeit beruft oder anderswie den Bericht als wahr beteuert – denn es ist ja eine erdachte Identität –, sondern er stellt die Glaubwürdigkeit und den Wert seiner Selbstdarstellung seinen Zuhörern anheim:

> Nu habet ir al min dinc vernomen.
> ine weiz, wiez iu gevalle. 3122 f

---

688 Vgl. die ausgezeichnete Interpretation der Herkunftsberichte Tristans von Siegfried Grosse, auf die wir uns hier stützen (Vremdiu maere - Tristans Herkunftsberichte. In: Wirkendes Wort 20 (1970) S. 289 - 302).

Er überantwortet also seine "Lüge" ihrer rhetorischen Überzeugungskraft. Tristan ist wie sein Schöpfer Gottfried nicht Analist, sondern ein 'vindaere' von 'aventiuren', und wie bei diesem ist Wahrheit nicht identisch mit positiver Historizität, sondern mit sowohl plausiblem wie bedeutungsvollem Sprechen. Was Tristan gegenüber den Pilgern und dem Hof unternommen hat, scheint also recht genau die Situation des Adapteurs Gottfried abzubilden, nämlich nicht eine Geschichte Wort für Wort, so wie sie vorliegt, nachzuerzählen, sondern auf ihr aufbauend 'sinnesam' und 'sinnecliche' eine Textur zu entwerfen, die sowohl glaubwürdig ist als auch neue Bedeutungen setzt, wobei Gottfried so wie Tristan in Cornwall "das Spiel des Erdachten in die Realität der gegebenen Situation einbezieht."[689] Vor allem in diesem genauen Sinn des 'aventiure'-Erzählers[690] wird man von Tristan dem Künstler[691], dem "artist" [692] sprechen dürfen, in dem die Situation des Dichters und etwas von der Poetik seines Erzählens gespiegelt erscheint.

Die Analogie von Dichter und Figur läßt sich in poetologischer Hinsicht noch vertiefen. Tristan gibt mehrmals über seine Identität Auskunft - bei den Pilgern, bei Marke, am irischen Hof -, und jedesmal erzählt er eine andere, mit der Wirklichkeit nicht voll übereinstimmende Geschichte; die Geschichten sind aber situationsgerecht, glaubwürdig und wirkungsvoll. Das entspricht im Prinzip der partikularen Episodenadaption des rhetorisierenden Romanciers, der an verschiedenen Stellen verschiedene,

---

689 Grosse: Vremdiu maere. L.c. S. 299.

690 Als solcher tritt er ja noch öfter auf, insbesondere am irischen Hof bei den Isolden.

691 Wolfgang Mohr: 'Tristan und Isold' als Künstlerroman. In: Euphorion 53 (1959) S. 153-174.

692 W.T.H. Jackson: Tristan the Artist in Gottfried's Poem. In: PMLA 77 (1962) S. 364-372.

sich u.U. widersprechende Auffassungen plausibel vertritt und so situationsbezogene Wahrscheinlichkeit erreicht, und dessen schrittweises 'warbaeren' ebenso funktional ist wie Tristans taktische und beziehungsreiche Geschichten.

Wenn sich also in Tristans Herkunftsberichten die Elemente Faktizität, kluge Erfindung, Plausibilität und allegorischer Sinn verbinden, so kann man von Gottfrieds Erzählen entsprechend als von plausibler, glaubwürdiger Verschränkung von Stoff und Erfindung in bedeutsamer Absicht sprechen. Damit rückt der produktionsästhetische, im Adaptionscharakter der Dichtung wurzelnde Kern des Wahrheitsproblems ins Blickfeld: Unwahre 'figmenta' sind das Medium, in dem höfische Kulturprobleme verbindlich dargestellt werden sollen. Der rational-didaktische Anspruch der höfischen Welt an die bretonischen Folklore-Mythen hat dann zwangsläufig die prominente Stellung des opinionierenden Erzählers im höfischen Roman hervorgebracht; er muß zwischen Fiktion und Räson schalten und walten und ist so wesentlich an dem halbdebattierenden Stil des höfischen Romans beteiligt, und er soll Glaubwürdigkeit und Illumination zugleich herstellen. Die Rolle des Erzählers ist das offenkundigste Zeichen dafür, daß der höfische Dichter unter dem Anspruch einer neuen höfischen Kultur die verlorengegebene Evidenz des poetischen Mythos künstlich zu erneuern sucht. Er vor allem muß im rhetorischen Diskurs den Konsens auf die 'ware meine' lenken; die "voreingenommene", unter bestimmten ideologischen Ansprüchen stehende Befassung mit den 'res fictae' verlangt ständige Vergewisserung und Qualifizierung des Erzählens. Indem der Adapteur die Hermetik des Stoffes auflöst und mannigfache Spiegelung durch didaktische Programmatik hineinbringt, macht er aber zugleich seine Geschichte verwundbar. Er muß darum die Glaubwürdigkeit sichern und dazu neben plausibler Handlungsgestaltung ein aufwendiges Kommentarwesen einbringen. Je legitimierungsbedürftiger die erzählte Handlung durch die Eingriffe des höfischen Erzählers wird, desto wichtiger wird auch die Autorität des Erzählers, der - wie Hatto es ausdrückt - regelrecht zum Advokaten der Erzählung wird[693]. Die angestrengte Bewahrheitung des Erzählens hat also zunächst formhistorische, in der Genese der Kunstform des höfischen Romans liegende Gründe.

Bei der Frage nach der Überzeugungsnotwendigkeit bei fiktiven Stoffen ist die kulturgeschichtliche Interpretation, die diese aus einer Rechtfertigungshaltung gegenüber der metaphysisch verankerten Wahrheit der 'lingua sacra' der Kirche herleitet, überbewertet worden. Die Bereiche sind durchaus getrennt, und es geht zunächst darum, innerhalb des säkularen Bereichs für erfundene Texte gegenüber historischen oder fingiert historischen Glaubwürdigkeit herzustellen, da ihnen seit jeher die Tugend der 'narratio probabilis' abgesprochen wurde[694]. Es geht also wohl nicht in erster Linie um eine Konkurrenz von Hof und Kirche, sondern es ist die Beschaffenheit des literarischen Mediums, das die Wahrheit zum Problem des Erzählens macht. Wahrheit aber ist unabdingbar. Das bloß Erfundene um seiner selbst willen hat keine Geltung. Die frühmittelalterlichen Autoren verstanden sich darum ja auch gern als Historiker, die nur von den wahren 'res gestae' zu berichten vorgaben. Mit dem fortschreitenden Kunstbewußtsein der höfisch-ritterlichen Epiker aber wurde es nötig, dem offenkundig Fiktiven als Mittel höfischer Selbstdarstellung zur Wahrheit zu verhelfen. Der höfische Roman hat sich darum zwischen den Kategorien der 'historia' und der 'fabula' auf der Ebene des 'argumentum' angesiedelt[695]. Dem höfischen Erzähler mußte es darum gehen, seinen

---

693 Hatto: Tristan. L.c. S. 21.

694 Vgl. Lausberg: Handbuch. L.c. § 290, 3, a,α.

695 Die Herennius-Rhetorik unterscheidet nach dem Grad der Tatsächlichkeit drei Formen der 'narratio': fabula, historia, argumentum (vgl. Lausberg: L.c. § 290, 3,a). Das 'argumentum' ist eine 'ficta res quae tamen fieri potuit' (Her. 1,8,13), betrifft also das Wahrscheinliche.

Roman zu einer 'narratio probabilis' zu machen, die es fertigbringt, von der 'verisimilitudo' der Fiktion zu überzeugen. Die "psychologische Glaubwürdigkeit der Fiktion"[696] als Bedingung der poetischen Sinnzuweisungen macht, wie wir schon sahen, Beglaubigungen[697] und Wahrheitsversprechen[698] ebenso notwendig wie poetische Vergegenwärtigungs- und rhetorische Persuasionskunst. Dennoch: Die Fiktion wird in Gottfrieds 'Tristan' nicht ernstlich als Faktizität ausgegeben; das Wahrheitsverständnis ist nicht naiv[699]. Es geht stets um den Wahrheits w e r t der Fiktion[700]. Es scheint Gottfried darauf anzukommen, davon zu überzeugen, daß das Erfundene, so wie er es darstellt, wahr ist, daß es sozusagen stimmt und auf Grund seiner inneren Wahrheit als Fiktion geglaubt werden kann[701].

Man mag das bewahrheitende Erzählen im höfischen Roman insgesamt als konstruktive Überwindung der frühmittelalterlichen Diskreditierung aller 'figmenta poetarum' ansehen, das analog zur christlichen Allegorese heidnischer Klassiker als eine Art weltlicher Allegorese poetischer Stoffe im Hinblick auf praktisch-ethische Gehalte verstanden werden könnte. Diese Art der literarischen Auseinandersetzung der höfischen Welt mit sich selbst wird allerdings nicht gedacht werden können ohne den Vorgang strukturell vergleichbarer Prozesse im theologisch-wissenschaftlichen Raum. Die mit der Objektivität der Offenba-

---

696 Bertau: Deutsche Literatur. L.c. S. 565.

697 "Das Ethos des Erzählens ruht auf Verbürgtheit." (Monecke: Studien. L.c. S. 31). In diesem Sinne hat auch Eberhard Nellmann recht, wenn er zum 'Parzival' schreibt: "Auch wenn wir annehmen, Flegetanis und Kyot seien Erfindungen Wolframs, so erfüllen diese Erfindungen dennoch in wirkungsvoller Form die Aufgabe, den Roman zu beglaubigen." (Erzähltechnik. L.c. S. 57).

698 Vgl. Monecke: Studien. L.c. S. 31: "Erst das Wahrheitsversprechen autorisierte Erzählung."

699 Wolfgang Monecke warnt vor Mißverständnissen: "Neben

rungswahrheit und mit der theologischen Dogmatik verlorengegangene grundsätzliche Diskutierbarkeit sozialer und ethischer Normen ist mit der Ausbreitung der aristotelischen Logik im 12. Jahrhundert wieder eingeholt worden. Indem Abälard die Kategorie der 'opinio' rehabilitierte und sein berühmtes 'ut arbitror' sprach, machte er die Dogmatik interpretationsfähig und führte in die Wahrheitserkenntnis wieder das rhetorische Element ein. Was sich dann im 12. und 13. Jahrhundert als "Scholastik" durchsetzte - und im Begriff der Exegese ein entscheidendes strukturelles Charakteristikum findet -, setzte sich im höfisch-ritterlichen Raum in eine Haltung des Kommentierens und Interpretierens gegenüber fiktiven Stoffen um, in eine Auslegung moralischer Fragen im rhetorischen Diskurs über den Mythos. Strukturell stützt sich diese Exegetik auf das symbolische Weltverständnis des Mittelalters, das es erst ermöglicht, der Fiktion eine neue, zweite Wahrheit allegorisch abzugewinnen.

---

der Gefahr, die Wahrheitsbeteuerungen allzu naiv zu nehmen, besteht die andere, sie als Ornament und bloße Fiktion abzutun." (L.c. S. 93). Die Wahrheit scheint bei der höfischen Epik in der Regel in der Mitte zu liegen: Wahrheitsbeteuerungen als Hinweise auf den Bedeutungswert des Fiktiven.

700 Die ernsthafte Geltendmachung einer historisch wahren Darstellung würde schon durch die weitreichende Omniszienz des Erzählers - ein wesentliches Kunstmerkmal des höfischen Romans - ad absurdum geführt. Die Introspektion in die Seelen der Figuren als ein Mittel des psychologischen Minneromans bestätigt die imaginative Grundlage der Wahrheit des Erzählens.

701 Wir haben ja bei den Quellenberufungen gesehen, daß Fiktiv-Unwahrscheinliches beglaubigt wird, um qua durchschauter Unglaubwürdigkeit anzuzeigen, daß das Erzählte trotz und in seiner Fiktivität einen Bedeutungsgehalt hat, der auf Wahrheit verweist.

5.3.3. Die Wahrheit der Rhetorik

Unsere Darstellung hat insgesamt zu zeigen versucht, daß die adaptive Aufbereitung des Tristanstoffs bei Gottfried zu einem Aggregat von Teilen und Schichten geführt hat, daß ein "okkasionelles Argumentieren"[702] in diesen jeweils nur zu partikularer Evidenz führt und daß das kommentierende Erzählen die Darstellung nur schrittweise 'verisimilis' und 'credibilis' macht. "Gottfried ist im Grunde kein Epiker; er ist eher ein allegorisierender Kommentator."[703] Diese Grundeinstellung zur literarischen Tradition, der Eugène Vinaver die Aufgaben der "discovery of meaning implicit in the matter" und der "insertion of such thoughts as might adorn, or be read into, the matter" gegenüber dem Stoff zuordnet[704], bewirkt gegenüber der epischen Substanz im wesentlichen zentrifugale Kräfte, eben jenen Partikularismus, von dem wir gesprochen haben. Die Struktur des höfischen Adaptionsromans scheint so formal dem Begriff einer 'narratio partita', einer von zwischengeschalteten Argumenten und Exkursen unterbrochenen 'narratio continua' zu entsprechen[705]. Das pragmatische Kontinuum mimeti-

---

702 Wehrli: Abenteuer. L.c. S. 268.

703 Bertau: Deutsche Literatur. L.c. S. 932.

704 Vinaver: Rise of Romance. L.c. S. 16.

705 Lausberg: Handbuch. L.c. §§ 293. 324,4.- Dies kann nicht mehr als ein möglicher Beschreibungsversuch des historisch Einmaligen mit rhetorischen Begriffen sein. Ebensogut könnte man wohl den Begriff der Episodenerzählung oder des episodischen Mythos anlegen oder die 'digressio' als entscheidendes Formprinzip des amplifizierenden Adaptionsromans in Erwägung ziehen. Zur Strukturbeschreibung könnte auch die Rolle des 'paradeigma' in Rhetorik und Dichtung dienen: 'Exemplum' meint in der Rhetorik eine eingelegte Geschichte als Beleg. Im Adaptionsroman des 'Tristan' sind die "Geschichten" das Primäre, zu denen die 'ratio' der Eluzidierung tritt, so daß wir unter diesem Aspekt wiederum von einer 'narratio'-'argumentatio'-Struktur sprechen müßten. Aber solche Einordnungen stehen zurück hinter der Einsicht in die Genese und die Mittel der Adaption.

scher Darstellung wird von Exkursen und argumentativen Demonstrationen parzelliert, und die punktuelle rhetorisch-dialektische Stoffbewältigung hat die Widersprüche der Teile im Gefolge. Wahrheit wird also von der Genese und Struktur des Erzählens im 'Tristan' her gesehen zunächst als mikrostrukturelle Plausibilität zu bestimmen sein.

Diese Art des exegetischen Erzählens ist nicht nur nicht ohne die Mittel der Rhetorik denkbar[706], sondern es vereinigt auch sämtliche drei Genera des Redens in verschiedenem Ausmaß auf sich. Mit der mimetischen Absicht des Erzählens, dessen Mittel das epideiktische Genus bereitstellt[707], mischen sich auch judikale und deliberative Elemente im kommentierenden Erzählen. Vorstellen, Erörtern und Überzeugen spielen in einer literarischen Form ineinander, die wie kaum eine andere einmal den "von vornherein gegebenen und stetig andauernden gegenseitigen Durchdringungsprozeß zwischen Rede und Dichtung"[708] in einem historischen Augenblick abbildet, als irrationaler poetischer Mythos und rhetorische Rationalität in ausgeprägter Konfrontation stehen und sich aneinander abarbeiten. Betrachten wir daraufhin die Zusammenhänge von Rhetorik und Poetik im Hinblick auf den 'Tristan' noch etwas näher.

---

706 Wir haben stets davon gesprochen, daß der höfische Roman sich rhetorischer Mittel bedient, nicht aber, daß er den Gattungsbegriff oder die Funktionen der Rede erfüllt. Das poetologische Verhältnis zwischen Roman und Rede ist also erst noch zu behandeln.

707 Vgl. Lausberg: Handbuch. L.c. § 1163: "Vollends mimetische Zwecke verfolgt das epideiktische Genus, das deshalb in der Literaturgeschichte sich mit der Dichtung identifiziert hat." - Im Hinblick auf dieses 'genus demonstrativum' ist es allemal legitim, vom rhetorisierten Erzählen im 'Tristan' zu sprechen, denn die epideiktischen Mittel, wie die 'descriptio' von Personen und Sachen, sind Hauptmittel der Amplifikation und Emphase in der mittelalterlichen Epik. Dabei schließt das Mittelalter meist an ovidianische Traditionen an. In der französischen und Veldekeschen 'Eneis' etwa stellt sich gegenüber Vergil das Epideiktische und Liebeskasuistische ovidscher Provenienz gegen den Strom der Handlung.

708 Lausberg. L.c. § 35.

Im antiken Verständnis unterschieden sich Poetik und Rhetorik zwar durch ihre finalen Zwecke, ihre mimetische bzw. persuasive Absicht[709], aber so wie die Rhetorik sich auf die mimetischen Hilfsmittel stützt ('sermocinatio', 'evidentia', 'descriptio' usw.), so bedient sich die Poesie der Schemata der Rhetorik. Dichtung und Redekunst sind nämlich letzten Endes die Bereiche 'inventio', 'dispositio' und 'elocutio' gemeinsam, denn "die gegenständliche Unbegrenztheit der Rhetorik (erlaubt es), alle ihre Techniken auf die Poesie zu übertragen. Da die Rhetorik als Lehrgegenstand sehr viel detaillierter ausgearbeitet worden ist als die Poetik, ist die Übermacht der Rhetorik über die Poesie nicht zu verwundern."[710] Darum bedient sich die literarische Kritik zweckdienlicherweise der Systematik der Rhetorik im Fall einer Dichtung, die nicht anders als die antike Literatur selbst in den Schuhen der Rhetorik steht. Daß dies bei der höfischen Adaptionsdichtung der Fall ist, beweisen allein schon die oft reich ausgestalteten Pro- und Epiloge der Romane, die eine - oft pedantisch regelgerechte - rhetorische Überformung des poetischen Stoffs belegen und den gesellschaftlichen Redecharakter der Dichtung vorzeigen, bei der der Erzähler als integraler Teil der Darstellung diese gewissermaßen als rhetorischer Agent legitimieren muß, während etwa Märchen und Sage aus eigener, unvermittelter Autorität sprechen. Da die höfische Adaption der Folklore nicht nur nach dem antiken Verstand der epideiktischen Poesie auf Ostentation, auf Glanz, Ingenium und Gefallen acht hat, sondern aus kultur- und geistesgeschichtlichen Gründen einen didaktischen Wahrheitsanspruch geltend macht und dabei des Elements der Beglaubigung und des Überzeugens bedarf und den Wahrheitswert der Fiktion vertreten muß, gerät das 'prüeven' und 'warbae-

---

709 Lausberg. L.c. § 1163: "So fehlt die mimetische Absicht grundlegend der judicalen und deliberativen Rede, die das praktische Ziel der 'persuasio' verfolgt."

710 Lausberg: Handbuch. L.c. § 35.

ren' ins Advokatorische: Die Fabel wird zu einem "Fall", demgegenüber der Dichter eine meinungsbestimmte, plausible Rekonstruktion der vergangenen Geschichte vorträgt, ganz so, wie es sich im 'genus iudiciale' um die rednerische Meinungsbildung über ein unwiederbringlich-vergangenes Geschehen handelt. Das Gattungswesen der höfischen Adaptionsdichtung führt so zwangsläufig auch das judikale Element rhetorischen Sprechens ins Erzählen ein. Ein Segment der Fabel erscheint gewissermaßen als 'quaestio finita', über die im Diskurs persuasiv entschieden wird. So wird die eigentliche 'narratio' in der Attitüde des Legitimierens und Vergewisserns rhetorisch judiziert. Die judikalen und deliberativen Elemente der Auseinandersetzung mit der Überlieferung erfüllen insbesondere die Aufgabe, der Dichtung die ihr an und für sich fehlende Qualität der 'probabilitas' zu verschaffen[711]. Die Forderung, die in der Rhetorik an die 'narratio' als ein Teilstück der Rede gestellt wird, nämlich 'ut probabilis sit' oder 'ut veri similis sit', ist ein Anspruch, der auch der poetischen Großform des Romans in ihren narrativen Einzelstücken angelegen sein muß[712]: "Endzweck ist die Bewirkung der 'persuasio' von der Wahrhaftigkeit der Erzählung durch Glaubwürdigkeit (narratio versimilis, probabilis)"[713].

Wenn sich bei diesem Unterfangen im 'Tristan' poetische und rhetorische Mittel verbinden, wenn Erzählung, Epideixis und Kommentar sich zusammenschließen, so verbinden sich auch poetischer bzw. rhetorischer Kunstzweck, also die Wahrheit der poetischen Vergegenwärtigung und die Wahr-

---

711 Vgl. Lausberg. L.c. § 1180,1: "(...) liegt die dichterische Wahrscheinlichkeit ohnehin unterhalb der rhetorischen Wahrscheinlichkeit."

712 Eine andere Forderung an die 'narratio' in der Rede - 'ut brevis sit' - entfällt natürlich mit der mittelalterlichen Kultivierung des Amplifikationsideals der Poesie und kommt nur stellenweise zum Zug.

713 Lausberg: Handbuch. L.c. § 295.

heit des Epischen und die Wahrheit des Kommentars[714]. Eine reinliche Trennung zwischen der Evidenz des Mimetischen und der Persuasivität des Rhetorischen ist jedoch weder sinnvoll noch praktikabel. Beiden gemeinsam ist bereits der sprachliche 'ornatus', der Gefallen sucht[715] und damit unmittelbar im Dienst der Glaubwürdigkeit steht[716]. In einem Zug sorgen Mimesis-Phänomene wie die 'evidentia'[717] oder 'sermocinatio' und rational-argumentative und psychologische Verfahren, die automatisierten Mittel der Rhetorik, für die Glaubwürdigkeit. Die der Poetik und/oder der Rhetorik zuzuordnenden "Kunstmittel der Überzeugungsherstellung"[718] mischen sich also, treten in den drei Persuasionsgraden des 'docere', 'movere' und 'delectare' auf[719] und wenden sich an das Wahrheitsempfinden, das Erregungsvermögen und den Schönheitssinn[720]. Die Wirkung des Wahrscheinlich-Glaubwürdigen des Erzählens im 'Tristan' als eines kommentierten, episodischen Romans wird also gleichermaßen auf die Autorität der wirklichkeitsschaffenden Kraft der poetischen Erfindung und Rühmung wie auf die Mächtigkeit des rhetorischen Rahmens zurückzuführen sein. Dieses Ineinander poetischer und rhetorischer Elemente und die daraus hervorgehende erzählerische Wahrheit leiten sich gattungsgeschichtlich aus der historischen Aufgabe einer rhetorisch-scholastischen Befassung mit fiktiven Stoffen im Rahmen der höfischen Kultur her[721].

---

714 Ottmar Carls hat auf den gespaltenen Wahrheitsbegriff in bezug auf Handlung und Kommentar hingewiesen (Wahrheit. L.c. S. 31).

715 Vgl. Quintilian zum Beglaubigungswert des 'ornatus': 'nam qui libenter audiunt, et magis adtendunt et facilius credunt, plerumque ipsa delectatione capiuntur, nonumquam admiratione auferuntur.' (VIII, 3,5).

716 Vgl. Quintilian IV, 2, 119: "(...) voluptate ad fidem ducitur."

717 Lausberg. L.c. §§ 313. 334.

718 Lausberg: Handbuch. L.c. § 323.- Dante hat fünf poetische und fünf rhetorische 'modi' der 'narratio' unterschieden (vgl. Lausberg. L.c. § 1115), so daß sich etwa ein 'modus descriptivus' und ein 'modus probativus' gegenüberstehen, die beide in rhetorisierter Dichtung zur Anwendung kommen.

Es bleibt zu beachten, daß die poetische und rhetorische Wahrheit und Wahrscheinlichkeit im 'Tristan' zunächst lokalen Zusammenhängen dienen, daß also die poetische Mimesis, die nach der antiken Poetik auf Einheit und Ganzheit ausgerichtet ist, nur die "raffend-akzentuierende Ganzheit"[722] eines episodischen Zusammenhangs im Auge hat[723]. Darum ist es ein Zeichen des rhetorisierten, aus eigenen Prämissen sich immer neu fortbewegenden Diskurses in dieser Dichtung, "daß für sie die Scheidung von wahr und unwahr mehr momentanes Wagnis beim erzählerischen Vordringen ist als wissende Auswahl (...)"[724], wie Wolfgang Monecke generell zum deutschen höfischen Erzählen bemerkt hat. Die rhetorische Behandlung des episodischen Mythos führt darum zu einer Wahrheit, die nicht ganzheitlich, sondern partikularistisch-diskontinuierlich ist.

---

719 Lausberg. L.c. § 256.

720 Lausberg. L.c. § 325.

721 Diese Literatursituation wurde von Gottfried in ihrer Struktur offenbar bewußt erfahren, denn er praktiziert eine doppelte Herleitung und Absicherung des Erzählens, eine rhetorische und eine poetische: Mit der 'captatio' des Prologs sucht der "Redner" Rückhalt beim Publikum und begründet sein Erzählen gewissermaßen privat; mit der 'invocatio' in der Schwertleitepisode sucht der "Dichter" in antiker Weise - wenngleich ironisch-fingiert - Kraft und Autorität bei den Musen.

722 Lausberg: Handbuch. L.c. § 1169.

723 Entscheidende Merkmale, die die aristotelische Poetik für das Epos ausweist - etwa, daß die Figuren sich gleichbleiben sollen -, werden charakteristischerweise im 'Tristan' als Ganzem gerade nicht erfüllt bzw. Verbotenes - etwa die häufige Einrede des Erzählers (vgl. Lausberg. L.c. § 1177) - wird praktiziert. Der höfische Roman erweist sich darin geradezu als Auflösung oder Gegenstück zum klassischen Eposbegriff.

724 Monecke: Studien. L.c. S. 114.

Was für eine "Wahrheit" ist das aber nun, die im rhetorisch-poetischen Partikularismus des 'Tristan' hergestellt wird? Es ist nicht die Wahrheit einer Symbolstruktur der Dichtung und nicht die Wahrheit im Sinne historischer oder quellenmäßiger Faktizität. Es ist vielmehr eine Wahrheit, die in der schrittweisen gemüthaften und rationalen Gewinnung der 'fides veritatis'[725] der Hörer besteht. Wie wird sie erreicht? Die Akkommodierungen des Fabulösen in Gottfrieds rhetorischem Partikularismus lösen den mythischen Zusammenhang auf, und an seine Stelle tritt ein "verständiges" Erzählen im Sinne einer Verständigung über das Erzählen und das Erzählte und einer sowohl gegenstands- wie publikumsbezogenen Adaption. In ihr gibt sich die humane Dimension des scholastischen Rhetorikers zu erkennen: Er versucht, durch rednerische Verständigung über den Mythos das Mechanisch-Schicksalhafte des alten Stoffes begreiflich zu machen; er erfüllt damit die literarisch-soziale Aufgabe, die Tristanfabel in den Raum einer rhetorisch vermittelten 'opinio communis' der höfischen Welt zu heben. Die Wahrheit solchen Erzählens gründet in seiner sozialen Akzeptabilität, die wiederum durch die Leistungen der rhetorischen Wahrscheinlichmachung herbeigeführt wird. Charakteristisch ist darum für den 'Tristan', wie für den höfischen Roman schlechthin, seine dialogische Geselligkeit, in der Voten auf der Ebene eines rhetorisch supponierten Einverständnisses plaziert werden. Das Erzählen bezieht sich dabei auf Bildung, Geschmack und Urteilskraft des Publikums, wenn es das Erzählte aus rationalen Grundsätzen, aus einem 'consensus omnium' über das Wahrscheinliche und aus der Selbstevidenz der dargestellten Zusammenhänge entwickelt. Auf der Seite des Autors entspringt solche Darstellung einem geschulten Kunstverstand, der mit Quelle und Wahrheit, mit Erzähler und Publikum, mit Mimesis und Allegorie wirksam umzugehen weiß. Dabei scheint sich bei Gottfried überdies das antik-rhetorische Wissen um

---

725 Quintilian: Inst. Orat. IX, 2, 19.

den Unterschied zwischen dem 'verum' und der 'verisimilitudo' zu manifestieren. Es ist die erneuerte Erkenntnis einer spätestens im 13. Jahrhundert aus der Theologie entlassenen Dichtkunst, daß das 'verum' allein den demonstrativen Wissenschaften oder der Metaphysik zukommt, während die 'verisimilituto' das Maximum menschlicher Erkenntnis im praktischen sozial-ethischen Bereich darstellt. Alle praktische Kommunikation, zu der die Dichtung gerechnet werden muß, hat es also mit dem Wahrscheinlichen zu tun, mit dem "Überzeugen und Einleuchten, ohne eines Beweises fähig zu sein (...)"[726]. Auch wenn Gottfried von 'war' und 'warheit' spricht[727], so ist nicht historische oder

---

726 Hans-Georg Gadamer: Kleine Schriften I. Philosophie. Hermeneutik. Tübingen 1967. S. 117.

727 Auch in der Wahrheitsfrage hat Eberhard Nellmann in seinem irrigen Affekt gegen die Rhetorik ihren Einfluß auf die höfische Dichtung ausgeschlossen (Erzähltechnik. L.c. S. 51): Es gehe der Rhetorik nur um die Wahrscheinlichkeit des Dargestellten und nicht um Wahrheit. Das ist recht wortklauberisch, denn viele Rhetoriken formulieren als Aufgabe das 'verum vel verisimilium' und noch Matthäus von Vendôme macht in seiner Poetik der 'descriptio' ein 'vera dicantur vel veri similia' zur Aufgabe. Eine so lapidare Trennung von Rhetorik und Poesie, wie sie Nellmann in diesem Punkt vornimmt, verkennt den literarischen Charakter mittelalterlichen Dichtens und ignoriert die "literarische Verallgemeinerung der Rhetorik" (Lausberg. L.c. § 19) im Mittelalter und die besondere, rhetorisch fundierte Wahrheitsform des partikularen Erzählens. Alois Wolf hat über Gottfrieds 'Tristan' resümiert: "'warheit' wird zur vollen geistigen Bewältigung und überlegenen formalen Gestaltung des im 'buoch' Gegebenen zu einem bestimmten verbindlichen Zweck." (Studien. L.c. S. 168). Die "geistige Bewältigung und überlegene formale Gestaltung" eines zu adaptierenden 'buoches' aber liegt zweifellos in den Händen eines 'homo litteratus', eines der drei sprachlichen 'artes' mächtigen Erzählers, der die Wahrheit der Erzählung nun einmal mit den intellektuellen und affektischen Mitteln einer literarischen Rhetorik heraufführt.

wissenschaftliche Objektivität behauptet, sondern dann gehört dies "zu den typischen Eigenheiten des Kunstwerks, zu insinuieren, seine besondere Wahrheit sei eine absolute Wahrheit"[728]. Ihrer Struktur nach aber ist es rhetorische Wahrheit, die auf berufene Autorität oder sprachlich-kontextuelle Glaubwürdigkeit baut[729].

Wenn im 'Tristan' unterschiedliche Standpunkte dargestellt sind, so ist das nicht sogleich Ausdruck eines modernen Wertrelativismus, wie Ilse Clausen meint[730], sondern die Konsequenz eines literarischen Sprechens, das sich, in der Aura antik-rhetorischen Sprachdenkens stehend, der anthropologischen Einsicht in die Bedingtheit sprachlichen Meinens versichert weiß, von der her sich rhetorisches Sprechen ja auch erst legitimieren kann[731]. Die an sich richtige Beobachtung Ilse Clausens zum 'Tristan', "daß etwas absolut

---

728 Dubois u.a.: Allgemeine Rhetorik. L.c. S. 39.

729 Die Glaubwürdigkeit des Erzählens läßt sich rezeptionsästhetisch als die rhetorisch-poetische Qualität einer Darstellung definieren, die das Publikum kontinuierlich 'benevolens', 'attentus' und 'docilis' macht, ihm also weder gefühlsmäßig noch intellektuell Anlaß gibt, den Wahrheitswert der Darstellung in Zweifel zu ziehen.

730 Der Erzähler. L.c. S. 186.

731 Was Plato negativ faßte, daß nämlich Wörter nur ein beweglicher Schatten der Wirklichkeit seien und darum in der Kategorie des bloßen Meinens verblieben, fassen Aristoteles und die Rhetoriker positiv: Das rednerische Opinionieren ist der einzige Weg des Menschen, im politischen und sozialen Bereich einen Zugang zum Wahren zu gewinnen; es ist das Maximum sozialer Vergewisserung. Der Turmbau zu Babel und sein Sturz sind gewissermaßen der zweite Sündenfall der Menschheit, der sie in die Grenzen der Sprache(n) geworfen hat als eines ambigen und nichts weniger als absoluten Mittels. Diesem biblischen Mythos korrespondiert die Einsicht der antiken Rhetoren in die Sprache, die in kluger Bescheidung eine Sprachkultur systematisiert haben, die ihre sozialen Tugenden aus ihren Grenzen herleitet.

732 Clausen: Der Erzähler. L.c. 198.

WINFRIED CHRIST, **Rhetorik und Roman.** Untersuchungen zu Gottfrieds von Straßburg ›Tristan und Isold‹. Meisenheim am Glan: Hain 1977. 370 S. (Deutsche Studien. 31.)

Dilemmatische Fragen als Scheinfragen zu erweisen, ist oft der einzige Weg, sie zu lösen, freilich nicht immer. Die Abwendung von den Aporien der ›Tristan‹-Deutung wurde in neueren Beiträgen des öfteren durch den Rekurs auf Rhetorisches als entscheidende Textkonstituente versucht.[1] Konsequent beschreitet diesen Weg die Abhandlung von Christ, die von einem rezeptionstheoretischen Textbegriff ihren Ausgang nimmt. Gottfrieds Roman soll als literarische Interaktion zwischen dem Autor und seinem Publikum in einer historisch spezifischen Situation begriffen werden. Aufgesucht wird diese Dimension im rhetorischen Schulbetrieb der Zeit und innertextuell in den Wirkungsstrukturen des Romans, die mit den traditionellen, in Lausbergs Handbuch verzeichneten Kategorien beschrieben werden. Bedenklich ist an Christs Prämissen vor allem, wie unbedenklich von Wirkungsästhetik auf eine Ästhetik bloßer Wirkungen als »die alles entscheidende . . . Seite« (S. 183) geschlossen wird, vor der eine gehaltsästhetische Ebene und der Anspruch auf ideelle Integration in Gottfrieds Roman annulliert erscheinen.[2] Der ›Tristan‹-Forschung, die bislang »mit thematischen Substanzen wie Minne, Gott oder Gesellschaft« (S. 3) operierte und die Aufrechnung der Teile zwischen den (gewiß differenziert gesehenen) Aussageebenen des Romans erprobte, wird pauschal Befangenheit im goethezeitlichen organizistischen Literaturmodell vorgeworfen[3], als ob ästhetische Integration nur so denkbar oder gedacht worden wäre. Für Christ zerfällt der ›Tristan‹ in ein Diskontinuum von Teilen, deren Brüchigkeit geschickt kaschiert und deren Sinn ganz auf punktuelle Wirkungen, auf rhetorische Affektenlenkung hin abgestellt ist. Die ›Tristan‹-Deutung mußte scheitern, solange sie suchte, was von Gottfried nicht intendiert war. Wie sieht hierfür der Nachweis am Text aus?

Christ setzt seine Brechstange am *zwivel/arcwan*-Exkurs (v. 13749ff.) an; er skizziert »das ›procedere‹ der winkligen Argumentation« mit dem Ergebnis: »Das Ganze bietet nicht etwa ein sauberes Schlußverfahren nach den Regeln logischer Beweisgänge; vielmehr ist es ein pseudologisches Konstrukt geworden, das sich in künstlich hergestellten Koordinaten bewegt« (S. 58f.). Der Bezug des Exkurses auf die Romanhandlung scheint nicht geglückt oder

---

[1] So etwa Günter Eifler, Publikumsbeeinflussung im strophischen Prolog zum Tristan Gottfrieds von Straßburg, in: Festschrift Karl Bischoff, Köln, Wien 1975, S. 357–389.

[2] Der bei Gelegenheit geäußerten Einschränkung, »wie überhaupt eine umfassende gehaltsästhetische Würdigung des Romans außerhalb des Rahmens dieser Arbeit liegt« (S. 241), trägt die Beweisführung selbst von Anfang an keine Rechnung.

[3] S. 4 und in den Polemiken passim.

»ignoriert den pragmatischen Zusammenhang«, »denn wen anders als den untadeligen Tristan, Neffen und rechte Hand Markes sollte auch die treueste Isolde nennen? Erst ein anderer Name hätte womöglich den Verdacht der Verheimlichung ihrer Liebe zu Tristan erregen können« (S. 59 Anm. 188). So zielen auch die Bettgespräche »nicht auf einen Beitrag zu einem wie immer gearteten Gesamtsinn der Dichtung, treffen kein Urteil über Isolde und die Tristanmine [sic], sondern liefern ... ein eigengesetzliches, komödiantisches Schauspiel innerhalb des Romans« (S. 80). Daß die Szene im Baumgarten rhetorisch inszenierte Affektenmanipulation auf Kosten der »physikalischen Plausibilität« betreibt, erhellt aus der Tatsache, daß im Mondlicht nicht nur die Schatten, sondern zuvor schon die Lauscher selbst auf dem Baum hätten bemerkt werden müssen (S. 86). Wenn Marke nach dem geglückten Täuschungsmanöver in seinen *zwivel* zurückfällt, wird dies als schreiende Inkonsequenz der Handlungsführung verzeichnet: »Vergessen sind die Evidenz der Beobachtungen aus dem Baum, vergessen der Schwur. Wieder macht das pragmatisch Wahrscheinliche einer Diskontinuierlichkeit Platz« (S. 92). Die Weißhandepisode zeige Tristan als »Figur ohne Gedächtnis und Charakter« (S. 154), als bloßen »Probierstein alternativer minnepsychologischer Exkursionen« (S. 127). Gottfried spiele die Dialektik der Situation in allen denkbaren Varianten durch, »nicht in den pragmatisch wahrscheinlichen, versteht sich, wo ein paar offene Worte die Situation bereinigen könnten« (S. 152). »Indem Tristans Denken und Handeln wie auch der auktoriale Kommentar bloß dem Anspruch des Kalküls genüge tun, einer Weise des Denkens auf Kosten von Inhalt und Sinn [!], entbehrt Tristan jeder charakterlichen Identität« (S. 155).

Wir brechen ab. Zu den Wahrscheinlichkeits- und Plausibilitätsmaßstäben können wir des Verfassers Tadel zitieren gegen Interpreten, »die ihr privates Wirklichkeitsverständnis gegen die Gottfriedsche Erzählweise durchsetzen wollen« (S. 147f. Anm. 364). Was an Stelle der denunzierten Gehalte an Wirkungskategorien angeboten wird, übersteigt auch im weiteren nicht das Bekannteste aus Lausberg. Das kritische Urteil des Verfassers hingegen erhebt sich über das historisch Bedingte: Wie hier Stoff rational thesenhaft organisiert und interpretiert dargeboten ist, wird klar gesehen und immer neu formuliert. Doch verfällt dabei nicht nur Gottfried, sondern überhaupt der scholastische Denkhabitus und mit ihm der höfische Roman dem Verdikt eines auf selbstgenügsame Spekulation reduzierten Wirklichkeitsverständnisses (vgl. S. 64ff., 153ff.).

Indes werden gelegentlich gerade widerborstige Passagen geschickt in weiter gespannte Zusammenhänge des Romans eingeordnet (z.B. Isoldes Mordanschlag S. 170ff.). Mehr noch überrascht es, auf ein Kapitel »Die Minnebehandlung im rhetorisierten Roman Gottfrieds« (S. 230ff.) zu stoßen, in dem die diversen Minne-Teilaspekte plötzlich doch zu einem »im Gottfriedschen ›Tristan‹ beschworene(n) Minnewesen« (S. 235) von säkularisiert christlichem Zuschnitt zusammenfließen (bes. S. 243ff.). Ob und wie Christ hier seine Partikularismusthese modifizieren will, bleibt offen.

Die Ausführungen zur Literaturtheorie Gottfrieds (S. 223ff.) sind diskussionswürdig, zumal die Forschung hier über dem Disput

Anlaß geben sollte, wird weiterhin von der Voraussetzung auszugehen sein, daß Gottfried nicht nur sprachlich, sondern auch intellektuell das präkonzipierte Ganze seines Fragments im Griff hat, auch dort, wo der alte Stoff sich sträubt.[10]

MÜNCHEN CHRISTOPH HUBER

CHRISTOPH CORMEAU, ›Wigalois‹ und ›Diu Crône‹. Zwei Kapitel zur Gattungsgeschichte des nachklassischen Aventiureromans. München: Artemis 1977. IX, 273 S. (Münchener Texte und Untersuchungen zur deutschen Literatur des Mittelalters. 57.)

Eine umfassende Gattungsgeschichte des deutschen Artusromans ist noch nicht geschrieben. Ch. Cormeaus Untersuchung bildet einen wichtigen Baustein dafür. Denn da er die beiden späten Epen als Teil einer literarischen Reihe versteht, muß er von den klassischen Exempla des Aventiureromans ausgehen, um die Einzeltexte auf ihre gattungstypischen Konstanten hin zu untersuchen, festzustellen, »was Wiederholung oder Veränderung von Elementen der vorausgehenden Texte über die genuinen Entstehungsbedingungen eines späteren Textes aussagen« (S. 6). Als Grundlage der Typabstraktion gelten ihm ›Erec‹, ›Iwein‹ und ›Parzival‹, aus ihnen gewinnt er 14 Konstanten – von »Handlungskette«, »Stil«, »Schauplatz«, »Akteure« bis zu strukturellen Elementen (Einheit von Handlung und Sinn, doppelter Kursus usw.). Die historische Wirksamkeit dieser Kategorien sieht er durch die Produktivität des Typs bewiesen: der Stricker schafft ohne eine romanische Basisvorlage seinen ›Daniel von dem blühenden Tal‹ im wesentlichen auf der Grundlage der traditionellen Konstanten, der Pleier wiederum korrigiert die »Regelverstöße« (S. 22) des Stricker in seinem ›Garel von dem blühenden Tal‹.

Der ›Wigalois‹ des Wirnt von Gravenberc wird zuerst auf die Strukturmerkmale hin untersucht, die sich mit den abstrahierten Konstanten decken: obwohl das wichtige Element der Krise fehlt, sind die »gesammelten Argumente für die Hypothese, daß sich Wirnt nach dem klassischen Typ richtete . . ., zu zahlreich und zu gewichtig, als daß diese Abweichung die These zu Fall bringen kann« (S. 48). Die Abweichungen von den vorgegebenen Typkonstanten erklärt Cormeau daraus, daß im Unterschied zum klassischen Typ das Ziel des Weges »Individuation des Helden durch die Bewährung« (S. 49), von Beginn an vorweggenommen ist in den anfänglichen »Statusvorgaben« für Wigalois und den veränderten

[10] Rechnet man mit der Möglichkeit von ideellen Verschiebungen, die im Laufe von Gottfrieds Arbeit hervorgetreten wären, so widerspricht dies nicht einem Gesamtkonzept, sondern setzt es gerade voraus.

isolierter Passagen zu übergreifenden Kriterien kaum vorgedru
ist. Christ rastet freilich im Détail zu schnell bei vermeintli
Selbstwidersprüchen Gottfrieds ein und schert das Ganze über
Kamm seiner Wirkungsästhetik (»Gemütserregungskunst« S.
u.ö.). Wo es um die Funktion von Literatur geht (Prolog, Mi
exkurs), wird der Aspekt der Didaxe, der Aufbau eines ethis
Wertsystems mit seiner Realisierungsproblematik übergangen
diesem Zusammenhang verdiente auch der von Jaeger herau
stellte Aspekt einer säkularisiert anagogischen Funktion von Ku
wie er in der Grottenallegorese entwickelt wird, Beachtung.[7]
der Prozeß literarischer Verfertigung zur Debatte steht (Litera
exkurs), bleibt die Fixierung und Vermittlung von *sensus*-Verb
lichkeit im Sprachgebilde beiseite.[8]

Wahrheit im ›Tristan‹ wird schließlich als rhetorisch suggeri
partikuläre Glaubwürdigkeit, als »zu erreichende Überzeugu
leistung der Sprache« bestimmt (S. 292ff.). Hier bringt Christ les
werte Ausführungen zur Erzählerlegitimation und zur Refle
des Fiktionalitätsstatus im Roman. Das Urteil über die Ada
tionsleistung des höfischen Romans als Domestizierung und R
zierung des alten Mythos auf einen sentenziösen consensus omn
wird Erzählern wie Chrétien, Wolfram, Gottfried aber kaum gere

Christs imponierendes Aufgebot an mediävistischer Gelehrs
keit, sein souveränes Schalten mit der Forschung, sein oft
Manier entartender Formulierungszauber[9] können die innere
stimmigkeit seiner Hauptthesen nicht verdecken, auch w
Détaileinsichten geglückt und frappierend erscheinen. Die di
matisch offenen Fragen der ›Tristan‹-Deutung dürften d
Christs Radikallösung einer rhetorisch-formalistischen Interpr
tion (die als solche so neu nicht ist) nicht aus der Welt gesch
sein. Auch wenn Christs Versuch als Signal zur Vorsicht ge
Hyperintegration zu beachten ist und zu methodischen Reflexio

[7] C. Stephen Jaeger, The Crown of Virtues in the Cave of Lo
Allegory of Gottfried's ›Tristan‹, Euph. 67 (1973), S. 95–116.
weitert in: C. S. J., Medieval Humanism in Gottfried von St
burg's Tristan und Isolde, Heidelberg 1977 (Germanische Bibliot
Reihe 3: Unters. u. Einzeldarst.), S. 126ff.

[8] Nützlicher Überblick über rezeptionslenkende Strategien in G
frieds Stilpraxis S. 272–291.

[9] Eine sorgfältige Redaktion der Arbeit hätte auch peinliche F
gleisungen in den lateinischen und mittelhochdeutschen Zitaten
seitigen können: ›sermo metrica‹ S. 35; ›ex contrarium‹ S. 95; ›ve
vel verisimilium‹ S. 337 Anm. 727. Hybride Formen wie: ›in r
›in verba‹ S. 95; »eines ›taediums‹« S. 224 Anm. 498; »was a
›perspicuus‹ [Neutrum!] und ›probabilis‹ ist« S. 285; »›atten
[Akkusativ!]-machender ›brevitas‹ S. 290; »des ›lips‹« S. 211; »
›guot‹ [Adverb!] von ›minnen‹ geredet wurde« S. 225 Anm.
(= Transformation von v. 12185 *rede von guoten minnen*); »die
›helen‹ [3. P. Pl. Ind. Präs.!] S. 227 Anm. 508; Gottfried »hat
Minnehöhle ›erkennt‹« S. 313 (zu v. 17098 *ich han die fossiure erk*
u.ä.

nicht gewollt, denn es gehe »die Darstellung von Markes subje
Situation, unbekümmert um die Klugrederei des Räsonneurs
handlungspragmatischen Weg« (S. 60). Zum abstrakten Mit
»Erzähltechnisch und inhaltlich erübrigt sich der Exkurs (1
13828) völlig, denn [!] an Vers 13776 läßt sich bruchlos 13
anschließen« (S. 63). Christ unterläßt es hierbei, die Gegenrec
auch nur zu versuchen. Daß der Exkurs klar gegliedert, in
Dialektik aber nicht plan logisch aufrechenbar sein könnte
nicht erwogen.[4] Lore Peiffers gewichtiger Interpretationsb
wird nur mit peinlicher Polemik überschüttet (S. 61 Anm.
Die Handlungsintegration braucht als Scheinproblem nicht
haft überprüft zu werden[6], obwohl der Exkurs doch die Stich
des Kommentars bis hin zur Auflösung der Konstellation
Markes Entdeckung der Liebenden liefert. Die Vereinbarke
Exkurses mit einem Minnekonzept erledigt sich ebenfalls
Christs Prämissen. Was bleibt, ist rhetorischer Reizwert: »De
geschaltete deliberative Exkurs stellt eines der rhetorisch-
schen Mittel dar, mit denen Gottfried dem ›taedium‹ des« (alle
billig abzuspeisenden) »Publikums vorbeugen konnte . . ., we
dialektisch-spitzfindige verbalistische Diskurs für die Hörer
hohen Unterhaltungswert hatte« (S. 63).

Zur Demontage von Handlungsführung und Figureneinheit fol
Argumentenlese: Markes die Bettgespräche einleitende Fan

---

[4] Die Anlage ist genau spiegelsymmetrisch: Handlungseinbettun
psychologische Symptomatik (13749–776); Theorie: A. z
arcwan sind in der Minne ein Übel (13777–796); B. *zwivel/a*
sind in einem der Auflösung zutreibenden Minneverhältni
kleinere Übel (13797–820); C. *zwivel/arcwan* sind sogar ein G
einem sich festigenden Minneverhältnis (13821–828); D. *zwi*
in der Minne insofern grundsätzlich ein Übel, als er der *triuwe/*
Prinzip zuwiderläuft (13829–842); abschließend wieder Überle
zur Symptomatik und Handlungseinbettung (13843–852). A u
vertreten den absoluten Minnewertanspruch, B und C einen r
vierten in sich wandelnden Verhältnissen. Spezifisch auf Marke
zugeschnitten, doch trifft auch A und D. Der endgültigen Inte
tation von Markes Situation greift der theoretische Mittelteil be
nicht vor! Gottfried handelt hier das Phänomen *zwivel/arcw*
verschiedenen möglichen Situationskontexten und auf untersc
lichen Wertstufen ab. Nicht sprachliche Unschärfe, sondern
liche Dialektik, die der Sprachduktus profiliert, kennzeichne
scharfsinnigen psychologisch-ethischen Aufriß.

[5] Lore Peiffer, Zur Funktion der Exkurse im ›Tristan‹ Gott
von Straßburg. Göppingen 1971 (GAG 31), S. 186ff.: Der E
übergreift entschieden die Marke-Figur; der positive Aspek
zwivel in der Minne ist durch Querverweise zu stützen.

[6] vgl. S. 227f. Anm. 508: »Die Frage nach der thematischen Int
tion von Exkurs und Handlung ist darum gewissermaßen falsc
stellt, da [!] wir es mit zwei sich inhaltlich zwar berührenden,
kategorial verschiedenen Redehaltungen zu tun haben, die u
schiedliche Zwecke erfüllen« (S. 228).

wo die Selbstentfaltungs- und Integrationsanliegen der höfisc Gesellschaft des 12. Jahrhunderts nicht mehr aktuell waren. I tungsfragen wie Enites Schuld, die Rolle des Löwen, Laudi »Wankelmut« usw., die von den Dichtern teilweise verschieden o mehrdeutig beantwortet werden, zeigen die Grenzen eines mor schen oder soziologischen Verstehens und führen zur Frage ei adäquaten Bildverständnisses überhaupt. Ruh kommt am Sch (S. 164) darauf zu sprechen, indem er auf die Analogie zwischen Heilswegen im Artusroman und Hartmanns ritterlichen Legen hinweist und betont, daß die »Diaphanie« der Erzählungen hier dort den umfassenden existenziellen Bereich erschließe. Für Artusroman würde das heißen, daß die sogenannte »Märch motivik« oder »Märchentypik« (S. 100), sowohl in ihren einzel Motiven wie in ihren typischen Handlungsverläufen oder Sch plätzen, selber als Bedeutungsträger ernst zu nehmen sei. So s diese Märchenwelt durch das Raisonnement des Dichters a balanciert ist, so sehr bildet sie doch für Chrétiens sublimes Sp ein echtes Gegengewicht. Die Bildwelt etwa des Zauberbrunne Iweins Irrsinn, der Wald, aber auch das Schema der Suche, figurale Charakter der Helden, die ohne Innenleben sind und si darum auch gegenseitig bedeuten können – all das gehört an si schon zum Erzählabenteuer, das Chrétien unternahm. Die »fina Erzählweise, der »mittelalterliche Geist der Erzählung« (S. 11 das Fehlen kausal-psychologischer Motivation (»Situationen stell sich nach ›Bedarf‹ der Handelnden ein, Personen bleiben rolle gebunden«, S. 114) sind zwar nach Ruh keine Überbleibsel aus d vorliterarischen Quellen, sondern struktureigene Züge des Artu romans – aber eben eines Märchenromans und des Märchens selb Roman und Märchen – das ist nun allerdings ein schwieriges Them umsomehr, als offenbar auch die Märchenforschung nicht rec weiß, was »Märchen« im Mittelalter bedeutet und seit wann m von Märchen im heutigen Sinn sprechen darf. Man könnte sog den Verdacht haben, das Märchen erscheine überhaupt erst i Moment, da der Romandichter dem Mythus, der Sage und d Legende das Numinose abstreift und deren Motive spielerisch z seinen neuen Zwecken verwendet.

Doch abgesehen von der Frage der Genesis bleibt dem Märche eine Suggestion, hat es eine Bedeutung, die Chrétiens Problemat sierung entgegenkam. Tiefenpsychologische und ethnologisch Deutungen des Artusromans sind, weithin mit Recht, in der Ge manistik nicht beliebt. Aber ein kleiner Schuß solcher Betrach tungsweise – es sei auf die romanistische Dissertation von Han Dieter Mauritz verwiesen (Der Ritter im magischen Reich, 1974) könnte ihr wohl, immer im Werkganzen relativiert, nicht schade Ist doch das C. G. Jungsche Modell des Individuationsweges, selb vielleicht eher ein Abenteuer und ein Roman als »strenge« Wisser schaft, immerhin dem Artusroman auf den Leib geschnitten.

Zürich

Max Wehri

Gemeintes als Wahres nicht besteht"[732], liegt im rhetorischen Charakter des Umgangs mit den Wirklichkeiten des Romans begründet, in jener vielfältigen Approximation an die erzählerische 'meine', die letzten Endes die Wahrscheinlichkeit des Teils für die Wahrheit des Ganzen nimmt. Die schon dargestellte Stimmigkeit und Wirkungsmächtigkeit von Einzelstücken des Textes und die damit zusammenhängenden Widersprüche im ganzen rühren an diesen Wahrheitsbegriff der Rhetorik. Sie hat es nämlich damit zu tun, hic et nunc eine Meinung sprachlich glaubwürdig zu vertreten, ungeachtet, wie der Sachverhalt sich vor oder nachher unter diesem oder jenem Gesichtspunkt ausnehmen mag. Sprachliches Überzeugen aber ist ein irreversibler und nicht zur Rechenschaft zu ziehender Vorgang, denn die rhetorische Einheit der Sprache ist nicht mit der Einheit der Wirklichkeit zu verwechseln, sondern bezeichnet eine Einheit der Wirkung. Darum tritt im rhetorischen Partikularismus des 'Tristan' die unendlich offene, revidierbare Weise der Vermittlung von Subjekt und Welt in der Zeit in der bedingten Wahrheit der rednerischen Adaption zutage[733].

Fassen wir zusammen: Im 'Tristan' als einer Mimesis des praktisch-politischen Handelns von Personen tritt Wahrheit in der Form des Wahrscheinlichen auf, denn nicht wissenschaftliche Gewißheit, sondern die Klugheit der Meinung

---

733 Das Moment der Willkür spielt bei alledem eine Rolle. In einer Epoche, in der die Priorität des Sinns vor dem Stoff so ausgeprägt ist, wo das thematische Erzählen die Episoden nach Bedarf beugt, sind zwei Verfahren der arbiträren Sinnstiftung besonders in ihrem Element: Das scholastische Kalkül und die allegorische Exegese. Das Kalkül wählt seine Prämissen unabhängig von der ganzen epischen Wirklichkeit, und die Allegorese ordnet den epischen Wirklichkeiten ohne Wahrscheinlichkeit und Notwendigkeit Bedeutungen zu. Dies schafft zwangsläufig innerhalb der Struktur des Romans Diskontinuität und Widerspruch. Die Rhetorik jedoch vermag die arbiträre Sinnstiftung glaubwürdig in den literarischen Kontext einzubetten, jedoch um den Preis einer Partikularisierung des Epischen.

entscheidet und bewegt die Dinge und ihre Auffassung durch das Publikum. In diesem Sinne ist es die sprachrhetorische Gewinnung, Verteidigung und Bekämpfung von Standpunkten, die das Erzählgeschehen leiten. Es ist die Verständigkeit des Autors, der mit einer reichen argumentatorischen Topik und mit der 'voluptas' des sprachlichen Schmucks die Handlungsmotivierung, die Erzählspannung und die Glaubwürdigkeit des Kommentierens zusammenbindet. Dabei kommt es ihm darauf an, im Text durch "enthymematische und pathetisch-ethische Glaubhaftmachung"[734] rhetorisch einen Konsens mit dem Publikum über den Gegenstand herzustellen[735]. So ist das dialogische Wesen des Rhetorischen in den Roman eingeführt, das sich auf die momentane Evidenz der Darstellung in der Auffassung des Hörers als sein Wahrheitsmoment stützt: "Das Argument der Rhetorik ist immer ein 'argumentum ad hominem', es sucht nicht das 'verum', sondern hat es mit dem 'credibile', dem 'probabile', dem 'verisimile' zu tun. Es zweckt ab auf den Menschen als eine Ganzheit von Vernunft und Gemüt, von Intellekt und Wille, will zum Wollen führen, psychagogisch wirken (...)"[736].

---

734 Dockhorn: Rez. Gadamer. L.c. S. 189.

735 Dies wird dann erreicht, 'si, ut mos, ut opinio, ut natura postulat, dicemus.' (Ad Her. I, 9, 16).

736 Dockhorn: Rez. Lausberg: L.c. S. 184.

6. Schlußbemerkungen

Friedrich Ranke hat in seiner Tristan-Monographie von 1925 geschrieben: "Die Dichter der Schreibkultur sind, man möchte sagen: kurzsichtiger geworden; sie schaffen eine Szene nach der anderen, führen jede einzelne mit Liebe aus, aber der große Zusammenhang ist ihnen nicht in jedem Augenblick bewußt und wichtig, und eine Lockerung der Komposition (...) ist die naheliegende Folge"[737]. Hennig Brinkmann spricht vergleichsweise von einer "Aggregattechnik" mittelalterlichen Dichtens, die auf die Tektonik des Werkes nicht mehr sonderlich bedacht sei[738]. Solch ein Formbegriff wird schließlich von Ingrid Hahn für den 'Tristan' Gottfrieds folgendermaßen präzisiert: "Wo das Interesse am Einzelnen in der szenischen Gegenwart die so nur Gottfried eigene logische und atmosphärische Stimmigkeit schafft, da bewirkt es im Rahmen der Gesamthandlung eine lose Reihung, in der das Vorhergehende mit dem Nachfolgenden nur zufällig verknüpft erscheint"[739]. Der historischen Einsicht von Ernst Robert Curtius folgend, "daß die rhetorische Grundstruktur der mittelalterlichen Dichtung u.U. zur Strukturlosigkeit führen konnte"[740], haben wir den Versuch gemacht, einen historischen und kausalen Zusammenhang zwischen der Rhetorik und jener "Strukturlosigkeit" des 'Tristan' - wir sprachen von Diskontinuität und Partikularismus - darzustellen.

Die Rhetorik als Mittel der Darstellung im höfischen Roman war zu Beginn der fünfziger Jahre mit Rainer Gruenters 'genus iudicale'-Aufsatz[741] in der älteren Germanistik wieder zur Diskussion gestellt. Er machte auf die oratorisch-

---

737 Friedrich Ranke: Tristan und Isold. München 1925. S. 151.

738 Brinkmann: Wesen und Form. L.c. S.

739 Hahn: Raum und Landschaft. L.c. S. 82.

740 Ernst Robert Curtius: Dichtung und Rhetorik im Mittelalter. In: DVjs 16 (1938) S. 460.

741 Vgl. Anmerkung 237.

disputatorischen Mittel der "advokatorischen Durchdringung", der "forensisch-dialektischen Erörterung", der "genußvoll umständlichen Sophismen" und des "spitzfindigen Kanon des Für und Wider" im höfischen Redestil aufmerksam und wies auf die möglichen schulrhetorischen Quellen[742]. Was die Rhetorik als ein Kompendium von Figuren und Darstellungsmitteln betrifft, so wurde der Anstoß hie und da aufgenommen, aber der weitere, von Curtius angezeigte Schritt zur Rhetorik als einer gestaltentscheidenden Kraft wurde nicht getan. Wenn der 'Tristan' in den "hochgeistigen antik-ausgerichteten Klerikerkulturboden des 12. Jahrhunderts" führt, so kann es nicht genügen, nur Gottfrieds Verwendung des "Formen- und Ausdrucksschatz(es) dieses weltlichen, mittellateinisch gallischen Minnewesens klerikaler Prägung"[743] zu konstatieren; wir haben darum versucht, darzustellen, wie der Geist der rhetorischen Sprechhaltung, der in diesem Raum selbstverständlich ist, die Gesamtgestalt des Romans geprägt hat. Es konnte auch nicht genügen, durch stoffgeschichtliche Interpretationen die heterogene Gestalt des 'Tristan' nur als "Schlacken eines Entwicklungsprozesses"[744] zu bestimmen, bringt das doch noch nichts über die adaptiven Kräfte und ihre literarische Leistung in diesem Prozeß bei. Erst wenn die sprachlich-intellektuellen Mittel, die die Stoffe schließlich in den höfischen Roman überführt haben, nach Art und Leistung bestimmt sind, läßt sich die Werkform voll verstehen. Mit dem Rekurs auf die Rhetorik als Mutter auch der vernakularen literarischen Rede im Mittelalter hoffen wir einen Beitrag dazu geleistet zu haben[745].

---

742 Gruenter: Genus iudicale. L.c. passim.

743 Wolf: Tristan-Studien. L.c. S. 177.

744 Haug: Struktur und Geschichte. L.c. S. 148.

745 Die volksprachliche höfische Dichtung kann und muß insbesondere darum vor dem poetologischen und rhetorischen Hintergrund mittelalterlicher Latinität gesehen werden, weil sie - weitgehend von schulisch gebildeten Autoren geschrieben - sich nicht etwa von diesem Bildungshintergrund lösen oder gar entschieden absetzen wollte, um

In der neueren Literaturwissenschaft ist der Rhetorik zunehmend Aufmerksamkeit geschenkt worden. Nicht nur die Eminenz der Rhetorik in der Theorie und Praxis der Literatur des 16. und 17. Jahrhunderts ist dargestellt worden, sondern es ist auch im Zuge der neueren linguistischen und kommunikationstheoretischen Bemühungen die Einsicht in die Rhetorizität eines jeden Textes gewachsen. Dazu gesellt sich gleichzeitig das Anliegen einer Wirkungs- und Rezeptionsästhetik, die es letzten Endes mit "rhetorischen" Textstrategien zu tun hat. Gegenüber einer kommunikationstheoretisch verallgemeinerten Rhetorik als Theorie aller Texte und Sprechakte hatten wir es nun aber mit dem Gebrauch klassischer rhetorischer Mittel in einem Text einer Epoche zu tun, die diese in allen ihren Bereichen noch als stabile sprachliche Artikulationsnormen betrachtet, und die sich aus dem Kanon antiker Beredsamkeit herleiten und darum diesen als Interpretationsgrund unmittelbar empfehlen. Die Rhetoriken selbst liefern die erklärungsmächtige Theorie für die Leistung der Sprechakte, so daß der Umweg über eine analytisch gewonnene Wirkungsästhetik schließlich entbehrlich erschien.

Das Mittelalter wußte um die wirkungsästhetische Dimension, etwa um die Mehrstrahligkeit allen Sprechens, und ging mit dem literarischen Werk nicht um wie mit einer zur Entelechie entrückten Ideenverkörperung: Dichtung war Ansprache, war dialogisch interessiert, war rhetorisch. Die Autoren sahen sich genötigt, das ganze Umfeld ihres Sprechens zu bedenken: 'Dicendi autem ratio pensenda est, ex circumstantia dictorum, ex qualitate personae, ex qualitate auditorum, ex loco et tempore, aliisque, vario modo, apud diligentem exploratorem, considerandis.'[746] Der kritische Rezipient wiederum durfte sich nicht

---

etwa selbstbewußt ein völkisches Eigengewächs zu schaffen, sondern sie wollte - bei Dichtern wie Gottfried - durchaus "den Anforderungen zeitgenössischen lateinischen Literaturverständnisses genügen, um literarisch ernst zu nehmende höfische Dichtung zu sein." (Ertzdorff: Rudolf von Ems. L.c. S. 159).

746 Ioannis Saresberiensis: Metalogicus. P.L. 199. L.c. S. 850 B.

der Sprache anheimgeben als sei sie objektive Gestalt, sondern er mußte das taktische Sprechen funktional analysieren: 'Intelligentia sumenda est ex causis dicendi.'[747] Dies könnte das Motto eines Interpretierens sein, das den Funktionssinn eines affektisch-persuasiven Sprechens von epischen Stoffen zu bestimmen unternimmt: So haben wir mit der Frage nach den Gründen der Darstellungsformen versucht, den Anteil der Rhetorik an der Struktur, Funktion und Wahrheit des 'Tristan' aufzuklären. Was diese drei ineinander verschränkten Faktoren betrifft, so bleibt auch für den 'Tristan' am Ende - mit Wolfgang Monecke gesprochen - "die Frage, was eigentlich epische Gültigkeit hat: die Gesamtheit des Werkes, in die man sich lesend versenken muß, oder das einzelne Stück, das man hörend genießen kann."[748] Wir meinen, daß in erster Linie das stückweise hörende Genießen[749] der Seinsweise dieses Romans im Mittelalter entspricht, wie es die durch die rhetorisierende Adaption hervorgebrachte partikularistische Werkstruktur nahelegt.

Wir hoffen, die "Widersprüche" einer Dichtung, "der es mehr auf Vielfalt als auf Konsequenz der Geschehnisse ankommt", in der "mit den wechselnden Situationen und verschobenen Kulissen (...) auch Charaktere und Vorgänge ver-

---

747 Metalogicus. L.c. S. 849 D.- Nur wenn man also das Gesagte aus seinen Beweggründen zu verstehen sucht, kann man überhaupt die Bibel verstehen, wie Johannes von Salisbury an dieser Stelle ausführt, deren verbal entgegengesetzte Aussagen erst im Lichte ihrer je besonderen Meinungen verständlich sind.

748 Monecke: Studien. L.c. S. 35.

749 Es ist ein Genießen im Sinne des Lustprinzips der Rhetorik, die ihre Gegenstände so darbietet, daß ihr Gehalt sich auf dem Wege über die Sinnlichkeit anbiedert, indem die 'voluptas' der Form unser Auffassungsvermögen besticht - ein Prinzip, dem im 20. Jahrhundert der große Rhetoriker Bertold Brecht gehuldigt hat, wenn er Vergnüglichkeit auf dem Theater als Grundlage der Erkenntnis fordert, damit "die Empfindungen, Einsichten und Impulse g e n o s s e n werden können." (Kleines Organon für das Theater. Kap. 24).

schiedene Bedeutungen" annehmen und in der "das Emblematische der einzelnen Erzählungsabschnitte, topischer Handlungsarrangements (...) selbständige Bilder im Rahmen der Gesamtdichtung sind"[750], im Sinne der Vermutung Rainer Gruenters als "Stilphänomen" erhellt zu haben[751], indem wir sie gewissermaßen einer rhetorischen Ästhetik zugeführt haben.

Der Rückgriff auf die Rhetorik beinhaltet nicht zuletzt den Versuch, gegen alle objektivistischen Formen der Werkbetrachtung den rezeptionsästhetischen Faktor sichtbar zu machen und den Text gewissermaßen aus der Perspektive einer "Instruktions-Linguistik"[752] zu sehen, d.h. das literarische Sprechen als ein rezeptionsbezogenes H a n d e l n zu verstehen. Das erfordert neben der Beschreibung der Sprache als Darstellung die Überlegung, welche Appellfunktion sie hat, erfordert die Unterscheidung der appellativen von der referentiellen Funktion der Sprache[753]. So wird Sprachgestalt als Motor von Bewirkungen erkennbar und nicht - um eine irreführende Möglichkeit zu nennen - als Metapher einer Befindlichkeit des Autors mißverstanden[754]. Der Roman vermittelt nämlich nicht so sehr einen ganzheitlichen Bedeutungsgehalt - hier wird sich ein an neuzeitlicher Ästhetik orientierter Erwartungshorizont vom 'Tristan' in Frage stellen lassen müssen -, als vielmehr einen gegliederten Wirkungsgehalt, in dem sich Bedeutungen vermitteln.

Wir haben öfter verallgemeinernd vom höfischen Roman im Hinblick auf seine erzählerischen Mittel gesprochen. Wir verkennen dabei nicht die tiefgreifenden Unterschiede in

---

750 Gruenter: Rez. Weber. L.c. S. 279.

751 Gruenter: L.c. S. 280.

752 Harald Weinrich führt aus, daß in einer "Instruktions-Linguistik" "die Bedeutungen der Sprachzeichen nicht als Widerspiegelungen von Wirklichkeitsausschnitten analysiert werden, sondern als Instruktionen (Humboldts 'energeia'!), mit denen ein Sprecher einem Hörer bedeutet, sich in einer Situation so oder so zu verhalten." (Mit Verlaub ... Zu Bernhard Plettners "Laienschelte". In: Merkur 329. 29 (1975) S. 993 f).

den Gehalten. So ist z.B. Tristan gewiß kein Artusheld, der sich verfehlt, bewährt und transzendiert, sondern eher ein 'homo perfectus' in tragischer Konstellation. Die unterschiedlichen Gehalte und das verschiedenartige Gattungswesen der einzelnen höfischen Erzählwerke lebt aber durchaus von vergleichbaren Mitteln der Adaption und Präsentation. Nicht alle Bereiche der Formgestalt lassen sich jedoch mit dem Raster der Rhetorik erfassen und verstehen wie etwa epische Motivdoppelungen als übergreifende Bauformen des Romans. Es läge uns auch fern, die Bedeutung der Rhetorik für den 'Tristan' oder gar den höfischen Roman zu verabsolutieren: Ein Bild von der Dichtung als eines perfekten Persuasions- und Unterhaltungsapparats würde z.B. den Innovations- und Entwurfscharakter des Werkes, der weit über die Rezeptionskonditionen hinausschießt, außer acht lassen - ein Bereich, der jedoch außerhalb unserer Darstellungsabsichten lag. Die paradigmatische Vorführung eines veränderten Textverständnisses mag aber vielleicht eine Grundlage für die erneuerte Befassung mit dem literaturhistorischen Sinn und den geistesgeschichtlichen Dimensionen einzelner Abschnitte darstellen.[755]

---

753 Lutz Huth hat dazu methodologische Ausführungen gemacht (Dichterische Wahrheit. L.c. S. 180 f).

754 Daß man Gottfried im Vergleich mit anderen Erzählern in besonderer Weise unmittelbar mit seiner Dichtung identifiziert hat, ihm gewissermaßen die Echtheit seiner Affekte bescheinigt hat, beweist im Rückblick auf unsere Ergebnisse nur, daß er ein so glänzender Rhetoriker war, daß es "das Geheimnis der Kunst, Gefühlswirkungen zu erregen", beherrschte, das ja darin liegt, "sich selbst der Erregung hinzugeben." (Quintilian: Ausbildung. L.c. VI, 2, 26).

755 Gerade die Befassung mit der Rhetorik kann für den 'Tristan' als entscheidende geistesgeschichtliche Signatur die Komplementarität von Mystik und Rationalismus aufweisen und erhellen, zwei Kräfte, die bei Gottfried nicht anders als bei seinem Zeitgenossen Alanus

Grenzen findet unsere Darstellung aber auch innerhalb der eigenen Fragestellungen, etwa dort, wo es gälte, die Spannung zwischen dem impliziten Hörer im Text, der rhetoritsch analysiert werden kann, und dem realen, kontemporären Hörer als den Ereignischarakter des Werkes darzustellen. Zwar ist der Erwartungshorizont des realen Publikums in solcher Literatur der höfischen Gesellschaft in die auktoriale Projektion des idealen Hörers als Widerstand sicherlich eingegangen[756], aber die vollkommene Rekonstruktion stößt zwangsläufig auf die Schranke der historischen Obskurität mittelalterlich-höfischen Kultur- und Soziallebens[757].

Wenn wir sehr allgemeine, terminologisch und historisch wenig spezifizierte Linien zwischen "Rhetorik und Roman" gezogen haben, so bleibt die Frage nach den historisch-genetisch relevanten Bezugsfeldern für den rhetorischen Umgang Gottfrieds (oder auch des Thomas) mit der Geschichte von 'Tristan und Isold' bestehen. Hier messen wir der 'modi tractandi'-Lehre in den Standard-Grammatiken des Mittelalters, denen des Priscian und des Donat, entscheidende Bedeutung zu. Sie stellen nämlich gewissermaßen einen Schmelztiegel der antiken Rhetorik für den Schulgebrauch dar, bieten Übungsmuster für bestimmte, begrenzte sprachliche Aufgaben (etwa für die 'descriptio', die 'refutatio' oder die 'comparatio'), verselbständigen die Teile der Rede zu bloßen "Behandlungsvarianten"[758], auf die für jeden Kommunikationszweck, auch für den Roman, zurückgegriffen werden kann. In

---

ab Insulis in der Dichtkunst rhetorisch miteinander vermittelt wurden. Vgl. J. Huizinga: Über die Verknüpfung des Poetischen mit dem Theologischen bei Alanus de Insulis. Amsterdam 1932. S. 10: "(...) man wirft ihm (Alanus, Verf.) Widersprüche zwischen mystischer Einkleidung und rationaler Tendenz seiner Gedanken vor." Ein Vergleich von Gottfried und Alanus, von volkssprachlicher und lateinischer Epik um 1200, würde gewiß klärendes Licht auf die poetologischen Fragen des höfischen Romans und des 'Tristan' im besonderen werfen.

756 Der enge soziale Zusammenhang der literarischen Gesellschaft von Autor, Rezitator, Auftraggeber und höfischer Corona macht es fast unumgänglich.

757 Auf die Irrealität einer sozialgeschichtlichen Rekonstruk-

die Richtung dieser 'praeexercitamenta' weist Rainer Gruenter, wenn er dialektisch-kasuistische Erörterungen im höfischen Roman auf "Reminiszenzen aus dem rhetorischen Schulunterricht" zurückführt, "wo man das genus iudicale - vielleicht nach dem Vorbild Ovids am Muster fingierter Rechtsfälle - als gegenstandslose Technik der dialektischen Argumentation exerzierte."[759] Nach Ernest Gallo haben die 'praeexercitamenta' des Priscian im Mittelalter sehr dazu beigetragen, "to transform rhetorical theory into a form applicable to literature"[760], und nach Heinrich Lausberg haben sie "in verselbständigter Form in Prosa oder Poesie literarhistorische Realität angenommen."[761] Da diese "Aufsatz-" oder "Kompositionslehre" der Grammatiken innerhalb des Triviums grundlegendster Unterrichtsstoff war, dürften die höfischen Dichter, soweit sie schulisch gebildet waren, sie als elementares darstellerisches Rüstzeug internalisiert haben. Darum scheint uns eine genaue Vergleichung etwa der 'praeexercitamenta' Priscians mit den Darstellungsformen im höfischen Roman ein erfolgversprechender Schritt, um die von uns allgemeiner begründete Rhetorizität womöglich auch historisch bestimmter an den Bildungshintergrund anzubinden.

---

tion allein auf dem Weg über den literarischen Text hat Günter Mecke entschieden hingewiesen: "Dieses 'Publikum' (das literarisch fingierte, Verf.) als soziale Realität untersuchen hieße geradezu mit Blechrittern spielen." (Zwischenrede. L.c. S. 16).

758 Lausberg: Handbuch. L.c. § 1106.

759 Gruenter: Genus iudicale. L.c. S. 55.

760 Gallo: Poetria Nova. L.c. S. 166.

761 Lausberg: Handbuch. L.c. § 1106.

7. LITERATURVERZEICHNIS

7.1. Texte

7.1.1. Antike und lateinisches Mittelalter

A b a e l a r d : Die Leidensgeschichte und der Briefwechsel mit Heloisa. Übertragen und hrsg. von Eberhard Brost. 2. erw. Aufl. - Heidelberg 1954.

Nosce te ipsum (Ethica seu nosce te ipsum, deutsch). Die Ethik des Peter A b ä l a r d . Übersetzt und eingeleitet von Ferdinand Hommel. - Wiesbaden 1947 (= Bücher des Wissens Bd. 2).

A b é l a r d : Historia calamitatum. Texte critique avec une introduction. Publ. par J. Monfrin. - Paris 1959.

A n d r e a e C a p e l l a n i Regii Francorum De Amore Libri Tres. Recensuit E. Trojel. - München 1964.

A n d r e a s C a p e l l a n u s : The Art of Courtly Love. With Introduction, Translation and Notes by John Jay Parry. - New York 1941 (republ. 1959).

C i c e r o : De inventione. With an English Translation by H.M. Hubbell. - London, Cambridge 1949 (= The Loeb Classical Library).

C i c e r o : De Oratore. With an English Translation by E.W. Sutton, completed with an Introduction by H. Rackham. - London, Cambridge 1948 (= The Loeb Classical Library). Bd. 1.2.

C o n r a d d e H i r s a u : Dialogus super auctores. Edition critique par R. B. C. Huygens. - Brüssel 1955 (= Collection Latomus Vol. XVII).

F a r a l , Edmond: Les arts poétiques du XIIe et du XIIIe siècle. Recherches et documents sur la technique littéraire du moyen age. - Paris 1924.

G e o f f r e y o f V i n s a u f : Poetria Nova. Translated by Margaret F. Nims. - Toronto 1967.

A d C . H e r e n n i u m : De ratione dicendi (Rhetorica ad Herennium). Translated by Harry Caplan. - London, Cambridge 1954 (= The Loeb Classical Library).

H o r a t i u s F l a c c u s , Quintus: Ars Poetica. Die Dichtkunst. Lateinisch und deutsch. Übersetzt und mit einem Nachwort herausgegeben von Eckart Schäfer. - Stuttgart: Reclam 1972.

I o a n n i s   S a r e s b e r i e n s i s : Metalogicus. In: Patrologiae Cursus Completus. Series Secunda Latina. Ed. J. P. Migne. Tomus CXCIX. S. 823 ff. - Paris 1855.

J o h n   o f   S a l i s b u r y : The Metalogicon. A Twelfth - Century Defense of the verbal and logical Arts of the Trivium. Transl. by Daniel D. McGarry. - Berkeley, Los Angeles: University Press California 1955.

L a n g o s c h , Karl: Das 'Registrum multorum auctorum' des Hugo von Trimberg. Untersuchungen und kommentierte Textausgabe. - Berlin 1942.

O v i d : Heilmittel gegen die Liebe, Lateinisch und deutsch von Friedrich Walter Lenz. - Darmstadt 1972.

Publius   O v i d i u s   Naso: Liebeskunst. Lateinisch - deutsch (Ars amatoria libri tres. Nach der Übersetzung W. Hertzbergs bearbeitet von Franz Burger). - München 1969.

Marcus Fabius   Q u i n t i l i a n u s : Ausbildung des Redners. Zwölf Bücher. Hrsg. und übersetzt von Helmut Rahn. Teil I, Buch I - VI. - Darmstadt 1972. - Teil II, Buch VII - XII. - Darmstadt 1975.

Q u i n t i l i a n : Institutio Oratoria. With an English Translation by H. E. Butler. 4 Vol. - London, Cambridge 1958 (= The Loeb Classical Library).

7.1.2. Volkssprachliches Mittelalter

B e r o l : Tristan und Isolde. Übersetzt von Ulrich Mölk. - München 1962 (= Klassische Texte des romanischen Mittelalters in zweisprachigen Ausgaben).

C h r é t i e n   d e   T r o y e s : Arthurian Romances. Translated with an Introduction by W. W. Comfort. - London: Everyman's Library 1970.

Dichter über Dichter in mittelhochdeutscher Literatur. Hrsg. von Günther   S c w e i k l e . - Tübingen: Niemeyer 1970 (= Deutsche Texte Bd. 12).

E i l h a r t   v o n   O b e r g e . Hrsg. von Franz Lichtenstein. - Straßburg, London 1877.

The Romance of   F l a m e n c a . A Provencal Poem of the Thirteenth Century. Ed. by E. Porter with an English Translation. - Princeton 1962.

G o t t f r i e d   v o n   S t r a ß b u r g : Tristan und Isold. Text. Hrsg. von Friedrich Ranke. 9. Aufl.- Zürich, Berlin 1965.

G o t t f r i e d v o n S t r a s s b u r g : Tristan. Translated entire for the first time. With the surviving fragments of the Tristan of Thomas newly translated. With an introduction by A. T. Hatto. - Harmondsworth: Penguin 1960.

G u i l l a u m e d e L o r r i s : Der Rosenroman. Übersetzt und eingeleitet von Gustav Ineichen. - Berlin 1956.

H a r t m a n n v o n A u e : Die Klage. Das (zweite) Büchlein. Hrsg. von Harta Zutt. - Berlin 1968.

H e i n r i c h v o n F r e i b e r g : Tristan. Hrsg. von Reinhold Bechstein. - Leipzig 1877.

K o n r a d v o n W ü r z b u r g : Die Klage der Kunst. In: K. v. W.: Kleinere Dichtungen III. Hrsg. von Edward Schröder. 3. unveränd. Auflage. - Dublin, Zürich 1967.

M o r i z v o n C r â u n . Hrsg. von Ulrich Pretzel. 3. Aufl. - Tübingen: Niemeyer 1966 (= Altdeutsche Textbibliothek 45).

T h o m a s . Les fragments du roman de Tristan. Poème du XIIe siècle, édités avec une commentaire par Bartina H. Wind. - Genf, Paris 1960.

T r i s t r a m s S a g a o k Í s o n d a r . Mit einer literarhistorischen Einleitung, deutscher Übersetzung und Anmerkungen hrsg. von Eugen Kölbing. - Heilbronn 1878. (= Die nordische und die englische Version der Tristansage. Erster Teil).

U l r i c h v o n T ü r h e i m : Tristan und Isolde. Hrsg. von Wolfgang Golther. In: Deutsche National-Litteratur. Bd. 4. Abt. 3, II. - Berlin, Stuttgart o.J. S. 166 - 186.

7.2. Untersuchungen

7.2.1. Zu Gottfried von Straßburg

A n s o n , John S.: The Hunt of Love. Gottfried von Strassburg's 'Tristan' as Tragedy. In: Speculum 45 (1970) S. 594 - 607.

B a t t s , Michael S(tanley): Die Problematik der Tristandichtung Gottfrieds von Straßburg. In: Doitsu Bungaku (Tokio) 30 (1963) S. 1 - 21.

d e B o o r , Helmut: Der strophische Prolog zum Tristan Gottfrieds von Straßburg. In: PBB (Tübingen) 81 (1959) S. 47 - 60.

C a r l s , Ottmar: Die Auffassung der Wahrheit im 'Tristan' Gottfrieds von Straßburg. In: ZfdPh 93 (1974) S. 11 - 34.

C l a u s e n , Ilse: Der Erzähler in Gottfrieds Tristan. - Kiel 1970. (Phil. Diss. Kiel)

C o m b r i d g e , Rosemary Norah: Das Recht im Tristan Gottfrieds von Straßburg. 2. überarb. Aufl. - Berlin 1964 (= Philologische Studien und Quellen 15).

D a l b y , David: 'Der maere wildenaere'. In: Euphorion 55 (1961) S. 77 - 84.

D i c k e r s o n Jr., Harold D.: Language in 'Tristan' as a Key to Gottfried's Conception of God. In: Amsterdamer Beiträge zur älteren Germanistik 3 (1972) S. 127 - 145.

D i j k s t e r h u i s , Aaltje: Thomas und Gottfried. Ihre konstruktiven Sprachformen. - Groningen 1935.

E g g e r s , Hans und Eduard Neumann: Gottfried von Straßburg in neuer Sicht. In: Euphorion 48 (1954) S. 472 - 490.

E i f l e r , Günter: Publikumsbeeinflussung im strophischen Prolog zum Tristan Gottfrieds von Straßburg. In: Festschrift für Karl Bischoff zum 70. Geburtstag. - Köln, Wien 1975. S. 357 - 389.

E n d r e s , Marion: Word Field and Word Content in Middle High German. The Applicability of Word Field Theory to the Intellectual Vocabulary in Gottfried's von Strassburg 'Tristan'. - Göppingen 1971 (= Göppinger Arbeiten zur Germanistik 47).

F r e e s e , Wolfgang: Musil und Gottfried von Straßburg. Anmerkungen zur Methode und Sache eines literarischen Vergleichs. In: Festschrift für Kurt Herbert Halbach zum 70. Geburtstag. - Göppingen 1972. S. 327 - 365.

F r e y t a g , Wiebke: Das Oxymoron bei Wolfram, Gottfried und anderen Dichtern des Mittelalters. - München 1972 (= Medium Aevum. Philologische Studien 24).

F r o m m , Hans: Tristans Schwertleite. In: DVjs 41 (1967) S. 333 - 350.

F r o m m , Hans: Gottfried von Straßburg und Abaelard. In: Festschrift für Ingeborg Schröbler zum 65. Geburtstag. - Tübingen 1973. S. 196 - 216.

G a n z , Peter F.: Polemisiert Gottfried gegen Wolfram? (zu Tristan Z. 4638 f.). In: PBB (Tübingen) 88 (1966) S. 68 - 85.

G a n z , Peter F.: Minnetrank und Minne. Zu Tristan Z. 11707 f. In: Formen mittelalterlicher Literatur. Siegfried Beyschlag zu seinem 65. Geburtstag. - Göppingen 1970. S. 63 - 75.

G a n z , Peter: Tristan, Isolde und Ovid. Zu Gottfrieds Tristan Z. 17182 ff. In: Mediaevalia Litteraria. Festschrift für Helmut de Boor zum 80. Geburtstag. - München 1971. S. 397 - 412.

G n a e d i n g e r , Louise: Musik und Minne im 'Tristan' Gottfrids von Straßburg. - Düsseldorf 1967. (= Beihefte zur Zeitschrift Wirkendes Wort 19).

G r o s s e , Siegfried: 'Vremdiu maere' - Tristans Herkunftsberichte. In: Wirkendes Wort 20 (1970) S. 289 - 302.

G r u e n t e r , Rainer (Rez.): Gottfried Weber: Gottfrieds von Straßburg Tristan und die Krise des hochmittelalterlichen Weltbildes um 1200. In: Deutsche Literaturzeitung 75 (1954) Sp. 267 - 283.

G r u e n t e r , Rainer: Der 'vremede hirz'. In: ZfdA 86 (1955/56) S. 231 - 237.

G r u e n t e r , Rainer: Bauformen der Waldleben-Episode in Gotfrids Tristan und Isold. In: Gestaltprobleme der Dichtung. Festschrift Günther Müller. - Bonn 1957. S. 21 - 48.

G r u e n t e r , Rainer: Das 'guldine lougen'. Zu Gotfrids Tristan vv. 17536-17556. In: Euphorion 55 (1961) S. 1 - 14.

G r u e n t e r , Rainer: Das 'wunnecliche tal'. In: Euphorion 55 (1961) S. 341 - 404.

H a h n , Ingrid: Raum und Landschaft in Gottfrieds 'Tristan'. Ein Beitrag zur Werkdeutung. - München 1963 (= Medium Aevum. Philologische Studien 3).

H a h n , Ingrid: 'daz lebende paradis' (Tristan 17858-18111). In: ZfdA 92 (1963) S. 184 - 195.

H a h n , Ingrid: Zu Gottfrieds von Straßburg Literaturschau. In: ZfdA 96 (1967) S. 218 - 236.

H a l b a c h , Kurt Herbert: Gottfried von Straßburg und Konrad von Würzburg. "Klassik" und "Barock" im 13. Jahrhundert. Stilgeschichtliche Studie. - Stuttgart 1930.

H a m m e r i c h , Louis L(eonor): Rationalismus und Irrationalismus im Tristan-Roman. Beobachtungen zur Vorgeschichte. In: Mitteilungen Universitätsbund Marburg 1959/60. S. 4 - 15.

H a t t o , A(rthur) T(homas): 'Der minnen vederspil Isot'. In: Euphorion 51 (1957) S. 302 - 307.

H a u g , Walter: 'Aventiure' in Gottfrieds von Straßburg Tristan. In: Festschrift für Hans Eggers zum 65. Geburtstag. Hrsg. von Herbert Backes. - Tübingen 1972. S. 88 - 125.

H e i m e r l e , Magda: Gottfried und Thomas. Ein Vergleich. - Frankfurt 1942.

H o f f a , Wilhelm: Antike Elemente bei Gottfried von Straßburg. In: ZfdA 52 (1910) S. 339 - 350. (N.F. Bd. 40).

H o l l a n d t , Gisela: Die Hauptgestalten in Gottfrieds Tristan. Wesenszüge. Handlungsfunktion. Motiv der List. - Berlin 1966 (= Philologische Studien und Quellen 30).

J a c k s o n , W(illiam) T(homas) H(obdell): Tristan the Artist in Gottfried's Poem. In: PMLA 77 (1962) S. 364 - 372.

J a c k s o n , W. T. H.: The Stylistic Use of Word-Pairs and Word-Repetitions in Gottfried's Tristan. In: Euphorion 59 (1965) S. 229 - 251.

J a c k s o n , W. T. H.: The Literary Views of Gottfried von Strassburg. In: PMLA 85 (1970) S. 992 - 1001.

J a c k s o n , W.T.H.: The Anatomy of Love. The 'Tristan' of Gottfried von Strassburg. - New York, London 1971.

J a e g e r , C. Stephen: The 'Strophic' Prologue to Gottfried's 'Tristan'. In: The Germanic Review XLVII (1972) S. 5 - 19.

K l e i n , Josef: Die Schwertleite in Gotfrids 'Tristan und Isolde' als "epische Einheit". In: Euphorion 64 (1970) S. 1 - 22.

K o l b , Herbert: Über den Epiker Bligger von Steinach. Zu Gottfrieds Tristan vv. 4691-4722. In: DVjs 36 (1962) S. 507 - 520.

K o l b , Herbert: 'Der minnen hus'. Zur Allegorie der Minnegrotte in Gottfrieds Tristan. In: Euphorion 56 (1962) S. 229 - 247.

K o l b , Herbert: 'Der ware Elicon'. Zu Gottfrieds Tristan vv. 4862 - 4907. In: DVjs 41 (1967) S. 1 - 26.

K u n z e r , Ruth Goldschmidt: The 'Tristan' of Gottfried von Strassburg. An Ironic Perspective. - Berkeley, Los Angeles, London: University of California Press 1973.

L a n g e r , Otto: Der 'Künstlerroman' Gottfrieds - Protest bürgerlicher 'Empfindsamkeit' gegen höfisches 'Tugendsystem'? In: Euphorion 68 (1974) 1 - 41.

M o r e t , André: Le problème de l'interpretation du 'Tristan' de Gottfried. In: Mélanges de Linguistique et de philologie. Fernand Mossé in memoriam. - Paris 1959. S. 322 - 329.

N i c k e l , Emil: Studien zum Liebesproblem bei Gottfried von Straßburg. - Königsberg 1927 (= Königsberger Deutsche Forschungen 1).

N o r m a n , Frederick: Meinung und Gegenmeinung. Die literarische Fehde zwischen Gottfried von Straßburg und Wolfram von Eschenbach. In: Miscellanea di Studi in onore di Bonaventura Tecchi. Vol. primo. - Roma 1969. S. 67 - 86.

O h l y , Friedrich (Rez.): Maria Bindschedler: Gottfried von Straßburg und die höfische Ethik. In: AfdA 68 (1955/56) S. 119 - 130.

P e i f f e r , Lore: Zur Funktion der Exkurse im 'Tristan' Gottfrieds von Straßburg. - Göppingen 1971 (= Göppinger Arbeiten zur Germanistik 31).

P e n n , Gareth S.: Gottfried von Strassburg and the Invisible Art. In: Colloquia Germanica 1972. S. 113 - 125.

P e t e r , Klaus: Die Utopie des Glückes. Ein neuer Versuch über Gottfried von Straßburg. In: Euphorion 62 (1968) S. 317 - 344.

P f e i f f e r , Ingeborg: Untersuchungen zum 'Tristan' Gottfrieds von Straßburg unter besonderer Berücksichtigung der altnordischen Prosaversion. - Göttingen 1954 (Masch. Diss.).

R a n k e , Friedrich: Die Allegorie der Minnegrotte in Gottfrieds Tristan. - Berlin 1925. (= Schriften der Königsberger Gelehrten Gesellschaft 2. Geisteswissenschaftliche Klasse 2).

R a t h o f e r , Johannes: Der 'wunderbare Hirsch' der Minnegrotte. In: ZfdA 95 (1966) S. 27 - 42.

R o s e n b a n d , Doris: Das Liebesmotiv in Gottfrieds 'Tristan' und Wagners 'Tristan und Isolde'. - Göppingen 1973 (= Göppinger Arbeiten zur Germanistik 94).

S a w i c k i , Stanislaw: Gottfried von Straßburg und die Poetik des Mittelalters. - Berlin 1932.

S a y c e , Olive: Der Begriff 'edelez herze' im Tristan Gottfrieds von Straßburg. In: DVjs 33 (1959) S. 389 - 413.

S c h a r s c h u c h , Heinz: Gottfried von Straßburg. Stilmittel - Stilästhetik. - Berlin 1938.

S c h i n d e l e , Gerhard: Tristan. Metamorphose und Tradition. - Stuttgart, Berlin, Köln, Mainz 1971 (= Studien zur Poetik und Geschichte der Literatur Bd. 12).

S c h ö n e , Albrecht: Zu Gottfrieds 'Tristan'-Prolog. In: DVjs 29 (1955) S. 447 - 474.

S c h r ö d e r , Walter Johannes: 'Vindaere wilder maere'. Zum Literaturstreit zwischen Gottfried und Wolfram. In: PBB (Tübingen) 80 (1958) S. 269 - 287.

S c h r ö d e r , Walter Johannes: Bemerkungen zur Sprache Gottfrieds von Straßburg. In: Volk - Sprache - Dichtung. Festschrift Kurt Wagner. - Gießen 1960. S. 49 - 60.

S c h r ö d e r , Walter Johannes: Der Liebestrank in Gottfrieds 'Tristan und Isolt'. In: Euphorion 61 (1967) S. 22 - 35.

S c h r ö d e r , Werner: Das Hündchen Petitcreiu im 'Tristan' Gottfrieds von Straßburg. In: Dialog. Festgabe für Josef Kunz. Hrsg. von Rainer Schönhaar. - Berlin 1973. S. 32 - 42.

S c h u l z e , Ursula: Literarkritische Äußerungen im Tristan Gottfrieds von Straßburg. In: PBB (Tübingen) 88 (1966) S. 285 - 310.

S c h w a b , Ute: Lex et gratia. Der literarische Exkurs Gottfrieds von Straßburg und Hartmanns Gregorius. - Messina 1967 (= Universitá degli studi di Messina. Publicazioni dell' Istituto di lingue et letterature straniere 1).

S c h w a n d e r , Annemarie: Das Fortleben des spätantiken Romans in der mittelalterlichen Epik. Untersuchungen zu Gottfrieds 'Tristan'. - Frankfurt 1944 (Masch. Diss.).

S c h w a r z , Werner: Gottfrieds von Straßburg Tristan und Isolde. Rede. - Groningen, Djakarta 1955.

S c h w a r z , Werner: Studien zu Gottfrieds 'Tristan'. In: Festschrift für Ingeborg Schröbler zum 65. Geburtstag. - Tübingen 1973. S. 217 - 237.

S c h w i e t e r i n g , Julius: Der Tristan Gottfrieds von Straßburg und die Bernhardische Mystik. - Berlin 1943 (= Abh. d. Preuß. Akad. d. Wiss. 1943; phil.-hist. Klasse, 5).

S i n g e r , Samuel: Thomas von Britannien und Gottfried von Straßburg. In: Festschrift für Edouard Tièche. - Bern 1947. S. 87 - 101.

S n o w , Ann: 'wilt, wilde, wildenaere'. A study in the interpretation of Gottfried's Tristan. In: Euphorion 62 (1968) S. 365 - 377.

S p a h r , Blake Lee: Tristan versus Morolt: Allegory against Reality? In: Festschrift Helen Adolf. - New York 1968. S. 72 - 85.

S p e c k e n b a c h , Klaus: Studien zum Begriff 'edelez herze' im Tristan Gottfrieds von Straßburg. - Kiel 1963 (Phil. Diss.).

S t e i n h o f f , Hans-Hugo: Bibliographie zu Gottfried von Straßburg. - Berlin 1971 (= Bibliographien zur deutschen Literatur des Mittelalters Heft 5).

S t o l t e , Heinz: Eilhart und Gottfried. Studie über Motivreim und Aufbaustil. - Halle 1941.

T a x , Petrus W(ilhelm): Wort, Sinnbild, Zahl im Tristanroman. Studien zum Denken und Werten Gottfrieds von Straßburg. 2. Auflage. - Berlin 1971 (= Philologische Studien und Quellen 8).

T h o m s e n , Ingrid: Darstellung und Funktion der Zeit im Nibelungenlied, in Gottfrieds von Straßburg 'Tristan' und in Wolframs von Eschenbach 'Willehalm'. - Kiel 1962 (Phil. Diss.).

T r i e r , Jost: Gotfrid von Straßburg. In: Die Welt als Geschichte 7 (1941) S. 72 - 83.

V a l k , Melvin E.: Word-Index to Gottfried's Tristan. - Madison 1958.

W a g n e r , Wilfried: Die Gestalt der jungen Isolde in Gottfrieds 'Tristan'. In: Euphorion 67 (1973) S. 52 - 59.

W a p n e w s k i , Peter: Herzeloydes Klage und das Leid der Blancheflur. Zur Frage der agonalen Beziehungen zwischen den Kunstauffassungen Gottfrieds von Straßburg und Wolframs von Eschenbach. In: Festgabe Ulrich Pretzel. - Berlin 1963. S. 173 - 184.

W a p n e w s k i , Peter: Tristans Abschied. Ein Vergleich der Dichtung Gotfrits von Straßburg mit ihrer Vorlage Thomas. In: Festschrift für Jost Trier zum 70. Geburtstag. - Köln, Graz 1964. S. 335 - 363.

W e b e r , Gottfried: Gottfried von Straßburg. Tristan und die Krise des hochmittelalterlichen Weltbildes um 1200. Bd. 1.2. - Stuttgart 1953.

W e h r l i , Max: Der Tristan Gottfrieds von Straßburg. In: Trivium 4, Heft 2 (1946) S. 81 - 117 (Wiederabdruck mit einem Nachtrag in: Gottfried von Straßburg. Hrsg. von Alois Wolf. - Darmstadt 1973 (= Wege der Forschung Band CCCXX). S. 97 - 134).

W e h r l i , Max: Das Abenteuer von Gottfrieds Tristan. In: M. W.: Formen mittelalterlicher Erzählung. Aufsätze. - Zürich 1969. S. 243 - 270.

W i l k e , Eckhard L.: Zur Literaturschau in Gottfrieds von Straßburg 'Tristan und Isolde'. In: Acta Germanica (Jahrbuch des südafrikanischen Germanistenverbandes, Kapstadt) 3 (1968) S. 37 - 46.

W i l k e , Eckhard: Der Minnetrank im Stilgefüge von Gottfrieds Tristan. In: Acta Germanica 4 (1969) S. 17 - 38.

W i l l s o n , H. B(ernard): Gottfried's 'Tristan': The Coherence of Prologue and Narrative. In: Modern Language Review 59 (1964) S. 595 - 607.

W i l l s o n , H. B(ernard): The Old and the New Law in Gottfried's Tristan. In: Modern Language Review 60 (1965) S. 212 - 224.

W o l f , Alois Gratian: Tristan-Studien. Untersuchungen zum Minnegedanken im 'Tristan' Gottfrieds von Straßburg. - Innsbruck 1953 (Masch. Diss.)

W o l f , Alois: Zur Frage des antiken Geistesgutes im 'Tristan' Gottfrieds von Straßburg. In: Innsbrucker Beiträge zur Kulturwissenschaft 4 (1956) S. 45 - 53.

W o l f , Alois: Zu Gottfrieds literarischer Technik. In: Sprachkunst als Weltgestaltung. Festschrift für Herbert Seidler. - Salzburg, München 1966. S. 384 - 409.

W o l f , Alois: Die Klagen der Blanscheflur. Zur Fehde zwischen Wolfram von Eschenbach und Gottfried von Straßburg. In: ZfdPh 85 (1966) S. 66 - 82.

7.2.2. Zur mittelalterlichen Literatur

A r f e r t , Paul: Das Motiv der untergeschobenen Braut in der internationalen Erzählungsliteratur, mit einem Anhang: Über den Ursprung und die Entwicklung der Bertasage. - Rostock, Schwerin 1897.

A u e r b a c h , Erich: Literatursprache und Publikum in der lateinischen Spätantike und im Mittelalter. - Bern 1958.

A u e r b a c h , Erich: Mimesis. Dargestellte Wirklichkeit in der abendländischen Literatur. 2., verbesserte Auflage. - Bern 1959.

B a y e r , Hans J.: Untersuchungen zum Sprachstil weltlicher Epen des deutschen Früh- und Hochmittelalters. - Berlin 1962.

B e r t a u , Karl: Deutsche Literatur im europäischen Mittelalter. Band II: 1195 - 1220.- München 1973.

B l a n k , Walter: Die deutsche Minneallegorie. - Stuttgart 1970.

B o e s c h , Bruno: Die Kunstanschauungen in der mittelhochdeutschen Dichtung bis zum Meistersang. - Bern, Leipzig 1936.

B r i n k m a n n , Hennig: Geschichte der lateinischen Liebesdichtung im Mittelalter. - Halle 1925.

B r i n k m a n n , Hennig: Zu Wesen und Form mittelalterlicher Dichtung. - Halle 1928.

B r i n k m a n n , Hennig: Der Prolog im Mittelalter als literarische Erscheinung. In: Wirkendes Wort 14 (1964) 1 - 21.

B r o d e , Hanspeter: Untersuchungen zum Sprach- und Werkstil des 'Jüngeren Titurel' von Albrecht von Scharfenberg. - Freiburg 1966 (Phil. Diss.).

B u s s m a n n , Hadumod: Der Liebesmonolog im frühhöfischen Epos. Versuch einer Typbestimmung am Beispiel von Eilharts Isalde-Monolog. In: Werk - Typ - Situation. Studien zu poetologischen Bedingungen in der älteren deutschen Literatur. Hugo Kuhn zum 60. Geburtstag. - Stuttgart 1969. S. 45 - 63.

C r e a n Jr., John E.: Rhetoric and Religion in 'Der arme Heinrich'. In: Sprachkunst 2 (1971) S. 59 - 80.

D i t t m a n n , Wolfgang: 'Dune hâs niht wâr, Hartman!' Zum Begriff der 'wârheit' in Hartmanns Iwein. In: Festgabe Ulrich Pretzel. - Berlin 1963. S. 150 - 161.

D o h s e , Jutta: Syntaktische Figuren der Zweischau in der mittelhochdeutschen Epik. - Tübingen 1961 (Phil. Diss.)

E h r i s m a n n , Gustav: Studien über Rudolf von Ems. Beiträge zur Geschichte der Rhetorik und Ethik im Mittelalter. - Heidelberg 1919 (= Sitzungsber. d. Heidelberger Akad. d. Wiss. Philosophisch-histor. Kl.).

E n d r e s , Rolf: Studien zum Stil von Hartmanns 'Erec'. - München 1961 (Phil. Diss.).

E n d r e s , Rolf: Der Prolog von Hartmanns 'Iwein'. In: DVjs 40 (1966) S. 509 - 537.

E r t z d o r f f , Xenja von: Rudolf von Ems. Untersuchungen zum höfischen Roman im 13. Jahrhundert.- München 1967.

E r t z d o r f f , Xenja von: Die Wahrheit der höfischen Romane des Mittelalters. In: ZfdPh 86 (1967) S. 375 - 389.

E r t z d o r f f , Xenja von: Spiel der Interpretation. Der Erzähler in Hartmanns Iwein. In: Festgabe für Friedrich Maurer. - Düsseldorf 1968. S. 135 - 157.

F a l k , Walter: Wolframs Kyot und die Bedeutung der 'Quelle' im Mittelalter. In: Literaturwiss. Jahrbuch i. Auftr. d. Görres-Gesell. N.F. 9 (Berlin 1968) S. 1 - 63.

F a l k , Walter: Das Nibelungenlied in seiner Epoche. Revision eines romantischen Mythos. - Heidelberg 1974.

F e c h t e r , Werner: Lateinische Dichtkunst und deutsches Mittelalter. Forschungen über Ausdrucksmittel, poetische Technik und Stil mittelhochdeutscher Dichtungen. - Berlin 1964.

F i n s t e r , Franz: Zur Theorie und Technik mittelalterlicher Prologe. Eine Untersuchung zu den Alexander- und Willehalmprologen Rudolfs von Ems. - Bochum 1971 (Phil. Diss.)

F i s c h e r , Hanns: Deutsche Literatur und lateinisches Mittelalter. In: Werk - Typ - Situation. Hugo Kuhn zum 60. Geburtstag. - Stuttgart 1969. S. 1 - 19.

G o m p f , Ludwig: Figmenta Poetarum. In: Literatur und Sprache im europäischen Mittelalter. Festschrift für Karl Langosch zum 70. Geb. - Darmstadt 1973. S. 53 - 62.

G r o s s e , Siegfried: Zur Frage des "Realismus" in den deutschen Dichtungen des Mittelalters. In: Wirkendes Wort 22 (1972) S. 73 - 89.

G r u e n t e r , Rainer: Über den Einfluß des 'genus iudicale' auf den höfischen Redestil. In: DVjs 26 (1952) S. 49 - 57.

H a i d u , Peter: Aesthetic Distance in Chretien de Troyes: Irony and Comedy in Cligès and Perceval. - Genf 1968.

H a u g , Walter: Struktur und Geschichte. Ein literaturtheoretisches Experiment an mittelalterlichen Texten. In: GRM 54 (1973) S. 129 - 152.

H u i z i n g a , J(ohan): Über die Verknüpfung des Poetischen mit dem Theologischen bei Alanus de Insulis. - Amsterdam 1932.

H u n t , Tony: The Rhetorical Background to the Arthurian Prologue. Tradition and the Old French Vernacular Prologues. In: Forum for Modern Language Studies Vol. VI (1970) S. 1 - 23.

H u t h , Lutz: Dichterische Wahrheit als Thematisierung der Sprache in poetischer Kommunikation. Untersucht an der Funktion des Höfischen in Wolframs 'Parzival'. - Hamburg 1972.

J a c k s o n , W(illiam) T(homas) H(obdell): Problems of Communication in the Romances of Chrétien de Troyes. In: Medieaval Literature and Folklore Studies. Essays in Honor of Francis Lee Utley. - New Brunswick 1970. S. 39 - 50.

K e r n , Peter: Der Roman und seine Rezeption als Gegenstand des Romans. Beobachtungen zum Eingangsteil von Hartmanns 'Iwein'. In: Wirkendes Wort 23 (1973) S. 246 - 252.

K e s t i n g , Peter: 'Diu rehte wârheit'. Zu Konrads von Würzburg 'Engelhard'. In: ZfdA 99 (1970) S. 246 - 259.

K i b e l k a , Johannes: 'der ware meister'. Denkstile und Bauformen in der Dichtung Heinrichs von Mügeln. - Berlin 1963.

K o b b e , Peter: Funktion und Gestalt des Prologs in der mittelhochdeutschen nachklassischen Epik des 13. Jahrhunderts. In: DVjs 43 (1969) S. 405 - 457.

K r a m e r , Hans-Peter: Erzählerbemerkungen und Erzählerkommentare in Chréstiens und Hartmanns 'Erec' und 'Iwein'. - Göppingen 1971 (= Göppinger Arbeiten zur Germanistik 35).

K u h n , Hugo: Soziale Realität und dichterische Fiktion am Beispiel der höfischen Ritterdichtung Deutschlands. In: H. K.: Dichtung und Welt im Mittelalter. 2. unveränd. Aufl. - Stuttgart 1969. S. 22 - 40.

K u h n , Hugo: Stil als Epochen-, Gattungs- und Wertproblem in der deutschen Literatur des Mittelalters. In: H. K.: L.c. S. 62 - 69.

K u h n , Hugo: Mittelalterliche Kunst und ihre Gegebenheit. In: H. K.: Text und Theorie. - Stuttgart 1969. S. 28 - 46.

K u h n , Hugo: Tristan, Nibelungenlied, Artusstruktur. - München 1973 (= Sitzungsber. d. Bayr. Akad. d. Wiss. Phil.-Hist. Kl. Jg. 1973, H. 5).

L e c k i e Jr., R. William: Psychological Allegory in Middle High German Translations of Old French Romances. In: Colloquia Germanica (1968) S. 258 - 271.

L e h m a n n , Paul: Die Parodie im Mittelalter. - Stuttgart 1963.

L o f m a r k , Carl: Der höfische Dichter als Übersetzer. In: Probleme mittelhochdeutscher Erzählformen. Marburger Colloquium 1969. Hrsg. von Peter F. Ganz und Werner Schröder.- Berlin 1972. S. 40 - 62.

M a u r e r , Friedrich: Leid. Studien zur Bedeutungs- und Problemgeschichte, besonders in den großen Epen der staufischen Zeit. 2. Aufl. - Berlin, München 1961.

M a u r e r , Friedrich: Die Ehre im Menschenbild der Dichtung um 1200. In: Geschichte. Deutung. Kritik. Literaturwissenschaftliche Beiträge zum 65. Geb. Werner Kohlschmidts. - Bern 1969. S. 30 - 44.

M a y e r , Hartwig: Topoi des Verschweigens und der Kürzung im höfischen Roman. In: 'getempert und gemischet'. Festschrift Wolfgang Mohr. - Göppingen 1972. S. 231 - 249.

M e c k e , Günter: Zwischenrede, Erzählerfigur und Erzählhaltung in Hartmanns von Aue 'Erec'. - München 1965 (Phil. Diss.).

M ö l k , Ulrich: Trobar clus - Trobar leu. Studien zur Dichtungstheorie der Trobadors. - München 1968.

M o h r , Wolfgang: Iweins Wahnsinn. Die Aventüre und ihr "Sinn". In: ZfdA 100 (1971) S. 73 - 94.

M o n e c k e , Wolfgang: Studien zur epischen Technik Konrads von Würzburg. Das Erzählprinzip der 'wildekeit'. - Stuttgart 1968.

M o r d h o r s t , Otto: Egon von Bamberg und 'die geblümte Rede'. - Berlin 1911.

N a u m a n n , Bernd: Vorstudien zu einer Darstellung des Prologs in der deutschen Dichtung des 12. und 13. Jahrhunderts. In: Formen mittelalterlicher Literatur. Siegfried Beyschlag zum 65. Geburtstag. - Göppingen 1970. S. 23 - 37.

N e l l m a n n , Eberhard: Wolframs Erzähltechnik. Untersuchungen zur Funktion des Erzählers. - Wiesbaden 1973.

N e u m a n n , Friedrich: Scholastik und mittelhochdeutsche Literatur. In: Neue Jahrbücher für das klassische Altertum, Geschichte und deutsche Literatur 25 (1922) S. 388 - 404.

N o l t i n g - H a u f f , Ilse: Die Stellung der Liebeskasuistik im höfischen Roman. - Heidelberg 1959.

P ö r k s e n , Uwe: Der Erzähler im mittelhochdeutschen Epos. - Berlin 1971.

R a g o t z k y , Hedda: Studien zur Wolfram-Rezeption. Die Entstehung und Verwandlung der Wolfram-Rolle in der deutschen Literatur des 13. Jahrhunderts. - Stuttgart, Berlin, Köln, Mainz 1971 (= Studien zur Poetik und Geschichte der Literatur 20).

R e i n i t z e r , Heimo: Geschichte der deutschen Literaturkritik im Mittelalter. - Graz 1966 (Masch. Diss.).

S a r g e n t , Barbara Nelson: A Medieaval Commentary on Andreas Capellanus. In: Romania 94 (1973) S. 528 - 541.

S a y c e , Olive: Prolog, Epilog und das Problem des Erzählens. In: Probleme mittelhochdeutscher Erzählformen. Marburger Colloquium 1969.- Berlin 1972. S. 63 - 72.

S c h l a u c h , Margaret: Rhetorical Doctrine and some Aspects of Medieaval Narrative. In: Kwartalnik Neofilologiczny XVIII (1971) S. 353 - 364 (Warszawa).

S c h l ö s s e r , Felix: Andreas Capellanus. Seine Minnelehre und das christliche Weltbild des 12. Jahrhunderts. - 2. Aufl. Bonn 1962.

S c h r ö d e r , Walter Johannes: Der Prolog von Wolframs Parzival. In: ZfdA 83 (1951/52) S. 130 - 143.

S c h r ö d e r , Walter Johannes: Über Ironie in der Dichtung. Der Teufel am Sakrament. In: Akzente 2 (1955) S. 568 - 575.

S c h r ö d e r , Walter Johannes: Zum Bogengleichnis Wolframs. Parz. 241, 1-30, In: PBB (Tübingen) 78 (1956) S. 453 - 457

S c h r ö d e r , Walter Johannes: Artikel "rede (mhd.)". In: Reallexikon der deutschen Literaturgeschichte. 2. Aufl. Bd. III. S. 431 - 432.

S i e k h a u s , Heinrich: Revocatio - Studie zu einer Gestaltungsform des Minnesangs. In: DVjs 45 (1971) S. 237 - 251.

S t a c k m a n n , Karl: Der Spruchdichter Heinrich von Mügeln. Vorstudien zur Erkenntnis seiner Individualität. - Heidelberg 1958.

T o u b e r , A. H.: Rhetorik und Form im deutschen Minnesang. - Groningen 1964.

T s c h i r s c h , Fritz: Colores Rhetorici im 'Ackermann aus Böhmen' (Aequivoca, Synonyma, Figurae etymologiae und Reimformeln). In: Literatur und Sprache im europäischen Mittelalter. Festschrift für Karl Langosch zum 70. Geburtstag. - Darmstadt 1973. S. 364 - 397.

V i n a v e r , Eugène: The Rise of Romance. - Oxford 1971.

W a g n e r , Kurt: Wirklichkeit und Schicksal im Epos des Eilhart von Oberg. In: Archiv f. d. Studium d. neueren Sprachen 170 (1936) S. 161 - 184.

W e h r l i , Max: Strukturprobleme des mittelalterlichen Romans. In: Wirkendes Wort 10 (1960) S. 334 - 345.

W e h r l i , Max: Iweins Erwachen. In: Geschichte. Deutung. Kritik. Literaturwiss. Beiträge zum 65. Geb. Werner Kohlschmidts. - Bern 1969. S. 64 - 78.

W o l f f , Ludwig: Die mythologischen Motive in der Liebesdarstellung des höfischen Romans. In: ZfdA 84 (1952/53) S. 47 - 70.

W ü n s c h , Marianne: Allegorie und Sinnstruktur im 'Erec' und 'Tristan'. In: DVjs 46 (1972) S. 513 - 538.

7.2.3. Zur Rhetorik, Poetik und Literarästhetik

A r b u s o w , Leonid: Colores Rhetorici. Eine Auswahl rhetorischer Figuren und Gemeinplätze als Hilfsmittel für akademische Übungen an mittelalterlichen Texten. - Göttingen 1948.

A s s u n t o , Rosario: Die Theorie des Schönen im Mittelalter. - Köln 1963.

B a b i l a s , Wolfgang: Tradition und Interpretation. Gedanken zur philologischen Methode. - München 1961.

B a l d w i n , Charles Sears: Medieaval Rhetoric and Poetic (to 1400), interpreted from representative works. - Gloucester (Mass.) 1959 (1 st 1928).

B a r w i c k , Karl: Die Gliederung der 'narratio' in der rhetorischen Theorie und ihre Bedeutung für die Geschichte des antiken Romans. In: Hermes 63 (1928) S. 261 - 287.

B a y e r d ö r f e r , Hans-Peter: Poetik als sprachtheoretisches Problem. - Tübingen 1967.

B e n j a m i n , Walter: Ursprung des deutschen Trauerspiels. Revidierte Ausgabe von Rolf Tiedemann. - Frankfurt/M. 1963.

B o o t h , Wayne C.: The Rhetoric of Fiction. 4. Aufl. - Chicago 1963.

B o r i n s k i , Karl: Die Antike in Poetik und Kunsttheorie vom Ausgang des klassischen Altertums bis auf Goethe und Wilhelm von Humboldt. Erster Band. Mittelalter, Renaissance, Barock. - Darmstadt 1965 (= reprogr. Nachdruck d. Ausg. Leipzig 1914).

C u r t i u s , Ernst Robert: Zur Literarästhetik des Mittelalters I. In: ZfrPh 58 (1938) S. 1 - 50.

C u r t i u s , Ernst Robert: Dichtung und Rhetorik im Mittelalter. In: DVjs 16 (1938) S. 435 - 475.

C u r t i u s , Ernst Robert: Mittelalterliche Literaturtheorien. In: ZfrPh 62 (1942) S. 417 - 491.

C u r t i u s , Ernst Robert: Europäische Literatur und lateinisches Mittelalter. 4. Aufl. - Bern 1963.

D o c k h o r n , Klaus (Rez.): Heinrich Lausberg: Handbuch der literarischen Rhetorik. In: Göttingische Gelehrte Anzeigen Jg. 214 (1962) S. 177 - 196.

D o c k h o r n , Klaus (Rez.): Hans-Georg Gadamer: Wahrheit und Methode. Grundzüge einer philosophischen Hermeneutik. In: Göttingische Gelehrte Anzeigen Jg. 218 (1966) S. 169 - 206.

D o c k h o r n , Klaus: Rhetorik und germanistische Literaturwissenschaft in Deutschland. In: Jahrbuch f. intern. Germanistik 3 (1971) S. 168 - 185.

D u b o i s , Jaques u.a.: Allgemeine Rhetorik. Übersetzt und hrsg. von Armin Schütz. - München 1974.

D y c k , Joachim: Ticht-Kunst. Deutsche Barockpoetik und rhetorische Tradition. 2. Aufl. - Bad Homburg, Berlin, Zürich 1969.

F i s c h e r , Ludwig: Gebundene Rede. Dichtung und Rhetorik in der literarischen Theorie des Barock in Deutschland. - Tübingen 1968.

G a d a m e r , Hans-Georg: Rhetorik, Hermeneutik und Ideologiekritik. In: H.-G. G.: Kleine Schriften I. Philosophie, Hermeneutik. - Tübingen 1967, S. 113 - 130.

G a l l o , Ernest: The 'Poetria Nova' and its sources in early rhetorical doctrine. - The Hague, Paris 1971 (= De proprietatibus litterarum. Ed. van Schooneveld. Indiana University).

G a r i n , Eugenio: Geschichte und Dokumente der abendländischen Pädagogik. I Mittelalter. - Reinbek 1964 (= rowohlts deutsche enzyklopädie).

G l u n z , Hans H.: Die Literarästhetik des europäischen Mittelalters. Wolfram - Rosenroman - Chaucer - Dante. - Bochum 1937 (Repr. Frankfurt/M. 1963).

G r a b m a n n , Martin: Die Sophismataliteratur des 12. und 13. Jahrhunderts, mit Textausgabe eines Sophismas des Boethius von Dacien. - Münster 1940.

I s e r , Wolfgang: Der implizite Leser. Kommunikationsformen des Romans von Bunyan bis Beckett. - München 1972.

J a u ß , Hans Robert: Literaturgeschichte als Provokation. - Frankfurt/M. 1970 (=edition suhrkamp 418).

J e n s , Walter: Artikel "Rhetorik". In: Reallexikon der deutschen Literaturgeschichte. 2. Aufl. Band III. S. 432 - 456.

K o c h , Josef (Hrsg.): Artes Liberales. Von der antiken Bildung zur Wissenschaft des Mittelalters. - Leiden, Köln 1959.

K ö h l e r , Erich: Scholastische Ästhetik und höfische Dichtung. In: Neophilologus 37 (1952) S. 202 - 207.

K o p p e r s c h m i d t , Josef: Allgemeine Rhetorik. Einführung in die Theorie der Persuasiven Kommunikation. - Stuttgart, Berlin, Köln, Mainz 1973.

K r e w i t t , Ulrich: Metapher und tropische Rede in der Auffassung des Mittelalters. - Ratingen, Kastellaun, Wuppertal 1971.

L a u s b e r g , Heinrich: Handbuch der literarischen Rhetorik. Eine Grundlegung der Literaturwissenschaft. Bd. 1.2. - München 1960.

L e e m a n , A. D.: Orationis Ratio. The Stylistic Theories and Practice of the Roman Orators, Historians, and Philosophers. 2 Vol. - Amsterdam 1963.

L e h m a n n , Paul: Die 'institutio oratoria' des Quintilianus im Mittelalter. In: Philologus 89 (1934) S. 349 - 383.

M a n i t i u s , Karl: Zur Überlieferung des sogenannten Auctor ad Herennium. In: Philologus 100 (1956) S. 62 - 66.

M c K e o n , Richard: Rhetoric in the Middle Ages. In: Speculum 17 (1942) S. 1 - 32.

M u r p h y , James J.: The Arts of Discourse (1050 - 1400). In: Medieaval Studies (Toronto) 23 (1961) S. 194 - 205.

N o r d e n , Eduard: Die antike Kunstprosa. Vom VI. Jahrhundert vor Chr. bis in die Zeit der Renaissance. Band 2. - Darmstadt 1958 (Repr.).

P a e t o w , Louis John: The Arts Course at Medieval Universities with Special Reference to Grammar and Rhetoric. - Urbana 1910 (= The University of Illinois Studies Vol. 3, No. 7).

Q u a d l b a u e r , Franz: Die antike Theorie der genera dicendi im lateinischen Mittelalter. - Wien 1962 (= Sitzungsber. der Österr. Akad. d. Wiss. Phil.-Hist. Kl. 241, 2.).

S a l m o n , Paul: Über den Beitrag des grammatischen Unterrichts zur Poetik des Mittelalters. In: Archiv f. d. Studium der neueren Sprachen und Literaturen Bd. 199, Jg. 114 (1962) S. 65 - 84.

S i n g e r , Horst: Stilistik und Linguistik. In: Festgabe für Friedrich Maurer.- Düsseldorf 1968. S. 69 - 82.

S i n g e r , Samuel: Altertum und Mittelalter. In: Neophilologus 19 (1934) S. 186 - 204.

S t a m m l e r , Wolfgang: Aristoteles und die Septem Artes Liberales im Mittelalter. In: Der Mensch und die Künste. Festschrift für Heinrich Lützeler zum 60. Geburtstage. - Düsseldorf 1962. S. 196 - 214.

W e i n r i c h , Harald: Semantik der kühnen Metapher. In: DVjs 37 (1963) S. 325 - 344.

W e i n r i c h , Harald: Linguistik der Lüge. - Heidelberg 1966.

7.2.4. Zum Sprachdenken des Mittelalters

B r i n k m a n n , Hennig: Die "zweite Sprache" und die Dichtung des Mittelalters. In: Methoden in Wissenschaft und Kunst des Mittelalters (= Miscellanea Medievalia 7). - Berlin 1970. S. 155 - 171.

B r i n k m a n n , Hennig: Die Zeichenhaftigkeit der Sprache, des Schrifttums und der Welt im Mittelalter. In: ZfdPh 93 (1974) S. 1 - 11.

C o l i s h , Marcia L.: The Mirror of Language: A Study in the Medieval Theory of Knowledge. - New Haven, London: Yale University Presse 1968.

C o s e r i u , Eugenio: Die Geschichte der Sprachphilosophie von der Antike bis zur Gegenwart. Eine Übersicht. Teil I: Bis Leibniz. - Stuttgart 1969.

G r a b m a n n , Martin: Die geschichtliche Entwicklung der mittelalterlichen Sprachphilosophie und Sprachlogik. Ein Überblick. In: Mélanges Joseph de Ghellinck II. - Gembloux 1951. S. 421 - 433.

K a i n z , Friedrich: Über die Sprachverführung des Denkens. - Berlin 1972.

K l i n c k , Roswitha: Die lateinische Etymologie des Mittelalters. - München 1970.

O h l y , Friedrich: Vom geistigen Sinn des Wortes im Mittelalter. Darmstadt 1966.

P i n b o r g , Jan: Die Entwicklung der Sprachtheorie im Mittelalter. - Münster 1967.

P i n b o r g , Jan: Logik und Semantik im Mittelalter. - Stuttgart, Bad Cannstatt 1972.

R o o s , H.: Sprachdenken im Mittelalter. In: Classica et Mediaevalia (Revue Danoise de Philologie et d'Histoire) 9 (1948) S. 200 - 215.

S a a r n i o , Uuno: Betrachtungen über die scholastische Lehre der Wörter als Zeichen. In: Aarni Penttilä 5.8.1959 (Jyväskylä 1959). S. 215 - 249.

7.3. Siglenverzeichnis

AfdA	Anzeiger für deutsches Altertum und deutsche Literatur
DVjs	Deutsche Vierteljahrsschrift für Literaturwissenschaft und Geistesgeschichte
GRM	Germanisch-Romanische Monatsschrift
PBB	Paul und Braunes Beiträge zur Geschichte der deutschen Sprache und Literatur
PMLA	Publications of the Modern Language Association
ZfdA	Zeitschrift für deutsches Altertum und deutsche Literatur
ZfdPh	Zeitschrift für deutsche Philologie
ZfrPh	Zeitschrift für romanische Philologie

DEUTSCHE STUDIEN

Herausgegeben von Willi Flemming, Kurt Wagner † und Walter Johannes Schröder

Band

14 Ulrich Böhme
Fassungen bei Ernst Jünger
1972 – X, 159 Seiten – broschiert 33,– DM – ISBN 3-445-00902-3

15 Edda Kühlken
Die Klassiker-Inszenierungen von Gustaf Gründgens
1972 – XII, 239 Seiten – broschiert 47,50 DM – ISBN 3-445-00861-2

16 Renate Schmitt-Fiack
Wise und wisheit bei Eckhart, Tauler, Seuse und Ruusbroec
1972 – VI, 99 Seiten – broschiert 26,50 DM – ISBN 3-445-00931-7

17 Dieter Welz
Selbstsymbolik des alten Goethe
1972 – VI, 88 Seiten, 1 Falttafel – broschiert 22,– DM – ISBN 3-445-00887-6

18 Joerg C. Juretzka
Daniel Casper von Lohenstein: „Cleopatra" – 1661 und 1680
1976 – X, 255 Seiten – broschiert 78,– DM – ISBN 3-445-01392-6

19 Karl-Herbert Blessing
Die Problematik des ‚modernen Epos' im Frühwerk Alfred Döblins
1972 – VI, 252 Seiten – broschiert 29,– DM – ISBN 3-445-00879-5

20 Bernhard Nessler
Die beiden Theatermodelle in Nietzsches „Geburt der Tragödie"
1972 – XII, 88 Seiten – broschiert 19,50 DM – ISBN 3-445-00965-1

21 Jürgen Wilke
Das „Zeitgedicht"
Seine Herkunft und frühe Ausbildung
1974 – XII, 384 Seiten - broschiert 76,– DM – ISBN 3-445-01066-8

22 Michael Sennewald
Hanns Heinz Elwers – Phantastik und Jugendstil
1973 – VIII, 232 Seiten – broschiert 46,50 DM – ISBN 3-445-01022-6

VERLAG ANTON HAIN · 6554 MEISENHEIM

DEUTSCHE STUDIEN

Herausgegeben von Willi Flemming, Kurt Wagner † und Walter Johannes Schröder

Band

23 Eckhard Bernstein
Die erste deutsche Äneis
Untersuchungen zu Thomas Murners Äneis-Übersetzung aus dem Jahre 1515
1974 – VIII, 117 Seiten – broschiert 31,– DM – ISBN 3-445-01108-7

24 Theodor Scheufele
Die theatralische Physiognomie der Dramen Kleists
Untersuchungen zum Problem des Theatralischen im Drama
1975 – XII, 253 Seiten – broschiert 56,– DM – ISBN 3-445-01174-5

25 Rainer Kohlmayer
Ulrich von Etzenbach ‚Wilhelm von Wenden'
Studien zur Tektonik und Thematik einer politischen Legende aus der nachklassischen Zeit des Mittelalters
1974 – VIII, 148 Seiten – broschiert 43,– DM – ISBN 3-445-01172-9

26 Willi Flemming
Einblicke in den deutschen Literaturbarock
1975 – VIII, 233 Seiten – broschiert 56,– DM – ISBN 3-445-01225-3

27 Margaret A. Rose
Die Parodie: Eine Funktion der biblischen Sprache in Heines Lyrik
1976 – XII, 138 Seiten – broschiert 34,– DM – ISBN 3-445-01303-9

28 Erwin Wäsche
Die verrätselte Welt
Ursprung der Parabel – Lessing – Dostojewskij – Kafka
1976 – 85 Seiten – broschiert 22,– DM – ISBN 3-445-01319-5

29 Günther J. Holst
Das Bild des Menschen in den Romanen Karl Immermanns
1976 – VI, 128 Seiten – broschiert 30,– DM – ISBN 3-445-01317-9

30 Dieter Kessler
Untersuchungen zur Konkreten Dichtung
Vorformen – Theorien – Texte
1976 – 418 Seiten – broschiert 56,– DM – ISBN 3-445-01321-7

VERLAG ANTON HAIN · 6554 MEISENHEIM